à Francis,

Fraternellement

Ghislain

DIEU, LE TEMPS ET L'ÊTRE

GHISLAIN LAFONT

DIEU, LE TEMPS ET L'ÊTRE

LES ÉDITIONS DU CERF
29, boulevard Latour-Maubourg, Paris
1986

© *Les Éditions du Cerf*, 1986
ISBN 2-204-02501-1
ISSN 0587-6036

REMERCIEMENTS

La rédaction de ce livre n'aurait pas été possible si le Père Abbé et les frères de ma communauté, l'abbaye Sainte-Marie de la Pierre-qui-vire, ne m'en avaient donné le temps. Je leur en exprime ma gratitude, spécialement aux frères qui ont pris sur eux les services qui m'étaient habituellement confiés. Je les remercie aussi pour le climat de prière et de vie fraternelle qui favorise tellement la méditation et l'écriture théologiques.

Isabelle et Philippe Essig ont accompagné mon travail, depuis le tout premier projet jusqu'à l'ultime rédaction et ne m'ont pas mesuré le secours de leur compétence et de leur amitié. Je leur en exprime ma vive et amicale gratitude.

Pierre Dory et Maurice Gruau, prêtres du diocèse de Sens-Auxerre, m'ont aidé à mettre au point la première partie, philosophie et sciences humaines, de ce livre. Frère Sébastien Sterckx, Petite Sœur Thérèse, et ma sœur, Marie-Claire Piganeau, m'ont fait de nombreuses et utiles suggestions et critiques pour la seconde partie, sur le Mystère pascal. Frère Guillaume de Jerphanion a relu fraternellement tout le manuscrit. Que chacun et tous en soient vivement remerciés.

Ce livre présente la substance de nombreux enseignements et séminaires donnés dans diverses communautés monastiques ou universitaires, en France, en Italie, aux États-Unis. L'accueil, l'intérêt et l'amitié montrés par ces frères et ces étudiants m'ont encouragé à entreprendre et à poursuivre ce travail.

Abbaye Sainte-Marie de la Pierre-qui-vire
Fête de tous les Saints, 1985

G.L.

AVANT-PROPOS

Ce livre est un essai pour poser un jalon de plus, sinon un jalon nouveau, sur le chemin contemporain de la théologie vers la connaissance et la nomination de Dieu. Quand on prend quelque recul par rapport à ce cheminement, on le sent comme animé par deux mouvements plutôt contraires, et non dénués pourtant de certaines convergences. D'un côté, il y a le sentiment très fort que le Dieu de la foi chrétienne s'est révélé comme « Dieu avec nous », de sorte que la connaissance est liée à la convivance : depuis les aurores de l'histoire du salut, dans la vie et le destin privilégiés de Jésus de Nazareth, et aujourd'hui encore dans nos combats, personnels et collectifs, pour l'homme, Dieu s'implique, et il se révèle par cette implication elle-même qui fait de lui le Dieu de l'histoire, de Jésus-Christ, des pauvres : Dieu humble, souffrant et compatissant, désarmé. Aussi bien, pour connaître Dieu, faut-il entrer effectivement dans ce mouvement divin d'humilité et de compassion : le souci des pauvres n'est pas seulement exigence évangélique, il est condition de théologie. L'autre courant actuel de la recherche est animé par une redécouverte de la transcendance, une perception renouvelée de la vérité transmise dans la célèbre prière attribuée à Grégoire de Nazianze : « O Toi, l'au-delà de tout... » Si Dieu est vraiment Dieu, il ne peut être qu'« absous » des relations que nous entretenons avec lui, même si, par un processus de langage dû à notre condition limitée, nous retournons ces relations en les lui attribuant ; il faut être conscient de ce processus pour ne pas se laisser prendre à sa trop grande simplicité et, dans l'interprétation même de la Révélation historique, maintenir le Mystère ineffable au cœur de l'herméneutique. La venue elle-même de Jésus-Christ parmi nous ne brise pas ce « nuage d'inconnaissance » ; elle y introduit au contraire et redouble en quelque sorte l'ineffabilité de Dieu en laissant venir la nuée obscure des mystères de l'Incarnation et de la Trinité ; aussi bien, les noms divins seraient-ils davantage, dans cette perspective, des incitations pour le désir de l'amour que des mots en quoi que ce soit pertinents pour dire Dieu.

J'ai parlé de « convergences » entre ces deux courants de la théologie contemporaine. Il serait peut-être plus juste de dire que l'un et l'autre sont amenés à se situer par rapport à deux notions clefs de l'existence et de la réflexion humaines, la *mort* et l'*être*. Si en effet, Dieu est avec nous, fidèle, souffrant et désarmé, puisque aussi bien nous le sommes, où se révélera-t-il davantage que dans la mort de Jésus-Christ ? On pourrait d'ailleurs dire, inversement, que la mort de Jésus-Christ est l'ultime révélation de Dieu et que c'est elle qui nous conduit à dire Dieu avec d'imprévisibles attributs de pauvreté. La formule : « Dieu est mort » serait, dans cette perspective, tout autre chose qu'un slogan stupide, surtout si on la complétait ainsi : « Dieu est mort en Jésus-Christ » : par là, on suggérerait le mystère même de Dieu, impossible à pressentir, sinon précisément dans sa conjonction avec la mort. Or, par ce biais, une théologie de Dieu-avec-nous rejoint le silence d'une théologie de Dieu-au-delà-de-tout et converge ici avec elle : dans la reconnaissance de « Dieu mort en Jésus-Christ », il y a une mortification (au sens fort du terme) de l'intelligence en quête de nominations divines satisfaisantes pour l'esprit ; pour d'autres raisons, prises de la transcendance et non de l'histoire, la même mortification se retrouve à propos de Dieu transcendant. De plus, si les théologiens attentifs à cette transcendance ne diraient peut-être pas que « Dieu est mort en Jésus-Christ », au sens d'une mystérieuse identification de Dieu avec la mort de cet homme au seuil de notre ère, ils ne refuseraient pas d'admettre éventuellement que, à la mort de l'intelligence totalement démunie devant Dieu, pourrait correspondre non la mort *de* Dieu, mais peut-être la mort *en* Dieu, la Révélation de la Trinité pouvant s'interpréter dans la perspective d'un jeu de la vie et de la mort.

Cette implication de la mort dans la réflexion sur Dieu va de pair, dans les deux courants mentionnés, avec une exclusion de l'être, pour des raisons d'ailleurs opposées. Pour les uns, statique et intemporel, l'être s'opposerait à l'histoire et conduirait à un Dieu séparé, immuable et impassible, un dieu « grec » peut-être, mais non pas « juif » ni « chrétien ». Pour les autres, au contraire, loin de « séparer » abusivement Dieu des hommes en parlant de lui avec le langage de l'être, on falsifie au contraire sa divinité : puisque « être » se dit de toute réalité en ce monde, on suggère quand on l'attribue aussi à Dieu, qu'il n'y a, pourrait-on dire, entre lui et le monde, différence que de degré et non d'essence : ce « dieu qui est » ne serait en réalité qu'une idole.

Ma conviction est que ces deux thèmes de la *mort* et de l'*être* sont effectivement au cœur d'une parole réconciliée sur Dieu. « Dieu à la jonction de la mort et de l'être », tel aurait pu être un titre de ce livre. Mais il y a sans doute lieu de les reprendre un peu autrement. Comme on l'a récemment remis en valeur, le thème de la *mort* n'est pas d'abord spéculatif, mais est lié à une histoire et relève donc du *récit*, surtout s'il s'agit de la mort de Jésus de Nazareth. Cependant, dès l'instant que le récit de cette mort est autre chose que la chronique d'un fait divers, qu'il la présente en lien à une résurrection et dans une double relation avec les hommes et avec Dieu, il comporte des éléments d'interprétation et de vérification dont je voudrais montrer qu'ils ne sont pas effectivement possibles sans une certaine référence à l'*être*. Inversement, si le thème de la transcendance d'un Dieu au-delà de tout semble au premier abord au-delà aussi de la mort, comme insérée dans l'histoire, et de l'être, il faut tout de même, s'il s'agit du Dieu de la foi chrétienne, que ce thème soit modulé de telle manière que les mots, tant de l'Écriture que de ses interprétations traditionnelles, ne soient pas dénués de toute signification ; je voudrais donc montrer aussi que pour établir un lien spécifique entre l'affirmation de Dieu en sa transcendance et le récit du salut, un certain usage *analogique* de la parole *être* vient au secours du langage. Mais, dans les deux cas, évidemment, il ne s'agit sans doute pas du même « être » que celui écarté, pour des raisons opposées, par les deux courants mentionnés.

Ces remarques introduisent à ce qui forme l'essentiel de ce livre (2e et 3e parties) et se trouve consacré à ce qu'on pourrait intituler : « Dieu selon le récit » et « Dieu selon l'analogie », étant entendu que le récit comme tel, simplement pour être raconté, a quelque besoin de l'analogie, et que, réciproquement, l'analogie n'est pas un processus fermé sur soi mais rend possible la médiation théologique entre Dieu et l'histoire du salut. On traitera donc d'abord du *Mystère pascal* de Jésus, communiqué dans le récit fondateur apostolique et manifesté comme origine et fin du temps. L'analyse découvrira les valeurs d'*alliance* et de *filiation* comme gouvernant le développement du temps, selon un rythme défini par l'économie de la *Parole de Dieu* s'adressant à l'homme sur fond de *création* et appelant une réponse. Cette référence à la création, soit du monde soit de l'homme, entraînera ensuite la réflexion sur une possible *sagesse* à ce niveau, en vue de fonder une possibilité, même minime, de dire la *divinité de Dieu*.

Ces deux développements portant l'un plutôt sur la mort et le récit, l'autre sur l'être et l'analogie ne répondent pas uniquement à des problèmes internes à la théologie. Ils sont aussi requis par certains courants de la culture contemporaine où la question de la mort et du temps et la question de l'être réapparaissent au premier plan, soit explicitement soit de manière plus enveloppée. C'est sans doute à l'étude de ces courants autant qu'à l'étude des problèmes théologiques en eux-mêmes, que s'est formée la problématique de cet ouvrage et qu'ont été reprises certaines catégories du discours. J'ai donc consacré une 1ʳᵉ partie à définir un certain champ culturel aux divers niveaux d'une histoire de l'évolution, des sociologies de la révolution, de la critique de la métaphysique et des efforts de l'imaginaire. Il est d'ailleurs possible que le champ ainsi défini soit quelque peu artificiel : disons que j'ai retenu des auteurs dont la réflexion me semble poser avec urgence la double question du temps et de l'être et peut aider à penser celui qui à ces deux mots « temps » et « être » voudrait relier la réalité et le nom de « Dieu ».

Il restera à conclure en disant si et comment « Dieu, temps et être », interprétés dans une perspective comme celle que j'aurai tenté d'élaborer, gardent l'histoire ouverte et définissent les chemins d'une éthique.

*
* *

Ce livre se présente comme le second volume d'un ouvrage publié voici plus de quinze ans [1]. Cette référence est là d'abord pour marquer la continuité d'une recherche, car il était bien question, là comme ici, de la relation entre Dieu et l'histoire du salut et de la manière de la dire, au niveau de Dieu, des hommes, de Jésus-Christ ; et j'avais indiqué assez succinctement, dans le dernier chapitre, des orientations qui sont reprises ici. Mais je me réfère aussi à ce livre, car il était davantage écrit dans la perspective

---

[1]. *Peut-on connaître Dieu en Jésus-Christ ?* Paris, Cerf, « Cogitatio Fidei » n° 44, 1970. Les références à ce précédent volume seront sous le sigle *PCDJ*.

des auteurs de la Tradition chrétienne que dans celle des recherches de la culture ; il donnait, à ce niveau, des indications que je ne reprends pas ici, mais qui peuvent illustrer ce que je présente maintenant et réciproquement en recevoir un certain éclairage. Enfin, pour ne pas allonger indûment le présent volume, je n'ai pas repris en détail les questions de la nomination divine théologique : portée des noms divins, « trinitaires » et « essentiels », lieux et moyens de la réflexion sur l'Incarnation ; ce que j'ai écrit alors pourrait être conçu comme un complément nécessaire à la fin de la seconde et de la troisième partie de ce livre. Pour toutes ces raisons, je crois que ce livre peut et doit se présenter en continuité avec le précédent.

LE TEMPS PERDU
ET
L'ÊTRE INTROUVABLE

Dans cette première partie, il s'agira donc de dessiner un paysage culturel sur le fond duquel puisse se développer de manière sensée la présente réflexion sur temps et être dans la foi chrétienne.

Parler de « fond » équivaut à dire que la démarche théologique cherche à rendre raison de la foi chrétienne à une certaine culture, ce qui suppose un double et apparemment contraire mouvement de communication et d'opposition. De communication, dans la mesure où le paysage culturel en question est celui que voit et où peut-être évolue le théologien : il l'étudie et le réinterprète en quelque sorte pour lui-même ; il se découvre en quelque manière chez soi dans ce paysage et en affinité avec les éléments, conceptuels et symboliques, qui le constituent, au point que tout ou partie de ces éléments puisse entrer à titre d'instrument dans l'élaboration théologique elle-même. D'opposition, dans la mesure où la Tradition chrétienne dont il veut rendre compte conteste nécessairement certains aspects de ce paysage : tout d'abord, quand bien même ce paysage culturel serait parfaitement juste et équilibré à son niveau, la Révélation lui offrirait une transfiguration — ce qui ne peut se faire que moyennant l'étape d'une contestation de ses limites ; de plus, dans la mesure où ce paysage comporte des zones d'ombre, voire de réelle obscurité, la réflexion chrétienne est conduite à indiquer et surmonter des impasses, à rétablir des perspectives oubliées, à réouvrir des concepts clos et à effacer des images qui occultent le réel. Notons d'ailleurs que cette contestation de la culture par la foi n'est pas toujours ni même le plus souvent immédiate : par la lumière qu'il répand, le donné révélé conduit à découvrir et à rectifier certains gauchissements de la culture sur son propre plan, de sorte que la beauté elle-même du paysage devrait être remise en lumière, tandis qu'elle serait transfigurée par l'illumination de la foi.

Ces propos très généraux devraient permettre une présentation plus précise de cette partie.

1. Il ne s'agit pas de dessiner *le* paysage culturel contemporain : aujourd'hui comme toujours la culture est traversée de courants divers et souvent antagonistes, dont je ne prétends pas donner la

synthèse et par rapport auxquels je ne me propose pas de situer ma réflexion théologique. Il s'agit tout au plus de dessiner *un* paysage donné, à l'aide de diverses investigations chez des auteurs connus dont la recherche a certainement pénétré des couches profondes de la mentalité contemporaine, mais qui n'en épuisent pas les ressources.

2. Le choix des auteurs et la manière de les présenter, l'ordre même de l'agencement, tout cela n'est pas sans signification et constitue déjà de ma part une interprétation de cet aspect de la culture que j'ai retenu, sa construction en une « figure ». Qu'il me soit permis de dire ici, à ce propos, qu'il n'y a pas eu *choix*, si on entend par ce mot une délibération intellectuelle calculée : tous ceux qui ont quelque expérience de la rédaction d'un livre savent que, parmi les matériaux disponibles et les recherches faites, certains viennent comme d'eux-mêmes s'inscrire dans un projet tandis que d'autres, dont l'intérêt n'est pas contestable, résistent pourtant à leur intégration, et cela pour des raisons qu'il n'est pas toujours facile de discerner. Pour préserver cependant, dans cette construction interprétative, l'objectivité de la référence, j'ai procédé à des exposés précis et ai indiqué seulement ensuite les interrogations et les critiques possibles.

3. Les auteurs retenus l'ont finalement été, à cause des intérêts (en un sens quasi juridique du terme) qu'ils défendent, intérêts qui me semblent devoir être représentés dans une recherche théologique contemporaine ; ainsi par exemple : le sens des enracinements biologiques et donc de la valeur centrale du *corps* en toute vision de l'homme, également dans la réflexion théologique ; corrélativement, la nécessité de prendre en compte les fondements économiques et sociologiques de l'histoire humaine de sorte que la réflexion, même dogmatique, ouvre sur une *éthique*, aussi bien sociale et historique que personnelle ; le lien étroit entre cette problématique concrète et une pensée de l'*être*, dans l'idée que toute histoire, physique, culture, appelle inéluctablement méta-histoire, métaphysique, méta-culture, et qu'il importe de préciser autant qu'il est possible le lieu de ce « méta » ; la signification capitale de la *symbolique*, au sens le plus général du terme, et donc la nécessité de trouver des lieux d'articulation entre sciences humaines, métaphysique, *rituels* et *littérature*.

4. Un tel paysage culturel comporte des principes, des notions, des images qu'il organise selon diverses méthodes, le tout pouvant relever d'une discussion menée au niveau épistémologique propre

de ces éléments ; j'essaierai d'esquisser ce type de critique. Mais on ne peut passer sous silence dans l'appréciation le fait que cette culture est *post-* et souvent *anti-chrétienne* : il lui arrive de rejeter des éléments attribués au christianisme, d'en reprendre, consciemment ou non, quelques autres, mais en les subvertissant, de se situer enfin dans des perspectives universelles qui appellent une confrontation autre que purement philosophique. J'ai essayé de me situer aussi à ce niveau totalisant et c'est là que j'ai repéré ce que j'appelle une « attitude gnostique » ; j'indique ce point dès maintenant, car il permet de saisir la nature réelle du dialogue développé ici : les données culturelles recueillies et exposées dans cette partie ont joué en fait un rôle réel dans l'interprétation du donné chrétien, en termes de récit et d'analogie, que je développe dans la seconde partie de ce livre, mais au prix d'un effort continu pour les réinterpréter dans une ambiance qui ne soit pas « gnostique », mais reconnaisse le Dieu personnel qui s'est manifesté en Jésus-Christ. Paradoxalement, c'est cette confession du Dieu vivant qui s'avère donner lieu et efficacité aux « intérêts » défendus par la culture.*

---

* Qu'il me soit permis de préciser que, si un lecteur ne se sent pas intéressé par les développements de cette partie, relative aux sciences humaines et à la philosophie, ou s'il est rebuté par ma présentation ou, éventuellement, par la difficulté de certains passages, il pourra sans dommage commencer le livre avec la 2e partie : celle-ci présente une intelligibilité théologique propre qui ne requiert pas nécessairement l'étude de la 1re partie. Celle-ci peut d'ailleurs devenir plus intelligible et plus intéressante, lue ou relue à la lumière de la théologie présentée au cœur de l'ouvrage.

CHAPITRE PREMIER

ÉPUISEMENT DE L'ÉVOLUTION ?

Le titre de ce chapitre résume ce qui ressort de la lecture et de la méditation d'un livre fondamental d'André Leroi-Gourhan qui, à partir de connaissances très sûres du donné paléontologique et de l'archéologie préhistorique, tente, moyennant le recours à des données de civilisation plus récentes, d'écrire une histoire globale de l'humanité jusqu'à notre présent [1]. Je m'arrête à ce livre, tout de rigueur dans les domaines qui relèvent de la compétence propre de l'auteur, et de sobriété dans les présentations, hypothèses et extrapolations nécessaires à la composition de l'ensemble, parce qu'il semble déboucher sur de grandes perplexités, quand il s'agit de reconnaître un sens à cette histoire et de conjecturer un avenir pour l'homme. Tant le relevé du parcours que l'incertitude des conclusions sont ici significatifs et méritent qu'on s'y arrête.

Au début en effet de son livre, Leroi-Gourhan prend acte du puissant besoin qui porte l'homme à se retourner vers son passé pour ressaisir, si possible, le mystère de ses origines. Il discerne dans l'intérêt toujours renaissant de l'homme pour la préhistoire (qu'on l'envisage, selon les cultures, de façon « scientifique » ou « mythique »), « un besoin profond de confirmation de l'intégration spatio-temporelle de l'homme » [2], autrement dit une certaine assurance qui permette de vivre le présent et d'envisager le futur. La préhistoire ne se laisse ressaisir qu'en perspective herméneutique : « L'analyse des sources est peut-être plus lucide et certainement plus pleine si l'on cherche non pas seulement à voir d'où vient l'homme, mais aussi où il est et où il va peut-être... Je

---

1. *Le Geste et la Parole*, Paris, 1965. I. *Technique et Langage* ; II. *La Mémoire et les Rythmes*.
2. I, 10.

pense que, sous-tendue par une métaphysique religieuse ou une dialectique matérialiste, la préhistoire n'a pas d'autre signification réelle que de situer l'homme futur dans son présent et dans son passé le plus lointain [3]. » *Mais y a-t-il un homme futur ?* c'est ce que le livre en définitive semble ne pas savoir.

Leroi-Gourhan montre en effet que la révolution industrielle du XIXᵉ siècle a initié un processus de transformation sociale, sans commune mesure avec ceux qui ont précédé, et pourtant en continuité avec eux. Ce processus s'achemine aujourd'hui vers un terme, dont nous ne sommes peut-être pas très éloignés, et où paradoxalement l'*homo sapiens* serait amené soit à disparaître, comme n'importe quelle espèce zoologique arrivée au maximum de ses potentialités [4], soit à se transformer en cellule fonctionnelle d'une société entièrement programmée, retrouvant ainsi, au terme d'une évolution que l'on croyait centrée sur l'homme, un statut comparable à celui de l'abeille ou de la fourmi [5]. A moins que cet *homo sapiens* ne réussisse à trouver une parade (mais laquelle ?) à ce mouvement quasi nécessaire d'auto-négation, fruit étrange de la mise en œuvre d'une « sagesse » qui faisait partie de sa définition.

Pour comprendre ce qui autorise cette perspective, il faut prendre en considération les deux principes méthodologiques qui gouvernent les développements dans *Le Geste et la Parole*, et suivre Leroi-Gourhan dans sa conception du « corps extériorisé » de l'homme.

Le principe zoologique et le principe symbolique

Les deux principes en question ne sont jamais nommés comme tels, mais ils travaillent tout au long de l'œuvre. A la vérité, ils n'en forment peut-être qu'un : ils consistent, d'une part, à ne jamais perdre de vue l'enracinement de l'homme dans son histoire zoologique, d'autre part et simultanément, à le poser dès le départ comme un être capable de symboliser.

L'unité de ces deux principes vient d'une investigation très fine

---

3. *Ibid.*
4. « S'il s'agissait d'un mammifère quelconque, le pronostic n'aurait aucune raison de ne pas être catégoriquement pessimiste » (I, 184).
5. Cf. II, 14, 186, 201.

du sens de l'évolution : l'analyse soigneuse du donné disponible en matière de paléontologie conduit à poser que le meilleur modèle d'interprétation est celui qui, dans l'analyse de l'évolution, privilégie non pas la croissance du cerveau mais les conditions mécaniques du développement : « Les formes pertinentes sont celles qui, à chaque instant du déroulement, offrent le meilleur équilibre, du triple point de vue de la nutrition, de la locomotion et des organes de relation, dans la mobilité et la vivacité[6]. » A cet égard, la dérive de l'évolution serait celle du *relèvement* progressif du vivant, depuis le poisson entièrement horizontal et porté par le milieu liquide, jusqu'à l'homme, debout sur la terre où il se tient par ses seules jambes, ses mains étant libres pour autre chose que la locomotion, et sa tête mobile pouvant regarder dans toutes les directions. Même si le développement du volume crânien (et celui, contemporain, du cerveau et du système nerveux) est, lui aussi, décisif, « il est certainement, sur le plan de l'évolution stricte, corrélatif de la station verticale et non pas, comme on l'a cru longtemps, primordial »[7]. Ainsi l'homme « commence par les jambes ». Ce principe zoologique du véritable commencement[8] présente un avantage singulier : il conduit à toujours penser l'homme intégralement, c'est-à-dire à ne jamais faire l'économie de ce qui, à tous les niveaux de son être individuel et social, est zoologique ou zoologiquement fondé. Il y a aussi un inconvénient ou une tentation : ne pas toujours donner à l'homme tout ce qui lui revient, en fait de « spiritualité » ou d'incorporel. Mais ici intervient l'autre principe, strictement corrélatif du précédent, le principe symbolique : la station debout, en effet, confère à l'homme la *distance* par rapport au sol ; de ce fait, l'homme perd une certaine immédiateté par rapport aux fonctions primaires, comme la nutrition. La capacité de symboliser qui suppose distance et relation est intrinsèquement liée à la station debout ; elle va se manifester immédiatement par la fabrication d'outils, mais une analyse plus fine montre que l'ensemble des éléments d'un comportement symbolique se trouvent présents dès l'origine. Dans un premier temps, Leroi-Gourhan écrit : « Station debout, face courte, main libre pendant la locomotion et possession d'outils

---

6. I, 41. Discussion générale de la problématique selon laquelle envisager l'évolution : I, 85-89.

7. I, 33 ; cf. 119.

8. I, 207.

amovibles sont vraiment les critères fondamentaux de l'humanité »[9], mais peu à peu, il nomme aussi le langage, une certaine graphie, des comportements ethniques, des perceptions esthétiques et des réactions religieuses [10]. Les formes et les degrés de perfectionnement de ces divers secteurs évoluent, mais le principe est qu'ils sont présents dès l'origine : dès le commencement l'homme a été homme [11]. Si, dans une première et très longue période, les comportements symboliques paléanthropiens sont restés rudimentaires, comme des sortes d'excroissances de leur être physiologique [12], ils ont connu ensuite un développement exponentiel mais toujours enraciné dans leur appartenance zoologique [13].

Le « corps extériorisé »

A partir de là, nous pouvons comprendre le thème du « corps extériorisé » [14]. A un tout premier niveau, l'outil est comme « exsudé » [15] par le corps et semble, précisément, « faire corps avec le squelette », mais au fur et à mesure que se développe la capacité symbolique, les outils prennent plus de distance ; l'agilité et la force de l'homme trouvent en eux des relais et des multiplicateurs dans leur relation à la matière : leur dépendance par rapport à l'homme qui les manie et les utilise ne va pas sans quelque autonomie par rapport à ce même homme, autonomie dont la notion et la pratique de l'apprentissage sont le signe. Tant que la relation reste relativement proche entre l'homme et son

---

9. I, 33 ; cf. 166.

10. Sur la paléontologie du langage, cf. I, 127 et II, 211 ; des formes de la vie sociale, I, 222 ; des « témoins d'une intelligence non strictement technique » I, 150 s. ; II, 211. Le principe de la solidarité étroite entre technique, langage et esthétique est posé, II, 88.

11. Leroi-Gourhan se rencontrerait donc avec LÉVI-STRAUSS (« Introduction à l'œuvre de Marcel Mauss », dans Marcel MAUSS, *Sociologie et Anthropologie*, Paris, 1950, p. XLVII) et BENVENISTE (*Problèmes de Linguistique générale*, I, Paris, 1966, p. 27) sur le caractère primitif et immédiat de la faculté de symboliser et donc du langage. Cf. aussi, Julia KRISTEVA, *Le Langage, cet inconnu*, Paris, 1981, p. 51 s.

12. I, 140 et 151.

13. I, 152.

14. II, 79.

15. Cf. note 12.

outil, c'est-à-dire tant que son propre corps est effectivement investi dans le travail, on demeure dans l'espace de l'*homo sapiens*, et cet équilibre homme/outil n'est qu'un secteur parmi tous les autres de l'existence humaine : pour faire des progrès correspondants, le langage (je parle ici en termes de matériel linguistique), l'écriture, les formes esthétiques et religieuses ainsi que la configuration sociale n'en demeurent pas moins à l'intérieur d'une figure d'ensemble à mesure humaine.

Cet équilibre homme/outil/civilisation dure des millénaires depuis l'itinérance relative du groupe primitif, la sédentarité et l'organisation de l'espace des agriculteurs, l'apparition des arts du feu puis de la métallurgie qui donnent naissance à la civilisation urbaine [16]. Au long, cependant, de ce processus multi-millénaire, la distance s'accuse de plus en plus entre le corps de l'homme, les choses et les autres, tandis que le « corps extériorisé » d'outils, de techniques et de comportement croît et s'autonomise. Tant que demeurent des espaces non domestiqués et, du côté de l'homme, des impossibilités d'aller plus avant dans le travail, la relation de l'homme à son « corps extériorisé » demeure, à cause précisément de cette marge d'indétermination qui subsiste. Mais si on parvenait, en quelque sorte, à remplir toutes les cases disponibles et à saturer les capacités ?

Or il semblerait que ce moment de saturation, par l'activité socio-technique de l'*homo sapiens* lui-même, ne soit plus totalement en dehors de nos perspectives. Un tournant considérable s'est en effet manifesté vers la fin du XVIIIᵉ et le début du XIXᵉ siècle : l'envol exponentiel de la technique semble avoir rompu à partir de ce moment l'équilibre indétermination foncière/détermination technico-sociale qui caractérisait jusque-là l'*homo sapiens*, quoi qu'il en soit des énormes différences que sa figure a pu présenter au long des millénaires de son histoire. Le dispositif de la cité ne change guère entre l'Antiquité et la fin du XVIIIᵉ siècle, il éclate au XIXᵉ siècle [17] ; la révolution industrielle qui

---

16. Je regrette de résumer en quatre lignes les développements d'histoire de la civilisation qui couvrent une bonne partie des deux volumes, mais leur détail n'importe pas à mon propos. Je note seulement la différence entre la première étape (des paléanthropes à l'*homo sapiens*) et les suivantes. La première présente encore un aspect physique, spécialement au niveau de la face humaine : « déverrouillage frontal » (I, 182, 184-187) ; les suivantes se situent exclusivement au plan de la civilisation, comme si l'histoire de celle-ci continuait celle de l'évolution des formes anatomiques.

17. I, 253.

se passe à cette ultime époque est la seule transformation majeure qui se soit produite en cinq millénaires [18] ; utilisant une image suggestive, Leroi-Gourhan écrit : « un observateur qui ne serait pas humain, et qui resterait extérieur aux explications auxquelles l'histoire et la philosophie nous ont accoutumés, séparerait l'homme du xviiie siècle et celui du xxe comme nous séparons le lion du tigre ou le loup du chien » [19] ; on pourrait même, en se plaçant au niveau technique, affirmer une certaine continuité des chaînes opératoires entre le pithécanthrope et le menuisier du début de xixe siècle, mais la continuité cède à ce moment-là [20]. Ce qui s'est produit alors, c'est le passage d'un monde, qui durait depuis le premier cultivateur, à un monde différent, d'abord au niveau technique, mais ensuite dans l'ensemble des formes culturelles [21].

De quoi s'agit-il exactement ? Du fait que l'homme est devenu apte à parachever la construction du « corps extériorisé » dont nous avons parlé [22] : non seulement il a produit l'outil qui, mû par le geste, peut démultiplier la force, mais il a dégagé la main de toute motricité directe ou indirecte, confiant à des machines de plus en plus automatiques et distantes de lui, le soin de faire le travail [23]. Parallèlement, il s'est rendu capable d'extérioriser sa capacité symbolisatrice et de donner à des machines programmatiques la capacité de faire des quantités d'opérations dont son cerveau laissé à lui seul n'était pas capable [24]. Cette double extériorisation de la main et du cerveau laisse entrevoir des conséquences dont certaines sont déjà à l'œuvre et dont les autres apparaissent inévitables. On pourrait les résumer en disant que le « corps extériorisé », fruit de la sagesse de l'*homo sapiens*, se subordonne celui-là même qui l'a fait. Il exige tout d'abord des contrôles constants, au moins pour le moment, de sorte que, au moment même où l'homme se croyait maître, il devient serviteur d'un ensemble hautement technicisé dont il n'est plus qu'une cellule organique, dépersonnalisée en un sens [25]. Par ailleurs et

---

18. I, 255.
19. II, 50.
20. II, 60.
21. II, 255.
22. II, 79 ; cf. I, 207 et 237.
23. II, 48 s.
24. II, 75.
25. Cf. note 5.

simultanément, ce corps extériorisé de machines et de programmes
détermine progressivement une certaine figure du corps social. La
société se planétarise, ce qui signifie que l'intégration spatio-
temporelle de l'homme tend à s'unifier moyennant une mensura-
tion unifiée, qui ne tient plus aucun compte des conditions de
géographie humaine et physique de tel ou tel espace-temps
particulier ; cela signifie aussi que l'importance des distinctions
ethniques va en s'effaçant tandis qu'un modèle humain universel
et unisexe tend à s'imposer partout ; les écarts qui subsistent encore
s'effacent progressivement devant un type d'homme *low middle
class*, parlant sous toutes les latitudes un anglais appauvri, faisant
les mêmes opérations industrielles, regardant à la télévision les
mêmes programmes qui orchestrent un petit nombre d'archétypes
remontant à la nuit des temps, feuilletant les mêmes bandes
dessinées, car il ne lit plus et sait de moins en moins écrire [26]. On
peut alors se demander sérieusement si la liberté créatrice et le
rapport dynamique entre l'homme et les sociétés diversifiées
n'auront pas seulement été un moment de l'évolution, qui
disparaîtra [27]. Ne voit-on pas, dès maintenant, que la créativité est
l'apanage d'une minorité, et bientôt peut-être celle-ci devra être
sélectionnée et mise dans des conditions spéciales, pour remplir ce
qui ne sera plus qu'une fonction nécessaire et non un art [28]. Sur
le plan enfin du corps lui-même de l'homme, nous ne savons pas
ce qu'il en adviendra ; Leroi-Gourhan envisage comme possible
« une humanité anodonte et qui vivrait couchée en utilisant ce qui
lui resterait de membres antérieurs pour appuyer sur des
boutons » [29]. D'ailleurs l'homme individuel ne sera sans doute
pas indéfiniment nécessaire, et peut-être la société de demain (mais
d'un demain tout proche) sera-t-elle une transposition de la société
des insectes, elle aussi extrêmement complexe et définie par des
séries articulées de programmes, jusqu'au moment de la « victoire

---

26. II, p. 252-254 sur la signification d'un retour au non-figuratif et de
l'apparition de la musique concrète ; sur la lecture et l'écriture, 259-260 ; sur les
mass-médias et la ration nécessaire d'évasion, 265-266.

27. Ce « tissu de relation entre l'individu et le groupe » (II, 80) avec la marge
de création individuelle en relation avec les formules fonctionnelles (cf. p. 91)
constitue ce que L.-G. appelle le « comportement esthétique », générateur de toute
la symbolique sociale.

28. Sur le « créateur de fictions sociales sélectionné » cf. II, 204, et l'ensemble
du paragraphe « Esthétique sociale et vie figurée », 201-205.

29. I, 183.

totale, la dernière poche de pétrole étant vidée pour cuire la dernière poignée d'herbe mangée avec le dernier rat » [30].

Quelle issue ?

En résumé, « libéré de ses outils, de ses gestes, de ses muscles, de la programmation de ses actes, de sa mémoire, libéré de son imagination par la perfection des moyens télédiffusés, libéré du monde animal, végétal, du vent, du froid, des microbes, de l'inconnu des montagnes et des mers, l'*homo sapiens* de la zoologie est probablement près de la fin de sa carrière » [31]. Si toutefois, il arrivait, à l'échelle planétaire où il se trouve, à prendre conscience de cette imminence de sa fin et à manifester la volonté de demeurer *sapiens*, que faudrait-il ? Après avoir reconnu qu'il serait « contre nature » de ne pas faire confiance à l'homme, mais que « l'imagination s'oriente avec difficulté », la dernière page du livre propose un programme en trois points : « Repenser complètement le problème des rapports de l'individuel au social ; envisager concrètement la question de sa [32] densité numérique, de ses rapports avec le monde animal et végétal ; cesser de mimer le comportement d'une culture microbienne, pour considérer la gestion du globe comme autre chose qu'un jeu de hasard [33]. »

Ce programme est certes sensé ; on peut seulement se demander pourquoi notre génération ou celles qui suivront l'adopteraient ; en effet, à lire Leroi-Gourhan, il ne semble pas que les générations qui ont précédé aient jamais mis un tel programme au premier plan de leurs préoccupations. D'où leur viendrait alors cette « conversion » ? En effet, à reprendre l'examen des périodes qui ont précédé celle de l'éclatement exponentiel de la civilisation, à méditer le phénomène de planétarisation qui a détruit les ethnies et réduit les individus à un modèle quasi unique, on croit voir que, si l'homme, récemment encore, était *sapiens*, c'est peut-être simplement parce qu'il n'avait pas encore eu le temps d'être autrement et que le « corps extériorisé » socio-économique n'était pas encore totalement achevé. D'elle-même en effet, la description

30. I, 260.
31. II, 266.
32. « Sa » se rapporte à l'homme.
33. II, 267.

de l'histoire de la civilisation comme passage de certaines étapes techno-socio-économiques (comme l'avènement de l'agriculture ou celui de la grande industrie) ne dit rien du *moteur* qui a permis de passer de l'une à l'autre ; mais il ressort de diverses notations éparses dans l'œuvre de Leroi-Gourhan, que ce moteur est double et que sa puissance a des racines d'abord zoologiques. Comme tout animal, l'homme est habité par des comportements d'agression et des comportements de séduction : la guerre et l'amour sont les moteurs de l'histoire humaine comme ils sont les forces qui animent la vie des espèces [34]. Originellement, l'agression est liée à l'acquisition et celle-ci à la satisfaction de besoins primaires. Une perception de l'espace, par exemple, est celle qui oppose le refuge, quel qu'il soit (la demeure), et le territoire vers lequel on sort pour y prendre ou y chasser de la nourriture : l'espace de prédation, et donc de mort [35]. Ou bien, en économie agricole, le refuge est devenu grenier : on s'arme alors pour éviter que ce grenier ne devienne la proie des animaux ou des humains. La guerre contre les animaux, à fin de nourriture, devient vite guerre entre humains, pour l'appropriation de la nourriture, mais aussi et de plus en plus pour la domination des techniques, voire l'asservissement des hommes qui feront le travail tandis que les guerriers se consacreront toujours plus à l'attaque et à la défense. Et la guerre elle-même devient un motif majeur du progrès technique, par les inventions qu'elle suscite pour s'assurer la domination [36]... Pour que le programme proposé plus haut puisse recevoir un commencement de réalisation, ne faudrait-il pas que les hommes, sinon cessent de faire la guerre, du moins diminuent leur potentiel d'agressivité [37] ? Mais comment cela est-il effectivement possible ? S'y oppose non seulement le fait que l'homme domine mal, sinon pas du tout, le système social extériorisé dans lequel il s'est installé, mais aussi le fait que l'agressivité est finalement un autre nom de la force de vie : si l'homme renonce à acquérir et donc à combattre, pour quoi vivra-t-il ? Peut-on vraiment soustraire à l'animal humain cette dynamique, sans, d'une autre manière que par le développement technique mais tout aussi sûrement, le tuer ou le conduire à l'extinction ? S'y oppose encore le fait (si on

---

34. II, 189 et 197.
35. II, 179.
36. I, 236-237.
37. I, 258.

considère maintenant l'économie interne d'une civilisation donnée) que chaque conquête technique donne lieu à des formes sociales qui en découlent comme naturellement ; l'idée même de « hiérarchie » et donc de relations de pouvoir est liée à une société dont les racines plongent dans la relation de l'homme à l'agriculture ; or cette société est encore la nôtre, et, tant que nous nous nourrirons des produits du sol, elle le demeurera [38]... Ainsi, l'Histoire ne serait que le développement, dans une société douée du pouvoir de symboliser, d'un radical comportement d'agression, transformé certes par la technique et le langage, mais ne perdant jamais ses racines et sa logique immanente. Leroi-Gourhan voudrait rendre justice aux analyses menées depuis Marx pour analyser, en termes de matérialisme dialectique, la succession des modes de production, mais il remarque avec finesse que l'introduction des catégories de « justice » et d'« injustice » ne simplifie pas l'analyse, s'il s'agit d'« un problème d'origine strictement organique » [39]. Et, de fait, à la lecture de certains classiques de la question, on se demande toujours si le processus d'oppression lié aux modes de production est *inéluctable* ou *coupable*, le mélange des vocabulaires appelant tout au moins quelques éclaircissements ultérieurs.

Tel est donc le programme ; telle semble être, raisonnablement, notre impuissance à commencer même à le mettre en pratique. Ici ou là, Leroi-Gourhan mentionne une autre issue, mais qui n'en est pas une au niveau de la civilisation globale : cette issue aura au moins valeur de signe et nous permettra peut-être une reprise de la question en général. C'est ce qu'il appelle la « désinsertion cosmique », faisant ici allusion aux procédés et à la mentalité de *rupture* qui habitent quelques hommes, mus par une autre mystique, et cherchant une autre relation avec l'espace-temps et avec les hommes. « Comme il vit à *contre-temps* en jeûnant et en veillant, comme il vit à *contre-espace*, au désert, en cellule ou dans la poussière des carrefours, l'ascète vit à *contre-insignes* par rapport au code d'appartenance à l'humanité socialement organisée [40] ». Au lieu d'entrer dans la régularisation et la systématisation du temps en vue d'une efficacité techno-économique, on multiplie les ruptures par rapport aux rythmes,

---

38. I, 243.
39. I, 238 et 257.
40. II, 194.

soit naturels (jeûne, inversion du jour et de la nuit), soit sociaux :
« L'individu qui prétend retrouver son équilibre spirituel n'a, dans
toutes les civilisations et depuis des siècles, d'autre issue que vers
le monastère et, au-delà, vers les cavernes et le désert, aboutissant
comme Siméon le Stylite ou le Boddhidharma au double refus du
temps et de l'espace dans l'immobilité contemplative »[41]. Ce
refus représente d'ailleurs le désir et parfois la réalité d'une *autre*
maîtrise du monde et de soi-même. Mais cette solution ascétique,
si haute soit-elle, peut-elle apporter quelque chose à l'humanité
planétarisée ?

Résumons : dans l'évolution des espèces vivantes, l'homme
représente un seuil, dans la mesure où il est le premier mammifère
à tenir parfaitement debout. Cette station debout libère en lui la
technique et la parole ; l'évolution, qui ne semblait guère pouvoir
aller plus loin que l'homme debout sur le plan anatomique,
reprend sur le plan social : mû par les forces primaires, de
séduction et d'agressivité, qui lui viennent de son animalité
profonde, l'homme construit un monde auquel progressivement et
sans s'en rendre compte il s'aliène (à moins que cette construction
ne soit son destin, et en ce cas on ne peut parler d'aliénation) : il
produit le corps extériorisé d'une technique de plus en plus
indépendante, et s'organise collectivement en un corps planétaire
au service de ce corps extériorisé. S'agit-il alors de la fin de l'*homo
sapiens* ? Ou alors, fallait-il, à tel ou tel moment du parcours,
mettre à mort, au moins en partie (mais selon quel critère ?), les
forces primaires d'agression et de séduction qui donnaient au
parcours sa dynamique ? Mais à quelle fin cet éventuel
« sacrifice » ? Faut-il que l'alternative à l'extériorisation et à la
planétarisation de l'homme soit la condition de l'ascète ? Le sens
ultime du monde est-il un non-monde ou un au-delà du monde
réservé à un petit nombre qui savent mourir ? Telles sont, sans
doute, les questions sur lesquelles nous laisse Leroi-Gourhan.

Il est certainement trop tôt pour essayer d'y répondre. D'ailleurs
la fin poursuivie dans cet exposé de la pensée de Leroi-Gourhan,
comme de celles qui suivront, n'est pas d'instaurer une discussion
proprement dite, mais plutôt de mettre en valeur certains éléments
du paysage culturel contemporain et de recueillir des suggestions
pour un discernement parmi eux. L'élément à retenir ici est ce que

---

41. II, 147, cf. 101 et 107.

j'ai appelé le « principe zoologique » selon lequel la figure de l'homme et le dessin de son histoire ne peuvent être reconnus en vérité tant que n'est pas avouée et prise en compte l'appartenance humaine au règne animal avec, je ne dis pas les contraintes puisque c'est un donné, mais les conditions ou le conditionnement que cela implique. L'interrogation porterait sur le fait de savoir si, quelles que soient ses intentions, Leroi-Gourhan donne toute sa portée au « principe symbolique » dans l'appréciation de cette même figure humaine et de son histoire. Jusqu'à un certain stade, l'outil est peut-être « exsudé », mais ensuite ? Qu'est-ce qui, dès le début, distingue l'agressivité humaine de l'animal, l'amour humain de l'amour des bêtes, et comment cet élément distinctif a-t-il joué, conjointement à l'élément animal, dans les progrès de l'outillage, de l'urbanisation, mais aussi de la culture, de l'art, voire de la religion ? Enfin, le geste de retrait des « ascètes » ne devrait-il pas être lu comme nous indiquant la nécessaire présence d'une dimension de « retrait », peut-être de « mort », dans la vie de ceux-là mêmes qui ne se retirent pas ? Y a-t-il agressivité et amour sinon à l'horizon de la mort, et de toute la symbolique que la présence de celle-ci entraîne dans l'existence humaine et collective ? En somme, si le *projet* de Leroi-Gourhan vise à l'articulation du zoologique et du symbolique, la *réalisation* laisse sans doute à désirer et nous invite à des recherches ultérieures [42].

---

42. Leroi-Gourhan est l'interlocuteur principal de F. TINLAND dans les trois premiers chapitres de *La Différence anthropologique*, Paris, 1977. Si l'accord entre les deux auteurs semble très large sur ce que j'ai appelé le « principe zoologique », Tinland souligne, à propos de l'*outil*, que Leroi-Gourhan ne développe pas assez la recherche sur les facteurs qui manifestent l'*humanité* de cet outil, c'est-à-dire le « principe symbolique » en sa racine (cf. p. 151 ss).

CHAPITRE II

DÉCEPTIONS DE LA RÉVOLUTION

1. Matriarcat et société sans classes

Bien qu'il ait donné à son histoire raisonnée de l'évolution une ampleur culturelle de plus en plus grande, Leroi-Gourhan est resté jusqu'à la fin fidèle à la perspective qu'il avait dessinée, dans laquelle le principe zoologique semble l'emporter sur le symbolique. Par ailleurs, touchant les conduites dont la possibilité est ouverte par ce principe symbolique, l'insistance est plutôt sur les conduites individuelles qui donnent naissance au corps social ou au contraire l'attaquent, à moins que, simplement elles ne le délaissent. D'autres modes d'interprétation sont également possibles ; je voudrais en envisager un, spécialement important, pour l'étude duquel il nous faudra remonter un peu en arrière dans le temps. Il s'agit de considérer une présentation de la même histoire de l'humanité, également soucieuse de ne pas s'éloigner du réel de la biologie et du travail, mais en en présentant une interprétation plus centrée sur l'évolution de la société. Je pense à un livre comme celui de Frédéric Engels sur *L'Origine de la famille, de la propriété privée et de l'état*[1], qui nous importe ici, à la fois pour la vision d'ensemble de l'histoire humaine qu'il présente, et aussi parce qu'il introduit (théoriquement mais avec une visée évidemment pratique) le thème de la révolution comme ultime scansion sensée du temps.

---

1. Je cite d'après la traduction Bracke (Desrousseaux), Paris, Coste, 1946.

De la « gens » à la société

Au moment même où « nous marchons à une révolution sociale »[2], Engels prend la peine de reconstituer l'histoire des débuts de la civilisation, afin de mettre en perspective et donc de mieux faire comprendre la portée de l'étude matérialiste de l'histoire, dont Marx et lui avaient jeté les bases quarante ans auparavant dans les manuscrits non publiés de *L'Idéologie allemande*[3]. Ce retour en arrière a une ampleur et une portée considérables, du fait qu'il envisage ensemble, dans leurs articulations diachronique et systématique, les grandes lignes de la réalité sociale : famille, économie, politique ; en effet — et c'est là sans doute le grand bénéfice méthodologique de ce livre — il n'est pas possible d'isoler totalement ces divers moments[4]. Or, à lire soigneusement le livre, on constate que l'ensemble de l'histoire humaine y connaît deux tournants fondamentaux, déterminant trois grandes périodes dont la première et la troisième se répondent et se rejoignent, par-delà la seconde. Le premier tournant ou, pour mieux dire, la première frontière, sépare une période préhistorique, guidée de l'intérieur par le principe immanent de la sélection *naturelle*, et une période historique, dont l'avènement et le développement relèvent d'une impulsion *sociale*. La période préhistorique se termine avec la formule considérée comme pleinement harmonieuse et que je décrirai rapidement plus loin, de la « *gens* à droit maternel »[5] ; la période historique trouve son

---

2. *Op. cit.*, p. 80 ; un peu plus bas, cette révolution est déclarée « imminente ».

3. Préface de la première édition (1884), *op. cit.*, p. VIII. Dans ce livre, Engels s'appuie essentiellement sur le livre de Lewis H. Morgan, pionnier des études ethnographiques aux États-Unis dans la seconde moitié du XIXᵉ siècle ; intitulé *Ancient Society, or Researches in the Lines of Human Progress from Savagery through Barbarism to Civilization* (1877). Engels utilise aussi des notes de Marx, prises sur et à propos de ce volume. Je ne chercherai pas ici à savoir ce qui revient à chacun de ces auteurs ; je prends le livre comme un tout. Fortement charpenté et très clairement écrit, il a son intelligibilité en lui-même.

4. Le livre de Leroi-Gourhan, étudié au chapitre précédent, a comme je l'ai dit quelque parenté méthodologique avec celui-ci. Mais Leroi-Gourhan laisse de côté l'histoire de la famille, sans doute parce qu'elle s'est avérée, depuis le temps où écrivait Engels, infiniment plus complexe que ne le pensait ce dernier.

5. Engels emprunte cette définition à Bachofen, et il précise : « Je conserve cette dénomination pour être court ; elle est cependant impropre, car, à ce stade de la société, il n'est pas encore question de droit au sens juridique du mot » (p. 31). Prenons acte de cette déclaration : la forme sociale qui sert à Engels de fil conducteur tout au long de son livre est antérieure aux rapports de droit. Dans la

départ dans une transformation économique : l'apparition de l'élevage, et son chemin est scandé par la succession des modes et des rapports de production ; elle s'achève, sous les yeux de Engels, avec la formule sociale conflictuelle où s'articulent la famille monogamique à domination masculine, l'économie capitaliste et l'État. Le second tournant (dangereux !) mène de cette situation conflictuelle, fruit de l'histoire, à l'établissement de la société communiste, décrite en ce livre comme une transposition de la société matriarcale de la préhistoire. La révolution prolétarienne prend ainsi le sens, sinon exactement d'un retour aux origines, du moins d'un accomplissement de la figure préhistorique par-delà la civilisation : l'eschatologie répond à la préhistoire, non à l'histoire.

1. La *préhistoire* s'écrit autour du thème de la famille. Engels s'en est d'ailleurs expliqué dans sa préface : « Moins le travail est encore développé, plus est restreinte la somme de ses produits, et par conséquent la richesse de la société, plus se montre prédominant l'empire exercé sur l'ordre social par les liens du sang »[6]. Les développements préhistoriques de la famille[7] sont marqués par une restriction progressive dans la liberté des relations sexuelles : vient d'abord une période de commerce sexuel sans entraves, où il n'y a en somme pas de famille, à proprement parler : toutes les femmes sont polyandres, tous les hommes polygames ; il n'y a pas de jalousie (car celle-ci n'est pas un sentiment primitif), et l'inceste lui-même n'est pas interdit[8]. Si les enfants sont attachés à leur mère durant le bas âge, ils font rapidement partie de la communauté indifférenciée. Une première restriction intervient alors, qui vise les relations verticales et exclut les mariages entre générations : c'est la famille dite « consanguine » ; puis, à l'intérieur de chaque génération, une autre restriction s'établit d'abord entre frères et sœurs et s'étend bientôt à des parents de divers degrés ; c'est la famille dite

---

seconde Préface (1891), Engels décrit ainsi l'apport de Lewis H. Morgan à sa recherche et définit très exactement l'inspiration de son propre livre : « Cette découverte qui retrouvait dans la *gens* primitive à droit maternel, l'étape précédant la *gens* à droit paternel des peuples civilisés, a pour l'histoire primitive la même importance que la théorie de l'évolution de Darwin pour la biologie, et la théorie de la plus-value de Marx pour l'économie politique » (p. XXXI).

6. *Op. cit.*, p. IX.
7. Je suis ici le chap. II, « La famille ».
8. *Op. cit.*, p. 22.

« punaluenne » ainsi définie : « Communauté réciproque des hommes et des femmes, au sein d'un cercle de famille déterminé, mais duquel étaient exclus d'abord les frères germains, plus tard aussi les frères plus éloignés des femmes, et inversement aussi les sœurs des hommes [9]. » Cette formation est souvent appelée par Engels « mariage de groupe », un groupe étant défini comme l'ensemble des personnes entre lesquelles la relation sexuelle est prohibée mais qui sont ouvertes à toute relation exogame. Un tel groupe ainsi précisément et fortement défini a peu à peu pris un tour qu'on pourrait appeler « politique » ; c'est la *gens*, « cercle fixe de parents consanguins en ligne féminine ne pouvant se marier entre eux. Et ce cercle, à dater de ce moment, s'est de plus en plus consolidé par d'autres institutions communes d'ordre social et religieux, et s'est ainsi différencié des autres *gentes* de la même tribu » [10]. Évidemment, du fait que c'est la filiation maternelle qui est décisive (puisque le père n'est pas toujours identifiable), la *gens* se définit au niveau d'un « droit maternel », en particulier en ce qui concerne les rapports d'héritage [11]. On ne quitte pas la *gens* matriarcale quand on observe que, au fur et à mesure que les liens de parenté fondés sur la prohibition de l'inceste se développent et se compliquent, se multiplient aussi les couples monogames : le nombre des hommes et des femmes qui peuvent se marier diminue en effet avec l'élargissement des prohibitions. Cette monogamie, fruit de la nécessité plus que de l'amour mutuel, n'est d'ailleurs pas absolue : si elle est respectée tant que dure le ménage, d'autres alliances sont possibles après dissolution ; ce mariage, dit « syndiasmique » ou « apparié », n'est donc pas exclusif d'une polygamie et d'une polyandrie successives. Dans cette *gens* à dominante maternelle, faite de familles syndiasmiques plus ou moins stables, l'économie a un caractère collectif accentué : c'est ce qu'Engels appelle le « ménage communiste » fait de l'ensemble des ressources rassemblées dans les villages ; leur administration est le fait des femmes, les hommes rapportant les produits de l'extérieur qu'ils ont ramassés ou chassés [12].

---

9. *Op. cit.*, p. 28.

10. P. 32.

11. « Les rapports d'héritage surviennent avec le temps » (p. 31). Engels n'explique pas comment.

12. « Dans l'ancien ménage communiste, qui comprenait de nombreux couples conjugaux avec leurs enfants, la direction du ménage abandonnée aux femmes était aussi bien une industrie publique, socialement nécessaire, que la fourniture des vivres par les hommes » (p. 77 ; cf. p. 41 s., 113, 230).

Engels a une haute idée de cette formule de la *gens*, et en dénombre les avantages sociaux : querelles et conflits réglés par la communauté ; économie domestique commune à une série de familles ; décisions prises en commun, quand l'usage séculaire n'a pas déjà réglé les choses ; égalité de tous, soin des malades et éducation des enfants pris en charge par la communauté : pas de paupérisme ; propriété privée limitée aux petits jardins des familles et aux instruments de travail des individus (division *spontanée* du travail) [13]... Mais, bien évidemment, un tel régime n'est possible que lorsque la population de la région est peu dense et la production rudimentaire. Il faudra donc lui substituer autre chose lorsque ces conditions élémentaires seront dépassées.

Cette préhistoire, qui conduit l'humanité d'un stade de commerce sexuel sans entraves à la répartition en *gentes* matriarcales où évoluent des couples appariés (syndiasmiques) monogames mais instables, a comme moteur unique la *sélection naturelle* [14] ; les unions incestueuses entre parents et enfants, puis entre frères et sœurs ont peu à peu disparu au fur et à mesure que les unions de type exogamique plus marqué ont donné des fruits plus résistants et plus forts. Ce n'est que progressivement et inconsciemment qu'on s'est écarté des unions consanguines, sans prévoir à l'avance ce qui se passerait [15]. Les interdits, s'ils se sont fait jour, ont simplement explicité le vécu qui s'était peu à peu imposé. En ce sens, il n'y a pas de solution de continuité entre le point de départ et le point d'arrivée de cette préhistoire : il s'agit de la mise en place progressive de la forme sociale inscrite en quelque sorte dans le capital génétique de l'humanité. Aucun hiatus n'existe, à ce niveau, entre nature et société. La monogamie de type syndiasmique est comme une molécule à deux atomes évoluant dans le tissu de la *gens* matriarcale : la sélection naturelle ne peut aller au-delà [16].

2. L'impulsion qui va emmener au-delà, si elle se fonde en un certain sens sur ce qui précède, n'est cependant plus naturelle, elle est *sociale* ; son point de départ n'est plus la dynamique du sang, mais celle de l'*économie*. L'apparition de l'élevage modifie de fond

---

13. P. 112-113. « C'est une admirable constitution dans toute sa jeunesse et sa simplicité que cette constitution de la *gens*. » Cf. aussi p. 205, et *passim* dans le livre, où la *gens* (de droit maternel) est un point de repère constant de la réflexion.

14. P. 26 et 39 (citations de Morgan) ; p. 32, à propos de la *gens* : elle naît « non seulement nécessairement mais naturellement ».

15. P. 35.

16. P. 48.

en comble le rapport de l'homme à sa nourriture et, par là, l'ensemble de la structure sociale. Tout se développe en effet selon une logique interne ingénieusement rétablie et décrite par Engels [17] : la source stable de nourriture s'excentre par rapport au « ménage communiste » ; les troupeaux paissent à l'extérieur des villages et relèvent de l'activité de l'homme ; celui-ci en prend d'autant plus d'importance, mais surtout le chemin est ouvert à la *propriété privée* : mâle du couple syndiasmique, l'homme a traditionnellement la propriété des outils qui lui permettent de chercher quotidiennement la nourriture ; spontanément, il prend donc possession des bêtes, voire des pâtures, par où est désormais assurée cette nourriture ; un capital se crée, qui est possession de l'homme. Or, par le biais de l'*héritage*, la propriété privée ainsi naissante va transformer le statut et le droit de la famille : si en effet le père veut que *ses* enfants héritent, il faut que la succession, au lieu d'être dévolue à la *gens* à laquelle appartient la mère, le soit aux seuls enfants du père. Ceci entraîne la redéfinition de la *gens* en droit *paternel* et, pour que ce droit soit mis en pratique sans faute, il y faut aussi le *mariage monogamique strict et indissoluble* : ainsi la filiation paternelle sera-t-elle assurée. On le voit, l'introduction de l'élevage comme modification économique fondamentale a pour conséquences la propriété privée, le renversement du rapport homme/femme au profit du premier — la femme étant désormais renvoyée à la sphère privée de l'administration d'un ménage individuel et de l'éducation des seuls enfants du père —, l'instauration enfin de la famille monogamique [18].

On ne peut suivre ici en détail toute l'évolution qui mène de cette première révolution sociale (ou plutôt de cette première intervention du social dans une espèce humaine ayant jusque-là évolué par sélection naturelle) à la situation que trouvent Engels et Marx au XIXᵉ siècle. Les modes de production, définissant

---

17. P. 48-55, cf. 206-207.
18. Le passage du « droit maternel » au « droit paternel » est qualifié par Engels « une des plus profondes révolutions qu'ait vues l'humanité » (p. 52). En fait, dans la logique de la présentation du livre, c'est la première révolution, le premier « tournant » dont j'ai parlé plus haut ; la seconde sera la révolution prolétarienne, destinée à renverser le mouvement tragiquement initié par la première. Sur la famille monogamique, « forme cellule de la société civilisée » (p. 66) comme la famille syndiasmique était la « molécule » ultime du tissu gentilice, cf. entre beaucoup d'autres passages : « Souveraineté de l'homme dans la famille et procréation d'enfants qui ne puissent être que de lui et destinés à devenir les héritiers de sa fortune, tels furent, proclamés sans ambages par les Grecs, les buts exclusifs de la monogamie » (p. 65).

chaque fois de nouveaux rapports de production, en jalonnent les étapes et créent des divisions sociales du travail (éleveurs/agriculteurs ; cultivateurs/artisans ; producteurs/marchands) aussi bien que des scissions sociales antagonistes (hommes/femmes ; maîtres/esclaves ; riches/pauvres). *L'État*, comme superstructure politique, remplace rapidement la *gens*, afin d'assurer la pérennité du système ainsi engendré et d'éviter qu'il ne périsse de ses divisions et antagonismes. Engels étudie soigneusement, autant que ses connaissances historiques le lui permettent, les origines de ce passage de la « gens de droit maternel » à une structure historique de type capitaliste, masculin, monogame, étatique. Conservant comme point de repère le cas des Iroquois (qui demeurent une référence, car ils n'ont justement pas été contraints d'aller au-delà de la *gens* type), il traite successivement des Grecs, des Romains, des Celtes et des Germains ; il récapitule alors les données ainsi réunies en distinguant et en opposant la *gens* (jusqu'au stade inférieur de la barbarie) et la « civilisation » (depuis le stade supérieur de la barbarie et au-delà), l'accent péjoratif étant mis sur le second et non sur le premier de ces deux termes. Partout la structure gentilice (« barbarie ») a éclaté sous la poussée du développement économique : division du travail, scission de la famille et de la société en classes antagonistes, formation d'une classe marchande et développement de la monnaie métallique, formation d'un état, telles sont les caractéristiques de la « civilisation », dont le trait le plus frappant est finalement l'oppression d'une classe pauvre et servile, plus nombreuse que l'autre : prolétariat et bourgeoisie.

3. Ainsi, l'introduction d'un principe d'organisation *sociale*, faisant suite à la sélection *naturelle*, n'aura pas donné les résultats escomptés. La révolution prolétarienne doit donc mettre fin aux antagonismes fonciers de la société bourgeoise, et elle le fera, en restituant dans le cadre d'une humanité nombreuse et techniquement développée, les formes sociales « communistes » de la *gens* primitive. Engels ne détaille pas les éléments du processus et n'envisage pas le calendrier de la mise en place. Il semble que, pour lui, les structures fondamentales étant rétablies, le reste suivra de lui-même [19]. Si le mal a commencé par l'appropriation des biens de production (l'élevage), la suppression de la propriété privée de ces mêmes biens remettra toute l'économie au niveau d'une industrie sociale et d'une affaire publique et rétablira

---

19. P. 80-81.

l'égalité foncière des membres de la communauté humaine devant le travail ; la disparition de l'héritage rendra à la femme sa dignité et la fera égale de l'homme, soit qu'elle travaille dans l'industrie, soit que son travail à la maison retrouve son caractère de service public de la communauté ; le mariage monogamique, ayant perdu le fondement économique de sa rigueur, verra d'autant mieux s'épanouir son fondement affectif, jusque-là réservé aux unions furtives et passagères ; solidement maintenu par le lien de l'amour et libéré de la domination masculine, il ne cherchera pourtant pas à durer plus que l'amour (pourquoi le ferait-il ?), de sorte que, pour chaque homme et chaque femme, des unions successives seront possibles [20]. Quant à l'éducation des enfants, elle retrouvera, elle aussi, son caractère public.

Développement ou culpabilité ?

A considérer la correspondance rigoureuse établie par Engels entre les principes fondamentaux de la *gens* primitive et ceux de la société que va engendrer l'imminente révolution prolétarienne [21], on ne peut qu'être frappé de l'immensité du

---

20. P. 90-91. On retrouve ainsi le couple syndiasmique, monogame mais instable, de la *gens* originelle.
21. Voici un tableau de quelques-unes des correspondances établies par Engels.

GENS	CIVILISATION	SOCIÉTÉ SANS CLASSES
Mariage syndiasmique monogame, instable.	Mariage monogamique indissoluble.	Mariage d'amour monogamique. Possibilité d'unions successives.
Division spontanée du travail entre homme et femme. Égalité des conjoints.	Antagonisme de classe entre l'homme et la femme. Asservissement de la femme.	Égalité juridique des droits de l'homme et de la femme. Rentrée de la femme dans le jeu du travail public.
Ménage communiste (collectif, dominante matriarcale)	Propriété privée (individuelle, masculine)	Propriété commune.
Enfants communs à la *gens*.	Enfants à l'intérieur de la famille	Éducation des enfants, affaire publique.

Peut-on dire que ce processus est dialectique (position-scission-sursomption) ?

pari : on escompte que, du rétablissement effectif de ces principes, renaîtra comme naturellement une société juste.

L'audace d'un tel pari se justifierait si on pouvait mettre l'histoire tout entière de la civilisation (qui commence, rappelons-le, avec l'émergence du social) sous le signe du *mal moral* : à supprimer les formes mauvaises, qui se multiplient à partir de leur matrice, l'appropriation privée des moyens de production, et à restituer les bonnes, c'est-à-dire les institutions de la *gens* transposées dans la société industrielle, on s'assurerait évidemment du succès. Engels, pourtant, ne fait pas une évaluation aussi unilatérale, car il faut bien reconnaître que la figure de l'histoire de la civilisation dépend aussi des contraintes du développement. Aussi bien trouve-t-on, dans les textes où il fait l'analyse de l'histoire, des éléments d'évaluation qui viennent de ces contraintes, et d'autres (plus nombreux) qui viennent du mal moral. Et malheureusement la synthèse n'est pas faite, ce qui compromet dangereusement la rationalité du pari. Dégageons brièvement les trois inspirations, différentes mais non coordonnées, qui président à ses développements.

1. Au terme du chapitre où il expose avec une satisfaction évidente la forme modèle de la société iroquoise, Engels dit pourtant : « Autant les hommes de cette époque nous paraissent imposants, autant ils sont indistincts les uns des autres ; ils tiennent encore, comme dit Marx, au cordon ombilical de la communauté primitive. La puissance de cette communauté primitive devait être brisée, elle a été brisée » [22]. La *gens* matriarcale porte à son terme, comme on l'a vu plus haut, l'évolution naturelle qui part de la population indifférenciée du début ; pour aller plus loin, briser le *cordon ombilical* de l'*indistinction*, il faut donc une intervention d'une autre nature. A ce prix seulement, comme le remarque Engels lui-même, il a été possible à la civilisation d'accomplir des choses dont l'ancienne société gentilice était loin d'être capable. On peut se demander alors quel sens il y a à retourner à des formes

---

Pas vraiment, car Engels (comme beaucoup d'autres) bloque une scission qu'on peut appeler bonne, celle qui naît de la finitude et donne lieu à échange, et une scission mauvaise, celle qui vient des passions déréglées de l'homme. La sursomption *(Aufhebung)* est aussi suppression et retour à l'origine, et finalement elle est plutôt ceci que cela.

22. P. 115.

préalables à cette rupture d'une communauté trop peu différenciée ?

2. Lorsque Engels décrit les premières étapes de cette rupture ou, ce qui revient au même, de l'intervention du « social », il apparaît que la civilisation suit une logique cohérente : que l'intervention de l'élevage, puis celle de l'agriculture (avec en particulier le travail du fer qui permet le soc de la charrue) entraînent des modifications sociales : division du travail, réorganisation de la famille, etc., il n'y a pas à s'en étonner. C'est l'ensemble des *distinctions* et donc des *échanges* qu'il fallait imposer à la communauté primitive pour qu'elle pût continuer de se développer [23].

3. Rupture nécessaire de la communauté primitive, structures de distinctions et de réciprocité : d'où vient alors que Engels place tout cela sous le signe du mal ? A propos de la puissance de la communauté primitive qui « devait être brisée », il écrit : « elle a été brisée par des influences qui nous apparaissent de prime abord comme une dégradation, comme une chute originelle du haut de la simplicité et de la moralité de la vieille société *gentilice*. Ce sont les intérêts les plus vils... qui inaugurent la nouvelle société civilisée, la société de classes ; ce sont les moyens les plus honteux... qui minent l'ancienne société des gens, où les classes sont inconnues, et la mènent à la ruine [24]. » Je relève ici l'expression « théologique » *chute originelle* : le passage de la communauté matriarcale, encore naturelle et venue à maturité par une évolution harmonieuse de la population initiale entièrement indifférenciée, à la société socialement organisée, est en quelque sorte le péché premier, qui va aller se développant au long de l'histoire de la civilisation. Ailleurs on lit : « La civilisation a accompli des choses dont l'ancienne société gentilice était bien loin d'être capable. Mais elle les a accomplies en mettant en mouvement les instincts et les passions les plus vils de l'homme, en les développant aux dépens de toutes ses autres aptitudes. La basse cupidité a été l'âme motrice de la civilisation *depuis son premier*

23. Cf. note 17. L'ensemble du chap. IX décrit ce processus, en entremêlant l'analyse des modifications exigées par le progrès technique et les qualifications morales négatives.
24. P. 116.

jour jusqu'aujourd'hui [25]. » Ici encore, le mal est à l'œuvre depuis l'origine.

En définitive, Engels ne retient, pour l'instauration de la société nouvelle, que la troisième de ses considérations. La nécessité d'une rupture de la communauté primitive pour qu'elle puisse continuer en se renouvelant, la logique interne des processus économiques sans lesquels aucune avancée n'eût été possible, sont englobées dans le mal moral qui se serait manifesté dès le premier jour. Engels ne cherche pas à distinguer, dans l'histoire de la civilisation, les avatars dus au progrès de celle-ci de ceux imputables à la cupidité : ces derniers emportent tout ; il ne reste plus alors qu'à prôner un retour à des formes sociales pré-civilisées : la *faute* ayant dès l'origine avalé et dissous la *nécessité*, l'unique solution est de retourner par-delà cette faute. Engels nous laisse alors la charge de penser comment le retour, même transposé, à des formes gentilices, n'entraînera pas l'instauration d'une société de l'indistinction, d'une vaste cellule de type maternel où le cordon ombilical deviendrait obligatoire et où l'identité distincte de groupes ou de personnes serait comptée comme faute, car immédiatement assimilée à la cupidité originelle. Il nous laisse aussi à penser comment une société « communiste » (au sens matriarcal qu'il donne à ce mot) est effectivement possible dans le monde hautement spécialisé où nous vivons.

Le mythe et la révolution

On peut se demander pourquoi Engels privilégie une visée qu'on peut bien appeler « théologique » sur la civilisation marquée intrinsèquement d'une « chute originelle », au lieu de se livrer autant que possible à un tri entre les valeurs positives et les déviations coupables dans l'histoire de la civilisation. La réponse viendrait peut-être du fait que la haute idée que se fait Engels de la *gens* primitive est, elle aussi, sinon « théologique », du moins « spéculative ». En effet, quand on regarde de près la description ici proposée de la préhistoire, on la voit entièrement dominée par *le mythe de l'indifférenciation primitive* : les tribus iroquoises sont ce que l'observation les révèle, mais leur organisation n'est si attirante que parce qu'elle peut être reliée, par voie de sélection

---

25. P. 234.

naturelle (et donc sans intervention séparatrice venant de l'homme) à la population dans laquelle le commerce sexuel était sans entraves : une population où tous étaient à tous et réciproquement, ce qui revient à dire que personne n'était à personne, et qu'on vivait dans *l'indifférenciation totale*, le « naturel » à l'état pur, pourrait-on dire. Engels reconnaît que nous n'avons aucun accès direct à ce type de population, non plus qu'à la forme « consanguine » qui en est le premier aménagement « naturel » ; il s'efforce de montrer qu'on peut cependant en déduire l'existence du donné ethnologique disponible [26]. Quoi qu'il en soit, la figure qu'il dessine est celle d'une sorte d'évolution *interne* de la société des origines et, quelles que soient les restrictions que la sélection naturelle apporte à la sexualité, celle-ci n'a aucun aspect *différentiel*, de même que le travail et la nourriture ne créent aucune différence : la terre est à tous et les ressources sont au « ménage communiste » qui, à l'image de la terre mère, est administré par les femmes.

Ces observations ne nous permettent-elles pas de dire que la société n'est bonne que tant qu'elle n'est pas *née* ? quand elle est arrivée à la limite de son évolution interne « naturelle » et qu'elle ne peut aller plus loin sans rupture, le traumatisme de sa naissance est déjà « chute originelle ». On peut alors se demander si la révolution prolétarienne ne serait pas un immense effort, à l'échelle même de la planète, pour régresser en deçà de l'existence sociale, un psychodrame démesuré pour retourner aux origines et annuler autant que possible la souffrance des ruptures nécessaires à la vie civilisée. En mettant toute la civilisation sous le signe de la « chute originelle », Engels tente en quelque sorte d'enfermer entre parenthèses toute la dialectique de l'histoire, au profit d'une harmonie primitive qui trouvera son répondant dans l'eschatologie.

S'il en est ainsi, quelles que puissent être par ailleurs la justesse d'un certain nombre de ses analyses sur l'évolution de la civilisation, la cohérence entre sociologie de la famille et développement économique, entre la division du travail et l'origine des scissions sociales..., la *visée globale* de Engels (et sans doute aussi de Marx, auquel il se réfère constamment) ne restitue pas le temps dans sa vérité et n'ouvre pas d'issue créatrice à l'histoire humaine au point

---

26. P. 2, 14, 26. De la révolution fondamentale qui renverse la filiation féminine et le droit maternel en filiation masculine et droit paternel, Engels écrit aussi : « Comment et quand s'accomplit cette révolution, nous n'en savons rien » (p. 52).

où aujourd'hui elle nous est remise. Cette visée relève de ce que je décrirai plus loin comme problématique de l'image et de son double [27]. Mais s'il en est ainsi, les révolutions qui procèdent de cette problématique peuvent-elles aboutir à autre chose qu'à de tragiques illusions [28] ?

L'échec de Engels nous laisse cependant avec une indication positive précieuse : une évaluation correcte du temps humain et de la réalité de l'histoire passe nécessairement par un discernement entre ce qui relève du développement d'une humanité inscrite dans la durée et ce qui relève du mal, de l'égoïsme, de la faute ; ainsi seulement pourra-t-on ne pas porter au crédit/débit de l'un ce qui appartient à l'autre et éviter d'édifier sur une confusion une société qui ne pourrait être qu'oppressive. *Mais d'où pourra nous venir ce discernement ?*

2. *La révolution immédiate*

Dans le paragraphe précédent, j'ai fait porter ma critique de Engels sur un point précis : pour valables qu'elles puissent être partiellement et fragmentairement, ses analyses de la sexualité, de la famille, du travail et de la société perdent en fait leur portée, car elles sont synthétisées dans une sorte de mythologie du retour à l'indifférencié, dont l'application concrète ne peut être que tragiquement décevante, ainsi que de multiples expériences l'ont montré au cours du siècle écoulé.

---

27. Cf. *infra*, chap. IV, 2, note 77.

28. Il est possible que, venant au terme de la longue carrière d'Engels-Marx, le volume analysé ici durcisse quelque peu une figure de l'histoire que certains manuscrits de Marx auraient davantage nuancée (cf. M. ABELÈS, « Anthropologie et marxisme », dans *Encyclopedia Universalis*, Suppl. II. « Les enjeux », Paris, 1985, p. 428). Il est également possible que les marxistes d'aujourd'hui nuancent, eux aussi, les choses. Deux choses cependant demeurent, qui justifient le choix de ce livre ici : d'une part la tendance régressive foncière qui sous-tend ce qui est apparemment une pensée de progrès ; cette tendance était chez Marx : « Plus que la nature des communautés primitives, c'est l'histoire de leur décadence qui passionne Marx » [ABELÈS, *op. cit.*, p. 427] et ne demeure-t-elle pas vivace chez ses exégètes ? D'autre part, quoi qu'il en soit des nuances apportées dans les Universités, il semble bien que ce soit toujours la « vulgate marxiste » (*ibid.*, p. 432) qui opère effectivement dans les processus révolutionnaires et semble finalement les priver d'efficace quand il s'agit, la révolution une fois faite, de construire des états dignes de ce nom.

Pourtant, si le marxisme classique continue aujourd'hui sa route, d'autres interprétations de la doctrine de Marx-Engels n'ont pas manqué de voir le jour, surtout peut-être dans la dernière génération, dont on pourrait attendre qu'elles produisent ou qui, peut-être, ont déjà produit d'autres pratiques révolutionnaires et post-révolutionnaires. Mais je voudrais m'attacher ici à une pensée qui, pour être post-marxienne [29], introduit cependant des éléments décisifs de nouveauté : celle de Jean Baudrillard, dont j'aimerais retenir trois traits essentiels : la critique économique doit autant et plus viser les processus de *consommation* que ceux de production ; la pratique révolutionnaire peut et doit être *immédiate* au lieu d'être longuement préparée, c'est-à-dire souvent différée ; cette pratique révolutionnaire immédiate doit être réinstauration de la forme sociale authentique, définie comme « échange symbolique ».

La consommation comme système

L'intuition de Baudrillard, vérifiée par une grande quantité d'analyses très concrètes, est que la *consommation* est un phénomène aussi abstrait, aussi complexe, aussi codifié que la production, telle que l'analyse Marx. Loin d'être gouvernée par la relation simple d'un besoin à un usage en vue d'une satisfaction qu'on pourrait dire naturelle ou normale, la consommation est enserrée, et en quelque sorte dénaturée, dans un système déshumanisant (on pourrait aller jusqu'à dire « hors humanité ») de signes et de codes [30]. Consommer, c'est seulement poser un geste qui remplit à point nommé une case vide dans un système codé et lui permet ainsi de fonctionner, en dehors de tout besoin de l'homme et de valeur de la chose. Les objets anciens dans un intérieur néo-bourgeois, l'objet technique entre les mains d'un « primitif » [31], l'œuvre d'art, signée par l'auteur et enchérie à grands frais, dans le salon du nouveau riche [32], mais aussi le

---

29. La comparaison avec Marx est constante chez Baudrillard. Cf. *Le Miroir de la production*, Paris, 1973, qui rassemble et systématise des indications qu'on pouvait déjà trouver dans la *Critique de l'économie politique du signe*, Paris, 1972, p. ex., p. 154 s., 201-203, etc. (cité ensuite *CE*).

30. Cette thèse de Baudrillard est exposée dans *Le Système des objets*, Paris, 1968 [cité *SO*] (voir la conclusion générale) et dans *CE, passim*.

31. *SO*, p. 103-119.

32. *CE*, p. 127-143.

meuble « fonctionnel » dans l'appartement ou le bureau « types » ne se trouvent là ni pour leur valeur interne, ni pour leur caractère esthétique, ni pour leur coefficient de performance [33] : ils sont là pour conformer un espace à un système de signes éphémère et discriminatoire : l'intérieur meublé à l'ancienne signifie le *rapport* à un temps mythique (diachronie) et *relie* ses propriétaires à leurs émules, marqués des mêmes signes, tandis qu'il les *sépare* des autres (synchronie) : il constitue un élément de code, tout aussi générateur d'opposition de classes que les modes et rapports de production. La publicité [34], à quelque niveau qu'elle se situe (de ce point de vue, la politique des galeries de peinture et la publicité télévisée de la poudre à laver relèvent d'un processus identique) renouvelle sans cesse les éléments du code, mais non pas le principe de « système » qui gouverne la consommation. Honnête avec moi-même, je ne fixerais pas tel « Picasso » dans mon salon, mais en réalité ni Picasso ni moi ne sommes ici en cause : « ce » Picasso *se* fixe comme de soi-même sur mon mur, m'articulant à la classe des propriétaires de « Picasso » et m'opposant aux autres classes. Mais on en dirait autant du support de télévision fabriqué en série, qui, articulé sur d'autres gadgets de ce genre, définit, pour un temps, une strate sociale. Dans ces deux cas, comme dans tous les autres sans exception, c'est l'organisation systémique qui gouverne la consommation, à la fois parce que tout « objet » n'a signification qu'à l'intérieur d'un système (« Picasso » appelle « salon » et « salon » appelle « Picasso »), et que chaque système ne signifie que dans son opposition à un ou d'autres systèmes (le système « mobilier à l'ancienne » ne signifie que dans son opposition au système « mobilier de série »).

Système de la consommation, révolution sémiotique et révolution immédiate

Cette organisation de la consommation en système ne se limite pas aux objets dont, à la suite de Baudrillard, j'ai fait mention. Elle est universelle et concerne tout aussi bien le corps, la sexualité

---

33. *SO* : tout l'ouvrage est bâti sur la distinction fonctionnel/non fonctionnel, qui sont l'une et l'autre objet de codage.
34. Sur la publicité, cf. *SO*, p. 229-270.

et la mort, l'information et le pouvoir, l'esthétique[35] : une analyse un peu fine et attentive ne laisse ici subsister que jeux de code ; en d'autres termes, notre civilisation présente est marquée par la « révolution sémiotique », qui suit et sans doute abolit la révolution industrielle. Le terme *sémiotique* vient ici de la linguistique, et plus spécialement de la distinction, établie par F. de Saussure, entre signifiant et signifié et devenue séparation drastique à la suite d'auteurs comme Lévi-Strauss, Lacan, Derrida[36]. La signification, si signification il y a, ne résulte que de l'agencement de signifiants qui n'ont de sens que dans leur réciprocité ; le signifié écarté, il ne reste que le codage des signifiants. A pousser les choses à l'extrême (mais l'informatique nous suggère avec force cet extrême), tant le sens que la réalité ne seraient que des variantes à l'infini de l'opposition primordiale : 0/1 ; binarité insensée du réel[37].

Cette révolution sémiotique va de pair avec la dislocation du temps linéaire, dont le concept (passé, présent, futur) était encore sous-jacent à la révolution industrielle et aux *attentes* de la révolution prolétarienne. Cette dislocation appartient au champ culturel, non seulement de la sémiotique, mais aussi de la philosophie en tant qu'elle se présente comme post-métaphysique : le concept en est fourni par Heidegger et développé par Derrida[38]. Au temps de la révolution industrielle, au contraire, une certaine perspective de temps linéaire subsistait : les modes de production se sont succédé dans l'histoire selon un certain ordre, que Marx a voulu expliquer par le matérialisme dialectique ; et son analyse était que, dans la suite de l'histoire et moyennant les diverses étapes de la révolution prolétarienne, on parviendrait à cet « après » eschatologique où un bonheur bien partagé pourrait être la part de tous. Cette vision pouvait avoir un certain fondement dans l'appui qu'elle prenait sur les processus de production et leur dynamique, car d'eux procédaient les signes sociaux et leur évolution. En ce sens, ceux qui combattent aujourd'hui dans les

---

35. Pour corps/sexualité/mort, cf. *L'Échange symbolique et la Mort*, Paris, 1976, chap. IV et V (cité *ES*) ; pour l'information, *CE*, p. 200-228 (« Requiem pour les media ») ; pour l'esthétique (à propos du *design*) *CE*, p. 229-255.

36. Je parle plus bas de cette distinction signifiant/signifié, dans le cadre d'un exposé sur Derrida : chap. III, n° 2 (cf. la note 81 consacrée à la relation Derrida-Baudrillard).

37. *ES*, p. 90.

38. Cf. *infra*, chap. III, n° 2, le § « Effondrement du temps ».

perspectives ouvertes par la révolution industrielle du XIXᵉ siècle pensent préparer et certainement attendent pour « demain » une révolution sociale. Mais ni Marx (qui ne le pouvait pas) ni les marxistes (qui peut-être ne le veulent pas) n'ont tenu compte de la révolution *sémiotique*, c'est-à-dire du fait que l'esclavage foncier de l'homme ne provient pas ou plus de l'injustice des rapports de production : il vient de la domination anonyme des codes signifiants, indéfiniment modifiables peut-être, mais qui ne sont gros d'aucun changement social. Demain n'apportera, ne *peut* apporter que des variantes sans signification historique à l'articulation, nécessairement discriminatoire, des systèmes. Un jeu de codes en vaut un autre, et aucun ne « vaut » rien. Sans simplifier par trop les choses, on peut dire que ce que Baudrillard reproche au marxisme classique, c'est de toujours *attendre* la révolution intégrale pour *demain*, donc de se rattacher à une conception linéaire du temps et ainsi, paradoxalement, de ne *jamais* faire cette révolution à cause d'un *futur* toujours à l'horizon qui lui laisse un temps parfaitement illusoire.

Aussi bien, s'il faut faire une révolution sociale, ce n'est pas demain, c'est *tout de suite* [39], et cela, non pour des raisons de particulière urgence aujourd'hui, mais pour une raison *structurelle* : au niveau de la révolution sémiotique et des systèmes codés, nous ne sommes plus dans la dimension du temps linéaire et demain n'apportera rien qui ne soit aujourd'hui. Si donc on veut surmonter les discriminations sociales et l'opposition des classes, c'est *maintenant* qu'il faut le faire ; il n'y a pas de moment privilégié pour faire *éclater le système sémiotique*. La révolution industrielle laissait transparaître à l'horizon la révolution prolétarienne ; la révolution sémiotique doit provoquer une révolution *immédiate* et universelle.

Vers l'« échange symbolique »...

Mais quels sont les gestes de cette révolution et que vise-t-elle à établir ? Cherchons d'abord la réponse à cette seconde question. Il ne saurait s'agir de résoudre les contradictions de la production et de la consommation par retour à un donné prédialectique et présémiotique vers des formes sociales gouvernées par la

---

39. *ES*, p. 282.

« valeur », le « besoin », le juste partage, etc. Il s'agit d'aller
au-delà des *signes* qui ont constitué la société industrielle et la
société sémiotique, pour instaurer une forme sociale *symbolique*,
une société qui soit « échange symbolique »[40].

Il n'est pas aisé de *dire* le symbole, tel que le comprend
Baudrillard : c'est même fondamentalement impossible. Essayons
alors de situer le « symbole » par rapport au « signe ». Le signe,
qui établit une relation sociale entre ceux qui « se font signe », est
toujours *signe de* quelque chose : un présent *de grande valeur*
signifiera l'estime que je vous porte ; une parole *de grande portée*
tendra à établir un certain ordre de relations (pensons aux exégèses
subtiles que provoquent certaines paroles de nos gouvernants !).
Il n'est pas important que « valeur » et « portée » proviennent
d'un contenu objectif ou d'une position systémique, relèvent de
la « référence » ou bien du « code » ; le point crucial est qu'il y
a *médiation* dans l'instauration et la permanence du rapport social,
que quelque chose, fût-ce un éphémère jeu de signifiants,
s'interpose entre les partenaires sociaux et *définit* le mode de leur
relation. Tant qu'il y a cette médiation, nous sommes dans le
signe ; si elle s'abolit, nous accédons au *symbole*.

L'échange symbolique est celui qui, au-delà ou en deçà de toute
valeur interposée, s'établit *dans la relation pure*. Il est difficile à
dire car, précisément, nous avons *perdu* ce mode de l'échange et
n'en avons plus l'expérience. Écoutons Baudrillard : « Le
symbolique, dans sa virtualité de sens subversive du signe, ne peut
être nommé que par allusion, par effraction, car la signification,
qui nomme tout à partir d'elle, ne peut dire que la valeur, et le
symbolique n'est pas valeur. » Ou encore : « De ce qui est hors
signe, autre que le signe, nous ne pouvons rien dire, sinon que c'est
de l'*ambivalence*, c'est-à-dire l'impossibilité de distinguer des
termes, respectifs, séparés, et de les positiviser comme tels[41]. »
Nous avons tout de même un mot, et une définition négative : dans
la figure sociale-type, les termes n'existent pas en dehors de la
relation et ce qui circule entre eux est entièrement transitif, n'existe
pas en dehors de ce transit[42]. Baudrillard utilise aussi

40. *ES*, p. 8 ; dans cette page d'introduction, Baudrillard indique de manière
suggestive ses sources d'inspiration fondamentale : le thème de l'échange, tel que
développé par Marcel Mauss ; l'idée d'anagramme chez Saussure ; l'instinct de mort
chez Freud.

41. *CE*, p. 196.

42. *CE*, p. 62.

réciprocité [43] au sens de « corrélation personnelle de l'un à l'autre dans l'échange » ou encore *réversibilité* [44]. Ce qui est échangé, que ce soit un objet ou un message (dans le cas, économique, du cadeau, ou dans le cas, linguistique, de la parole), n'a pas de valeur en soi : son contenu est, littéralement, in-signifiant, il s'abolit sans cesse dans le processus de l'échange ; sa médiation est transitive ; s'il prenait, en dehors de l'échange, une consistance quelconque, réelle ou significative, ce serait la ruine de l'échange en tant que symbolique, car cela conduirait immédiatement non seulement à le substantifier, mais à substantifier aussi les termes entre qui se fait l'échange. Le même dommage d'ailleurs se produirait, si l'un des deux termes avait une initiative isolée : un don sans contre-don, une parole qui n'offre pas immédiatement possibilité de réponse. On ne peut réduire l'ambivalence, la réciprocité, la réversibilité : c'est l'opération même du symbolique, la forme sociale originaire qui, si refoulée qu'elle puisse être, travaille au sein des « simulacres » qui ont tenté et tentent de l'étouffer, et doit donc être immédiatement restituée. Immédiatement, car « après » ou « plus tard », nous en serons exactement au même point.

D'après les descriptions de Baudrillard, l'échange symbolique joue spontanément au niveau social : tout don suscite *immédiatement* un contre-don, toute parole une réponse ; il est essentiel au pouvoir d'être ambivalent : ainsi, dans les civilisations anciennes, le roi est-il à la fois obéi et sacrifié et le sujet obéissant et meurtrier : la relation est alors parfaitement ambivalente ; ce qui ne serait pas le cas dans un rapport unilatéral pouvoir/obéissance : le terme fort doit être exterminé et le terme faible exterminant. L'échange symbolique joue aussi à des niveaux plus subtils : en ce qui concerne le *corps*, par exemple, la réciprocité n'est pas seulement et peut-être même pas d'abord dans la polarité masculin/féminin, mais dans la réciprocité du corps et de son autre : le « corps et son ombre », « le corps sous le corps », comme si l'homme n'existait que dans un échange subtil où on ne sait pas qui est soi et qui est l'autre, car, ici aussi et peut-être ici

---

43. *CE*, p. 208.
44. En *CE*, « réversibilité » est un terme péjoratif, tributaire de la civilisation sémiotique, tandis que « réciprocité » est caractéristique de l'échange symbolique (cf. p. 224). En *ES*, au contraire, « réversibilité » est devenu le terme générique pour l'échange symbolique (cf. p. 8 et *passim*). L'écriture violente de Baudrillard ne vise pas à la cohérence absolue, c'est au lecteur à faire attention.

d'abord, l'ambivalence est constituante [45]. Réciprocité dans la *langue* entre les termes eux-mêmes ou plutôt entre le terme et un « autre » qui l'habite, comme si chaque mot ou chaque syllabe était aussi ambivalence d'une présence et d'une absence, comme semble le suggérer la réflexion de Saussure sur les *Anagrammes* [46]. L'échange symbolique enfin joue comme défi, excès, surenchère : Baudrillard pense ici sans doute à certaines formes du potlatch [47], mais précisément au sens le plus profond que cette pratique puisse prendre : un *sacrifice*, de son avoir ou de soi-même, mais qui exige et provoque immédiatement une réciprocité paroxystique : flamme portée au rouge et retour de flamme, par où l'échange symbolique s'instaure à un niveau insupportable et s'abolit pour renaître autrement.

... et vers la Mort

On pourrait résumer ce qui précède d'une seule formule : « La vie rendue à la mort, c'est l'opération même du symbolique [48]. » Spontanément nous pensons la « vie » comme accumulation, plus-value, signification, codage [49]. Or, de cette « vie » naissent la ségrégation, les stratégies de classe, l'oppression. Nous rêvons aussi d'« immortalité », mais celle-ci est-elle autre chose que l'imaginaire de l'accumulation [50] ? Si donc on veut parvenir à la vie, il faut la rendre à la « mort », nom donné à l'échange symbolique où rien ne s'arrête, ne se dresse sur la route, ne se substantifie ni ne se codifie. « La mort ne doit jamais être entendue comme l'événement réel d'un sujet ou d'un corps, mais comme une *forme* — éventuellement celle d'un rapport social — où se perd la

---

45. *ES*, p. 189. J'aimerais souligner ici que la polarité symbolique du corps n'est pas, ou pas d'abord, chez Baudrillard, la polarité masculin/féminin (cf. *CE*, p. 110), mais celle du corps individuel avec son « autre », antérieur ou plus profond que celui qui entre dans les échanges économiques et sémiurgiques. Cf. la parabole de l'Étudiant de Prague, en conclusion de *La Société de consommation*, Paris, 1970 (et *ES*, p. 201 et 217). Je reviendrai à la fin de ce livre sur cette polarité, à la fois énigmatique et suggestive, du corps avec lui-même.

46. *ES*, p. 285-287.

47. *CE*, p. 9 et *ES*, p. 7.

48. *ES*, p. 201.

49. *ES*, p. 224.

50. *ES*, p. 197-200.

détermination du sujet et de la valeur. » Ainsi, dans le contexte de langage qui est le nôtre où on s'exprime spontanément en termes déterminés, désignant des sujets et des valeurs, affirmer la « mort », c'est abolir ces déterminations [51], ce matériel intransitif, au profit d'une circulation constante. C'est reconnaître et dire que le fond du réel est dans ce processus sans commencement ni fin de surgissement et d'abolition ; c'est surtout faire qu'il le soit. Si le moment extatique de l'abolition et de la perte est oublié ou empêché, on n'est plus dans la *forme* vraie du réel. Or, ce moment d'abolition de toute médiation et de tout terme peut vraiment être dit « mort », si *mort* signifie, par antonomase, une négativité : mais il s'agit alors d'une mort constituante. Dans un commentaire de Bataille, Baudrillard risque des formules qui sont proches de celle de l'Évangile (et cette proximité renversée ne manque pas de sens) : « La mort (l'excès, l'ambivalence, le don, le sacrifice, la dépense et le paroxysme) et donc la vraie vie, est absente de la réalité que nous vivons. Nous renonçons à mourir et nous accumulons au lieu de nous perdre [52]. »

En d'autres termes, la mort, en ce sens, est le principe général de réversibilité ; il peut jouer, comme le dit le texte cité, au niveau de l'échange social avec les vivants, mais il joue aussi dans l'échange social avec les morts ; notre culture est la seule qui considère les morts comme ayant cessé d'exister, et qui ignore le phénomène fondamental de l'initiation, par lequel l'homme est justement introduit dans cette vivante société entre morts et vivants, et par où la mort affectant tel sujet déterminé perd de son importance, dès lors que l'échange ne cesse pas [53]. Mais la mort comme *forme* joue aussi à ces niveaux plus subtils dont j'ai parlé en décrivant l'échange symbolique. La mort est partout la forme et la force de l'échange.

A partir de là, on peut comprendre l'autre sens de la mort : le sens péjoratif qui affecte nos civilisations : « La mort n'est que cela : être ôté au cycle des échanges symboliques [54]. » La mort, en ce sens, est exactement la contradictoire de la mort symbolique : elle est là partout où il y a accumulation ; elle est là chaque fois que le langage s'arrête à ce qu'il dit au lieu de l'abolir dans

---

51. *ES*, p. 12 (avec les importantes notes).
52. *ES*, p. 237.
53. *ES*, p. 203.
54. *ES*, p. 207.

l'échange du dire, chaque fois aussi que le temps est pris en compte : en effet, l'étalement linéaire de celui-ci entraîne qu'il y ait des résidus, en avant ou en arrière, qui ne soient pas pris dans l'échange. La « vie » d'ailleurs, au sens où on l'entend généralement, n'est que cette accumulation de résidus.

Diachronie

Il est intéressant de relever que le thème de l'échange symbolique a un côté régressif. La révolution immédiate doit restituer une vérité perdue. Baudrillard en effet reconnaît aux sociétés « archaïques » de vivre selon l'échange symbolique ; et de même, semble-t-il, pour l'ordre féodal [55]. Si on se place au point de vue des *signes*, sans lesquels ne peut s'établir aucun ordre social, on dira que, dans ces sociétés, les signes sont immédiatement de réciprocité ; ils ne se réfèrent à rien d'autre, sinon aux échanges entre castes, clans ou personnes : ce sont des signes *obligés*, dans la mesure où, en dehors de leur échange permanent, la forme sociale symbolique ne tiendrait pas.

La diachronie selon laquelle s'est perdu l'échange symbolique peut être caractérisée comme une progressive émancipation du signe par rapport à son essence primitive de réciprocité symbolique. Dans un premier temps (qui correspondrait à l'époque qui va de la Renaissance à la révolution industrielle), l'univers des signes, au lieu de convoyer des relations vives dans lesquelles le signe s'abolit, se met à renvoyer à un univers de réalité, dont il est le double ou la contrefaçon. Qu'il s'agisse de production d'objets, de langage ou d'art, ou qu'il s'agisse d'organisation sociale, les signes apparaissent comme le « reflet d'un ordre total », d'une Nature, référent universel et obligé de tout faire, de tout dire. Quelque chose s'est introduit entre l'homme et l'homme : d'une symbolique immédiate, on passe à un univers de signification *mesuré* par la Nature. Les objets, les mots, les œuvres d'art, dans la corrélation de leurs formes et l'épaisseur de leur substance sont comme un double de la réalité. Mais la révolution industrielle pulvérise ce thème de la Nature : par sa puissance de transformation, de production et de reproduction sans aucun rapport formel avec le grand Référent universel qui modelait les formes de l'univers

---

55. *ES*, p. 79.

précédent, elle provoque un nouvel ordre de relations fondées sur le travail, la manipulation, la distribution, introduisant à grande échelle l'économie de marché. Au majestueux paradigme de la Nature, auquel pouvait s'articuler celui de l'Homme comme imitateur et participant, se substitue la Loi de l'équivalence, comme règle de la circulation des marchandises et, par là, source de signes sociaux spécifiques. Une dernière étape est franchie lorsque les produits s'abstraient des processus de production et s'organisent en réseaux de signes, qu'on pourrait caractériser comme « flottants », en ce sens qu'ils ne sont plus référés ni à la Nature, ni à la production [56]. Ils sont alors « libres » d'être discriminés, séparés, réorganisés selon des schèmes et des modèles, qui vont se retrouver dans de nouvelles stratifications sociales. Baudrillard excelle à décrire le caractère totalement abstrait du « système des objets », mais aussi des modèles touchant la sexualité, l'information, l'esthétique : tout ce qui, précédemment était « valeur » et, plus anciennement encore « nature », devient maintenant jeu de codes. Le plus caractéristique de cette nouvelle civilisation est qu'elle est civilisation *sans responsabilité*. La publicité, l'information, le pouvoir, systématisés en dehors de tout échange avec ceux à qui ils sont destinés (voire même aujourd'hui, avec la cybernétique, moyennant une participation réduite de ceux-là mêmes qui élaborent les systèmes), sont adressés à autrui sans aucune possibilité de réponse. Comparons ces citations :

« L'ordre généralisé de la consommation n'est autre que celui où il n'est plus permis de donner, de rendre ou d'échanger, mais seulement de prendre et de faire usage. »

« Le pouvoir à celui qui peut donner et *à qui il ne peut pas être rendu*. Donner et faire en sorte qu'on ne puisse pas vous rendre, c'est briser l'échange à son profit et instituer un monopole. »

« Il en est de même de la sphère des médias : il y est parlé *et fait en sorte qu'il ne puisse nulle part y être répondu* [57]. »

---

56. Ces trois temps de la diachronie sont ceux que, dans *ES*, p. 77-88, Baudrillard appelle les « simulacres » de l'échange symbolique. Mais, dès *SO*, il distinguait bien ces trois périodes, la première ayant encore droit, pour ses productions, au vocable « symbolique » ; la grande rupture est celle en deux étapes, de la révolution industrielle et de la révolution sémiotique.

57. *CE*, p. 209-210.

On remarquera d'ailleurs qu'il ne s'agit pas (ou pas uniquement et en tout cas pas d'abord) de la volonté perverse de ceux qui auraient un contrôle sur la consommation, le pouvoir ou les media : c'est leur structure même de signifiants organisés en dehors de tout fondement et de toute symbolique d'échange qui les soustraient à la « réponse ».

Nous sommes donc, non plus dans l'ère de la civilisation industrielle, mais dans celle de la civilisation *sémiotique*, la plus totalement abstraite de la réalité de l'échange, la plus ordonnée à l'accumulation de la vie, la plus étrangère à la présence de la « mort ». Son produit est en effet cet homme universel, anonyme, comme produit lui-même en série selon un modèle résultant de la conjonction des signes qu'on lui impose — cet homme que, par d'autres chemins, décrivait aussi Leroi-Gourhan : homme totalement extériorisé.

Renverser les signes : tout de suite

Les pages qui précèdent ont tenté de répondre à la question : que vise à établir la révolution immédiate ? Reste à se demander quels peuvent être les gestes de cette révolution. Comment établir tout de suite l'échange symbolique ?

Si on tourne les pages de *L'Échange symbolique et la Mort* pour trouver des exemples de cette révolution immédiate, la seule possible, on trouve :

— les grèves sauvages [58], sans raison apparente, sans rythmicité, échappant à la régulation (qu'on pourrait appeler sémiotique) des syndicats : l'absence de tout référent signifiant ou réel ne peut que désorganiser, subvertir foncièrement l'entreprise, car il s'agit de gestes « hors-code ».

— les prises d'otages [59], les actes de terrorisme, les suicides : autant d'action ponctuelles, apparemment de peu d'envergure, mais qui (surtout par exemple si elles s'accompagnent de prétentions exorbitantes et voulues comme telles) sont en réalité une provocation à la réponse, une mise à mort du système par un geste hors-code requérant le même type de geste en retour.

---

58. *ES*, p. 47.
59. *ES*, p. 64-66, 252, 267, 273.

— mai 68, évidemment [60], avant sa récupération par les organisations et les syndicats.

— sur un tout autre plan, les graffiti de New York en 1972 [61] : cet envahissement du métro, des bus, des socles de statues, des espaces blancs par des graphismes sans signification assignable : des mots, des surnoms, des signes ; une écriture subversive, qui ne demande rien qu'on puisse ramener à du déjà connu : cri d'appel hors-code pour une réponse de la société.

Par leur caractère subversif, de telles pratiques indiquent en effet la nature totalement *autre* de ce que serait un échange symbolique, comparé aux structures sociales nées de la production ou de la consommation. Cette indication demeure cependant négative, car rien de concret ne nous est dit ou seulement suggéré de ce que pourrait être une *réponse* à de tels gestes. Or, s'il est de la nature même de l'échange que les termes s'abolissent l'un dans l'autre, on devrait, dans l'acte subversif lui-même, discerner *immédiatement* et rendre la réponse. Or, ce n'est évidemment pas le cas : aucune forme sociale effective ne naît de ces « provocations » qui ne sont pas des « invocations ». Et si ces gestes subversifs demeurent unilatéraux, sans réponse immédiate, alors, selon Baudrillard lui-même, ils se substantifient et ne donnent donc lieu à aucun véritable échange symbolique. On dirait la même chose en remarquant que de tels gestes posés « hors-code » *appellent* une réponse : ne sortent-ils pas, de ce fait même, de l'épure dessinée par Baudrillard ? Un *appel* en effet implique un intervalle de temps linéaire entre lui et la réponse, ce qui suppose donc une recherche, même sommaire, de signification pour « élaborer » cette réponse : et ainsi nous rentrons dans le « code » au lieu d'entrer dans « l'échange symbolique » !

L'impossibilité de l'échange symbolique ne me paraît donc pas conjoncturelle, mais essentielle : tel que le conçoit Baudrillard, l'échange symbolique semble tout aussi *mythique* que la société voulue par la révolution prolétarienne par abolition du social et retour au naturel. Le mythe n'est pas ici de retour à une origine finalement biologique ; il est dans la projection d'une *réciprocité pure*, immédiate, inconditionnée [62]. Les extrêmes pourtant se

60. *ES*, p. 214, n. 1 ; cf. *CE*, p. 214 et 218.
61. *ES*, p. 119 s.
62. On peut se demander si Baudrillard n'est pas ici solidaire de ce qui apparaît comme le point de fragilité de la pensée de Lévi-Strauss. On sait que celui-ci voit

touchent et c'est dans le sang que se paie, ici aussi, la mythologie [63].

Pourtant, dans son extrémisme même, Baudrillard ne nous laisse pas les mains vides, quand il s'agit pour nous de récolter les éléments nécessaires aux retrouvailles du temps et de l'être dans la mouvance de Dieu. Je ne sais pas si aucun auteur, parmi ceux qui, ces dernières années, ont traité de l'*échange* dans le sillage de Mauss, est allé aussi loin que lui dans la perception de la réciprocité et dans la volonté de la réintroduire dans les faits sociaux. J'ai cité plus haut un texte de lui étonnamment proche du « Qui perd sa vie la gagne » des évangiles ; ce rapprochement n'est sans doute pas dénué de signification ; dans le même ordre d'idées, l'effort constant de Baudrillard pour réintroduire la *mort* à l'intime de la structure même du rapport social (distinguant la mort comme moteur de l'échange — sens positif —, de la mort comme perte de l'échange — sens négatif), en l'analysant comme réversion nécessaire de la vie et comme « sacrifice », trouve une place fascinante (et terrifiante à la fois) dans le développement de mon propos ici. Baudrillard a des propos durs sur « Dieu » [64], qu'il rend responsable du maintien de la séparation de ce qui devrait s'échanger et en qui il discerne un appui solide donné au pouvoir totalitaire et sans réponse. Sans doute n'a-t-il pas entièrement tort et la critique de la notion qu'on se fait de Dieu doit toujours demeurer vive, au sein même de la foi la plus théologale, mais ne

---

dans la *règle*, concrètement la prohibition de l'inceste, l'acte de naissance de la *culture*, précisément car cette règle rend possible l'*échange*. Mais, peu à peu, il semble que Lévi-Strauss estompe le rapport de l'échange à la règle, et ferait de l'échange comme la « nature » de l'« esprit humain ». Le fond du réel est alors ramené en direction d'une pure réciprocité spontanée, déliée de toute *parole* régulatrice. Ainsi la socialité serait ultimement fondée dans une réciprocité « naturelle », tandis que chez Engels, elle est fondée sur un donné biologique amené à son point de perfection par sélection « naturelle ». Dans les deux cas, l'originalité de l'ordre culturel s'efface. Sur ce processus complexe de « résorption de la culture dans la nature », cf. F. TINLAND, *La Différence anthropologique*, Paris, 1977, au chap. IV, « De la Règle », consacré à une soigneuse discussion de Lévi-Strauss. Cf. aussi Y. SIMONIS, *Claude Lévi-Strauss ou « la passion de l'inceste »*, Paris, 1968, p. 335-337.

63. Cette présentation de Baudrillard était entièrement rédigée lorsque j'ai pu prendre connaissance de son dernier ouvrage *Les Stratégies fatales*, Paris, 1983, dont le moins qu'on puisse dire est qu'il n'adoucit pas la violence des écrits antérieurs. A ce sujet, cf. P. VALADIER, « Le terrorisme, défi à la démocratie », dans *Études*, 360 (1964), spécialement p. 588 ss.

64. *ES*, p. 210, n. 1.

pourrait-on se demander si le Dieu Trinité n'est pas le seul à répondre vraiment à la description qu'il propose de l'« échange symbolique » ?

Cette trop brève incursion dans ce qu'on pourrait appeler les idéologies de la révolution nous manifeste tout au moins que, si on s'efforce de *penser* l'histoire de l'humanité et de dépasser le sens apparemment forclos sur lequel nous laissait Leroi-Gourhan, on est amené à des prises de position qui débordent une histoire de l'évolution et s'attachent aux *extrêmes* du temps, même si, dans les cas étudiés, c'est de manière « mythique » et/ou « sauvage » ; on est de toute façon emmené au-delà de la conjoncture. C'est la raison pour laquelle il n'est pas hors de propos et sans continuité avec ce qui précède, d'écouter sur le même thème, des voix directement philosophiques, afin de savoir si et comment la question du temps de l'homme est reliée à la question de l'être.

CHAPITRE III

L'ÊTRE :
OUBLI OU EFFACEMENT ?

1. L'ère technique, fin de la métaphysique et aube de la pensée

La pensée de Heidegger est le plus souvent abordée par le biais de sa lancinante recherche sur l'*être*. Cette recherche pourtant n'est pas déliée d'une interprétation de l'histoire de la civilisation qui s'articule facilement avec les positions que je viens de recenser. Selon Heidegger, notre époque *technique* ne peut se comprendre que comme fin tragique d'une longue et catastrophique histoire de la « métaphysique ». Ainsi, la « question de l'être » serait centrale à l'appréciation du « temps ». Essayons de suivre Heidegger sur ce chemin.

Visage du monde technique

Un monde effondré. Une terre dévastée. Un homme réduit à sa composante animale, devenu bête de labeur [1]. Telle serait la figure qui se dévoile à nous, à ce point de l'ère technique où nous sommes.

Détaillons quelque peu les traits de la figure. Au centre, peut-être, le type de production : il est dominateur et violent : il exige de la nature, il la provoque à dévoiler ce qu'elle recèle, il s'impose à elle, il la commet à donner [2]. Au lieu de faire advenir ou de faire éclore ses potentialités, il la fait rendre. Et par là même, il

---

1. « Dépassement de la métaphysique », dans *Essais et Conférences*, Paris, 1958, p. 80-115 (cité *EC*), p. 82.
2. « La question de la technique », dans *EC*, p. 9-48, ici p. 20.

la dévaste : dès lors qu'une centrale électrique est installée sur le Rhin pour lui faire rendre son énergie, les choses changent de sens : le fleuve est muré dans la centrale, il est une fonction de la centrale. Et là d'où la centrale n'est pas visible, on le provoquera d'une autre manière : le fleuve du paysage, chanté par Hölderlin, devient un objet pour lequel on passe commande dans une agence de voyages. Il n'y a plus de Rhin, seulement une force et une marchandise [3].

Mais on voit bien que la nature n'est pas la seule dont on exige : tout est sous réquisition, et au premier chef l'homme, « la plus importante des matières premières » [4] : l'homme est commis à la production, serviteur de la machine, fonctionnaire du technique. Cette tâche le définit au plus près : les « effectifs » humains, par exemple, sont concentrés ou distendus selon l'exigence de la technique. Les diversités entre hommes, culturelles, nationales, ethniques ou autres n'ont plus cours : l'homme est foncièrement uniformisé par le service de la technique [5]. Le surhomme serait celui qui, par instinct ou par dressage, percevrait avec sûreté comment poursuivre ce processus et y destiner choses et gens : distinct du sous-homme par cet instinct, il ne l'est pas par sa référence au procès de production [6].

Dans l'univers technique, le langage comme dire et même comme savoir cède la place à l'information : l'ensemble de nouvelles qu'il faut connaître pour permettre aux processus de production leur infini développement, mais aussi l'ensemble des nouvelles qu'il faut diffuser pour que l'opinion publique entre dans ces processus : l'information *forme* autant qu'elle renseigne, et, naturellement, elle déforme à proportion. A l'âge de la cybernétique et de ses possibilités surmultipliées d'information, non seulement communiquées entre hommes mais maintenant inscrites dans les machines, que pourra-t-il rester de l'homme [7] ?

Le plus troublant peut-être, dans le visage de ce monde technique, se situe au niveau de la communication ; le marché s'organise en un immense procès d'échange, selon un calcul

---

3. *EC*, p. 21 s.
4. *EC*, p. 24 et 106. Cf. aussi « Pourquoi des poètes ? », dans *Chemins qui ne mènent nulle part*, Paris, 1962 (cité *Chm*), p. 236.
5. *EC*, p. 112.
6. *EC*, p. 109.
7. *EC*, p. 24 ; *Chm*, p. 236. Cf. aussi « Le Principe de Raison (la Conférence) », Paris, 1962 (cité *PR*), p. 260 ss.

universel, mais pour qui et pour quoi ? La consommation est un procès d'usure plus que d'usage ; on use ce qu'on a fait rendre à la nature et à l'homme et on organise sans cesse davantage sur une vaste échelle ce procès d'usure sans signification : si un produit manque, on le remplace *(ersatz !)*, moins pour répondre à un besoin que pour ne pas laisser de case vide dans un espace qu'on peut toujours remplir, même si on ne sait pas pourquoi [8].

Le monde de la technique est le monde de l'errance : l'homme n'y a plus aucun repère. Les guerres mondiales qui font rage en ce monde n'ont pas plus de sens que la paix qui les suit : car que faire de la paix et pourquoi avoir fait la guerre [9] ?

L'essence de la technique

Ce visage déplorable, dont on pourrait étendre la description, ne doit pas donner lieu à des lamentations de type moral, comme si nous n'avions pas fait ce qui dépend de nous pour garder la technique dans de justes limites, ou comme si nous n'avions pas su insuffler les valeurs ou le « supplément d'âme » qui étaient nécessaires pour équilibrer le développement de la machine [10]. Heidegger — et c'est là son grand mérite — veut aller beaucoup plus loin dans l'analyse et il s'efforce de dévoiler le sens profond de la situation qui va bien au-delà d'un jugement éthique. Le jugement éthique, s'il a lieu, dépendra d'une investigation qui relie directement les aspects concrets déplorables qu'on a vus à des dimensions plus radicales de l'homme : celles qui ont trait à sa relation à l'être et au temps, et à l'histoire de cette relation. C'est ce que vise Heidegger lorsqu'il entreprend de remonter de la technique, comme instrumentalité et manipulation (et il n'y a rien à dire contre elle à ce niveau), à l'*essence* de la technique.

De quoi s'agit-il ? de ceci que la technique est la fin de ce que

---

8. *EC*, p. 106 ; *Chm*, p. 239.

9. « La terre, non-monde de l'errance », *EC*, p. 113 ; guerre et paix, *EC*, p. 106 s.

10. Une partie de la conférence, dans « Le Principe de Raison », est consacrée à discuter la portée d'une formule comme : en face de la technique, « tout dépend de nous », à savoir : qu'elle reste ou non humaine (*PR*, p. 255). Cf. aussi *EC*, p. 11 ; *Chm*, p. 237.

Heidegger appelle la « métaphysique » [11] ; elle est le fruit de sa longue histoire ; elle est le point où la philosophie « rassemble ses possibilités extrêmes » [12], le lieu terminal d'un itinéraire dont la figure de Platon marque le point de départ et donne l'inspiration constante. Si on ne se réfère pas à cette situation terminale de la technique sur la longue route de la métaphysique, on ne la comprend absolument pas et on reste désarmé contre sa pénétration totalitaire [13]. Ainsi donc, pour aller au fond du problème que pose l'expansion technique devenue terrifiante, il faut déplacer quelque peu le discours ou tout au moins le relier à l'investigation sur la métaphysique [14].

Le destin de la philosophie occidentale

Pour essayer de mettre clairement en lumière ce lien de la technique à la métaphysique, je voudrais remonter d'avant en arrière le long processus historique que Heidegger appelle « destin de la philosophie occidentale », et retrouver ainsi l'enchaînement à la fois nécessaire et fatal, qui nous a conduits où nous en sommes.

Heidegger désigne d'un mot proprement intraduisible, Gestell [15], le stade mortel où nous sommes aujourd'hui rendus.

---

11. Ceci est dit dans tous les textes où il est formellement question de la technique. Aux textes référés ci-dessus, on peut ajouter, par exemple, « La fin de la philosophie et la tâche de la pensée », dans *Questions IV*, Paris, 1976, p. 112-139 (cité *FP*), cf. p. 117.

12. *FP*, p. 114-115.

13. Pour tout ce qui suit, cf. Michel HAAR, « Heidegger et l'essence de la technique », dans *Études germaniques*, 32 (1977), p. 299-316, spécialement les §§ 3 et 4. J'ai tiré grand profit, pour toute cette étude, de l'analyse des « catégories rétrospectives » utilisées par Heidegger, menée par Reiner SCHÜRMANN, dans *Le Principe d'anarchie*, Paris, 1982, p. 222-244.

14. Heidegger a donné de nombreuses esquisses de ce destin de la philosophie occidentale, tel qu'il l'envisage : par exemple dans « Dépassement de la Métaphysique », §§ IV-VII et XIV-XVIII, *EC*, 83-88 et 96-100 ; dans la conférence « Le nihilisme européen », II, voir les p. 105-119. Un schéma visuel très suggestif de l'interprétation que Heidegger donne de l'histoire de l'être se trouve dans le fragment intitulé « L'être », publié dans les *Projets pour l'histoire de l'être en tant que métaphysique* dans *Nietzsche*, t. II (cité *N II*), p. 379-380.

15. HAAR, *art. cit.*, p. 305, note 17, discute les traductions essayées par divers auteurs et s'en tient à celle d'André Préau : « arraisonnement ». Inversement, les traducteurs de la fameuse conférence « Le Tournant » dans *Questions IV*, p. 142-157 (cité *T*) préfèrent ne pas traduire et s'en justifient p. 155, note 1.

Ce mot rassemble [16] et suggère toutes les variantes de la racine qui incarne (non seulement au sens d'*exprimer*, mais aussi à celui de *prendre concrètement chair*) le procès de manipulation, d'artificialité, d'abstraction destructrice qu'il s'agit d'indiquer, « stellen » : poser, mettre : devant, derrière, violemment, doucement, produire, arracher, disposer de, déplacer, etc. [17]. Or tous ces mots renvoient à une certaine attitude de la *volonté*, qui s'est prise elle-même pour fin et ramène indéfiniment tout à soi [18], dans une démarche qui unifie paradoxalement la démesure (puisqu'il n'y a pas d'autre règle que le vouloir pur de soi) et l'exactitude (puisque, pour cette action agressive, elles usera jusqu'au bout de la raison la plus froidement calculante : d'où l'inflation des sciences et de leur application sans frein dans le machinisme) [19].

Cette attitude de la volonté, tournée sur elle-même et son vouloir vivre, renvoie à Nietzsche : c'est par lui que le fond du réel s'est manifesté comme force de vie, immédiateté sensible et vitale, qui construit des champs de valeur libérés de tout esclavage de la rationalité et de la loi. Or ce recentrage de la réalité comme dynamisme d'un vouloir-vivre centré sur soi, « volonté de volonté », « possibilité de revenir à soi, hors de toute condition, comme à la volonté de la vie » [20], est en fait un *renversement* : Nietzsche hérite d'un monde séculairement marqué par la toute-puissance du *rationnel*, supposé capable de réassumer toute chose et toute histoire, que ce soit selon la variante idéaliste de Hegel (mouvement dialectique de l'Esprit absolu) ou celle, matérialiste, de Marx (procès historique de la production), et il renverse ce primat du rationnel en primat de la volonté.

Nous sommes donc renvoyés de Nietzsche à Hegel, dont l'idéalisme transcendantal apparaît à son tour comme la forme

---

16. Heidegger lui-même indique la signification de rassemblement dans *EC*, p. 26, en comparant *Gebirg, Gemüt* et *Gestell*.

17. A dessein, dans des espaces très courts de texte, Heidegger accumule tous les dérivés de *stellen*. Par exemple, *T* (*Qu. IV*, p. 142) ou *Chm*, p. 235 ; ceci est évidemment difficilement perceptible à la traduction.

18. *EC*, p. 102.

19. *PR*, p. 254-260. L'exactitude répond à l'étape terminale de la métaphysique, à la *certitude* de l'époque précédente. La pensée calculante « assure » la volonté de volonté dans ses entreprises. De sorte qu'on pourrait sans doute dire (mais je n'ai pas trouvé de texte où Heidegger le dise explicitement) que de l'*adéquation* en passant par la *certitude* la vérité finit par se manifester comme *calcul*.

20. *EC*, p. 86-87.

radicale d'un processus commencé avec Descartes : à l'aurore des Temps modernes, la perception de la conscience par elle-même devient fondement de toute certitude [21] : sur ce fondement se bâtit la distinction entre sujet et objet, le réel se trouvant à la fois objecté à la conscience et soutenu par elle, critère ultime de vérité. La réflexion du Cogito sur soi-même a pour corollaire le primat de la représentation, tout être prenant la forme de la présentation que l'homme se fournit de l'objet à partir de la certitude de soi. Il y aurait lieu de suivre ici les vicissitudes de cette construction de la réalité à partir de l'autoposition du sujet, de Descartes, où elle s'initie, jusqu'à Hegel où elle se parfait, deux étapes importantes au gré de Heidegger étant Leibniz, avec son principe de raison suffisante et Kant. Disons seulement ici que, chez Hegel, le fondement est totalement et définitivement placé dans le sujet, au terme d'un parcours qui réassume et articule l'unité de l'être, de la pensée et de l'histoire [22]. C'est cet absolu du parcours comme sa rationalité subjective qu'a voulu renverser Nietzsche.

Toutefois, le courant de la modernité, mis en train avec Descartes, est lui aussi, sinon le renversement, du moins le déplacement d'un long processus qui l'a précédé : Descartes a déplacé sur la certitude du *Cogito* ce que l'inspiration de la philosophie grecque, encore dominante au Moyen Age, avait mis sur la manifestation de l'étant *(to on)* ; il n'est pas facile de définir exactement le mot « étant » dans ce contexte : disons qu'il s'agit de la réalité en tant qu'elle est *manifestée, dévoilée, mise en vedette*, rendue évidente et, par conséquent disponible, « sous la main » [23] ; cette manifestation est rendue possible par les jeux de causalité qui rendent présents les étants, dans la diversité de leur idée et de leur essence, sous la lumière d'un Bien transcendant [24] ou selon l'influence unifiée des quatre causes [25]. Peut-être l'analyse fournie par Heidegger des notions de *monde* [26] ou de

---

21. *EC*, p. 98.

22. Cf. « Identité et Différence », dans *Questions I*, p. 282 s. Mais cf. la note de Michel HAAR sur le « rapport complexe » de Heidegger à Hegel, *art. cit.*, p. 300, n. 7.

23. « Sous la main » : *vorhanden*. Cf. plus loin, IIIᵉ Partie, chap. I, note 7.

24. Cf. « La doctrine de Platon sur la vérité », dans *Questions II*, p. 148 s.

25. *EC*, p. 10-17.

26. Cf. *Ce qui fait l'être-essentiel d'un fondement ou « raison »* (périphrase de Henry Corbin pour traduire *Wom Wesen des Grundes*, dans *Questions I*, p. 112-113).

sujet [27] dans la pensée grecque éclairerait-elle cette étape de la philosophie occidentale ? Il y a en effet dans ces termes un aspect de *stance*, de position qui rassemble et soutient : sorte de solidité de l'étant qui se dévoile et apparaît comme un tout assuré par les liens forts de la causalité. Mais il y a aussi un aspect dynamique, en ce sens que ce qui rassemble ou soutient se propose à la diversité des étants pour fonder leur devenir. Enfin, cette présentation de l'étant devenu manifeste fonde ici la *vérité* : le dévoilement de l'étant est la mesure de sa vérité ; regardée du côté de l'homme, celle-ci se dira alors en termes d'adéquation entre la chose et l'intellect.

Ce serait avec Platon que la philosophie aurait commencé à se centrer sur l'étant ainsi conçu, dans l'évidence de sa manifestation, la clarté de son concept, l'offre de sa disponibilité. De cette apparition de l'étant ainsi conçu avec Platon jusqu'à l'esprit absolu de Hegel, la ligne est continue : au travers des déplacements, on en arrive à l'automanifestation totale, sans reste et sans mystère, de l'étant. Le renversement nietzschéen, parce qu'il ne change pas fondamentalement la perspective, manifeste le côté tragique et fatal de cette visée sur l'étant qui aboutit à l'oppression de l'homme par le *Gestell* et les formes sociales qu'il engendre.

Que s'est-il donc passé au commencement ? Ceci : la philosophie a *oublié* la différence ontologique, c'est-à-dire le fait que l'étant qui se présente et sur lequel on a trop vite fait de mettre l'intelligence et la main, procède en réalité de l'*être* et qu'il aurait fallu *penser* cette articulation de l'étant et de l'être, ce « pli », comme dit Heidegger, que ne rendent ni le concept, ni la représentation, ni l'autoposition de soi, comme conscience, esprit ou volonté. Nous parvenons là à ce qui est probablement l'intuition fondamentale de l'œuvre de Heidegger : s'il y a, de quelque manière qu'on puisse l'exprimer, une différence ontologique, une non-identité, dans l'étant qui se présente sans cesse à nous, entre cet étant lui-même et l'être, celle-ci ne devrait pas donner immédiatement lieu à une démarche de l'esprit qui l'explique et aussitôt l'annule au profit de l'étant, moyennant une autre et plus subtile manière de penser l'identité. Or c'est pourtant ce qui s'est produit et c'est ainsi qu'est apparue la « métaphysique » et, d'une manière plus générale, la philosophie et la culture occidentales ; il s'est produit (et peut-être ne pouvait-il

---

27. *Nietzsche* cité *N II*, p. 344-349.

pas ne pas se produire ?) ce qu'on pourrait appeler une erreur d'aiguillage, une sorte de décrochement ou de gauchissement dans la manifestation de l'être ou, ce qui revient au même, dans la juste appréciation de la différence ontologique entre l'être et l'étant [28]. Au lieu que l'articulation vive entre l'être et l'étant, le pli qui les rattache l'un à l'autre en les distinguant, demeure au premier plan de la pensée et conserve ainsi à l'être sa puissance originaire, c'est avec Platon, l'étant en tant qu'étant qui s'est donné à voir ; il est vu, sans doute, dans la lumière de l'être et c'est l'être lui-même qui toujours amène l'étant à la présence, mais l'être, en tant qu'il diffère de l'étant dans la différence même, n'est plus pensé : oubli de l'être.

Ainsi la métaphysique pourrait-elle être dite une logique de l'étant : elle s'efforce de penser celui-ci au niveau de ce qui le fonde, de la manière la plus universelle, à savoir l'être de l'étant ; en ce sens, elle est ontologie. Mais, dans une requête ultime de totalité, elle s'efforce aussi de fonder en raison le fondement lui-même, ce qui la conduit à poser un Étant suprême *causa sui* ; en ce sens, elle est théologie. Or cette constitution onto-théologique de la métaphysique, liée au déplacement initial dont j'ai parlé en commençant, portait en germe tout le développement de l'histoire de la culture occidentale, il y a une ligne (parlerait-on de « fatalité » ? Heidegger parle de *destin*) profondément cohérente, qui conduit de l'apparition idéale de l'étant, dans la pensée grecque depuis Socrate, à l'agression insensée des ressources de la nature qui caractérise l'époque terminale [29]. C'est l'analyse de cette continuité qui permet de situer l'« essence » de la technique au niveau de la « métaphysique » : dès que l'étant s'était manifesté en quelque sorte pour lui-même, hors son articulation vive avec l'être, il s'exposait à être saisi *(Begriff)* ; maintenant l'apparente bénignité du concept tombe le masque et apparaît agression *(Angriff)* [30].

---

28. *N. II*, p. 209.

29. *EC*, p. 88-89.

30. Cette présentation, « d'avant en arrière » du destin de la philosophie occidentale devrait permettre de mieux comprendre, « d'arrière en avant », une des esquisses de Heidegger (*FP*, p. 113. J'ai refait la traduction et mis entre crochets le nom des auteurs qui illustrent les époques de l'histoire du « fond »). Si on appelle « fond ou fondement ce d'où l'étant comme tel, dans son devenir, sa disparition et sa permanence, est ce qu'il est et comme il l'est, en tant que susceptible d'être connu, pris en main et élaboré », alors l'histoire de ce fondement peut se résumer

Le péril et le salut

Ainsi, depuis le premier oubli platonicien se dessine la figure de la philosophie occidentale : de l'étape « ontique » à l'étape « transcendantale » puis à l'étape « volontaire », cette dernière se matérialisant concrètement dans le déchaînement du *Gestell* : on voit, succinctement, selon quelle logique Heidegger perçoit dans la technique un achèvement et pourquoi il la présente comme le mode terminal de l'errance de l'étant hors de l'être. Cette essence de la technique apparaît ainsi comme extrêmement dangereuse : « Le *Gestell* déploie son essence comme *le* péril [31]. » Étant donné cette longue généalogie et cette consistance philosophique, le péril du *Gestell* n'est en aucune manière justiciable de médications éthiques ou de mesures de précaution : j'ai noté plus haut les avertissements de Heidegger à ce sujet [32]. Il n'est même pas question, fût-ce seulement possible, de se tenir à l'écart de la technique ; aucune attitude écologique chez Heidegger [33]. Alors ?

Nous nous trouvons ici devant ce qu'on pourrait appeler la « question de l'après » : il est bien clair que l'ère technique où nous sommes ne peut pas connaître d'après, au moins à la manière dont les époques qui précédaient avaient reçu, depuis Platon, leur après spécifique. S'il est un *après*, ce n'est pas un « après l'ère technique », mais un « après la civilisation occidentale ». Est-il permis de l'espérer et peut-on en pressentir la forme ?

On ne peut évidemment pas attendre de Heidegger une réponse « claire et distincte » ! Il semble cependant que quelques constantes se dégagent des passages où il a abordé cette question, qui est vraiment *la* question de notre temps.

---

comme suit : « Le fond a, chaque fois selon l'empreinte de la présence, le caractère de fonder
— comme processus causal ontique de l'effectué [Platon, Aristote],
— comme processus rendant transcendantalement possible l'objectivité de l'objet [Descartes, Kant],
— comme processus de médiation dialectique du mouvement de l'Esprit absolu [Hegel], du procès historique de la production [Marx],
— comme volonté de puissance instauratrice de valeurs [Nietzsche]. »
   31. *T*, p. 142 (je souligne).
   32. Cf. *supra*, note 10.
   33. Cf. Reiner SCHÜRMANN, « Que faire à la fin de la Métaphysique ? », dans *Martin Heidegger*, L'Herne, Paris, 1983, p. 363.

1. Plusieurs fois, et de manière insistante, Heidegger cite un passage de Hölderlin :

> *Mais où est le péril, croît*
> *aussi ce qui sauve* [34],

et ses commentaires tendent à établir qu'il ne s'agit pas ici de juxtaposition : à mesure que croît le péril, croîtrait aussi, mais ailleurs, une force de salut qui, le moment venu, viendrait à bout du péril. C'est au contraire le péril lui-même ou, ce qui revient au même, le *Gestell* à l'extrême de son risque, qui *peut* se retourner et se manifester comme ce qui sauve [35]. L'explication la plus spéculative de cette possibilité se trouve dans la conférence intitulée justement le *Tournant* : avec l'extrême du péril correspondant à l'extrémisme du *Gestell*, nous touchons à l'extrême de l'occultation de l'être, en œuvre depuis Platon. A l'époque du péril/Gestell correspond l'oubli en tant qu'oubli ; aussi bien, si par une sorte de retournement instantané, on pouvait s'apercevoir où l'on se trouve : dans l'oubli absolu, alors ce qui est oublié se manifesterait : apocalypse de l'être dans un éclair. Il fallait aller jusqu'à l'extrême de la détresse, du péril, là où il n'y a plus de mélange à quoi on pourrait se tromper, pour que l'oubli *puisse* être manifesté comme oubli, ce qui revient à dire qu'il ouvre l'épiphanie de l'être [36].

2. J'ai souligné les mots : *peut, puisse*. La seconde constante, en effet, de la réflexion heideggérienne, est qu'il ne nous appartient pas de susciter ce tournant. Seul l'être peut se remettre soudainement à briller à l'extrême de la détresse. Il faudrait ici

---

34. *T*, p. 147 ; *EC*, p. 38 ; *Chm*, p. 241.
35. *EC*, p. 39 s ; *T*, p. 148 s.
36. Peut-on tenter d'expliquer ainsi : à un niveau tout psychologique, durant tout le temps où on oublie quelque chose, on ne sait pas qu'on l'oublie ; ou, si on le pressent, moyennant par exemple un certain malaise, on ne sait pas ce qu'on oublie, on ne peut l'identifier. Ce n'est qu'au moment où on cesse d'oublier qu'on sait à la fois qu'on était dans l'oubli et ce qu'on oubliait : une illumination se fait et on « retrouve ». Dans le cas visé ici, l'oubli vise l'être : son objet est en quelque sorte absolu et il n'y a rien pour se raccrocher : extrême de la détresse, mais en lequel paradoxalement peut se dévoiler comme en un éclair ce qui était oublié. C'est l'oubli absolu qui se renverse en quelque sorte et devient épiphanie de l'être.

gloser les différentes formules qui expriment cette initiative qui ne nous revient pas. Dans la *Question de la technique*, « ce qui accorde » croît en même temps que ce qui provoque et ce qui exploite : le *Gewährt* est plus ancien que le *Gestell* et le *Gefahr*, et nous pouvons observer, regarder jusqu'à ce que [37]... *Dépassement de la Métaphysique* se clôt par une sorte de pressentiment de l'Ereignis « qui conduit certains mortels sur la voie de l'habitation pensante et poétique » [38]. Dans *Pourquoi des poètes ?* c'est le cercle infiniment vaste de l'Ouvert qui vient « toucher » ceux qui, plus que les autres, sont entrés dans la profondeur abyssale de la détresse [39]. Dans le *Tournant*, c'est l'être qui, soudainement, éclaire, et donc regarde vers nous, et c'est en son regard que nous regardons [40]. On pense au Psaume 35 : « dans ta Lumière, nous verrons la Lumière »... Ainsi le salut, s'il doit advenir, parviendra par la « grâce » de l'être au moment ultime du péril de l'étant.

3. Ce salut qui croît, s'il se produit, regarde « certains mortels ». Les deux mots méritent une glose. *Certains* : non pas tous, mais qui ? Ceux « qui ont atteint plus tôt à l'abîme de l'indigence et de la détresse » [41], qui sont allés le plus avant dans le péril ? Sans doute, mais aussi ceux — les mêmes, sûrement, — qui pressentent les chemins qui ne mènent nulle part, les seuls où se promène l'être : les hommes de la pensée méditante, de la raison pascalienne [42], les poètes, les hommes de l'attente ; sans s'exclure du péril dont, plus que d'autres peut-être, ils sentent la totalité, ils laissent, au cœur même du péril, monter ce qui, peut-être, se révélera. *Mortels* : le mot dit exactement ceux dont on vient de parler : « Ce qui importe n'est pas que nous vivions par les atomes, mais bien que nous puissions être les mortels que nous sommes, à savoir ceux qui se tiennent sous l'appel de l'être. Seuls de pareils vivants sont capables de mourir, c'est-à-dire d'assumer la mort comme mort [43]. » Pourquoi « se tenir sous l'appel de l'être » signifie-t-il être « mortels » ? Qu'est-ce que la « mort

37. *EC*, p. 42.
38. *EC*, p. 115.
39. *Chm*, p. 248.
40. *T*, p. 154 s.
41. *Chm*, p. 241.
42. *Chm*, p. 249.
43. *PR*, p. 268.

comme mort » ? Rilke répond : « La mort est la *face de la vie* qui est détournée de nous, qui n'est pas éclairée par nous [44]. » Le cercle le plus vaste de l'être, la sphère parménidienne, l'Ouvert (ces mots s'équivalent) a sa face cachée. Cachée à qui ? à la raison calculante, à la vie en état d'agression constante de la nature et de l'homme ; pressentie par qui ? par ceux qui méditent et attendent, sachant que ce qui est caché se révélera, de sorte que l'unité des deux faces soit rendue manifeste. Le « mortel » n'est donc pas celui qui nécessairement passera un jour de vie à trépas ; c'est celui qui, aujourd'hui, se tient sous la face cachée, sous l'appel de l'être, sous la touche de la mort ainsi entendue. En ce sens, le « mortel » est aussi celui qui consent, par opposition à celui qui veut. Il est, équivalemment, l'homme de la *Gelassenheit* [45].

Ainsi se laisse pressentir le salut : comme un renversement que l'on est en droit d'attendre, si on analyse le fond de l'oubli, mais dont l'événement ne dépend en aucune manière de l'homme ; celui-ci peut tout au plus se laisser mettre en position d'attente. Mais nous n'en savons pas davantage ; les « catégories de transition » [46] que Heidegger met en œuvre pour suggérer la figure du « monde » et de la « chose » sous l'éclaircie de l'être ne font pas des prophéties ni des descriptions anticipées, et elles demeurent en tout cas hors de tout champ religieux. Nous sommes encore dans l'époque technique, certains, parmi nous, peuvent se tenir sous l'appel de l'être, mais qu'adviendra-t-il ?

Si, toute sommaire soit-elle, cette présentation n'est pas trop inexacte, elle nous permet les conclusions suivantes : l'angoisse d'un après *imminent*, pour lequel ne se laisse discerner aucune figure, est référée par Heidegger à une attitude métaphysique fondamentale, qui demeure la même tout en se dégradant de plus en plus au cours d'une histoire qui est tout aussi bien celle de la culture et de l'action humaine que celle de la pensée. Nous avons *perdu* le *temps* parce que nous avons *oublié* l'*être*.

---

44. Cité dans *Chm*, p. 247.
45. Cf. Jean GREISCH, « La contrée de la sérénité et l'horizon de l'espérance », dans *Heidegger et la question de Dieu*, Paris, 1980, p. 183 s.
46. Cf. SCHÜRMANN, *Le Principe d'anarchie, op. cit.*, p. 245-276. Voir en particulier p. 250 : « Heidegger ne dessine aucune utopie, mais les traits *formels* qui s'appliquent à tout virage, qu'il conduise au meilleur ou au pire. Rien ne permet d'affirmer que si "le rapport de l'être à l'homme" "un jour venait, dévoilé, à la lumière", la vie en serait plus vivable. L'essence salvatrice de la technologie ne recèle aucun salut pour l'homme. Elle désigne une modification du dévoilement, sa transformation en "événement". »

Au point où nous en sommes aujourd'hui, il y a cependant une espérance, celle d'un retournement vraiment total de la situation, au moment où celle-ci atteint un paroxysme d'absurdité — retournement qui requiert, du côté de l'homme, une attente de ce qui doit être *donné* mais qu'on ne peut en aucune manière se préparer à saisir, car saisir ou comprendre relève encore de l'attitude métaphysique. Nous ne savons donc ni ce qui se passera, ni comment nous y serons impliqués ; nous savons seulement que l'enjeu est immense, car ce qui doit se retourner n'est autre que l'espace global de la civilisation occidentale. Il n'est peut-être même pas possible de fonder en quoi que ce soit notre espérance, puisque les mots qui la fonderaient appartiendraient encore à l'ère du métaphysique et du technique. Encore une fois, il n'est que de demeurer sous l'appel de l'*être*, dans l'attente de ce qui ne peut être que *donation* et où se recevra aussi la vraie figure du *temps*. A ce point, il semble que nous retrouvions la *mort*, car cette attitude d'attente, ce demeurer dont ni le lieu ni l'objet ne sont vraiment définis, n'est-ce pas là le consentement à une mortalité fondamentale, celle de l'autonomie de tout *étant* satisfait de sa pure présence à soi-même ?

Je reviendrai sur Heidegger à la fin de ce chapitre, de cette partie, et au début de la troisième partie de ce livre. Une seule question sera posée ici, comme suggestion des démarches critiques ultérieures : si l'époque technique ne connaît pas d'*après*, le *don* du temps et de l'être que nous attendons a-t-il un *avant*, ou bien faut-il concevoir le salut comme une *origine pure*, à jamais déliée de tout ce qui l'aurait précédée ?

2. « *L'encore innommable qui s'annonce...* »

Ainsi l'issue à l'angoissante question de l'après est-elle liée, chez Heidegger, à une lecture à la fois historique et philosophique de la tradition culturelle occidentale, d'une part, et, de l'autre, à une espérance, forte dans sa décision mais fragile dans son objet, de la figure nouvelle, à la fois désirée et imprévisible, du temps et de l'être.

Même cette espérance, pourtant ténue, peut sembler encore trop présomptueuse, et trop vite close l'analyse philosophique qui l'autorise. Un chemin plus radical encore se laisse discerner à certains, et il faut en suivre ici l'indication, non pour le plaisir d'avoir fait un tour aussi complet que possible dans le paysage culturel contemporain, mais à cause de l'incidence humaine et éthique qui s'y trouve impliquée.

Dans la perspective qui nous occupe ici, on pourrait synthétiser la méditation de Heidegger en disant que notre époque est malade de trop de « présence » : son présent est en quelque sorte cancéreux et dévore tout espacement du temps et tout mystère de l'être ; cependant une nouvelle époque interviendra peut-être. Un Jacques Derrida veut aller plus avant et mener, de la présence, une critique bien plus radicale. Il ne s'agit même pas, à proprement parler, de critique, car ce mot exprime un certain jugement et évoque une possible réforme ; il implique par conséquent un lieu d'où on pourrait proférer une parole décisive sur le temps ou du moins l'attendre. Il s'agira donc de ce qu'on est convenu d'appeler une « déconstruction ». L'ébranlement de la présence y sera tel qu'il emmènera avec soi tout point de référence et provoquera le naufrage aussi bien du passé que du futur : c'est la totalité du temps qui sera irrémédiablement perdue.

Autrement que Heidegger [47]

Derrida discerne chez Heidegger et fait sien, du moins en un premier temps et comme par provision, le primat de la pensée de l'être : à un niveau radical, en deçà de toute ontologie ou métaphysique, là où cette pensée informe absolument tout langage, où l'être, qui n'est prédicat de rien, est ce sans quoi aucune phrase ne peut être construite : verbe indispensable, mais au-delà de tout logos déterminé, « supplément de copule » sans quoi on ne peut rien dire, mais sur quoi on ne peut rien dire, alors qu'on aimerait en un sens tout savoir et pouvoir tout dire. C'est que l'être ne se produit jamais pour lui-même ; il ne se produit jamais que comme étant et comme présent : dans le moment même où il produit

---

47. Je me réfère ici au long passage où Derrida défend, avec conviction, semble-t-il, certaines positions essentielles de Heidegger, contre les attaques d'Emmanuel Lévinas : cf. tout le paragraphe intitulé « De la violence ontologique », dans l'étude « Violence et métaphysique », publiée dans *L'Écriture et la Différence*, Paris, 1967, p. 196 ss. Ensuite, pour les deux « voies » possibles, cf. deux commentaires d'un même extrait de « Der Spruch des Anaximander », dans « La Différance » et « Ousia et grammè », études publiées dans *Marges de la philosophie*, Paris, 1972, cf. p. 24-29 et 73-78.

l'étant et où l'étant s'abrite pour ainsi dire en lui, il disparaît, il s'efface, il est oublié. Il n'est là que comme trace effacée. Dira-t-on qu'il se manifeste comme présence du présent, et que la différence ontologique se donne à penser par là, comme différence entre le présent et sa présence ? Non, car nous sommes encore, avec ce vocabulaire, dans le champ sémantique de l'étant, non dans celui de la propriété de l'être : la présence comme présence du présent n'est que l'inscription, en langage ontologique, de ce qui n'est pas de l'ordre de l'ontologie mais qui seulement émerge dans le vocabulaire de la différence ontologique. La pensée de la présence n'est pas la pensée de l'être ; elle est la trace de l'être effacé. On dirait qu'elle est l'indicatif pur de ce qui ne peut être indiqué et demeure à l'horizon de tout langage sans être soi-même objet d'aucun langage.

Or, à partir de là, deux voies sans doute peuvent s'ouvrir : la première est celle de Heidegger ; elle semble demeurer à l'intérieur de la différence ontologique : elle serait la persévérance, l'endurance dans la pensée de l'être, l'attente ou peut-être le risque d'un langage où l'être serait dévoilé et où ce qui parle en tout langage pourrait aussi se dire : attente de l'être comme nom propre (mais le nom propre en question pourrait ne pas être *être*, s'il est vrai que l'être s'évanouit toujours en se produisant comme étant). La seconde voie consisterait à aller en deçà de la différence ontologique, à tenter de penser en deçà de la présence, à rejoindre, au travers et dans toutes les différences, une différance, plus « originaire » même que la différence ontologique entre l'être et l'étant, et dont la différence ontologique ne serait qu'une manifestation, un geste, un style — celui de notre culture occidentale [48]. Cette différance ne serait pas différence entre des termes, elle serait en deçà de la présence (et donc de l'absence). Comment en parler ?

C'est cette seconde voie, en tout cas, que Derrida voudrait, sinon emprunter car elle n'existe pas d'avance, du moins contribuer à tracer. Ce faisant, il se situe explicitement à l'extrême limite de ce discours culturel contemporain qui, à des degrés divers et dans des perspectives qui peuvent varier, interroge radicalement ce qu'on pourrait appeler une constellation de la présence dont tous les

---

48. Je cite ici un texte important sur lequel je reviendrai : « Il s'agirait en somme de penser un *Wesen*, ou de solliciter par la pensée un *Wesen*, qui ne serait même pas encore *Anwesen* » (*Marges*, p. 75).

éléments font système : il s'agit, dans le sillage de Heidegger mais
plus avant que lui, d'ébranler une ontologie qui, « dans son cours
le plus intérieur, a déterminé le sens de l'être comme présence et
le sens du langage comme continuité pleine de la parole », mais
il est aussi question, avec Lévinas, de faire droit à la primauté et
à la sollicitation d'autrui, comme altérité absolue qui, elle aussi,
critique l'ontologie classique ; il faut rejoindre et prolonger
Nietzsche et Freud dans le soupçon efficace qu'ils ont lancé contre
la pure conscience de soi, démarche parallèle à une autre qui serait
une critique rigoureuse du *Cogito*, de Husserl à Descartes [49]... Au
terme, à une mentalité de la présence, de la conscience et de l'être,
il faudrait opposer une mentalité de la trace, de la différence et
de l'altérité. Dans cette perspective, il ne saurait évidemment être
question d'un discours, même provisoire, de l'eschatologie ou de
l'origine ; on se trouverait, pour ainsi dire, toujours déjà
« embarqué » sans savoir sur quel bateau, avec des escales peut-
être, mais sans port d'attache ni terme du voyage. Toutes les
étoiles, qui formaient cette constellation de la présence, s'éteignent
en effet ensemble : le privilège de la voix, forme par excellence de
la présence, s'efface, et avec lui, de proche en proche, tout le
système de la signification et donc l'idée même d'un sens ; le mot
que, par excellence, prononce la voix, *être*, s'effondre dans la
mesure où il n'est autre chose que l'affirmation pure de la
présence ; la chute de l'ontologie entraîne celle de toute théologie,
le langage sur Dieu étant étroitement connexe à l'économie de la
signification ; mais l'histoire elle-même ne peut plus se dire, s'il
est vrai que la temporalisation ne se signifie qu'à partir du présent,
dont on récuse ici absolument toute suprématie. Quant à la
conscience de soi, il y a longtemps que sa prétention s'est
manifestée illusoire [50].

---

49. Une référence générale est donnée à Lévinas, Heidegger, Nietzsche et Freud
dans *De la grammatologie*, Paris, 1967, p. 102, et l'étude sur « La Différance »
(dans *Marges de la philosophie*, Paris, 1972, p. 3-29) est développée en dialogue
avec ces divers auteurs. On sait que c'est dans *La Voix et le Phénomène* (Paris,
1967) qu'est développée la discussion avec Husserl. (A propos du *Cogito*, voir aussi,
entre autres, *Marges*, op. cit., p. 351).

50. La cohérence de toutes les figures de la constellation est sans cesse soulignée
par Derrida : il s'agit finalement de la civilisation occidentale prise comme un tout
et dont s'annonce la clôture. Voir l'exposé particulièrement brillant de ce point de
vue au début de *De la grammatologie* (*op. cit.*, p. 20-26).

Comme le remarque Derrida dans son exposé sur *La Différance*[51], il est difficile de savoir par où commencer pour présenter une mentalité de la déconstruction, car le tracé ne peut être que « stratégique et aventureux » : puisqu'il n'y a aucune référence fixe, jouissant de quelque transcendance, l'écriture ne peut être que stratégique, stratagème pour s'approcher de ce qui ne peut que se dérober à toute tentative de prise ; elle ne peut être qu'aventureuse, car l'idée même d'une fin qui serait poursuivie et orienterait ainsi le mouvement fait partie de ce qu'il y a à déconstruire. La démarche relève du *jeu*, j'aimerais dire de la « navigation à vue » qui, contrairement à ce que son nom indique, est l'art de conduire un bateau quand on n'y voit rien. Une seconde difficulté, également soulignée théoriquement et sur laquelle achoppe constamment la pratique même de la déconstruction, est que, s'il faut parler ou écrire pour déconstruire, on est comme contraint de demeurer à l'intérieur même de ce qu'on voudrait quitter, car tout le système des mots et des concepts s'impose comme seul outil d'expression. De là vient la pratique fréquente de la « rature », qui porte sur le plan graphique le mal originel de la démarche : dire continuellement ce qu'on voudrait ne pas dire : trouver « les mots pour le dire » et souligner aussitôt qu'ils sont constitutionnellement impropres[52].

Dans ces conditions, tout ordre d'exposition en vaut un autre, et ensemble ils ne valent peut-être rien. Je parlerai d'abord de la déconstruction de la signification, puis de l'effondrement du temps et enfin de l'ébranlement sans espoir de l'onto-théologie.

Déconstruction de la signification

C'est tout de même peut-être par le biais de la réflexion sur le

---

51. *Op. cit.*, p. 7.

52. D'où la fréquence des formules qui disent que, « dans le langage classique » de la phénoménologie, de la métaphysique, de la linguistique ou autres, « on dirait » ceci ou cela pour désigner ce qui est en cause, mais que c'est justement cette formulation qu'il faut déconstruire — tout en maintenant par ailleurs qu'on n'a pas d'instruments propres à s'exprimer. Derrida se défend de faire de la « théologie négative » (« La Différance », *op. cit.*, p. 6), mais de fait rien ne ressemble plus, au point de vue formel, à la déconstruction que la critique du langage théologique — même chez les théologiens plus « affirmatifs », comme saint Thomas d'Aquin, par exemple.

langage (voix, concept, mot...) qu'on peut le mieux aborder
cette « déconstruction » de la philosophie et de la culture [53].
Le logos, en effet, est exactement connexe de l'onto*logie* (et
réciproquement), comme aussi de la conscience de soi, localisée
dans le *Je* qui parle, et du temps mesuré à partir de la parole
présente. Si le langage laisse apparaître sa fragilité, c'est l'ensemble
du penser humain qui se trouve ainsi ébranlé.

C'est à la racine même du langage que se dessine le processus
de déconstruction, en ce point mystérieux où se manifestent
ensemble et en même temps, sans qu'on puisse exactement savoir
comment les distinguer ou les articuler, la voix humaine et la
pensée, le phonique et le conceptuel. La référence de base est à la
linguistique de Saussure [54], dont on retient deux éléments centraux
de l'analyse du signe, à partir desquels la dislocation de la
signification peut devenir manifeste : l'arbitraire et le
différentiel [55]. Reprenons très brièvement cette analyse : aucune
nécessité « naturelle » ne relie tel son à tel sens, tel complexe de
phonèmes à tel contenu idéel, telle image acoustique à tel concept,
ou, pour prendre enfin les mots reçus, tel signifiant à tel signifié.
En elle-même, cette assertion n'a rien de révolutionnaire ni de
déconstructif. Avec des variantes plus ou moins importantes, elle
court au long de l'analyse du langage depuis Aristote — si du
moins on la prend dans la perspective où il n'y a pas de lien naturel
entre le mot et la chose qu'il représente par la médiation du
concept. En un sens, Benveniste reprend cette assertion de la
manière la plus classique, lorsqu'il précise et corrige la théorie
sausurienne et dit qu'elle vise plutôt la relation du signe à la chose
que celle du signifiant oral à son correspondant mental, ceux-ci
étant aussi inséparables que les deux faces d'une feuille de
papier [56].

---

53. C'est par ce biais, en tout cas, que l'aborde Derrida, simplement peut-être
parce que, tout discours étant de signification, on s'y trouve d'emblée dans
l'entreprise de déconstruction. Cf. « La Différance », dans *Marges*, *op. cit.*, p. 9 :
« Partons, puisque nous y sommes déjà installés, de la problématique de l'écriture
et du signe » ; p. 10 : « Mais séjournons d'abord dans la problématique
sémiologique. » C'est aussi la démarche de *De la grammatologie* en sa première
partie.

54. *Cours de linguistique générale* (édition critique), Paris, 1976, p. 100-102 et
163-166.

55. *Marges*, p. 10.

56. « Nature du signe linguistique », dans *Problèmes de linguistique générale*,
Paris, 1966, t. I, p. 49-55.

La déconstruction, ou tout au moins son principe, apparaît au moment où on entend cet arbitraire du signe, d'une sorte de séparation entre le signifiant et le signifié, d'une libération en quelque sorte du signifiant par rapport à tout contenu mental auquel il aurait été plus ou moins nécessairement lié, ou encore d'une rupture entre le champ de la signification et le monde de la référence, on pourrait dire encore : d'un flottement du signifiant par rapport au signifié et donc d'une certaine autonomie du premier. Il est bien évident en effet que, si le signifiant a une certaine autonomie, il va falloir d'une part la considérer sérieusement et de l'autre (mais c'est peut-être une autre manière de dire la même chose) revoir toute la théorie de la signification immémorialement basée sur la continuité du signifiant au signifié et du signe ainsi constitué à la chose.

C'est ici qu'intervient l'autre aspect de l'analyse saussurienne du signe : le caractère différentiel. « Dans la langue, dit Saussure que reprend Derrida, il n'y a que des différences sans termes positifs », de sorte que, si une signification s'instaure, c'est uniquement par le jeu d'articulation et d'espacement des différences ; si loin qu'on pousse l'analyse, on ne trouve jamais que ce mouvement, qui organise et qui défait, sans que rien ne puisse afficher une valeur en soi, indépendamment du jeu des positions. Comme dans la micro ou l'astrophysique (et ce parallèle n'est pas dépourvu de sens), la signification n'est que dans la constellation plus ou moins instable d'éléments qui conviennent et s'éloignent, sans point ni valeur fixes.

De cette autonomie du signifiant, on peut tirer, en ce qui concerne en général le processus de la signification, les conséquences suivantes :

1. Si le signifiant est arbitraire, il n'y a pas lieu de privilégier tel type plutôt que tel autre. Concrètement le privilège accordé en fait au langage parlé, à la voix comme présente, se manifeste sans fondement [57]. La parole n'a pas plus de dignité intrinsèque que l'écriture, l'écriture phonétique plus que l'idéogramme, l'écriture en général plus que tout autre mode de signification plastique. S'il fallait chercher une sorte de principe fondamental à la

---

57. Sur le « grammè », cf. *De la grammatologie, op. cit.*, p. 19. Pour une critique serrée du privilège de la *phonè*, particulièrement, mais non exclusivement chez Saussure, *ibid.*, p. 46 ss.

signification, il faudrait le chercher en deçà de tout signe particulier, dans ce qu'on peut, si on veut, appeler le « gramme », tout en sachant que ce gramme lui-même ne pourra faire jamais l'objet d'une saisie propre : il est (si le mot *est* avait un sens dans ce contexte !) [58] ce qui travaille en tout procès de signification, et qui condamne tout effort d'absolutiser quelque geste que ce soit de ce procès.

2. Si le signifiant est différentiel, s'il n'y a pas unité stable du son et du sens ni correspondance insécable entre l'expression et le contenu, mais si, au contraire, les signifiants s'organisent sans cesse et de façon instable, alors il n'est plus possible d'assigner à aucun signifié ni à aucun signifiant l'origine du sens. Les signes se renvoient dans un jeu sans commencement ni fin, sans qu'il y ait à l'origine aucune « simplicité absolue » et sans qu'on se dirige vers un quelconque *telos*. Ce renoncement à l'origine et ce toujours-déjà-là (qui est tout aussi bien un jamais-encore-là) du jeu signifiant, Derrida l'exprime avec divers mots. Ce à quoi renvoie le jeu signifiant, c'est à une « archi-synthèse » [59], le préfixe *archi* renvoyant certes à une idée de principe, mais le mot *synthèse* disant précisément que ce principe n'est autre que la dynamique sans cesse en mouvement de tous les systèmes signifiants. On parle aussi d'« archi-trace » [60] comme « devenir immotivé des signes » ; ici encore le préfixe *archi* veut indiquer que, à supprimer le thème imaginaire de l'origine, on ne veut pas pour autant suggérer l'anarchie et le non-sens, mais le mot (est-ce un mot ?) de *trace* oppose son devenir immotivé et insaisissable à la plénitude sans faille d'une présence qui serait originaire. En d'autres termes, comme, ainsi que je l'ai déjà indiqué, nous ne disposons pour parler ou écrire que d'un langage culturellement construit sur des présupposés logiques et métaphysiques, nous pouvons difficilement éviter la question de l'origine ; nous ne pouvons pas non plus nous contenter, la question une fois posée, de la résoudre par la négative, car la négation pure et simple reste dans le domaine défini par l'affirmation inverse : une solution consistera donc à

---

58. « *La trace elle-même n'existe pas* (Exister c'est être, être un étant, un étant-présent, *to on*) », *ibid.*, p. 238. « Trace » et « gramme » sont des non-mots équivalents. Cf. aussi *Marges*, p. 22.

59. *Ibid.*, p. 88.

60. *Ibid.*, p. 90 s.

juxtaposer deux inconciliables : *archi-trace*. Le préfixe *archi*
maintient à la trace ainsi proposée un caractère originaire, mais
d'une origine qui ne peut absolument pas se dire et que, à cause
de cela même, on « rature ». La rature est l'expédient (dont on ne
peut savoir encore s'il n'est que provisoire) pour viser ce qui est
à signifier, en sortant du champ culturel qui pourtant nous fournit
ses problèmes et ses mots. Derrida désigne encore cette origine
impossible comme « différance » [61], terme qui n'est « ni un mot,
ni un concept » [62], dont la spécificité par rapport à « différence »
ne peut pas être *entendue* et défie à elle seule le privilège de la voix
et du langage ; il la décrit comme « mouvement de jeu qui
"produit", par ce qui n'est pas simplement une activité, les
différences... L'"origine" non pleine, non simple, l'origine non
structurée et différante des différences. Le mot d'origine ne lui
convient donc plus... Le mouvement selon lequel la langue ou tout
code, tout système de renvois en général se constitue
"historiquement" comme tissu de différences » [63]. Une référence
à la distinction freudienne entre le principe de plaisir et le principe
de réalité, et au « détour économique » qu'il faut faire par le
second pour retrouver le premier, permet à Derrida d'expliciter sa
pensée. Dans la différance, il y a bien *détour*, mais pas *en vue de*,

---

61. Un peu partout dans l'œuvre de Derrida, déjà dans *La Voix et le Phénomène*,
Paris, 1967, p. 75. Cf. l'article qui lui est spécialement consacré dans *Marges* (réf.
supra note 1). Les trois expressions que je retiens ici (en sus de « gramme ») ne
sont pas les seules. Il faudrait aussi analyser le thème du *supplément* qui parcourt
toute la seconde partie de *De la grammatologie*, consacré à Rousseau, et qu'on en
retrouve dans le texte « Le supplément de copule » (*Marges*, p. 209-246), consacré
à l'étonnant article de Benveniste, « Catégories de pensée et catégories de langue »
(dans *Problèmes...*, t. I, p. 63-74). Le « supplément » est justement ce qui, quoi
que ce soit, ne se laisse pas réduire au système présence/signe/temps/être. Pour
d'autres termes, voir *Positions*, Paris, 1972, p. 55 et 59.
62. *Marges*, 7 et 11. Concept et mot impliquent en effet l'un et l'autre, la présence
suffisante de la pensée ; et de l'unité de la pensée et de la phonie.
63. *Marges*, p. 12 s. Il y a d'autres définitions (?) de la différance, en fonction
d'autres références culturelles (Nietzsche, Freud, etc.) mais elles peuvent revenir
à celles-ci. Ces « définitions » sont explicitement données sous bénéfice de rature :
« Il faudrait montrer pourquoi les concepts de *production*, comme ceux de
constitution et d'histoire, restent de ce point de vue complices de ce qui est ici en
question... et je ne les utilise ici, comme beaucoup d'autres que par commodité
stratégique et pour amorcer la déconstruction de leur système au point actuellement
le plus décisif. » Plus haut dans le même texte, Derrida avait noté que la « voix »
qui convient à ce qui est ici en cause est la voix *moyenne*, opposée à l'active et à
la passive, neutre.

pas comme *ruse* : détour en quelque sorte à l'état pur, « différance comme rapport à la présence impossible, comme dépense sans réserve, comme perte irréparable de la présence, usure irréversible de l'énergie, voire comme pulsion de mort et rapport au tout-autre interrompant en apparence toute économie »[64]. Il n'y a pas d'origine de la signification[65].

3. Le *Je* du « je pense » se trouve ainsi effacé ; pas davantage que rien d'autre, le sujet n'a ni position ni privilège ; il est pris dans la différance dont il n'est qu'un moment. Le *Cogito* qui s'érige en référence ultime et fondatrice de la présence et de l'être est en réalité parole de mort[66]. En réalité, le sujet parlant est toujours déjà pris dans le système mouvant des différences signifiantes, celles de la parole et les autres, et où se placerait-on pour discerner un sujet fondateur, avant la parole ou la signification[67] ? Le « je pense » indique d'emblée sa participation au jeu « originaire et non-simple » de la pensée ; autrement dit, en tant que *Je*, il signifie sa mort, son éphémère, sa disparition déjà là puisque prochaine. Le *Je*, même dans le moment où il se dit, n'est qu'émergence provisoire de la différance. Il n'y a pas de présence pure à soi-même.

4. Dans ces perspectives, c'est l'idée même de signification qui est subvertie, déconstruite, dans la mesure où cette idée implique classiquement un sujet en acte de signifier, par la médiation d'un « signe de », d'une re-présentation, un référent situé. Le signe, au contraire, dans la perspective de ses aspects arbitraire et différentiel, a comme une vie propre qui ne se réfère à rien, sinon au mouvement qui sans cesse le produit.

---

64. *Ibid.*, p. 20. Cf. les références à la *Nachträglichkeit* (= à-retardement) *passim*, et spécialement dans « La scène de l'écriture », dans *L'Écriture et la Différence*, Paris, 1967, p. 303, 314, 333 et *passim*. Sur l'importance de la psychanalyse pour la tâche de la déconstruction, cf. *De la grammatologie*, p. 35.

65. Cf. *De la grammatologie*, p. 32, note 9 ; *Marges*, p. 11.

66. *La Voix et le Phénomène*, 60 et 108.

67. *Marges*, p. 17.

Effondrement du temps

Ce sont peut-être les mêmes choses qu'on est amené à dire, si on essaie de préciser de quel *temps* il s'agit dans la perspective ouverte par la déconstruction de la signification. On est au cœur du propos, puisqu'il s'agit de réduire l'inflation du présent dans la culture. Au point de vue, déjà, d'une phénoménologie du temps, Derrida avait montré, contre Husserl, l'illusion d'une conscience pure du présent, et marqué, que dans toute perception du présent, il y a aussi le passé et l'avenir, qui sont là par « rétention et protention » ; or, loin de considérer ces éléments comme troublant en quelque sorte la pureté du présent, il faut les considérer comme « originaires » et renverser en quelque sorte la prétention au présent par une confession de la répétition pure, c'est-à-dire de la différance :

La répétition, la trace au sens le plus universel est une possibilité qui doit non seulement habiter la pure actualité du maintenant, mais la constituer par le mouvement même de la différance qu'elle y introduit [68].

Ce renversement est considérable : il ne tend à rien moins qu'à ébranler une vision linéaire du temps, ce que Heidegger appelle « la conception vulgaire du temps » [69], dominée par la conscience du présent. Telle que l'entend Derrida, la « temporisation », qui renverse le primat de la présence, n'est pas « une simple complication dialectique du présent vivant comme synthèse originaire et incessante, constamment reconduite à soi, sur soi rassemblée, rassemblante, de traces rétentionnelles et d'ouvertures protentionnelles » [70] ; si elle n'était que cela, elle ne serait qu'une modalité de ce présent cancéreux dont j'ai parlé plus haut. Faut-il alors mettre en premier lieu le futur et le passé, ne considérant la présence que sur une trace dont elle n'est pas l'origine et dont elle ne constitue même pas un repère ? Il le faudrait peut-être, mais nous n'avons pas de mot pour ce renversement total ; en effet le temps comme concept et comme mot disparaît alors si, comme le

---

68. *La Voix et le Phénomène*, p. 75, cf. p. 72 s.

69. *De la grammatologie*, p. 105. « Ousia et grammè. Note sur une note de "Sein und Zeit" », dans *Marges*, p. 31-78.

70. « Temporisation » dit le mouvement de la différance comme détour, et s'oppose peut-être à « temporalisation » qui désignerait la constitution originaire du temps « vulgairement » conçu, dont la description est citée ici. Cf. *Marges*, p. 21.

dit Derrida au terme d'une longue analyse historique consacrée au temps, « le temps est ce qui est pensé à partir de l'être comme présence et si quelque chose — qui a rapport au temps, mais n'est pas le temps — doit être pensé au-delà de la détermination de l'être comme présence, il ne peut s'agir de quelque chose qu'on pourrait encore appeler temps »[71], de sorte que... « il n'y a peut-être pas de "concept vulgaire du temps". Le concept de temps appartient de part en part à la métaphysique et il nomme la domination de la présence »[72]. On rejoint ici le thème freudien du « à retardement », mais d'un retardement qui ne se réduit pas et dans lequel on demeure. Alors, au lieu d'être renvoyés à l'être, nous sommes renvoyés à la mort. Ce qu'on veut dire peut-être surtout en raturant le concept vulgaire de temps, c'est en effet le rapport à la mort comme structure concrète du présent vivant. Le présent est émergence éphémère d'un mouvement qui est d'« essence testamentaire »[73]. Le corrélat, en effet, du temps linéaire, c'est l'éternité, la plénitude rassemblée, la vérité atteinte et l'identique enfin libéré de tout dehors. Le corrélat de la temporisation, dans le monde mouvant et immotivé des signes, c'est la mort, comme horizon paradoxal de toute production de sens.

Il résulte de ces remarques brèves sur la déconstruction de la présence après celle de la signification et conjointement à elle, que le concept d'*histoire* ne retient pas plus de vérité et de consistance que celui d'*épistémè* — dans la mesure précisément où l'histoire s'efforce de thématiser la durée dans la perspective d'un retour de la présence[74]. L'histoire, même dans une perspective qu'on pourrait qualifier ici d'herméneutique, consiste toujours, compte tenu des variantes qui interviennent, à « reconstituer, selon une autre configuration, le *même* système »[75]. Ce qu'il faut en réalité, c'est, au-delà de cette répétition du « même », retourner à l'altérité pure qui caractérise la trace, à ce « passé qui n'a jamais

---

71. *Marges*, p. 69.
72. *Ibid.*, p. 73.
73. *De la grammatologie*, p. 100.
74. *Ibid.*, p. 20. Dans un tout autre contexte, celui d'une étude critique de Lévinas : « *L'économie dont nous parlons ne s'accommode pas davantage du concept d'histoire tel qu'il a toujours fonctionné et qu'il est difficile, sinon impossible, d'enlever à son horizon téléologique ou eschatologique* » : « Violence et métaphysique », dans *L'Écriture et la Différence*, Paris, 1967, p. 220 (souligné par l'auteur). Voir aussi *Positions*, *op. cit.*, p. 77-82.
75. *Marges*, p. 70.

été présent » [76] dont parle Lévinas et, pourrait-on dire, à ce futur qui n'adviendra jamais ou tout au moins dont l'avènement ne peut en aucune manière être anticipé.

Ébranlement de l'ontologie

La déconstruction du sens et l'effondrement du temps sont aussi ébranlement de l'ontologie, et de la théologie qui est liée à celle-ci. Et réciproquement. Il faut entendre *ébranlement* au sens fort : « Partout, c'est la dominance de l'étant que la différance vient solliciter, au sens où *sollicitare* signifie, en vieux latin, ébranler comme un tout, faire trembler en totalité. » Un séisme. Comment s'en étonner, si l'on accorde la réciprocité des termes signe, temps et être ?

L'arbitraire du signifiant marque l'abolition du métaphysique et du théologique. Si, en effet, cet arbitraire s'étend à tous les champs de signification qui se découpent sur l'horizon d'une trace immotivée, le privilège de la parole s'évanouit et, avec elle, le primat du Logos, fondateur de toute métaphysique ou de toute théologie. Si considérables que puissent être les divergences entre les écoles et les auteurs, toute parole exprimant dans l'ici et maintenant un signifié idéal renvoie à un Logos infini, source à la fois de l'existence et de la signification, et de l'existence avant la signification : entre le référent du signe, la *res*, et le Logos divin, il y a une relation, antérieure à la reconnaissance et à la signification de ce référent par un signifiant humain. Le signifiant qui correspond au signifié et celui-ci à la *res* trouvent leur fondement dans le Logos divin. Isoler le signifiant du signifié et envisager le jeu des signifiants sans autre origine que celle de l'archi-trace et du mouvement de la différance, c'est évidemment ébranler dans ses fondements une métaphysique et une théologie de la présence pleine : « Que le signifié soit originairement et essentiellement (et non seulement pour un esprit fini et créé) trace, qu'il soit toujours déjà *en position de signifiant*, telle est la proposition en apparence innocente où la métaphysique du logos, de la présence et de la conscience, doit réfléchir l'écriture comme sa mort et sa ressource [77]. »

---

76. *Ibid.*, p. 22. Même référence pour la citation suivante.
77. *De la grammatologie*, p. 108, cf. p. 24 et 106.

Une autre manière de dire la même chose consiste à déconstruire le concept d'*Infini positif*[78] comme détermination de Dieu dans les théologies classiques. Si en effet on pense avoir retrouvé dans le gramme le « principe originaire » (ni principe, ni originaire) d'où jaillit sans cesse le jeu de toutes les différences significatives et expressives, qu'elles soient phoniques, graphiques, plastiques, l'altérité reste irréductible : il y a toujours un « supplément » possible à tout niveau de signification. Quel qu'il « soit », l'infini ne peut se laisser penser que du côté de ce « supplément » : il ne peut être qu'autre, tout-autre ou mieux toujours autre. On ne peut le rassembler dans une pure et totale Présence à soi ; il est du côté de l'impensable-indicible-impossible ; en ce sens, le propos de Lévinas qui consiste à envisager un Infini positif opposé à la Totalité a quelque chose de contradictoire. Si on veut parler d'infini, c'est du côté de l'altérité pure qu'il faut aller : on est alors hors-présence et hors-discours ; c'est une attitude plus cohérente que celle qui voudrait fonder le langage sur l'in-fini, lequel comme le mot l'indique est et ne peut demeurer que négatif. Pour montrer de manière plus frappante les choses, on dira que l'infini est mortel ou qu'il n'y a rien en lui d'immortel, puisqu'il est jeu sans commencement ni fin de la différance suscitant sans cesse les différences. Le nom de Dieu n'est peut-être qu'un geste d'occultation de la mort par effacement des différences. Et c'est pourquoi, confronté à la réalité, il n'offre aucun sens. Quant à l'in-fini, on peut tout aussi bien le dire *finitude originaire*, et cette équation est un exemple de plus de la déconstruction du langage : ni *infini*, ni *fini* ne sont réellement pertinents.

Pour fragmentaires et élémentaires qu'ils soient, les exposés qui viennent d'être faits de la déconstruction suffisent à suggérer l'ampleur de celle-ci, bien affirmée dans un texte synthétique comme celui-ci :

Une telle différance nous donnerait déjà, encore, à penser une écriture sans présence et sans absence, sans histoire, sans cause, sans archie, sans *telos*, dérangeant absolument toute dialectique, toute théologie, toute téléologie, toute ontologie. Une écriture excédant tout ce que l'histoire de

---

78. *Ibid.*, p. 102. Pour ce qui suit, je m'inspire de la discussion avec Lévinas, dans *L'Écriture et la Différence*, p. 168-170.

la métaphysique a compris dans la forme de la *grammè* aristotélicienne, dans son point, dans sa ligne, dans son cercle, dans son temps et dans son espace [79].

S'il en est ainsi, le thème de la différance se dévoile comme *tragique* [80] ou, plus exactement nous dévoile le temps et l'espace dans lesquels nous croyons solidement évoluer comme toujours déjà crevassés par une déchirure abyssale que même la pensée la plus prétendument purifiée de l'être (comme chez Heidegger) ne peut en rien colmater. Si nous demeurons dans cette pensée, les choses suivront leur cours fatal, mais si nous consentons à la différance, aurons-nous le courage de ne pas détourner les yeux

devant l'encore innommable qui s'annonce et qui ne peut le faire, comme c'est nécessaire chaque fois qu'une naissance est mise à l'œuvre, que sous l'espèce de la non-espèce, sous la forme informe, muette, infante et terrifiante de la monstruosité [81] ?

---

79. *Marges*, p. 78.
80. *L'Écriture et la Différence*, p. 368.
81. *Ibid.*, p. 428. Cette dernière citation, et d'une manière générale, cette présentation de Derrida permettent de faire un rapide retour en arrière à propos de Baudrillard, dont je n'avais pu, plus haut, qu'indiquer le milieu intellectuel.
Si on la compare aux pensées théoriques de la déconstruction, il semble que la « critique de l'économie politique du signe » à laquelle se livre Baudrillard va encore plus loin. Nous l'avons vu, le thème de l'arbitraire du signifiant est au principe d'un programme (ou peut-être seulement d'un pressentiment) grammatologique, d'une pensée raturée qui prendrait au sérieux cet arbitraire généralisé de la signification et des jeux de langage et de gramme qui le constituent, et essaierait d'envisager de loin un art de penser suspendu à la trace immotivée, dans l'acceptation de la mort et, à tout le moins, d'une conscience de soi excentrée, puisque le nom propre lui-même subit une critique incontournable. Baudrillard va plus loin, en ce sens que, pour lui, l'arbitraire du signifiant fait encore partie du processus qui nous a conduits là où nous sommes ; il faudra aller encore au-delà. Sans doute Baudrillard agrée avec Derrida sur la non-pertinence du schéma Sa → Sé → Rft, dont il reconnaît les méfaits théologiques et techniques ; il attaque Benveniste sur ce point et admet l'autonomie du signifiant, mettant bien la coupure entre Sa d'une part, Sé → Rft de l'autre. Cependant — et c'est ici son originalité —, il fait porter la critique sur l'organisation systémique des signifiants. Nous avons vu que, si le signifiant ne signifie plus par désignation d'un signifié, il produit des effets de sens moyennant différences, renvois et articulations avec d'autres signifiants. Or, à considérer les choses sur le plan économique, ce système ou ces systèmes obéissent à une logique de l'équivalence et à une stratégie de classe qui donnent sa figure réelle à notre monde. Le déshumanisation de l'homme, nous l'avons vu plus haut en exposant brièvement son point de vue sur le sens du processus initié depuis le début de la révolution industrielle, s'accomplit moyennant la « révolution sémiotique »,

Conclusion

Je me suis référé à Heidegger et à Derrida. On aurait pu alléguer d'autres auteurs, contemporains, comme Lévinas ou Lévi-Strauss, antérieurs, comme Nietzsche et Freud. Nous avons d'ailleurs vu que Derrida voulait aller au fond de la critique intentée par ses prédécesseurs à la « métaphysique » et à son ère. Une *koïnè* philosophique existe, dont le dénominateur commun serait le refus d'une « pensée du compact », celle que les hommes de l'époque métaphysique ont définie — sorte d'idéologie accompagnant et justifiant la démesure de leur effort conquérant. Rappelons-en brièvement les traits généraux.

La philosophie sans la mort, ou l'ordre compact de la totalité

L'intuition qui domine cette « philosophie sans la mort » pourrait être décrite d'une manière générale comme celle de la *présence pleine* : perception d'un rassemblement, maintenant, le plus possible, de tout ce qui peut être objet d'être, de pensée et d'agir, en sorte que les autres dimensions du temps se signifient par rapport à cette présence et qu'il ne manque jamais une explication raisonnée à l'absence ; rassemblement, d'autre part, aussi global que possible, que désignerait un mot comme *cosmos*, au sens de totalité ordonnée et positivement illimitée (ou limitée exclusivement par elle-même) ; ainsi, de même qu'il n'y a pas de période de temps qui ne puisse être ramenée à la présence, ne peut-il être non plus aucun interstice dans l'espace qui ne puisse être

---

c'est-à-dire le processus qui, libérant les signifiants de toute attache à des signifiés, conduit à les organiser selon un statut de forme et de sens qui est très loin d'être innocent.

Il est évident que si, d'une part, on rejette la séquence classique, « métaphysique », du Sa → Sé → Rft, en elle-même ou dans des formulations plus récentes comme la distinction (vigoureusement combattue par Baudrillard) de la dénotation et de la connotation (il n'y a en fait que connotations : aucun signifié n'est privilégié ; aucun signifiant ne s'élève au-dessus du système dans lequel il signifie) — et si, d'autre part, on considère la révolution sémiotique fondée sur la libération du Sa comme prise encore dans un système destructeur et oppresseur, il faut trouver un autre chemin de salut, dont il sera sans doute très difficile d'indiquer le chemin et le parcours. Ce salut existe pourtant, selon Baudrillard, c'est ce qu'il nomme l'*échange symbolique* ; la révolution consiste à passer de l'échange sémiotique à cet échange symbolique.

ramené à la pleine occupation d'un lieu sans dehors. Selon les divers points de vue auxquels on peut s'arrêter, cela donne, très brièvement schématisé : en *métaphysique*, une thématique de la substance comme donnée toute première de l'être et, corrélativement, la définition de sa situation et l'encadrement de ses variations moyennant la grille totalisante, nécessaire et suffisante des quatre causes, qui rendent compte de tout, sans reste ; à se placer au niveau de la *connaissance*, on est dans le monde du logos, c'est-à-dire celui du caractère entièrement pensable de la substance ; moyennant la médiation du concept, elle peut être dite par la parole, en sorte qu'il n'y ait pas d'écart, ni en contenu, ni en présence, entre ce qui est et ce qui est dit — procès de la vérité, *adaequatio intellectus et rei*, qui comble toute distance ; si, parallèlement, il s'agit de l'*action*, tout le sens vient d'un effort de réduction entre l'éloignement de l'objet et le besoin qu'on en ressent ; tout l'ordre pratique travaille à cette réduction, qu'il s'agisse des niveaux inférieurs de la production et de la consommation ou de ceux, supérieurs, que, sans préciser, on pourrait appeler de culture ; si les modes de l'action sont divers, la diversité vient des objets et des désirs, mais l'intention d'accomplir la présence est sans cesse la même ; s'il s'agit de *certitude*, c'est-à-dire de possession incontestable de son savoir comme de son agir, le *Cogito*, qu'on pourrait qualifier d'affirmation paroxystique de la présence, garantit précisément tant la présence à soi-même que la validité de ce qui se re-présente, et vient ainsi au secours de la vérité et de la substance ; même l'*histoire* peut être comprise comme totalité, davantage certes si on la perçoit comme le mouvement dialectique conduisant à l'esprit absolu qui réconcilie substance et sujet, mais même si on y voit le procès historique de la production qui, sans cesse, fût-ce au prix de révolutions successives, résorbe la différence et tend vers l'abolition de la contradiction. De quelque manière, enfin, que l'on s'approche de « Dieu », qu'il soit origine, fin ou garantie, c'est comme raison dernière et fondement ultime de cette totalité de la présence qu'il est posé et rendu connaissable, son éternité fondant et garantissant par ailleurs l'immortalité de l'homme, dernière protestation de la philosophie contre la mort. La difficulté majeure dans cette pensée de la présence pleine est, bien sûr, constituée par le *mal*, mais n'est-il pas possible de le « faire rentrer dans l'ordre » ? L'enfer lui-même, qu'il soit de Platon ou de saint Augustin, ne trouve-t-il pas son ultime justification dans un *ordre* total de la justice, où la souffrance effective et concrète du condamné s'abolit pour le juste dans la contemplation d'une rectitude ?

Tel pourrait être, rapidement brossé, le profil de ce qu'on est convenu d'appeler aujourd'hui, à la suite de Heidegger, l'*onto-théo-logie*. Quelques remarques s'imposent, avant de poursuivre. Ce profil obéit certainement à une logique interne, de sorte qu'il semble à première vue difficile d'en prendre et d'en laisser ; mais cette logique s'établit en quelque sorte *négativement :* l'ontothéologie est décrite par ceux qui la laissent ! Quel que soit le fondement de la description, celle-ci intervient comme arrière-fond pour autre chose, à savoir l'instauration de pensées qui s'orientent différemment et veulent tenir compte de ce que l'ontothéologie occulte. En ce sens, à supposer qu'il soit légitime de dire que de Platon à Hegel, à Nietzsche, voire même à Heidegger (car la clôture de la métaphysique semble reculer au fur et à mesure des générations et il y a, semble-t-il, toujours un plus jeune pour reprocher à celui qui le précède immédiatement d'être encore dans l'ontothéologie), la philosophie relève de l'ontothéologie, il faut, en chaque cas, s'efforcer de voir comment. Il se peut que, dans les cas concrets, la logique du profil cède quelque peu à la réalité d'un cheminement philosophique particulier.

Critique : restituer la « mort »

Cette remarque de méthode était nécessaire pour « qualifier » en quelque sorte la description d'une philosophie de la présence pleine. Elle ne met pourtant pas en cause l'inspiration générale de la description. Elle permet aussi de comprendre ce dont nous avons vu les raisons en entrant dans des analyses plus précises, à savoir que les penseurs qui dénoncent cette inspiration de la présence ne cherchent pas à composer avec elle, à rectifier, moyennant l'apport d'éléments négligés ou oubliés, les systèmes auxquels elle a pu donner lieu. Ils veulent au contraire la laisser et s'engager sur d'autres chemins. Chemins non éclairés par la présence ni par la plénitude : dans le temps, laisser jouer la nuit, où on ne sait pas quelle heure il est et où l'attente, privée de repères, ne sait quelle aurore viendra, ne le saura peut-être qu'après coup, au-delà du désespoir ; dans l'espace, laisser jouer les espacements, les blancs, le piétinement, l'imprévu des itinérances où le mouvement révèle, plus que l'œil n'embrasse ; dans la parole, entendre la musique et les silences, le jeu des mots plutôt que leur signification définie ; dans l'action, respecter l'immotivé, l'essai, le provisoire, la tentative ; quant aux certitudes, celles du soi et de ce qu'il se représente ou de ce qu'il imagine, y renoncer purement et simplement, au profit de l'attente d'un don à rendre dès qu'on l'aura reçu. De l'histoire, que dire, sinon qu'elle est tracée ou se trace, venant du futur comme du passé, mais qui en sait les chemins ? Nulle part, n'effacer les manque-à-gagner, les faux-pas, les imprévus et ce qui ne se peut comprendre d'aucune manière. A la substance, préférer définitivement la relation et les correspondances, les discordances aussi bien. Sur tous les plans, en somme, laisser revenir ce qui avait été occulté ou oublié et que, précisément, on peut désigner d'un mot : la *mort*, ce creux toujours là auquel seul, paradoxalement, pourrait s'appliquer la présence : en le respectant, ne pourrait-on élaborer un art de vivre et de penser, plus modeste, plus réaliste, et qui seul viendrait à bout de l'autre mort, celle constamment et réellement secrétée et produite par notre volonté de tout remplir comme si nous étions immortels ?

Il n'est pas nécessaire d'insister longuement sur la portée de ce questionnement, ni sur son authenticité. Toute l'intention du présent livre est d'écouter ces questions, de vérifier si la Tradition catholique les a ou non perdues, de chercher quelle réponse leur donner qui ne soit pas une annulation de leur intention foncière. Je reviendrai donc longuement sur ces points par la suite. Pour le moment, cependant, force est bien de constater que la *koïnè* ici évoquée questionne si fortement qu'elle ne donne guère aux hommes *de ce temps* le moyen *concret* de vivre. La fin de non-recevoir opposée à l'ensemble du destin de la philosophie occidentale, la « rature » imposée à toute une culture ne favorise pas la mise en place d'une *éthique*, personnelle et collective, en vue de demain et pour aujourd'hui. Les auteurs que nous avons interrogés demeurent en définitive muets si on leur pose à leur tour les trois questions de Kant : la première (que peut-on savoir ?) apparaît d'emblée impertinente ; si le principe général de la réciprocité et de l'échange peut en principe fournir son assise à la seconde (que dois-je faire ?), il risque de rester parfaitement

inopérant : au degré de généralité où il est formulé, il peut tout
aussi bien soutenir le second commandement de l'Évangile que la
révolution immédiate, et alors que choisir et pourquoi ? On ne
peut pas dire non plus qu'il y ait réponse à la troisième demande :
qu'est-il permis d'espérer ? Tout d'abord le *que* reste entièrement
indéterminé et rien ne permet de le préciser tant soit peu ; ensuite
est-il vraiment *permis* d'espérer : d'où viendrait, chez nos auteurs,
la permission ? *Qui* enfin est en mesure d'espérer ? certains
mortels, dit Heidegger — mais et les autres ?

CHAPITRE IV

A LA RECHERCHE DU TEMPS PERDU

L'histoire, la sociologie et la philosophie ne sont pas les seuls lieux culturels où se joue le combat entre la mentalité du compact et celle de l'espacement, entre l'idéal de la pure présence et l'ouverture à ce qui peut venir. Il y a aussi et peut-être surtout les langages de l'imaginaire. Baudrillard a développé une critique de l'œuvre d'art, en tant qu'elle est devenue une pièce spécifique dans le procès sémiotique de la consommation [1], mais c'est de l'œuvre d'art en elle-même qu'il conviendrait de parler, considérée dans un développement historique, sans doute parallèle à celui des autres composantes de la culture [2]. Les époques définies par Heidegger pour scander les étapes d'un oubli toujours plus profond de l'être sont-elles aussi des époques de l'histoire de l'art et de la littérature ? Quels récits, quels rites chacune a-t-elle mis en œuvre pour se réfugier à sa manière dans la présence pleine et pure, introuvable dans le réel ou, au contraire pour évoquer ce qui devait venir ? Ambigu, le langage de l'imaginaire est privilégié : il peut dire l'exode hors du temps et de l'être, mais, en un autre sens, il transgresse les limites du présent, anticipe l'eschatologie, donne voix aux pressentiments du désir et, par là, rend possible une naissance.

L'enquête, ici, serait sans fin, et je n'ai d'ailleurs pas les moyens de la mener avec quelque ampleur. Je me bornerai donc à deux évocations : l'extraordinaire effort théâtral d'Antonin Artaud apparaît comme une tentative à la fois géniale et manquée (et les deux choses sont importantes) pour restituer quasi liturgiquement

---

1. « L'enchère et l'œuvre d'art », dans *CS, op. cit.*, p. 127-143.
2. Baudrillard en parle, négativement, à propos du *Bauhaus* : « Design et environnement ou l'escalade de l'économie politique », dans *CS*, p. 229-256.

un espace sacré et un temps idéal par où s'arracher au monde
technicisé : tentative moderne de ritualité. De manière moins
tragique, plus quotidienne, un genre littéraire, le roman, dont les
limites chronologiques semblent épouser celles de l'époque
moderne, vient peut-être témoigner d'une quête individuelle de
l'altérité. Le « nouveau roman » mettrait-il fin à une aventure
littéraire à l'aurore de laquelle nous trouvons *La Princesse de
Clèves*, et alors quelle littérature s'annonce-t-elle ?

1. *Le Théâtre de la Cruauté : sacré et mythe dans la modernité* [3]

Peu d'auteurs contemporains se sont, autant qu'Antonin
Artaud, identifiés à leur œuvre — œuvre qu'il a voulue effective
avant même d'être littéraire et où il n'est pas faux de voir comme
une évocation ou une incantation désespérée d'origines perdues,
comme un effort surhumain et finalement impossible, de constituer
un espace sacré qui ait raison de l'autre, défiguré, où nous
sommes. Dans la recherche d'Artaud concernant le théâtre, il me
semble voir le rite et le mythe comme *à l'état naissant*. Nous ne
savons pratiquement rien de l'origine secrète des pratiques et des
paroles dont s'occupent les ethnologues : les unes et les autres sont
immémoriales ; or on peut lire Artaud comme si on voyait à
l'œuvre un génial créateur d'espace et de temps sacrée. Ce n'est
d'ailleurs pas tout à fait exact, puisque les écrits d'Artaud ne sont

---

3. En choisissant de parler d'Antonin Artaud, à propos du rite et du mythe, je
tente de reprendre, avec un auteur dont l'influence est considérable sur la culture
actuelle, même si son nom n'est pas connu de tous et s'il est peu évoqué dans le
monde de la théologie, un chemin que nous ont tracé, au temps de notre jeunesse
théologique, des auteurs comme Eliade et Van der Leeuw, Ricœur avec sa classique
Symbolique du Mal (Paris, 1960), Jacques Dournes dans son admirable *Dieu aime
les païens* (Paris, 1963), etc. L'intérêt propre de l'étude d'Artaud est, comme je
le dis, que nous voyons ici l'attitude mythique à l'état « vif », chez un de nos
contemporains. — Je citerai les textes d'après les *Œuvres complètes*, dont la
publication est pratiquement achevée (cité *OC*). J'ai particulièrement consulté les
ouvrages suivants : Alain et Odette VIRMAUX, *Artaud, un bilan critique*, Paris,
1979 ; Jacques DERRIDA, « La Parole soufflée » et « Le Théâtre de la Cruauté et
la clôture de la représentation », deux études publiées dans *L'Écriture et la
Différence*, Paris, 1967 ; Henri GOUHIER, *Antonin Artaud et l'essence du théâtre*,
Paris, 1974 ; Gérard DUROZOI, *Artaud, l'aliénation et la folie*, Paris, 1972. — Je
n'ai pu prendre connaissance de l'important travail de S. SONTAG, *A la rencontre
d'Antonin Artaud*, Paris, 1976, qu'après avoir rédigé ces pages.

que les prolégomènes à son effort de création ou les commentaires de ses échecs : ce sont donc déjà, avant comme après, des rationalisations. Mais, dans la mesure où ils sont contemporains d'un effort effectif, d'un style de vie et d'une histoire humaine sans équivalent, ils restituent bien, je crois, le sacré en acte.

L'action théâtrale selon Artaud déploie effectivement un espace poétique [4] ; elle commence avec la mise en place du lieu, qui n'est pas un théâtre mais un lieu sacré, qui s'inspire de l'architecture de certaines églises anciennes ou des temples du Haut-Thibet [5], un espace qui soit d'emblée rituel, magique [6] et évoque l'organisation primitive du cosmos. Aussi bien tous ceux qui pénètrent dans cet espace religieux, métaphysique, sont-ils partie prenante de la poétique qui s'y jouera ; la distinction massive, entre des acteurs seuls à agir et des spectateurs qui se bornent à voir, tombe d'emblée [7]. L'action théâtrale n'est pas un spectacle, elle est un rite [8] auquel on ne peut se soustraire dès lors qu'on a fait un pas dans l'aire où il s'exécute.

Cette poétique spatiale se développe par une « intense libération de signes » [9] qui font apparaître et organisent les forces de vie

---

4. « Une poésie dans l'espace... » IV, 46 s.

5. IV, 115 ; V 35, 100.

6. L'emploi des mots *magie, religion, rite, métaphysique* est quasi constant, quand Artaud parle du théâtre. Voir IV, 13, 16, 17, 38, 39, 74, 76, 94, 96, 107, 109, 122, 133, 139, etc. Ces mots sont d'ailleurs très proches par le sens ; on peut approcher celui-ci à l'aide du mot *sacré*, tel qu'il est employé dans *Sur le théâtre balinais*, d'abord qualifié de « purement populaire et non sacré » (IV, 68), tandis que deux pages plus loin, Artaud le compare à un « rite sacré » (70) et que, à propos d'un détail du costume (les coiffures des femmes), il parle d'une « impression d'inhumanité, de divin, de révélation miraculeuse ». Cette apparente contradiction se résout dès qu'on comprend qu'il s'agit d'un sacré naturel, celui des forces de la nature en conflit et en résolution de conflit, et non du sacré d'une religion particulière ou d'une révélation déterminée.

7. IV, 98, 103, 115 : « Une communication directe sera rétablie entre le spectateur et le spectacle, du fait que le spectateur placé au milieu de l'action est enveloppé et sillonné par elle », etc.

8. Cf. V, 100 : « Je me fais du théâtre une idée religieuse et métaphysique mais dans le sens d'une action magique, absolument effective. » V, 38 : « Je conçois le théâtre comme une opération ou une cérémonie magique, et je tendrai tous mes efforts à lui rendre... son caractère rituel primitif. »

9. IV, 74. Cette formule est encore tirée de *Sur le théâtre balinais*, texte dont l'intense poésie incantatoire suggère au mieux ce que vise Artaud dans sa recherche théâtrale. Ces signes libérés sont : « musique, danse, plastique, pantomime, mimique, gesticulation, intonations, architecture, éclairage et décor » (IV, 47), mais cette liste n'est pas exhaustive.

fondamentales à l'œuvre dès l'origine [10]. Les gestes font danser l'anatomie humaine [11] à une profondeur originaire toute proche des forces initiales de la vie ; mais celles-ci sont évoquées aussi par des choses inattendues, par des lumières inhabituelles et pénétrantes, par des sons, voire des musiques incantatoires, par la voix humaine aussi mais au niveau où elle est musique, non à celui où elle est sens [12]. L'espace théâtral est ainsi organisé dynamiquement par des moyens symboliques d'avant la Parole [13]. Cette antériorité du théâtral sur la parole peut donner l'impression que la poétique du théâtre selon Artaud est désordonnée, arbitraire, chaotique ; il n'en est rien. Ce théâtre proche de la vie initiale épouse la rigueur de la création, la nécessité des conflits primordiaux [14]. Si, mesurés à l'aune des ordonnances formelles qui procèdent de la parole humaine et de son intellectualité limitée, ils semblent violents et désordonnés, ils obéissent en réalité à un ordre sévère et inéluctable. Ils sont une architecture spirituelle [15], ils procèdent d'une mathématique réfléchie [16], ils sont

10. IV, 99 : « Un théâtre qui, abandonnant la psychologie, raconte l'extraordinaire, mette en scène des conflits naturels, des forces naturelles et subtiles... » 107 : « ... certaines idées qui touchent à la Création, au Devenir, au Chaos et sont toutes d'ordre cosmique. » Cf. V, 52, etc.

11. XIII, 109. On verra plus loin le sens plein de cette expression empruntée au *Théâtre de la Cruauté*, écrit en novembre 1947, mais en pleine cohérence, me semble-t-il, avec *Le Théâtre et son Double*.

12. Cf. IV, 111-118 et *passim*. L'idée que le théâtre, tel que le voit Artaud, ne donne aucune prépondérance, au contraire, au texte parlé, mais utilise la voix pour sa valeur incantatoire, est constamment réaffirmée. Un exemple amusant de cette dépréciation voulue du sens comme de la beauté littéraires se trouve dans la lettre à Jean Paulhan, du 27 novembre 1932, où Artaud parle d'une pièce élisabéthaine traduite par André Gide et qu'il pourrait monter : « ... n'était la langue pleine et parfaite dont André Gide l'a revêtue, plénitude et perfection surtout grammaticale, *et qui doivent disparaître à peu près totalement à la représentation*, elle n'aurait rien qui la distingue... » (V, 187). Je souligne.

13. IV, 72 (à propos du théâtre balinais) : « ... une impulsion psychique secrète qui est la Parole d'avant les mots. » 74 : « ... un état d'avant le langage et qui peut choisir son langage... »

14. C'est tout le sens du mot *cruauté*, qui renvoie à la rigueur des conflits primordiaux et au Danger qu'ils contiennent et que comporte leur évocation théâtrale vraie : « une sorte de cruauté cosmique proche parente de la destruction sans laquelle rien ne se crée » (V, 139). Artaud s'est employé de nombreuses fois à dissiper les contresens dus à l'emploi de ce mot. Cf. IV, 136-137 ; V, 155 ; etc.

15. IV, 67.

16. IV, 69-70 ; V, 58 : « ... précision, comme d'un mécanisme d'horloge... rigueur, allées et venues mathématiques des acteurs les uns autour des autres qui tracent dans l'air de la scène une véritable géométrie », etc.

minutieusement, scrupuleusement [17] mis en scène, c'est-à-dire mis en place, mis en rite. A ce prix seulement, ils peuvent rendre présente une liturgie cosmique.

Dénuée de toute improvisation, à cause même du sérieux de sa nature religieuse, l'action théâtrale requiert un ordonnateur magique [18], un créateur unique [19], capable dans la conjoncture donnée de ressaisir les forces de la vie et de percevoir les concordances symboliques qui les expriment et les rendent présentes. Le metteur en scène est cet ordonnateur : il est vraiment le démiurge [20] qui crée l'espace symbolique et le met en œuvre ; son discernement est absolu et sa puissance totale [21], non qu'ils procèdent d'un arbitraire insolent et superficiel mais parce qu'ils viennent de sa perception, on dirait mieux : de sa voyance. Dans ce théâtre d'avant la parole, où les thèmes intelligibles sont en quelque sorte des variantes sans importance du Thème essentiel des conflits primordiaux, l'auteur, prépondérant dans le théâtre parlé et dont la création est purement logique, s'efface devant le metteur en scène, véritable créateur de l'espace symbolique et de sa dynamique essentielle [22].

Ainsi mise en œuvre, l'action théâtrale déploie une puissante efficacité psychique [23] dont il faut, malgré la difficulté, préciser le lieu et le mode. Puisqu'il s'agit d'un espace organique où s'articulent des significations d'avant la parole, cette efficacité n'est pas celle du théâtre qu'on pourrait dire « logique » : elle ne

---

17. V, 96.

18. IV, 72 : « un ordonnateur magique, un maître de cérémonies sacrées ».

19. IV, 112.

20. IV, 138.

21. IV, 65, 144 : « ... créer dans une sorte d'autonomie complète ». Par là se comprennent les termes de la lettre à Jean-Louis Barrault du 14 juin 1935 : « JE NE VEUX PAS que, dans un spectacle monté par moi il y ait même un clin d'œil qui ne m'appartienne... Je ne suis pas homme à supporter qui que ce soit auprès de moi-même dans une œuvre quelle qu'elle soit... » Il ne s'agit pas d'un orgueil incommensurable ni d'une immense vanité ; c'est le démiurge du rite sacré qui se fait ici entendre (V, 262).

22. Sur la « vieille dualité entre l'auteur et le metteur en scène » et le primat de ce dernier, cf. IV, 112 et *passim*. Sur la manière concrète dont auteur et metteur en scène pourraient travailler ensemble, cf. la lettre à André Gide, du 7 août 1932, V, 118-122, dont le résumé impertinent à Jean Paulhan cité plus haut ne rend pas toute la substance.

23. Efficacité : IV, 47 ; efficacité intellectuelle : IV, 83 ; efficacité psychique interne : V, 208, etc. « Nous voulons un théâtre qui agisse, mais sur un plan justement à définir » : IV, 138.

concerne pas le niveau multiforme de la psychologie humaine, c'est-à-dire des conflits des hommes entre eux ou même avec le destin [24] ; la purification que, d'Eschyle à Racine, tend à opérer la tragédie, ne l'intéresse pas ; encore moins, bien sûr, les conflits sans grandeur proposés dans le théâtre contemporain [25]. Mais l'action théâtrale n'est pas non plus une propédeutique à l'action sociale et révolutionnaire [26] ; si elle est engagée, ce n'est pas à ce niveau-là (nécessairement lié à des théories politiques, et donc au logos) ; d'elle-même, elle n'a rien à produire à l'extérieur. Il s'agit d'une « action vraie, mais sans conséquence pratique » [27] ; elle vise à susciter « une sorte de révolte virtuelle et qui d'ailleurs ne peut avoir tout son prix que si elle demeure virtuelle » [28], à « atteindre les régions profondes de l'individu » [29]. Il s'agit d'une « thérapeutique de l'âme » [30], qu'Artaud compare à la psychanalyse [31]. Il faut cependant bien entendre cette comparaison : pour Artaud, il s'agit de bien autre chose qu'une cure strictement individuelle destinée à restaurer un équilibre psychique compromis [32]. Il s'agit en réalité de « réatteindre

---

24. « Son objet n'est pas de résoudre des conflits sociaux ou psychologiques, de servir de champ de bataille à des passions morales, mais d'exprimer objectivement des vérités secrètes, de faire venir au jour par des gestes actifs cette part de vérité enfouie sous les formes dans leurs rencontres avec le Devenir. » (IV, 84 ; cf. 92, 142, etc.) Le mot *formes* est important ici. Dans le prologue écrit pour la publication de *Le Théâtre et son Double*, sous le titre *Le Théâtre et la Culture*, Artaud insiste sur la nécessité d'aller au-delà des formes, de les brutaliser, de les détruire (ce que fait précisément le langage théâtral qu'il préconise), mais pour atteindre, à un autre niveau, la *vie* (IV, 17-18).

25. « La relation d'Artaud avec les tragiques grecs est fort complexe » (A. et O. VIRMAUX, *op. cit.*, p. 226). On en dirait autant de sa relation avec le théâtre élisabéthain, puisque, tout en ayant des propos violents sur Shakespeare, IV, 92, il proposait en n° 1 de son programme dans le *Premier Manifeste* du Théâtre de la Cruauté une adaptation d'une œuvre de l'époque de Shakespeare (*Arden of Feversham*, traduit par André Gide ; cf. *supra* nn. 12 et 22). De toute manière, il y a un tournant spécifique à l'époque de la Renaissance : « On nous a habitués depuis quatre cents ans, c'est-à-dire depuis la Renaissance, à un théâtre purement psychologique qui raconte, qui raconte de la psychologie » (IV, 92). Racine aussi est inculpé (IV, 101).

26. V, 101.

27. IV, 138.

28. IV, 34.

29. V, 106.

30. IV, 102 ; VIII, 350-351.

31. IV, 98.

32. Une confrontation entre le théâtre d'Artaud et la psychanalyse est menée par J. DERRIDA dans *La Clôture de la représentation, op. cit.*, p. 354-357.

l'essentiel » [33] ; ce qui se passe sur la scène veut faire pénétrer au-delà de la vie humaine telle que nous la connaissons, veut évoquer « toute la ruée des forces cosmiques », veut agiter « des problèmes qui dépassent le manger, le boire ou la possession sexuelle » [34]. C'est en deçà de ces marques, pourtant fondamentales, de notre corporéité, que l'efficacité du théâtre doit nous ramener. Si le théâtre est propédeutique, c'est vers une vie d'avant l'individualité que nous nous connaissons qu'il veut nous reconduire. Il ne peut agir sans provoquer une « dissociation intérieure » [35], sans par conséquent qu'on puisse éviter risque et danger à entrer en ce théâtre. Un texte synthétique permet de rassembler ces notations :

Le théâtre doit s'égaler à la vie, non pas à la vie individuelle, à cet aspect individuel de la vie où triomphent les CARACTÈRES, mais à une sorte de vie libérée qui balaye l'individualité humaine et où l'homme n'est plus qu'un reflet. Créer des Mythes, voilà le véritable objet du théâtre, traduire la vie sous son aspect universel, immense et extraire de cette vie des images où nous aimerions à nous retrouver.

Et arriver, ce faisant à une espèce de ressemblance générale et si puissante qu'elle produise instantanément son effet.

Qu'elle nous libère, nous, dans un Mythe ayant sacrifié notre petite individualité humaine, tels des Personnages venus du Passé, avec des forces retrouvées dans le Passé [36].

Un texte comme celui-ci nous permet de comprendre le caractère profondément rituel du théâtre, c'est-à-dire son aspect essentiellement sensible et non verbal et son efficacité propre pour renouveler l'organisme de l'homme. Artaud oppose la « sensualité basse » de la période dans laquelle nous vivons et les « moyens physiques » qui, précisément, attaquent cette sensualité basse et permet de revenir « jusqu'aux plus subtiles notions » [37]. Par le théâtre l'homme est intérieurement reconduit aux conflits originaires et ouvert à une libération essentielle [38] ; il est ramené,

---

33. V, 95.

34. V, 195. Cf. ce que nous dirons plus bas à propos du corps chez Artaud.

35. *Ibid*.

36. IV, 139-140. On peut remarquer que c'est vers le *Passé* que, finalement, nous reconduit l'action théâtrale.

37. IV, 97-98.

38. IV, 37 : « ... comme la peste, le théâtre est donc un formidable appel de forces qui ramènent l'esprit par l'exemple à la source de ses conflits ».

non par l'esprit seul [39] mais par la totalité de l'expérience
théâtrale à ce passé primordial qu'évoquent les grands mythes.
Plus précisément encore, il est reconduit à un moment clef, celui
qui sépare l'acte simple et harmonieux de la toute première
création et l'épaississement, l'alourdissement immédiatement
consécutifs à cet acte simple [40]. L'action théâtrale rend l'homme
présent à cette ligne de partage tragique entre le Simple et le
Double [41].

C'est ce lieu essentiel qui rend compte de l'ambiguïté du théâtre,
de sa cruauté et de son espérance (j'utilise ici un mot qui trahit
peut-être Artaud). Le théâtre est théâtre de la cruauté, car il
réinsère l'homme dans la douleur inéluctable des conflits primitifs
liés à la séparation primordiale, à l'épaississement de la matière,
à l'insistance du mal. L'action théâtrale devrait conduire à des
paroxysmes de lutte intérieure où se revivent ces primitives
oppositions cosmiques ; son influence est ravageante, et c'est
pourquoi on peut la comparer à l'action de la peste. Mais ce travail
inéluctable, cruel, destructeur, parce que justement il fait revivre
symboliquement la déchirure primitive, peut ramener au-delà de
celle-ci et faire rejoindre ultimement cette beauté dont Platon avait
la nostalgie, cette fusion inextricable de tout ce que nous ne
connaissons que divisé : au-delà des conflits entre matière et esprit,
idée et forme, concret et abstrait, nous parvenons au lieu où toutes
les apparences « se fondent en une expression unique qui devrait
être pareille à l'or spiritualisé » [42].

Si tel est le théâtre et tel son enjeu, on ne peut pas en esquiver
la nécessité ; le théâtre n'est pas un art, un décor, un spectacle
pittoresque. C'est l'unique espace du salut, parce que l'unique

---

39. Cf. IV, 104 : « ... la part active faite à l'émotion poétique obscure ».

40. IV, 61 et 137. Je ne peux citer au long ces deux passages très forts qui nous
manifestent, ici plus qu'ailleurs, la consonance entre Artaud et l'attitude mythique
et, comme je le préciserai plus bas, l'attitude gnostique. L'incantation théâtrale doit
nous faire renaître à un autre monde, celui-ci étant inextricablement mélange de
bien et de mal, le mal étant logé dans la matière telle que nous la connaissons. Cf.
aussi le passage sur le « dieu caché » qui, « quand il crée, obéit à la nécessité cruelle
de la création » (V, 155).

41. Cf. IV, 38 où il est parlé des « grands mythes noirs » et des « magnifiques
fables » qui « racontent aux foules le premier partage sexuel et le premier carnage
d'essences qui apparaissent dans la création ».

42. IV, 63. Cette phrase est la conclusion de l'article précisément intitulé « Le
théâtre alchimique », l'alchimie étant une autre figure du retour au primordial par
transmutation et fusion des essences présentes. Cf. aussi, V, 41.

action symbolique qui peut nous ramener à l'origine. Ou bien on entre dans cet espace et on se soumet à sa cruauté, ou bien on est mûr « pour le désordre, la famine, le sang et les épidémies » [43]. Si nous ne voulons pas vivre symboliquement les conflits primordiaux et être par là reconduits à l'harmonie primitive, nous tomberons dans la dissémination sans remède. Les effondrements du monde contemporain sont un indice de l'urgence de la symbolique théâtrale : c'est cela ou rien.

Les écrits de la dernière période de la vie d'Artaud, disons à partir des *Nouvelles Révélations de l'être*, sont souvent hermétiques et presque impossibles à déchiffrer dans le détail. Mais des constantes reviennent, qui sont cohérentes avec les écrits sur le théâtre et donnent à ceux-ci leur pleine signification. On pourrait dire la même chose des deux dernières manifestations « théâtrales » d'Artaud, la conférence du Vieux-Colombier et l'émission radiophonique *Pour en finir avec le jugement de Dieu*, elles aussi cohérentes avec le comportement solitaire et théâtral d'Artaud pendant toute sa vie [44]. La vie et l'œuvre d'Artaud apparaissent alors comme un effort unique et continu pour susciter et accomplir le rite sacré qui exorcise [45] l'échec cosmique de l'existence présente, de l'*être* ; ce rite doit permettre de revivre avec un maximum « d'action, d'intensité, de densité » [46] la crise fondamentale et primordiale, pour une résurrection... Artaud incarne le démiurge de ce rite recréateur qui vise à restaurer un langage *d'avant* le sens (d'où la glossolalie et les bruitages), un corps et un monde *d'avant* la séparation : le « corps sans organes », et en particulier sans sexualité et sans excréments, c'est-à-dire un corps sans dissémination, sans multiplicité, sans dépendances [47]. A partir de là se comprend la part violemment conflictuelle, obscène, blasphématoire du discours d'Artaud. Au

---

43. IV, 96.

44. Sur ces deux événements, cf. A et O. VIRMAUX, *op. cit.*, p. 54-59.

45. A propos du théâtre balinais : « Tout cela semble un exorcisme pour faire AFFLUER Nos démons. » IV, 73.

46. V, 208.

47. Il est frappant que ce soit dans *Le Théâtre de la Cruauté*, écrit pour, mais non utilisé dans *Pour en finir avec le jugement de Dieu*, qu'on trouve les propos les plus nets sur le « corps sans organes », le corps avec organes étant le fruit de la déviation initiale. Il n'est pas tellement question de « théâtre » dans ce texte, mais ce qui y est écrit donne le sens dernier du théâtre selon Artaud (XIII, 107-118). Sur le « corps sans organes » dans l'interprétation d'Artaud par Deleuze et Guattari, cf. A et O. VIRMAUX, *op. cit.*, p. 322-323.

temps des écrits sur le théâtre, l'anathème est lancé contre les formes considérées comme décadentes du théâtre contemporain, mais il ne faut pas s'y tromper : cet anathème va aussi loin que tout ce qu'on pourra lire plus tard : « Toutes les préoccupations plus haut énumérées puent l'homme invraisemblablement, l'homme provisoire et matériel, je dirai même l'*homme-charogne* [48]. » Ce dont il s'est toujours agi, pour Artaud, c'est d'éliminer cet « homme provisoire et matériel » pour une autre matérialité, un autre corps, un autre homme. Si le théâtre contemporain empêche cette élimination, c'est lui qui doit être éliminé, mais aussi (et là nous revenons aux derniers écrits d'Artaud) les forces, les magies, les démiurgies perverses qui suscitent et maintiennent cet homme provisoire, « volant sa naissance » à l'homme véritable : le christianisme, son dieu, ses prêtres, ses sacrements (qui, justement, se présentent comme un spectacle auquel assistent les fidèles, alors qu'ils sont une démiurgie de l'homme à éliminer), mais aussi (et sur le même plan) les « épouvantables rites corporels » qui du Caucase aux Apennins, des Karpates à l'Himalaya assurent la pérennité de ce monde pestiféré. En étudiant de près les derniers écrits d'Artaud, il serait sans aucun doute possible, sinon facile, de reconstituer le « récit mythique » correspondant à l'énorme effort rituel du « théâtre » [49] et dont le moment fondamental serait la scission entre « la vie organique embryonnaire pure » où peut danser selon sa vérité l'anatomie humaine, et « la vie passionnelle/et concrète intégrale du corps humain » dominée par les impuretés primordiales de la nourriture et de la sexualité [50].

---

48. IV, 51.

49. En réalité, ce récit mythique, Artaud l'a écrit, c'est *Héliogabale ou l'anarchiste couronné* (*OC,* VII), à la fois récit et interprétation de récit. Héliogabale est comme l'incarnation vivante de la contradiction et de la guerre des Principes, du conflit primordial et des formes qu'il engendre, mais aussi la figure même de l'Anarchie (au sens étymologique : du non-principe en quoi tout se résout) ; il est le « mythomane dans le sens littéral et concret du terme » (VII, 117), à la ligne de partage entre les archies et l'anarchie, et qui met son pouvoir au service des « mythes vrais » que « pour une fois, et la seule fois peut-être dans l'histoire » il applique. On pourrait reprendre, élément par élément, les caractéristiques du théâtre selon Artaud et l'analyse de la vie et des comportements d'Héliogabale. D'ailleurs : « La vie d'Héliogabale est théâtrale. Mais sa façon théâtrale de concevoir l'existence vise à créer une vraie magie du réel, etc. » (VIII, 350.)

50. XIII, 108.

Ritualité théâtrale et ritualité religieuse

Artaud voulait susciter un immense Rite, vrai et efficace, capable de ressaisir le monde à son origine et de le réorienter au prix d'une démarche inexorable et cruelle. Mais ce Rite ne pouvait être sacré, si, dans le mot « sacré », on met une référence à des « dieux » situés entre terre et ciel, à des « révélations » qui indiqueraient leur volonté, etc. [51]. Le Rite ne peut plus être personnalisé. C'est sans doute la différence essentielle entre la ritualité que voulait susciter Artaud, et celle que peut retrouver et analyser l'ethnologie religieuse. La civilisation judéo-chrétienne, dans le cadre de laquelle écrit Artaud, même s'il la rejette, a opéré progressivement une immense entreprise de démythisation, dans la mesure où la foi au Dieu unique agissant dans l'histoire, puis en l'Incarnation du Fils de Dieu, établissait une relation immédiate entre le Dieu unique et les hommes et rejetait à la périphérie la médiation des êtres intermédiaires. Dans le monde des religions, au contraire, ces intermédiaires sont nécessaires et ils occupent la place au point de ne plus renvoyer à rien d'autre qu'à eux-mêmes ; qu'ils soient personnalisation des forces cosmiques ou des éléments premiers, qu'on les distingue à partir de leur plus ou moins grande hauteur dans le ciel (astres) ou profondeur dans l'abîme (monstres), qu'on en garde une mémoire générique (ancêtres), ce sont eux qui représentent les êtres avec qui compter. De la sorte, les gestes rituels et les récits qui les fondent ou les justifient ont une portée de conciliation, de propitiation, d'expiation ou d'offrande qui correspondent à la réalité qui leur est attribuée. De ce fait, les mythes et les rites ont une portée sociale incontestée, à laquelle échoue la ritualité théâtrale. Selon M. Eliade, par exemple, le mythe « raconte une histoire sacrée, c'est-à-dire une révélation transhumaine qui a eu lieu à l'aube du Grand Temps, dans le temps sacré des commencements *(in illo tempore)*. Étant réel et sacré, le mythe devient exemplaire et par conséquent répétable, car il sert de modèle et conjointement de justification à tous les actes humains » [52]. La tradition est essentiellement faite de référence à l'origine et d'interprétation de la volonté des dieux ou des ancêtres ; les actes ont tendance à être répétitifs, les initiatives téméraires, la société organiquement constituée et stable.

Dans l'aire culturelle occidentale, le christianisme a dépeuplé de

---

51. Cf. *supra*, note 6.
52. *Mythes, rêves et mystères*, Paris, 1957, p. 17.

manière sans doute irréversible l'espace interstellaire et les profondeurs marines ; en revanche, il a proposé une ritualité originale, sur laquelle nous reviendrons naturellement, qui en principe, mais aussi peu à peu en pratique, a laissé libre la voie à des formes sociales orientées vers l'avenir. Si on récuse cette ritualité *chrétienne*, celle de la Nouvelle Alliance dans le Mystère pascal du Christ sacramentellement célébré, et si on ne peut plus promouvoir une ritualité *païenne* centrée sur le monde des esprits et des dieux, il ne reste comme voie ouverte qu'une ritualité *profane*, qui aura plus ou moins d'impact sur les formes de la vie culturelle et sociale. Le Théâtre de la Cruauté que voulait Artaud, avec ses références cosmiques, est une forme de cette ritualité. Or le point à mettre en valeur ici est que, païenne (sacrée) ou profane, la ritualité présente les mêmes caractéristiques fondamentales ; même si celles-ci sont bien connues, je voudrais brièvement les rappeler.

1. Mythes et rites sont *immémoriaux et anonymes*. Leur révélation, disait Eliade, remonte « à l'aube du Grand Temps » mais on ne sait pas vraiment qui a révélé, comment s'est construit le récit, comment se sont formés les rites ; on est d'emblée dans une tradition et, paradoxalement, l'origine vers laquelle cette tradition est entièrement tendue apparaît inaccessible dans son effectivité. On peut relever à ce sujet que, si Artaud s'est efforcé de constituer une ritualité théâtrale, plus ou moins soutenue par le mythe d'Héliogabale que lui-même a raconté, il a senti, à un certain moment, un besoin d'anonymat et insistait pour que ses œuvres à paraître ne portent pas de nom d'auteur : l'individu ne peut pas, ne doit pas compter dans la tradition du Rite [53]. La ritualité est *sans auteur*.

2. Le sens de cet anonymat se manifeste, paradoxalement je l'ai dit, si on tient compte de ce vers quoi tend la tradition rituelle : les origines, et comment elle y tend. Il s'agit véritablement d'une fascination, avec le double aspect de séduction et de répulsion. Il y a ensemble un besoin absolu de se référer aux origines et un refus de ce qu'elles ont été. Dans un ouvrage sur lequel je reviendrai [54], Marthe Robert parle du « vieux fonds commun des mythes et des légendes où l'humanité archaïque *a déposé son horreur de*

53. Sur ce point, voir G. Durozoi, *Artaud, l'aliénation et la folie*, Paris, 1972, p. 173-176.
54. *Roman des origines et origines du roman*, Paris, 1972.

naître » ; l'histoire que racontent les mythes serait ainsi celle du passage entre le temps (heureux) d'avant la naissance et le temps (malheureux) d'après : ligne de partage tragique. D'autres diraient, mais cela revient probablement au même, que le mythe raconte le passage de la nature à la culture, d'un état indifférencié à un état différencié, moyennant un processus à la fois nécessaire et, en quelque mesure, coupable. Aussi bien, les récits oscillent-ils entre la nostalgie de l'avant, qui donne lieu à des comportements répétitifs de type fusionnel pour rejoindre l'indifférenciation primitive, et la fatalité de l'après, qui provoque la réitération du comportement sacrilège, déicide ou homicide par lequel le héros primordial a fondé toute différence [55]. En ce sens-là, le mythe, s'il est censé fonder la société et la culture moyennant le récit primordial de leur avènement, ne le fait qu'à son corps défendant ; les comportements répétitifs qu'il suscite, dans l'aire sacrée du culte, ou bien tentent de remonter au-delà de ce qu'il raconte, dans l'élément antérieur à la différenciation, ou bien réitèrent des comportements symboliques qui sont effectivement destructeurs et ne créent pas vraiment d'histoire. Ici encore, nous voyons la proximité qui existe entre la ritualité païenne et la ritualité profane dont Artaud nous a fourni un modèle [56].

3. On pourrait dire la même chose en suggérant que le monde de la ritualité bloque deux réalités pourtant diverses : la *finitude* et la *culpabilité*. La naissance n'est horrible que si elle est coupable ; on ne peut pas percevoir la naissance comme seulement différence et limite ; on lui accole le mal qui n'aurait pas dû être (et on le localise volontiers dans la matière ou le corps) ; le héros mythique est responsable des deux aspects, indistinctement, de sorte que le rite qui est censé exorciser l'un (le mal) refuse ou tente de dépasser l'autre (la naissance). Il est impossible de remonter au-delà et de retrouver la distinction établie dès le début de la Genèse entre la création (finitude bonne) et l'alliance proposée (à partir

---

55. Cf. M. AUGÉ, *Génie du paganisme*, Paris, 1982, p. 149. Selon J. DERRIDA (*La parole soufflée, loc. cit.*, p. 268) l'essence du mythique lui-même est le rêve d'une vie sans différence.

56. « Restaurée dans son absolue et terrible proximité, la scène de la cruauté me rendrait ainsi l'immédiate autarcie de ma naissance, de mon corps, de ma parole. Où Artaud a-t-il mieux défini la scène de la cruauté que dans *Ci-Gît*, hors de toute référence apparente au théâtre : « Moi, Antonin Artaud, je suis mon fils, mon père, ma mère et moi... » ? (J. DERRIDA, *loc. cit.*, p. 285.) Cf. l'étonnante remarque de Marcel Dalio, relevée dans A. et O. VIRMAUX, *op. cit.*, p. 83 : « On avait l'impression qu'il avait lutté pour ne pas naître. »

de laquelle peut être comprise une *autre* notion de la culpabilité). Dans la mythologie, la question de l'origine et celle du mal sont inextricablement liées.

4. Il s'ensuit que la ritualité ne connaît ni histoire ni eschatologie. Le salut est en arrière, dans le retour au « Paradis perdu », c'est-à-dire au-delà de la ligne de partage entre le premier et le second moment de la « création » ; il serait plus juste de dire : au-delà de la ligne de partage entre la tragique apparition des êtres distincts et l'état fusionnel originel dont le symbole est, chez Artaud, le « corps sans organes », délié de toute distinction, relation, fonction. La mémoire n'est en aucun cas mémoire de l'avenir ; son langage exprime l'espoir du passé d'avant la faute, le désir de remonter le courant du mal jusqu'à l'en-deçà du drame initial, quelle que soit la manière dont on s'imagine celui-ci. Cette remontée n'est d'ailleurs possible que dans l'espace clos et sacré du culte ; temps et espace n'ont plus de sens.

L'effort d'Antonin Artaud s'est soldé par un échec. Non pas seulement l'échec qu'on pourrait dire professionnel, au niveau de l'activité théâtrale, mais surtout l'échec à faire se rencontrer l'effort démesuré d'évoquer et de rendre présente l'origine avec la vie effective des hommes : la scission est demeurée totale ; or, dans le monde individualisé et rationalisé où nous vivons, Artaud ne pouvait trouver le soutien d'une société accordée à un récit primitif et traditionnellement initiée à vivre dans la scission sans se détruire elle-même ni abandonner ses membres à la dispersion intérieure ; la folie d'Artaud résulte sans doute de l'écart trop grand entre l'intensité de son effort mythique et rituel et le monde marchand et technique dans lequel il vivait. Et pourtant on ne peut se débarrasser d'Artaud : non seulement parce qu'on continue de le lire [57] et que divers mouvements culturels prétendent s'inspirer de lui [58], mais surtout parce que sa vie irréconciliée manifeste la requête d'une réconciliation. Si le rite et le récit sont encore vivants parmi nous, où et comment retrouver ceux qui nous livreront l'origine, mais de telle manière que nous puissions vivre en ce monde, et non en être expulsé par la folie ou la mort, comme en châtiment d'avoir évoqué ce qui nous dépasse ?

---

57. La publication et la diffusion des *Œuvres complètes* attestent à elles seules l'importance culturelle d'Artaud dans le monde contemporain.

58. Cf. sur ce point A. et O. Virmaux, *op. cit.*

2. Le Roman et son Double

L'entreprise d'Antonin Artaud est exceptionnelle en son intensité, d'autant que le choix du théâtre pour retrouver l'immense conflit originel impliquait une participation active, un engagement corps et âme dans la puissance des symboles. Mais, à un niveau plus modeste et plus courant où n'interviennent que les œuvres d'écriture puis de lecture (que je ne veux pas dire pour autant inoffensives), nous rencontrons le genre littéraire du roman, dont la production relève finalement du même désir que le théâtre. Artaud faisait remonter à la Renaissance l'avènement du théâtre moderne, individualiste et psychologique ; c'est l'époque même où, selon Baudrillard, on avait perdu le sens et la pratique de l'échange symbolique. Pourtant, cette « décadence » ou, si on préfère, ce tournant n'a pas aboli la nécessité d'un récit d'évocation. A une époque où la civilisation perd quelque chose de son ampleur cosmique et liturgique pour se construire peu à peu sur d'autres appuis : primauté de l'individu, approche scientifique du réel, société bourgeoise et marchande, idéaux démocratiques, à ce moment se développe le roman, qui, s'il n'était pas totalement ignoré auparavant, connaît une fortune tentaculaire qu'il faudrait chercher à expliquer. Les tentatives sur ce point n'ont pas manqué [59] : je suis davantage frappé par celles qui soulignent, sur le plan diachronique ou dans l'analyse des structures comme des motifs, la continuité entre le roman et son prédécesseur, le mythe [60]. Même s'il y a changement de méthode et déplacement d'accent, les constantes à l'œuvre dans le rite et le mythe semblent trouver dans le genre romanesque un nouvel espace où elles puissent s'exprimer.

L'homme contemporain est un lecteur de roman, un amateur de fiction, à moins qu'il ne soit lui-même auteur. Progressivement, depuis l'aube des Temps modernes jusqu'à nos jours, la littérature a pris pour lui la forme privilégiée, quasi exclusive du roman. Cependant, par un paradoxe plein de sens, l'inflation de ce genre littéraire n'a pas entraîné, au niveau de la critique, la possibilité d'une définition communément admise ; on n'arrive pas à cerner et à organiser correctement ce qui serait les caractéristiques

---

59. Cf. une vision d'ensemble dans les articles consacrés au *roman* dans l'*Encyclopedia Universalis*, t. 14 (1972), p. 315-337.

60. Cf. M. Augé, *op. cit.*, p. 147-148 ; C. Lévi-Strauss, *L'Homme nu*, Paris, 1971, p. 583-585.

fondamentales du genre : comme si la littérature trouvait là son horizon toujours présent mais à jamais indéfinissable [61]. C'est ici, me semble-t-il, que prend toute sa valeur la suggestion de Marthe Robert selon laquelle l'inflation du genre romanesque et son indéfinie variété devraient conduire à chercher moins ce qu'*est* le roman et davantage ce qu'il *veut* [62]. Serait ainsi roman toute production littéraire qui donnerait voix à un *désir* spécifique : le roman serait un langage privilégié du désir. Quant au désir qui court, caché autant que manifesté par l'intrigue, ce serait celui de se donner (et d'offrir au lecteur sous forme de confidence voilée) une autre origine que la sienne. Négativement, le roman serait mis à l'écart d'une identité réelle et de l'histoire laborieuse qu'elle a entraînée ; positivement, il serait l'imagination, voire peut-être la tentative d'une autre identité et d'une autre histoire [63]. Et ce qu'on cherche peut-être, en lisant un roman, c'est échapper soi-même à son histoire et à son origine pour, le temps d'une lecture, être autre [64].

Le roman est donc tout d'abord un reniement [65], son auteur et, dans une moindre mesure peut-être son lecteur, un renégat [66]. Robinson Crusoë renie sa famille, Don Quichotte son passé, Julien Sorel se donne un père bien « né », Lucien de Rubempré abandonne son nom d'origine pour se faire un autre avenir. Toujours, quoique diversement, la naissance a été malheureuse. Le roman, né de la répudiation de cette naissance, est inéluctablement sous le signe de la scission [67] : il est auto-engendrement d'un *double* [68] ; il est combat, en faveur de ce double et contre la réalité qu'on ne peut même pas dire prosaïque, puisque le roman est en prose : la prose du roman voudrait se substituer à toute

---

61. Marthe ROBERT, *op. cit.*, 1re partie : « Le genre indéfini ».
62. *Ibid.*, p. 39.
63. *Ibid.*, p. 30-38 et *passim*.
64. Il y a, sur ce point, accord entre Marthe Robert et René Girard dans son œuvre de critique littéraire, *Mensonge romantique et Vérité romanesque* (Paris, 1961), et *Critiques dans un souterrain* (Lausanne, 1976. Je citerai d'après les rééditions en livre de poche). Girard appelle « métaphysique » ou « ontologique » le désir qui sous-tend l'écriture du roman, par opposition au désir « physique » : celui-ci s'entend d'un objet que le narrateur désire ; celui-là vise le double, l'altérité, moyennant l'imitation du désir d'autrui (cf. entre autres, *Mensonge romantique...*, p. 103).
65. Marthe ROBERT, *op. cit.*, p. 133 s., 191, 246, 275.
66. *Ibid.*, p. 238.
67. *Ibid.*, p. 188.
68. *Ibid.*, p. 260, 299.

autre, et le drame du romancier, voire de son lecteur, sera peut-être l'ultime impossibilité de cette substitution. Avant toutefois de considérer cette issue tragique, remarquons que ce thème du rejet de la naissance donne un commencement d'explication au phénomène noté par René Girard, mais que celui-ci semble considérer comme premier, alors qu'il n'est que dérivé : la *mimèsis*. C'est parce que le héros de roman (et derrière lui son « faiseur ») ne sait pas ce qu'il veut être qu'il s'efforce d'imiter l'autre, avec toutes ou certaines des conséquences analysées par Girard. Mais, s'il ne sait pas ce qu'il veut être, il sait très bien ce qu'il ne veut pas être, à savoir lui-même, en l'image qu'il se fait de soi et donc de sa filiation [69]. Il faudra d'ailleurs s'interroger plus avant et se demander pourquoi cette attitude du refus, voire de la haine de soi-même, est si générale : d'où elle vient, et ce qu'elle révèle. Quoi qu'il en soit, reniement, scission, projection d'un double conforme au désir, ces notes communes se distinguent selon les deux figures que l'enfant ainsi renégat se forme successivement de lui-même : l'Enfant trouvé et le Bâtard noble [70]. Peut-être est-ce là, dans l'expérience individualisée de la famille moderne et le « roman familial » auquel elle peut donner lieu, l'équivalent de la distinction, à laquelle je faisais allusion plus haut à la suite de Marc Augé, entre le héros mythique et le héros tragique, qui se situent de part et d'autre de la ligne de partage fondamentale, à la fois création du monde, naissance de la culture et avènement du mal [71]. En effet, s'imaginer Enfant trouvé, c'est en quelque sorte gommer sa naissance réelle et, de diverses manières, retourner en deçà, « s'exposer » imaginairement, par exemple, à être recueilli par d'autres parents, toujours et partout attentifs, c'est vivre d'autres aventures au terme desquelles l'identité vraie, celle du Double, sera au bon moment dévoilée. Il s'agit toujours de mener une existence se déroulant dans un

---

69. Il semble que, à cause de sa discussion avec Freud et la psychanalyse en général (sur laquelle je ne veux pas prendre parti ici), Girard ne donne pas, dans sa théorie du roman, toute l'importance qui lui revient, à cette question de l'identité refusée et donc du conflit avec l'image du père. Malgré une acceptation de principe (*Critiques...*, p. 33) et la reconnaissance de l'importance culminante du problème du père et du parricide chez Dostoïevski (*ibid.*, 107-113), l'analyse de ce refus et la recherche de son pourquoi n'est pas poussée très loin, ce qui aura des conséquences importantes quand Girard passera du roman au mythe et à la pensée chrétienne.

70. Marthe ROBERT, *op. cit.*, 41-62.

71. Cf. *supra*, note 55.

« autre » monde, « de l'autre côté » de ce monde-ci. Se considérer, ensuite, comme Bâtard, c'est exclure le père réel, pour en imaginer éventuellement un autre, inconnu et éloigné, mais surtout pour aborder ce monde présent de sexualité, d'ambition et de travail à partir d'une autre base, prometteuse de succès. Dans le premier cas, il s'agit d'une horreur fondamentale de la naissance en général, liée à la déception de cette naissance-ci [72] ; le chemin du héros est celui de la rentrée dans un ailleurs qui est aussi un avant : retour à l'indifférencié, au point nul de la civilisation, dans le refus de la sphère économique et sexuelle [73]. C'est le monde des contes, qu'ils soient populaires ou romantiques, celui, à des degrés divers, de Robinson et de Don Quichotte. On remarquera d'ailleurs que ce retour en deçà de l'origine n'est dénué ni de prophétisme (les héros opposent leur vérité à la perdition et au mensonge du reste des hommes) ni de volonté de puissance : les contes se terminent souvent sur la victoire du prince, Robinson règne sur son île et Don Quichotte entrevoit des royaumes, parmi lesquels Sancho Pança espère bien trouver où régner [74]. Dans le second cas, le malheur de la naissance, plus effectivement relié à la figure du père rejeté, ne donne pas lieu à une fuite, mais au contraire et selon des modalités sans cesse renouvelées au gré de l'invention romanesque, à une attitude agressive, récompensée ou non, par où le désir espère s'approprier ce vers quoi son destin réel ne l'acheminerait pas : le point culminant du plaisir, de la réussite sociale et de l'argent.

Il n'y a pas lieu d'insister ici trop longtemps sur ces deux figures, les nuances qu'elles comportent et la manière dont elles s'articulent (car aucun roman n'appartient de manière exclusive à une seule de ces figures, s'il est vrai que tout auteur, et finalement tout homme connaît plus ou moins l'aspiration au Paradis perdu et la rage de se faire un nom). Le point important à notre propos est cette mise en relation du roman avec le désir, « le vœu secret que nourrit l'homme de n'être né de personne, de s'engendrer soi-même et d'être fils de ses œuvres » — que le résultat de ce vouloir s'avère naïvement heureux ou définitivement tragique. Le genre romanesque est l'écriture de ce désir dans lequel auteur et lecteurs

---

72. Marthe ROBERT, op. cit., p. 135 s. 143, 191, etc.

73. Ibid., p. 136, 140, 181, 203 s.

74. Artaud, tel que nous l'avons compris, se situe plutôt du côté de l'Enfant trouvé et de son horreur de naître, que du côté du Bâtard. C'est pourquoi son œuvre porte si fort la marque du rite et du mythe.

se rencontrent et sont complices, les uns et les autres étant habités à des degrés divers par ce penchant fatidique à reléguer le récit fondateur, son réalisme et sa peine, au profit de la narration d'origines et de réalisations imaginaires, mais plus rassurantes ou plus exaltantes, même si leur développement et leur issue étaient marqués par le tragique.

Privé finalement en effet de son identité fictive, dépourvu dès longtemps de son identité réelle, le héros de roman (et peut-être aussi celui qui l'a créé) n'a plus qu'à disparaître. C'est ce qui se passe dans les contes du folklore où le héros, une fois vainqueur de ses tribulations et marié avec la princesse lointaine, n'a plus d'histoire qui vaille d'être racontée[75]. Les choses sont plus dramatiques dans le roman où le protagoniste finit par mourir, à moins que, définitivement émigré dans le Royaume de l'imaginaire, il ne devienne fou. L'écriture romanesque est ainsi sans doute une conjuration, par son auteur, du malheur d'être né et d'être né ainsi, sans avoir pu corriger efficacement cette disgrâce initiale, soit par un retour en deçà de l'origine, soit par une ascension au sommet de la puissance. Par cette mort, le héros et son auteur pourraient, au gré de René Girard, parvenir à la « vérité romanesque », c'est-à-dire au *renoncement du désir*. L'impossibilité de transgresser la fiction finirait par éclater : la mort du héros, qui est aussi la fin du roman, en tant que roman, signifierait la vanité de la quête indéfinie du Double — que cette révélation engendre désespoir, résignation ou, dans certains cas, comme chez Dostoïevski, espérance[76].

La mort du héros coïncidant avec celle du désir est-elle la seule solution à l'attitude romanesque ? Faudra-t-il donc que l'homme — tout homme, s'il est vrai qu'aujourd'hui chacun est, sinon auteur du moins lecteur de roman — attende de mourir pour renoncer à ce penchant pour la substitution ? Quel est donc le sens de son effort, sans cesse repris, tant qu'il est en vie, pour combiner en soi l'identité réelle, dont nous verrons plus loin qu'elle est liée à la foi accordée aux récits de ceux qui nous ont vu naître, et les identités imaginaires qu'on rêve pour soi-même et qu'on se raconte, et raconte à autrui ? Entre les récits qu'on *écoute* et ceux que l'on *produit*, pourquoi la préférence va-t-elle à ceux-ci ?

Ce n'est pas encore ici le moment de proposer une ligne de

---

75. Marthe ROBERT, *op. cit.*, 95 s.
76. *Mensonge romantique*, chap. XII ; *Critiques*, p. 133-135.

recherches qui permette de comprendre cette étrange attitude. Il faudrait repérer, en amont, pourquoi tout homme est déçu de son origine au point d'en substituer une autre, et, en aval, s'il y a des modèles récurrents qui lui permettent une comparaison et attisent son désir. Serait-il alors possible d'évoquer une trajectoire de l'existence humaine où l'*écoute* du récit ne soit pas nécessairement décevante et où il y aurait suffisamment de *promesse* pour qu'on ne soit pas obligé d'imaginer, pour survivre, des mondes qui ne sont pas ? Si l'imagination est un des ressorts les plus créateurs de l'existence, pourquoi travaille-t-elle le plus souvent en arrière pour recréer une mémoire au lieu de s'atteler aux objectifs réels qui ont besoin d'elle ? Inversement, si on peut trouver une attitude qui économise ce reniement finalement mortel des origines, à quel niveau s'enracine-t-elle et comment la décrire [77] ?

---

77. Si mes commentaires sont fondés, ils permettent de mieux comprendre ce que je voulais dire plus haut (chap. II, 1, note 27) en disant que la problématique de Engels appartenait au thème mythique de l'Image et son double. Marthe ROBERT, *op. cit.*, p. 199-203, retrace la figure d'une lignée, celle de l'Enfant trouvé, dont Hésiode dans l'Antiquité et Don Quichotte aux Temps modernes sont des relais. Engels pourrait y prendre place : dans son livre, comme ici et là, joue la nostalgie des origines, le rejet de la finitude considérée comme coupable, et le désir de repasser en arrière la frontière de la naissance. Malheureusement, nous ne sommes plus ici au niveau de la poésie, du roman, ni même du Théâtre de la Cruauté. Parce qu'il se présente comme scientifique (et qu'il inclut effectivement, quand il analyse la civilisation, nombre de remarques pertinentes), le mythe de Engels prétend déboucher sur la réalité historique, et le rite régressif ne peut prendre alors que la forme d'une effective révolution sanglante, puisqu'il s'agit de retourner en deçà de la civilisation. Le drame est que, au-delà du rite révolutionnaire, on ne retrouvera pas le Paradis, mais, comme dans le mythe et le roman, la mort ou la folie.

Comme l'homme des sociétés dites primitives, comme l'homme de théâtre Antonin Artaud, comme l'auteur et le lecteur contemporains du roman, Engels rejette en bloc l'identité humaine complexe et mélangée que lui manifeste l'état présent de la civilisation et lui substitue dans un futur imaginaire l'identité prénatale de la société naturelle, dont les caractéristiques sont principalement la négation de ce qu'on voit autour de soi. J'ajoute que, si on pouvait trouver un livre synthétique d'histoire de la civilisation écrit dans une perspective de libéralisme économique illimité, on y reconnaîtrait sans doute quelques traits de la figure du Bâtard ! Qui nous donnera une figure à la fois plus complexe et plus réelle, celle de l'Enfant courageux, celui qui combine une filiation acceptée avec l'effort continu pour corriger le présent et engager le futur ?

BILAN

Les auteurs ont été sélectionnés, les investigations fragmentaires ; il semble cependant que l'ensemble présente une figure suffisamment cohérente pour qu'on puisse maintenant en faire le bilan. Je voudrais recueillir tout d'abord les aspects positifs de cette figure et reconnaître le témoignage qu'elle rend à une quête de l'homme à laquelle il n'est pas possible de demeurer insensible — surtout si on sait, en croyant, que toute quête de l'homme est aussi en définitive quête de Dieu : « Dis-moi quel est ton homme, et je te dirai qui est ton Dieu. » Il faudra ensuite récapituler les insuffisances ou les limites qui ont été soulignées au fur et à mesure de l'exposé, et essayer de discerner l'attitude globale (que je qualifierai de « gnostique ») qui les explique ; par là même, nous serons déjà mis sur le chemin d'une autre manière de ressaisir les aspects positifs de la figure. Enfin, à la charnière de cette opération crédit/débit, je voudrais, me souvenant que les auteurs étudiés ont tous écrit dans un monde marqué par le christianisme (qu'il s'agisse d'une période chrétienne ou post-chrétienne), risquer quelques propos provisoires sur Dieu.

Vers un « principe d'hétéronomie »

Dans leur diversité, voire même dans leur contradiction, les courants étudiés manifestent, soit explicitement, soit par contraste, en faveur de ce qu'on peut appeler « un principe d'hétéronomie » ; on pourrait même dire qu'ils professent une sorte de « passion » pour l'hétéronomie : le salut, quel qu'il soit, ne peut pas venir de la figure actuelle, sociale ou individuelle, de ce monde-ci. Il faut donc qu'il vienne d'ailleurs, quelle que puisse être cette « altérité ».

L'aspect catastrophique que semble présenter notre civilisation au point où elle se trouve ne viendrait-il pas en effet du refus d'un tel « principe d'hétéronomie », c'est-à-dire de l'incapacité à prendre du recul par rapport à quelque forme que ce soit de la trilogie « immédiate » de l'avoir/savoir/pouvoir, de la faiblesse aussi devant toute mesure, théorique ou pratique, individuelle ou collective, tendant à freiner une croissance exponentielle en ces domaines ? Pour reprendre ici l'expression de Baudrillard, on ne sait pas ou on ne veut pas réintroduire dans la vie la « forme de mort » qui permettrait de la sauver. En termes bibliques, on dirait peut-être que, par les chemins qui sont les leurs et sans référence à la foi chrétienne, les auteurs allégués reprendraient à leur compte la conviction de l'ancien récit de la Genèse, selon laquelle ce savoir cumulatif et sans réserve qu'il appelle « connaissance du bien et du mal » ne serait pas toujours et nécessairement bénéfique et qu'il y aurait peut-être lieu de définir à son propos quelque distance.

Sur la manière de prendre cette distance et sur la fin que l'on vise, l'accord, nous le verrons, serait loin d'être unanime ; le parti pris d'hétéronomie peut être radical, mais il peut être aussi provisoire : plutôt une méthode en vue de retrouver une autonomie perdue ou d'attendre un épanouissement final, qu'une structure fondamentale, fût-elle impossible à penser, de l'humanité de l'homme. Cependant, sans entrer encore dans le discernement de l'hétéronomie vraie, je voudrais essayer d'énumérer ici les suggestions positives que me semble comporter tout principe d'hétéronomie.

1. Il est vrai que l'homme ne peut se comprendre que dans le cadre d'un parcours qui le dépasse, à l'intérieur duquel il se trouve et qu'il ne peut maîtriser d'une certaine manière qu'en lui consentant. De quelque manière qu'on parle d'*histoire* ou d'*historicité*, l'homme n'en est pas le principe ultime : il naît au monde et y demeure dans une épaisseur, une matérialité, un jeu de différences et d'articulations dont il n'est pas lui-même la clef. A cet égard, l'ampleur d'un enracinement zoologique, l'impact des contraintes liées aux formes sociales et économiques, l'inconscient en jeu dans ces formes dont le principe linguistique de l'opposition des phénomènes est une illustration élémentaire, tout cela entraîne très loin d'une analyse de l'histoire fondée sur la conscience comme pure présence à soi-même, au temps et au monde. Les mots de Derrida (trace, gramme...) sont des symboles qui pointent en direction de cette non-appartenance de l'homme à lui-même : à ce niveau, ils sont irrécusables.

2. Dans cette perspective se dessinent, comme en creux, les requêtes à satisfaire pour élaborer, si c'est jamais possible, une *métaphysique*. Ce que rejettent nos auteurs, c'est une « pensée du compact » qui écrase l'un sur l'autre « être », temps et « conscience » dans la notion dominante de « présence » ; si on veut retrouver ces notions et ce qu'elles désignent éventuellement, il faut certainement déconstruire la présence ; toute la question est d'ailleurs de savoir comment ! Considérer en effet l'être comme présence, c'est à la fois le relier au temps — l'être comme surgissement du temps — et lui relier le temps : le temps comme dimension pure de l'être. Temps et être tendent alors à se confondre dans la perception pure du présent de la conscience. Le temps n'est pas reconnu dans sa temporalité, ni l'être dans son étantité (quoi qu'on puisse d'ailleurs mettre sous ces mots). Il faudra donc trouver une problématique telle que chacune de ces notions, être, temps et conscience retrouvent chacune leur intelligibilité propre et leur articulation réciproque. Paradoxalement, cela ne peut se faire que si l'homme consent à une certaine non-présence à soi-même, à une antériorité qu'il ne fonde pas, même s'il peut se situer par rapport à elle, à un flux et à un espace qu'il ne peut quitter, même s'il peut s'y situer.

3. Le principe premier de l'*éthique* serait en quelque sorte le consentement à cette excentration native, et donc la « mort » à toute tentation d'autonomie et d'auto-affirmation. Ce consentement pourrait donner naissance à une pratique définie par « l'échange symbolique », échange dont il faudrait d'ailleurs préciser le concept, de manière à ce qu'il donne lieu à autre chose qu'à la « révolution immédiate » dont l'inefficacité éthique nous est apparue. En d'autres termes, cet échange devrait permettre de définir un statut authentique de justice sociale, en particulier dans les deux domaines clefs et connexes de la sexualité et du travail. Ce discernement de « l'échange symbolique » dans sa vérité devrait en outre se faire de telle manière qu'on puisse distinguer la finitude et le développement, qui rendent l'échange possible, d'une part, et tout le domaine de la faute et de son inscription concrète, qui au contraire l'empêchent, de l'autre.

4. Le thème de l'échange symbolique a des implications en ce qui concerne la *parole* : elle devrait être de communication avant d'être information, ce qui est une autre manière de dire l'échange

et introduit à toute une pensée de l'invocation, laquelle redonne à la parole sa vérité : le « dire » enveloppe le « dit » et non l'inverse. Mais, dans cet échange communicatif, il faut donner la priorité à l'*écoute* sur l'*expression*, ce qui est, dans ce domaine de la parole, le moyen de marquer une antériorité en laquelle l'homme se trouve et qu'il ne fonde pas. Nous retrouvons ici l'invitation que nous a faite notre investigation sur la « recherche du temps perdu » : on ne peut se donner à soi-même, on peut encore moins donner au genre humain un *récit fondateur*. La question demeure ouverte de savoir de qui et où entendre ce récit. Quoi qu'il en soit, seule cette écoute ou, si on préfère, cette attente peut ouvrir l'existence à un projet humain authentique.

L'hypothèque dualiste

Les requêtes que je viens d'énumérer sont importantes ; elles définissent une *mentalité* dans laquelle seule il semble possible de recevoir, de penser et de vivre le salut du temps et de l'être. Malheureusement, elles sont traitées ici dans une perspective que, en première analyse, on peut dire *dualiste*. Par « dualisme », je ne veux pas faire allusion à un type de pensée qui appréhenderait de la *dualité* dans le réel : le réel auquel nous avons accès, en effet, est duel et toute appréhension en est normalement marquée. Il y a « dualisme » lorsque les données ainsi repérées demeurent contradictoires ou irréconciliables. Or c'est bien le cas, lorsqu'on dit que nous sommes sous le régime de l'occulté, de l'oublié, du détourné : ces mots ne peuvent se dire en effet qu'en référence à du manifeste, du rappelé, du droit ; or cette référence est en réalité indicible ; il n'y en a pas de connaissance claire : vers le passé, on ne peut en assigner la mémoire à un temps ou à un lieu réels ; vers le futur, on ne sait quelle en sera la figure. Cet originel, ce primordialement et finalement hors-prise, ne sera donc pas dit : on le signifiera par la « rature », l'attente, la révolution, la substitution imaginaire... Tout se passe comme si le réel se distribuait en deux couches : celle qui nous est accessible, marquée par des servitudes rédhibitoires, et l'autre, à la fois nécessaire et impossible.

Les descriptions effectuées au long de cette partie suffisent à fonder cette impression de « dualisme » ; je voudrais synthétiser rapidement ici ce qui s'y rapporte, avant d'indiquer comment peut-être reconsidérer les choses.

L'histoire impossible ?

En introduisant cette recherche, je notais qu'avaient été retenus des auteurs qui, pour la plupart, s'intéressaient à la *dimension historique* de la civilisation. La diversité des points de vue privilégiés par les uns et les autres devait conduire à un concept complexe, diversifié, mais par le fait même « complet » de l'histoire : enracinement zoologique (Leroi-Gourhan), dimension de travail (relation homme/nature : Engels-Marx), structures de réciprocité sociale (relation homme/homme : Baudrillard), éléments plus directement culturels (relation homme/esprit : Heidegger). C'est déjà, certes, un bénéfice, que d'avoir pu établir ces composantes de la réalité historique en analysant les points de vue de ces auteurs : tout concept d'histoire, et par suite toute pratique historique effective devront articuler ces éléments, et peut-être d'autres.

Force est de reconnaître cependant que chacun des auteurs considérés conclut dans son domaine à un certain *échec de l'histoire* et la renvoie, de quelque manière, à la case départ : Leroi-Gourhan ne se prononce que très prudemment sur la survie de l'espèce humaine ; chacun à leur manière et sur leur terrain, Engels, Baudrillard et Heidegger dénoncent une sorte de mal originel, de décrochement déplorable, au commencement même du processus historique, comme si l'histoire ne naissait finalement que de cette « chute » : en tant que différente d'une évolution strictement « naturelle », l'histoire de la famille, de la propriété privée et de l'état est sous le signe de la maudite appropriation privée des moyens de production (Engels) ; l'histoire sociale naît, aux alentours de la Renaissance, de la perte de la structure sociale à la fois fondamentale et non historique de l'échange symbolique (Baudrillard) ; l'histoire culturelle naît de la chute, à la fois nécessaire et dramatique, de l'être dans l'oubli dont le premier protagoniste sinon le responsable n'est autre que le prestigieux Platon (Heidegger).

Les choses étant ainsi, alors que le genre littéraire scientifique de son étude permet à Leroi-Gourhan de rester dans un certain vague, les autres auteurs cités se tournent vers un *futur immédiat ou imminent*, dont la proximité est en quelque sorte garantie par le caractère extrême de la conjoncture contemporaine : ce futur a, dans tous les cas, un aspect *cathartique* et un aspect *instaurateur* : qu'il s'agisse de la révolution prolétarienne, de la révolution symbolique ou du renversement du *Gestell*, le passé manqué disparaît, violemment dans les deux premiers cas, tandis que Heidegger ne fait, lui, aucune conjecture concrète et n'appelle qu'à la persévérance dans l'attente. Et doit naître alors quelque chose d'entièrement neuf : une société sans classes, assez individualiste ou au contraire entièrement prise dans l'échange (Marx/Baudrillard), ou une économie entièrement neuve et imprévisible de l'*Ereignis*, du temps et de l'être (Heidegger). Ce neuf a quelque chose d'originaire, puisque le passé est aboli sans reste, et d'eschatologique, car rien ne laisse prévoir aucun type de processus ultérieur, une fois le nouveau instauré. Ainsi le temps, *notre* temps, est-il foncièrement perdu.

Dans ces conditions, on est fondé à se demander si, pour sociologues ou philosophes qu'ils soient, nos auteurs ne seraient pas plus proches qu'il ne semble d'une vision de type mythique, comme celle d'Artaud, et si leur monde ne serait pas davantage celui du roman que de la réalité. Car n'est-ce pas aussi de notre réel, incarné et impur, que veut se libérer, par le moyen rituel du Théâtre de la Cruauté, un Antonin Artaud, et n'est-ce pas à nos filiations peu glorieuses et à notre histoire sans relief que veut nous arracher le roman ?

Ainsi l'histoire est-elle de toute manière impossible : en amont elle est maudite ; en aval, elle n'a pas lieu. Mais le drame est que le point de jonction de ces deux non-existences, s'il demeure imaginaire, dans le cas du rite ou du roman, ou impensé, s'il s'agit du renversement du *Gestell*, est destruction sanglante et instauration oppressive, si on fait la révolution. N'y aurait-il pas alors quelque erreur d'appréciation dans l'analyse des processus historiques, puisque les résultats *réels* sont illusoires ou décevants ?

Une attitude gnostique ?

L'attention des auteurs étudiés est centrée sur ce qu'on pourrait appeler les « processus d'accumulation » : que ce soit au niveau de la « gestion du globe », de l'accumulation des biens de production ou de consommation, de la manipulation intellectuelle et pratique de l'étant sous toutes les formes où on peut le garder « sous la main », l'histoire mise en cause ou rejetée est sous le signe d'un effort multiple d'appropriation sans règles. C'est cet aspect négatif qui occupe entièrement le champ de la réflexion, aspect auquel on n'a d'autre remède qu'un changement proprement *radical*.

Cette concentration sur le négatif ne serait-elle pas un parti pris, qui occulterait d'autres aspects, bénéfiques ceux-là, du processus historique ? Avant de voir s'il est une réponse à cette question, on remarquera ici que, selon le point de vue qu'ils adoptent, les auteurs ne sont pas d'accord sur le moment chronologique de la « chute » dans l'accumulation : l'apparition de l'élevage et les transforamtions sociologiques fondamentales qu'il entraîne (Engels) ; la perte de l'être au profit de l'étant à l'époque de Platon (Heidegger) ; l'apparition de l'ordre de la Nature à la Renaissance (Baudrillard). Si le diagnostic est toujours sombre, ce n'est pas à propos du même moment ni pour les mêmes raisons ; cela peut tout au moins cconduire à mettre en question le caractère *universellement valable* de ce diagnostic. Mais on notera aussi que, dans aucune des hypothèses considérées, on ne nous indique les *responsables* de la « chute » et de l'entrée dans le processus maudit de l'accumulation. Comme je l'ai noté, Engels finit par charger de culpabilité un processus normal dans le développement de l'acquisition par les hommes de leur capacité d'invention et de diversification des moyens de produire leur subsistance, mais il ne dit pas comment ni pourquoi on est passé du « progrès culturel » à la « faute morale » ; de même, lorsqu'il fait remonter à Platon le processus d'occultation de l'être dans l'étant, Heidegger ne met pas en cause, comme telle, la responsabilité de l'homme Platon : le nom de Platon est un indicatif de temps et de lieu, comme aussi d'un auteur dans les écrits duquel se manifeste le nouveau processus ; mais celui-ci présente de soi un caractère à la fois nocif et inévitable, sinon nécessaire. Baudrillard enfin ne dit pas d'où et comment a surgi, à la Renaissance, cet « ordre de la Nature » qui aurait supplanté l'échange symbolique.

Nous nous trouvons donc en face d'une diversité dans la détermination de ce qu'on pourrait appeler le « moment crucial » et donc dans l'appréciation de la « réalité idéale » (celle d'avant ce moment crucial) dont on espère ou dont on veut provoquer la manifestation ; mais l'attitude foncière est la même, qui reconnaît une « chute » inexpliquée et affecte celle-ci d'un double et quasi contradictoire caractère de *nécessité* et de *culpabilité*, l'une se renversant dans l'autre et réciproquement ?

Derrida s'élève fortement, il est vrai, contre l'aspect

« temporel » de cette problématique de la chute et, donc, d'une certaine restauration, une fois surmontée la nécessité coupable [1].
Il n'échappe pourtant pas, lui non plus, à un dualisme inexpliqué, qui serait comme donné d'emblée, structurellement, et jouerait entre la « trace » toujours déjà occultée et la métaphysique de la présence [2]. Mais d'où vient cette occultation et comment y remédier ? Ce sont là questions auxquelles il n'est pas répondu, tandis qu'on mentionne quelque part l'attente (temporelle ?) de cet « encore innommable qui s'annonce ». Par suite, pour revenir aux mots utilisés par nos auteurs, on pourrait dire que l'Oubli, le Leurre, la Différance, l'Appropriation des moyens de production, la Déhiscence [3], la Finitude originaire, etc. sont comme autant

---

1. Cf. « Ousia et grammè », dans *Marges*, p. 73 s. et *Positions*, Paris, 1972, p. 73 s. et note 17.

2. Par exemple : « Il faut penser la trace avant l'étant. Mais le mouvement de la trace est *nécessairement occulté*. Quand l'autre s'annonce comme tel, il s'annonce dans la *dissimulation de soi* » (*De la grammatologie*, p. 69. Je souligne).

3. « Déhiscence » : je fais ici allusion à une observation de Jacques Lacan, dont je n'ai pas eu l'occasion de faire état dans le texte de cette première partie. Il s'agit d'un point important dans l'étude du fameux « stade du miroir ». Je rappelle brièvement la problématique : la portée de la première identification que l'enfant fait de soi-même lorsqu'il s'aperçoit dans un miroir est décisive pour la suite de sa vie. Ce regard dans le miroir lui communique une sorte d'expérience totale de sa forme, une première image du moi, à partir de laquelle il pourra structurer ses relations avec le monde extérieur : formation bénéfique, car elle permet au petit d'homme de se constituer par rapport à soi-même, de donner un centre à la multiplicité de ses mouvements, d'échapper à une perception morcelée des parties de son corps, elles-mêmes jusque-là non différenciées des objets environnants. Il y a donc un processus d'identification, qui vainc la dispersion et devrait permettre à l'enfant, ainsi auto-identifié, de s'ouvrir à la rencontre de l'autre et d'entrer librement dans le langage. Or, cela ne se produit pas, ou mal : l'image du moi se fige, se durcit, devient une « armature rigide » et le *je* devient comme un « camp retranché », dont la parole sera de défense et de répétition. Lacan attribue ce durcissement au fait que l'image ainsi formée serait prématurée — et il faut entendre ce dernier mot d'une manière assez fortement organique : l'image intervient à un moment d'« inachèvement anatomique » (= avant que les fontanelles ne se soient fermées), et elle se durcit en quelque sorte avec l'organisme lui-même durant les premiers mois de la vie. L'image produite au « stade du miroir » serait donc ainsi, non seulement la forme bénéfique d'une identification souhaitable, mais le stigmate permanent de la Discorde primordiale entre la nature achevée et le sujet prématuré qui y fait trop tôt son entrée. C'est Lacan qui écrit « Discorde primordiale » avec une majuscule, et parle d'une « déhiscence de l'harmonie naturelle, exigée par Hegel pour être la maladie féconde, la faute heureuse de la vie, où l'homme, à se distinguer de son essence, découvre son existence ». Une *felix culpa* hégélienne interprète ici le donné analytique. Heureuse ? Elle est en tout cas à la racine du narcissisme, de l'instinct de mort, de la tendance suicide. Selon la gnose traditionnelle aussi, si on

d'entités construites pour rendre compte de la situation déplorable dans laquelle nous nous trouvons, en n'impliquant *pas* (puisque c'est nécessaire) et en impliquant *trop* (puisque c'est coupable) la liberté. Ces entités ne sont pas des « principes », car un « principe » peut d'une certaine manière être reconnu ou écouté ; mais, n'étant pas « archiques », elles ne sont pas non plus « anarchiques », puisque c'est grâce à elles qu'il est permis de se repérer quelque peu. Quoi qu'il en soit, on se trouve, dans tous ces cas et avec toutes ces figures, devant *une conjonction, inexpliquée mais fondatrice, de nécessité et de chute. Or cela n'est-il pas depuis toujours la caractéristique fondamentale de la gnose [4] ?*

Pour une réévaluation

S'il est « gnostique », le paysage culturel dessiné au moyen des enquêtes menées ci-dessus a quelque chose d'*imaginaire :* il noircit les surfaces apparentes, dont toute éventuelle vérité positive se trouve en principe occultée, et il renverse cette zone obscurcie en son contradictoire, réputé léger et lumineux, mais ou bien qui n'est pas encore advenu, ou bien qui ne peut durablement percer l'opacité à la fois inévitable et coupable de la réalité que l'on croit appréhender. Or, s'il y a de l'imaginaire dans ce décor à double entrée, ne serait-il pas possible d'aller voir ce que *en fait* il y a derrière ?

---

en juge par Lacarrière, « nous sommes tous des prématurés... De cette Erreur originelle qui jeta dans un monde immature des semences imparfaites, des entités prématurées, proviennent ce sentiment de solitude, de perdition, ce malaise planétaire qui sont le lot de l'homme ». (Cf. J. LACAN, *Écrits*, Paris, 1966, p. 94-97, 186, 345 ; J. LACARRIÈRE, *op. cit.*, note 4, p. 40 et 80.) Avec tout cela, je ne veux pas mettre en question la vérité clinique du « stade du miroir » ; mais son interprétation ultime exige-t-elle cette gnose sécularisée ?

4. Je renvoie ici au petit livre de Jacques LACARRIÈRE, *Les Gnostiques*, Paris, 1973. L'intérêt de ce livre tient à ce qu'il montre de façon frappante ce qu'on pourrait appeler l'*enjeu* et l'*urgence* de la décision gnostique : le monde se présentant comme il est, avec ses ruptures et déchirures de toute sorte, comment l'interpréter et s'engager en l'interprétant ? Les gnostiques historiques ont donné leur réponse et promu leurs pratiques, mais le principe de la gnose, à savoir la déchirure primordiale, et l'essentiel de la pratique, une inversion, une révolution ou, simplement, ce que Derrida appelle l'attente de l'« innommable » semblent avoir demeuré, inchangés.

Il ne s'agit évidemment pas de nier les déficiences et les « épaississements » de la figure socio-culturelle où nous vivons, mais de chercher à situer autrement peut-être leur nature et éventuellement leur origine. Or cela ne peut se faire qu'en *valorisant*, s'il est possible, l'histoire *effective*, qui se déroule parmi nous et serait alors autre chose qu'une succession de déficits en progression géométrique et, corrélativement, en retrouvant une perspective sur l'*étant* disponible qui ne voile plus mais au contraire laisse apparaître la lumière de l'*être*. Ce que la « gnose » traite par mode de successivité, il faudrait voir si cela n'existe pas par mode de contemporanéité.

Cela revient à se demander si ce qu'on appelle la « mort », la « distance », l'« échange », dont on réservait la manifestation pour plus tard, n'ont pas toujours déjà été là, donnant à la production/consommation son visage ordonné et respectant le mystère présent à la saisie de l'étant. S'il en était ainsi, on situerait autrement l'incontestable présence du *mal* comme détournement ou occultation et il y aurait à préciser comment ce mal se développe, parallèlement à une « gérance juste » de l'économie comme de la philosophie, et à ses dépens.

Un tel travail pourrait se faire de diverses manières :

1. On pourrait tenter de *raconter autrement* l'histoire, tant de la société et de l'économie que de la philosophie et de la culture ; en effet, un récit unilatéralement orienté sur la décadence, l'oubli et la perte est en quelque sorte trop facile. Les événements réels ne se passent pas ainsi. Pour être vrai, il faut aussi se rendre attentif aux aspects positifs qui se laissent discerner : un progrès dans l'outillage n'est pas en lui-même générateur de mal ; il *qualifie* au contraire de manière nouvelle le rapport de l'homme à la nature ; l'appropriation, en quelque matière que ce soit, peut enrichir la personne ou le groupe d'une manière qui n'est pas nécessairement close, etc. ; il faut encore analyser le sens des ruptures et des réformes qui ont si souvent tenté de compenser, en tout ordre de réalité, les déviations et les excès ressentis comme tels ; de telles démarches supposent une certaine perception de la *vérité* à reconnaître et à poursuivre dans le domaine considéré ; on peut également observer l'ordre des valeurs, la libération, par exemple, que certaines techniques ont pu apporter à certaines servitudes et les modifications d'ordre social qui ont pu en dériver... Quand on lit les histoires de la science, de la société, de

la technique, de la pensée, fournies par des hommes compétents en ces diverses matières, on recueille l'impression de figures dont la complexité est grande et n'est pas toujours honorée dans les perspectives d'« histoire universelle » comme celles recensées plus haut. Cependant il faudrait reconnaître que le respect de la complexité infinie de l'histoire dans le récit qu'on en fait suppose une certaine *perspective universelle* dans laquelle on puisse s'efforcer de suivre *sans crainte* une trame où s'enchevêtrent le bien et le mal, parce que l'on est comme *assuré d'un certain salut*, couvrant non seulement une partie privilégiée, mais le tout de la réalité excepté le mal. Mais *qui* nous fournirait cette perspective et *d'où* nous viendrait-elle ?

2. On pourrait encore reprendre à nouveaux frais la question *nature/culture*. La difficulté, souvent insurmontable, semble être de maintenir vive la *charnière* entre les deux. Lévi-Strauss la fait justement consister dans la *règle*, initialement la fameuse prohibition de l'inceste, créatrice d'*échange*. Et Baudrillard a fortement mis en valeur la « forme de mort » inhérente à l'échange, dans la mesure où la « régulation » de celui-ci ne se fait pas sans renoncement à un processus sauvage et toujours menaçant d'accumulation. La tentation, pourtant, est soit de répudier la règle et de laisser croître anarchiquement toutes les possibilités de développement, la « loi » du plus fort étant la meilleure, soit inversement de faire de l'échange lui-même comme une « nature » dont il faudrait retrouver ou forcer le jeu. Cette tentation survient lorsqu'on oublie l'*origine* de la règle, à savoir la *parole*. S'il est vrai que, en tout ordre, les processus « naturels » *appellent* l'échange, ils ne le produisent pas, tandis que la parole réciproque génératrice d'échange *a besoin* d'espaces concrets et vivants qu'elle ordonne mais ne crée pas.

Le point de fragilité, de « faillibilité » pour s'exprimer comme Paul Ricœur, réside peut-être à cette articulation vive, dont le lieu peut se déplacer mais qui demeure toujours « à l'état naissant », entre tous les dynamismes « naturels » (pas seulement dans l'ordre zoologique ou économique, mais tout aussi bien dans celui de la connaissance et du désir) et la régulation par la parole « culturelle » qui les ordonne pour l'échange. La parole en effet peut n'être pas ou être mal dite, pas ou mal reçue et répondue, de sorte qu'un *désordre* s'inscrit de manière souvent indélébile, tant dans la nature que dans la culture : ici commence l'histoire du « mal ».

Ainsi, pour éviter toute gnose, faut-il réentreprendre l'étude *théorique* de ce rapport *nature* (tout ce qui demande à « naître ») et *culture* (tout l'ordre de la parole qui désire et établit l'échange), mais aussi, autant que possible, la considération *historique* des avatars de ce rapport. Or cela n'est guère possible si on ne pose pas, à différents niveaux, la question : *qui* parle ? *à qui* ? *qui* répond et *comment* ? En d'autres termes, le rapport nature/culture doit pouvoir s'exprimer en termes de rapport donné/responsabilité, tant sur le plan synchronique que sur le plan diachronique.

3. L'éloignement de toute gnose requiert enfin une reprise de la *question de l'être*. L'histoire qu'en trace Heidegger est construite sur une opposition irréductible entre l'étant disponible, sous les formes successives qu'il a prises et qui ont façonné notre civilisation, et l'être encore impensé dont on attend l'imprévisible manifestation. L'aspect « gnostique » de cette opposition doit être surmonté, et cela ne semble guère possible sinon en revoyant de près les notions en cause, leur articulation, l'histoire de leurs variations, les raisons de leur gauchissement.

Cette révision de la question de l'être est tout à fait corrélative d'une reprise de la question de l'histoire et d'une réévaluation du rapport nature/culture : en effet, dès lors qu'on s'efforce de retrouver la *valeur*[5] éventuelle des développements historiques, de réévaluer la présence et la responsabilité de la parole dans la gérance de la nature, on est nécessairement conduit à une appréciation nuancée de l'étant : celui-ci n'est sans doute pas seulement ce qui occulte l'être ; il peut être aussi ce qui le manifeste, tandis que l'être pourrait bien ne jamais advenir si on pose *a priori* son absolue séparation de l'étant. En écrivant cela, je pense être parfaitement fidèle à une des intuitions de Heidegger, à savoir que l'*étant* n'est pas séparable de la totalité du procès de civilisation : à toute conception de la physique, de la culture, de la technique correspondent respectivement une métaphysique, une métaculture, une métatechnique ; ces « méta »-disciplines ne peuvent demeurer les mêmes si l'appréciation du sens et de la

_____

5. On se souvient que Heidegger procède à une déconstruction de la notion de « valeur », en lien avec sa critique de l'onto-théologie, qui est aussi forte à son niveau que celle de Baudrillard en sociologie. Cf. H. MONGIS, *Heidegger et la critique de la notion de valeur*, La Haye, 1976. Mais si l'idée même de valeur est contestée, comment reconnaître « de la valeur » à quoi que ce soit ?

portée des disciplines elles-mêmes se modifie. En dénonçant d'une manière générale une attitude gnostique, je suis contraint à réviser en particulier la question de l'être.

Hétéronomie, narrativité et analogie

Si les observations qui précèdent sont exactes, il serait nécessaire et il devrait donc être possible, de *réécrire*, au niveau des sciences humaines et de la philosophie, *des histoires* plus nuancées que les présentations régressives mais simplifiantes qui nous ont été proposées. Mais pour le faire, pour pouvoir discerner et doser les éléments d'avancée et de recul, de découverte et d'erreur, il est sans doute nécessaire de pouvoir faire état de *références ultimes* elles-mêmes fondatrices et ouvertes. Comment atteindre à une visée du *temps* qui, à la fois, respecte l'épaisseur de la matière, la force dissuasive de la parole, la possibilité d'un avenir tout autant que les blessures que la culture s'est infligée à elle-même ? Comment rejoindre une réalité de l'*être* qui ne se perde pas dans l'étant, mais ne perde pas non plus l'étant et quel langage trouver qui ne soit ni celui, aplatissant, de l'onto-théologie, ni celui, évanescent, d'une attente désorientée ?

C'est ici, je pense, que nous pouvons recueillir, en essayant de lui donner toute sa force, le *principe d'hétéronomie* dont j'ai dit à quel point il animait la culture que j'ai décrite. Je voudrais proposer ici de le comprendre comme principe d'hétéronomie *fondatrice* et de lui reconnaître deux « valences » : *narrativité* et *analogie*.

Poser un principe d'*hétéronomie*, c'est situer toute la réflexion dans la perspective de *distance* manifestée de diverses manières dans l'investigation précédente. Mais parler d'hétéronomie *fondatrice*, signifie qu'il faut penser ce principe de telle manière qu'il fonde *aussi* pour l'homme et pour le monde une identité authentique, un savoir mesuré, une liberté raisonnable. C'est ici qu'interviennent les deux valences mentionnées.

Penser le principe d'hétéronomie comme principe de *narrativité*, et donc mettre en valeur la catégorie du *récit*, c'est reprendre le temps *réel* de l'homme sous la catégorie fondamentale de l'*écoute* : un récit en effet se donne à entendre, puis s'interprète et est répété. Il réfère à une voix dont on ne peut anticiper ni le dire ni le dit, qui est vraiment originaire parce qu'originale, mais dont l'inaccessible propriété devrait fonder positivement la temporalité de l'homme et du monde et en renouveler la perception. Ce qu'on cherche, en se rendant attentif à l'hétéronomie du récit, c'est restituer au temps sa vraie figure, en l'enracinant dans une origine qu'on puisse *entendre*, c'est-à-dire qui puisse venir à la parole mais sans que celle-ci puisse la réduire ou la dominer ; en l'ouvrant sur une eschatologie qui puisse être, non pas décrite, mais *évoquée*, de telle manière que le présent puisse recevoir une direction ; en définissant les conditions d'un présent authentique, qui puisse être *vécu* (c'est-à-dire repris dans le *dire* et l'*agir*), mais sans être à soi-même d'aucune sorte sa raison unique d'être. Le principe de narrativité pressent aussi la possibilité d'écouter quelque part, non un mythe des origines, mais *un récit fondateur vrai*, c'est-à-dire qui permette de discerner les processus effectifs de l'existence humaine, personnelle et sociale, de savoir valoriser la sexualité et le travail, ainsi que l'histoire qu'ils provoquent, de situer correctement l'origine et l'influence du mal.

On pourrait dire la même chose du principe d'*analogie*, autre valence de l'hétéronomie fondatrice. Je n'hésite pas à employer ce mot « analogie », bien qu'il soit « fatigué » par tous les traitements qu'il a subis au cours des âges, et par les douloureuses contradictions dont il a été l'objet. Tout ce qui précède permet en effet, avant d'entrer dans la technique de son usage, de comprendre ce mot *analogie* à partir de son préfixe : *ana*, qui me semble suggérer tout ce qui est en jeu ici ; ce préfixe situe en effet justement la contestation de la suffisance du *logos*, tel que nous pouvons le mettre en œuvre : il ne s'agit, ni de transposer notre *logos* dans un ciel empyrée où il aurait sa vraie stature, ni inversement de lui substituer l'illogique ou l'a-logique d'une rature pure et simple, mais d'essayer de rattacher tout l'ordre du *logos* à ce qui le surplombe sans l'anéantir : l'*ana*logique, c'est-à-dire ce qui ne se peut dire que de façon limite et ultime, à la frontière supérieure du discours, *mais ce qui peut se dire tout de même*, car, au cœur de n'importe quel discours est signifiée (d'une manière qu'il revient précisément au philosophe, sinon de définir, du moins de baliser) une ouverture à cette frontière et un désir de la rejoindre. Bien loin de réduire l'indicible à ce qui peut se dire, le principe d'analogie rattache tout discours à l'analogue qui le fonde. Pourtant, s'il conteste très fortement l'autonomie humaine et implique, au plan de la parole comme de la liberté, un renoncement à la suffisance et une ouverture à ce qui ne vient pas de soi, il n'a pas d'effet destructeur, et la « forme de mort » qu'il implique n'a, nous le verrons, rien d'ambigu. Bien au contraire, et c'est cela dont nous avons besoin, il permet de penser l'*être*, de telle manière que soient sauvegardées les nuances de *réalité* et de *mystère*, par où il peut être *pensé*, mais non pas *dominé*.

De Dieu qui vient au langage

Le principe d'hétéronomie, développé en ses deux valences distinctes mais corrélatives et articulées, de *narrativité* et d'*analogie*, est le principe théorique qui sous-tend les développements ultérieurs de ce livre, tendant à interpréter les figures de la réalité d'une manière qui ne soit ni « compacte », ni « gnostique ». Or ce principe devrait permettre en fait (et telle est bien la fin véritable de ce livre) de retrouver un langage pertinent pour dire le Dieu vivant. Les auteurs jusqu'ici étudiés récusent Dieu, à moins qu'ils ne l'ignorent purement et simplement. Mais dans leur refus même se dessinent en quelque sorte des prolégomènes à tout discours sur Dieu : finalement, s'il fallait de quelque manière parler de Dieu, ce ne serait pas d'un dieu qui serait seulement la raison d'être du monde, celui qu'on ne considérerait que comme la source ultime de notre propre possibilité, faisant en quelque sorte « système » avec ce dont il serait seulement la clef de voûte. D'un tel dieu, on pourrait parler comme on parle de n'importe quoi, mais aussi (et cette perspective réciproque est trop peu soulignée) de n'importe quoi on pourrait parler comme de Dieu. Car Dieu n'est ici qu'une tentative d'extrapolation à l'infini de l'étant, de la présence pure à soi-même, du vouloir... A ce sujet, on peut se demander si Heidegger a raison de dire que, le dieu *causa sui*, « l'homme ne peut ni le prier ni lui sacrifier. Il ne peut, devant la *causa sui* ni tomber à genoux plein de crainte, ni jouer des instruments, chanter et danser » [6]. Aussi bien l'histoire des religions que la réflexion

---

6. *Identité et Différence*, trad. fr. dans *Questions 1*, Paris, 1968, p. 306, à comparer avec M. ELIADE, *Traité d'histoire des religions*, Paris, 1949, p. 54-55 ; J. DOURNES, *Dieu aime les païens*, Paris, 1963, p. 51-54. Toute la démarche de saint Augustin, dans les dix premiers livres de la *Cité de Dieu*, n'est-il pas de convaincre ses destinataires que seul le Dieu unique (et donc ni anges, ni démons, ni esprits) a droit à un culte ?

philosophique séculaire sur le culte obligent à mettre de fortes nuances à cette prise de position : en fait, dans les religions, le Dieu que l'on pressent unique n'est pas objet de culte, mais bien plutôt les dieux intermédiaires et actifs qui ont beaucoup en commun avec les hommes et le monde, et c'est sur cette base commune qu'un échange cultuel, fondamentalement sur le type du *do ut des*, devient possible et se développe. Dans les faits, la différence n'est pas entre une indifférence cultuelle vis-à-vis du dieu *causa sui* et un culte authentique rendu à qui serait véritablement Dieu, elle est entre un culte qu'on pourrait dire *circulaire* (dieu et le réel faisant cercle « vicieux ») et un culte *linéaire* rendu à Dieu différent.

Dieu différent : cela ne peut vouloir dire un dieu *totalement* inconnaissable et indicible (comment prononcer un nom *absolument* dépourvu de répondant ?), mais au contraire un Dieu susceptible d'une *nomination propre*, et à qui, à cause même de cela, on puisse référer de manière *non systémique* le temps et l'espace, l'être et la parole fondatrice : un Dieu fondateur *parce que* absous de la fondation. Tout le « problème de Dieu » est sans doute là : comment nommer Dieu véritablement différent, « absous », si nous ne pouvons le faire qu'*à partir* de ce qui est fondé, en quoi nous nous trouvons ? Question d'autant plus urgente, car si un tel Dieu pouvait être nommé, il deviendrait clair que le langage univoque avec lequel nous parlons de tout et de n'importe quoi serait tout entier suspendu à la nomination de ce Dieu ! Si on ne parle plus de dieu comme de n'importe quoi, alors il n'y a plus « n'importe quoi », mais des réalités d'être et de connaissance dont la nomination univoque propre est suspendue à la mystérieuse nomination propre de Dieu : *être* et *temps* accéderaient-ils alors à leur vérité ?

LE TEMPS RETROUVÉ
EN
JÉSUS-CHRIST

DEUXIÈME PARTIE

LE TEMPS RETROUVÉ
EN
JÉSUS-CHRIST

PROLOGUE

UN PRINCIPE DE NARRATIVITÉ

Une conversion à l'écoute

Dans la partie précédente, j'ai interprété certaines recherches comme autant d'approches diverses d'un *récit fondateur perdu* par lequel se trouveraient instaurée la temporalité de l'homme, conjuré son mal, anticipée sa transfiguration : en d'autres termes, le thème de la déchirure primordiale manifesterait le désir secret d'une hétéronomie fondatrice sur le plan du temps et de l'histoire. Cependant, si les œuvres étudiées ont une touche de narrativité, celle-ci est l'œuvre de l'homme lui-même qui, à partir de la situation où il se trouve, essaie de reconstruire une généalogie — que celle-ci considère l'histoire de la pensée, celle de la civilisation dans son ensemble ou seulement celle d'un individu. De même, les attitudes liturgiques ou mystiques concernant le présent ou l'avenir, les anticipations du futur de l'histoire, sont *produites* par l'homme lui-même, affronté à ses problèmes. Et pourtant, il est assez évident que, s'il s'agit de retrouver une hétéronomie sur le plan temporel, celle-ci ne peut se manifester qu'à une *écoute* : l'homme ne peut pas se donner ses origines, ni créer sa fin ; il n'est pas non plus en mesure de répondre par lui-même à la question que lui pose sans cesse l'imbrication de la finitude et de la culpabilité : il y a des données à *apprendre* avant de les *reprendre* pour les mettre en œuvre de façon créatrice. Toute la question, en ce qui concerne le récit fondateur de temporalité, réside donc dans ce dilemme : *production* ou *écoute* [1] ?

---

1. Le niveau d'investigation auquel j'essaie de me placer n'est tout à fait ni celui du genre littéraire, ni celui de la technique du récit. Il me semble en effet que la remise en valeur du récit en théologie dans la recherche récente s'articule sur deux

Primauté du témoignage

Car il faut que se présentent des témoins : le récit perdu ne peut pas être « immémorial », « archaïque », « anonyme »[2] : il s'agit d'*écouter*, non pas de lire ou d'imaginer ; et cela, même si les témoins parlent de réalités ou de conjonctures qui dépassent le niveau logique des mots humains. Ce que l'on veut apprendre en effet, c'est ce que l'on ne peut se donner à soi-même : sa naissance et son appel, le mal et son pardon, la demande et la promesse.

Étant donné ce caractère limite de l'objet du témoignage, le témoin ne peut rendre compte que de ce qu'il a lui-même reçu. D'une part, il a été lui-même fondé, et de l'autre il a reçu une intelligence de cette fondation qui lui rend possible le témoignage. C'est au travers de la fondation expérimentée et reconnue qu'il est possible de rendre témoignage à l'Auteur de cette fondation, reconnu à la fois comme origine (à partir de qui un récit fondateur

---

plans : d'une part, la nécessité de recourir à un genre littéraire alternatif vu le naufrage du discours onto-théologique dans la perspective culturelle dominée par le thème de la « mort de Dieu » ; les noms de J.B. METZ (entre autres : « Petite apologie du récit », dans *Concilium*, 85, 1973, p. 33-46) et de E. JÜNGEL (cf. *Dieu, Mystère du monde*, trad. fr. Paris, 1983, t.II, p. 126-142 — cf. la bibliographie donnée p. 129, note 14) doivent être évoqués ici. L'autre plan d'investigation est davantage celui de la formation du récit, en perspective soit herméneutique (cf. Paul RICOEUR, *Temps et Récit*, t. I, Paris, 1982), soit structurale (problématique et bibliographie par exemple dans Claude CHABROL et Louis MARIN, *Le Récit évangélique*, Paris, 1974). Sans méconnaître ces deux aspects, auxquels j'aurai plus d'une occasion de me référer, j'essaie de me situer à un niveau en quelque sorte antérieur : le récit comme témoignage et lieu de la non-autonomie humaine, événement de discours où se signifie la primauté absolue de l'écoute, ou encore lieu d'un dit qui, fondamentalement, n'est pas produit.

Dans cette perspective, on perçoit l'affinité des deux valences du principe d'hétéronomie : si le récit est écouté, il sera, dans sa texture même, une articulation du narratif et du méta-narratif (sur cette expression, cf. C. CHABROL, *op. cit.*, p. 58-63), ce dernier ne pouvant guère, à mon avis, faire l'économie d'une réflexion sur l'être. Comme on le verra d'ailleurs plus loin, lorsque nous parlerons de Gn 2-3 et du Livre de Job, les deux aspects du principe d'hétéronomie, analogie et narrativité, fonctionnent ensemble.

2. Il importe peu que la production soit récente, comme par exemple le *Théâtre de la Cruauté*, ou immémoriale et anonyme comme dans les mythes réunis par Lévi-Strauss. Inversement, il est très important qu'un *récit fondateur écouté* puisse être référé à des auteurs identifiés qui en sont les auteurs *parce que les témoins* : c'est, je crois, le sens *théologique* de vieux problèmes comme celui de l'authenticité mosaïque du Pentateuque ; en un sens, cette question sort indemne de toutes les précisions apportées par l'exégèse historico-critique : si Moïse ne peut être appelé comme garant de la Loi, il n'y a plus de Loi.

devient possible) et au-delà de l'origine (puisqu'il ne fait pas système avec ce qui est fondé). Le témoignage revêtira donc un langage spécifique, puisqu'il dira simultanément l'Origine au-delà de l'origine, l'expérience propre du témoin et la fondation universelle, ainsi que son destin.

Le statut épistémologique du témoignage originel devra donc être établi avec soin, et de même ses critères de véracité. On peut déjà suggérer ici que la vérification ultime ne sera pas séparée du pouvoir de libération dégagé du récit fondateur : si de l'avoir entendu de la bouche des témoins, on se trouve en mesure de reprendre courageusement la parole et de découvrir les voies d'un avenir au lieu de se heurter désespérément à l'imminence d'une fin de civilisation, c'est probablement que ce récit était et demeure vrai.

« Même s'il ne communique rien, le discours représente l'existence de la communication ; même s'il nie l'évidence, il affirme que la parole constitue la vérité ; même s'il est destiné à tromper, il spécule sur la foi dans le témoignage [3] » : cette formule de Jacques Lacan est extrêmement suggestive dans la mesure où, dans l'espace même de la psychanalyse, qui est celui de la parole malade, à l'extrême peut-être de son usure, on discerne en creux la visée authentique de la parole : communication, vérité, témoignage. Il est permis de penser que, dans la restauration de ces composantes perdues, la restitution progressive de l'écoute est décisive. On peut toujours produire un discours hors communication et donc hors réalité, mais si on veut vraiment parler, il faut réapprendre à écouter afin de savoir comment répondre. Or, il y a un lien en quelque sorte organique entre la parole sans écoute, l'horreur de la naissance, le désir de n'être né de personne, bref, la constitution de soi dans un Cogito solipsiste, le refus d'avoir reçu d'autrui *nom* et *corps* et l'endurcissement devant le témoignage qui atteste cette origine. C'est dire que la recherche du récit perdu suppose une conversion du cœur à l'écoute, une disposition à entendre les témoins qui se présenteraient, un désir de réconciliation avec son propre corps et avec le monde, une acceptation, si ténue soit-elle, de réouvrir une histoire avec les hommes. Cette attitude, que l'on peut nommer *foi*, incarne dans l'homme une passion vraie pour l'hétéronomie et dispose à reconnaître les témoins s'ils se présentent.

---

3. *Écrits*, Paris, 1966, p. 251.

Pour essayer de mieux préciser la nature de ce témoignage originel, je voudrais le comparer d'une part au *récit scientifique des origines*, tel que peut nous le présenter la paléontologie, en ce qui concerne l'homme, ou l'astrophysique qui s'étend à l'ensemble du cosmos, et d'autre part au *récit de la naissance* que tout homme, normalement, reçoit de ceux qui l'ont mis au monde. Dans le premier cas, il s'agit bien des origines ultimes que nous cherchons (et c'est probablement ce qui fait que tout homme est friand de vulgarisations bien faites en ces matières), mais au niveau du langage de la *science*, dans le second cas, il s'agit d'une origine particulière et d'une identité individuelle (de laquelle aussi tout homme est fondamentalement curieux) mais au niveau de la langue du *témoignage*.

Histoire scientifique des origines [4]

On essaiera de dire tout d'abord les apports positifs de cette discipline multiforme, avant d'en indiquer les limites du point de vue qui nous occupe ici.

Positivement, une telle discipline rend témoignage à l'importance du *corps* ou, en général, de la *matérialité* pour l'existence humaine, ce qui devrait permettre, corrélativement, une évaluation renouvelée du *temps*. A ce point de vue, elle contribue à ôter tout fondement à une attitude mythique ou gnostique. La paléontologie, par exemple, travaille sur des données corporelles ; elle étudie les fossiles, si possible dans l'environnement où elle les trouve. Son objet n'est-il pas finalement la formation progressive de la figure corporelle humaine, selon un processus qui se perd dans la nuit des temps, mais dont on essaie de retrouver les étapes, jusqu'à l'apparition de cet être debout aux mains libres et à la faculté inchoative de symboliser que décrivait Leroi-Gourhan ? Les techniques ne sont pas les mêmes quand il s'agit d'astrophysique, mais l'intention ne diffère pas : retracer, si possible, une histoire du monde jusqu'à l'explosion primitive en arrière, et évoquer l'histoire subséquente, d'abord du système solaire et ensuite de

---

4. Je ne vise pas ici tel récit particulier, celui de Leroi-Gourhan ou un autre, plus récent, mais le *récit* en tant que mode nécessaire d'une présentation des origines ; pour l'astrophysique, cf. H. REEVES, *Patience dans l'azur. L'évolution cosmique*, Paris, 1981.

l'univers tout entier. De toute manière, il s'agit d'une histoire du corps et des corps, et aussi d'une certaine délimitation de l'amplitude temporelle disponible. Nous sommes ici sur un terrain où mythes et gnoses n'ont pas de place.

Un second bénéfice de l'investigation scientifique des origines est qu'elle opère, au moins en principe, la dissociation jusque-là impossible entre la naissance et la chute, la matière et le mal, la finitude et la culpabilité. Quel que soit son terme, *cette histoire du corps n'est pas une histoire du mal* ; elle retrace un développement naturel, éthiquement neutre et dépourvu de connotations tragiques. Elle exorcise, au moins au plan où elle se situe, l'archaïque « horreur de naître » et constitue de ce fait une pédagogie corrective pour l'homme en quête de son origine.

Cette dissociation entre la finitude et la faute apparaît peut-être encore plus vive à la lumière des dernières recherches sur l'histoire totale de l'univers. Nous avons maintenant une image *finie* du temps, tout au moins du nôtre ; nous le savons compris dans une histoire du système solaire et nous pouvons prévoir quand les conditions de la survie humaine auront disparu de la terre, avant qu'elle-même ne s'évanouisse. Même si ce n'est pas pour demain, cela nous donne du moins une conscience spécifique de finitude, qui ne sera sans doute pas défavorable à l'audition d'un récit *fondateur*.

Toutefois, quel que soit d'ailleurs l'intérêt des recherches qu'elle promeut et la probabilité de certains de ses résultats, l'histoire scientifique des origines ne peut aboutir au *récit* que nous cherchons. En effet, ce récit doit nous dire *d'où* nous venons et il doit nous être fait de telle manière que nous puissions ajouter foi à celui qui nous parle et à ce qu'il nous dit. Or l'histoire scientifique nous montre, au contraire, que l'évolution suit une dérive qui — du moins pour l'instant — aboutit à l'homme. S'efforçant de conjecturer le comment de l'apparition de l'homme dans un écheveau délicat de séries phylétiques, elle en vient à reconnaître que l'être ainsi apparaissant présente des caractéristiques morphologiques uniques, par lesquelles il dépasse tout être vivant. Quelles que soient ses préférences pour l'une ou l'autre théorie d'ensemble de l'évolution, l'homme qui se regarde lui-même dans la perspective ouverte par la paléontologie peut difficilement éviter de constater que tout finalement a dérivé vers lui et que l'évolution n'a produit aucun être qui l'approche. Le récit de ses origines et l'évocation de sa fin ne peut donc lui arriver par cette voie : alors qu'il cherche un « ailleurs » à quoi ou plutôt à qui se rattacher, on lui montre qu'il est lui l'« ailleurs » de tout ce qui vit et se meut sur la terre. Ce n'est pas vraiment son problème !

On peut dire la même chose en d'autres termes : l'histoire scientifique des origines n'est pas un récit ; son genre littéraire n'est pas immédiatement narratif. C'est une reconstitution opérée sur la base de documents non écrits, selon des méthodes sans cesse remises en chantier et affinées, par l'homme lui-même ; ce n'est pas un récit qu'il écoute ; c'est un texte provisoire qu'il produit. Je crois fondamentalement impossible à l'homme pratiquant ce type de discipline d'arriver jamais à dire où et quand, précisément, l'homme est apparu (que ce « où » et ce « quand » doivent être envisagés au singulier ou au pluriel, la question, ici, n'importe pas), quel *nom* il a porté et qui le lui a donné, et à quoi il s'est immédiatement occupé. La science reconstitue l'avènement de l'homme comme si personne ne s'était trouvé là pour lui donner un nom ; c'est pourquoi elle ne se soucie pas (et ne peut se soucier) de promouvoir une sorte de « fête anniversaire » de l'humanité, alors que le savant paléontologue célébrera joyeusement l'anniversaire de ses fils. Cet écart entre la chaleur nécessaire d'une célébration familiale et le silence collectif par rapport aux origines *concrètes* suffit, me semble-t-il, à montrer l'insuffisance d'une explication scientifique de type anthropocentrique ; cette explication n'est certes pas nulle ni dépourvue d'intérêt, mais, pour qu'elle soit vraiment signifiante, il faut l'inscrire dans un ensemble plus vaste, défini par un véritable *récit*. Si elle dit quelque chose d'utile et de vrai au sujet de l'apparition de l'homme sur la terre, elle ne peut rien dire sur la naissance proprement dite de l'humanité, ni d'ailleurs sur son accomplissement eschatologique : ici, elle doit céder le pas au récit et à la célébration ; or, comment pourrait-on *fêter les origines* à un niveau de pensée et de discours où il n'y a personne pour dire « Notre Père » ? Si, inversement, il existait une fête où tous les hommes pourraient réentendre la parole « Tu es mon fils » et y répondre en disant « Notre Père », ne serait-ce pas dans cette fête que l'humanité retrouverait enfin ses racines ? A cet égard, on peut se demander si les anciens, qui *fêtaient* dans une seule et complexe célébration, les origines du monde, l'intronisation du roi et le retour du nouvel an, n'avaient pas une attitude qu'il nous *faudrait absolument* retrouver pour que notre quête des origines et du destin reçoive la réponse dont elle est susceptible [5].

Récit de naissance et identité personnelle [6]

Pour mieux saisir la nature de ce désir d'un récit fondateur perdu, on peut risquer ici quelques considérations sur l'identité individuelle et sa dépendance par rapport au récit de la naissance. Comme on l'a vu plus haut, la réaction de l'homme à sa naissance est ambiguë : d'une part, il la rejette plus ou moins, oublie, efface ou ne tient pas compte du récit qu'on lui en a fait, dans son désir d'une autre identité qu'on peut appeler « romanesque » ; de l'autre, il demeure passionnément attaché à sa naissance, au point que si le récit lui en manque, comme dans le cas des enfants de « parents inconnus », il fera tout au monde pour retrouver ses origines, ou si le récit a été fallacieux, il subira, au moment où il s'en apercevra, de graves troubles [7].

Un passage émouvant du livre d'Ezéchiel [8] présente les origines lointaines de la Jérusalem païenne moyennant l'allégorie de l'enfant qui n'a pas été accueillie à la naissance par ses parents étrangers. Son corps n'a pas été reconnu ; on ne l'a pas soigneusement séparé de celui de sa mère, mais plutôt arraché ; on ne l'a ni lavé ni paré, et personne ne s'est trouvé là pour lui donner un nom. Elle serait là, abandonnée, sans identité réelle, si Dieu n'était venu pour lui dire une parole et créer ainsi la première relation vive à partir de laquelle l'enfant a pu croître.

Cette allégorie indique à quel point l'identité de l'homme est faite de son corps *reconnu* et de la parole de l'autre *écoutée*. Ce qui vient au monde, à une naissance, n'est pas seulement un « écart créateur dans le déroulement du temps », l'avènement

---

5. Cf. J. van GOUDOEVER, *Fêtes et calendriers bibliques*, trad. fr. Paris, 1967, p. 57-66, et R. MARTIN-ACHARD, *Essai biblique sur les fêtes d'Israël*, Genève, 1974, p. 93-104.

6. Tout ce qui suit s'inspire beaucoup de l'œuvre, souvent méditée, de Denis VASSE, en particulier *L'Ombilic et la Voix*, Paris, 1974, chap. II et V. Je remercie les foyers amis, en particulier B. et M.-O Lafont, J.-M. et A.-M Lévêque, C. et C. Ramphft qui ont accepté de me communiquer le fruit de leur expérience dans ce domaine.

7. Cf. J. LACAN, *Écrits, op. cit.*, p. 277.

8. Ez 16, 3-14.

d'une signification nouvelle, l'irruption d'un programme jusque-
là inédit. Ou plutôt, c'est bien tout cela, mais moyennant
l'événement d'une conception (elle aussi faite de corps et de
parole), d'un développement intra-utérin, de la sortie corporelle
hors du sein, de l'avènement d'un être de chair et de sang. Mais,
pour que cet avènement soit vraiment une naissance et confère son
identité au petit d'homme, il faut que cette histoire de son corps
soit reconnue par ceux qui en sont à l'origine : les soins qu'on lui
donne, la clôture de son ombilic qui en fait un être séparé, la
parole qui le nomme, tout cela à la fois avalise l'histoire de la
conception et de la naissance et introduit le petit d'homme dans
une société où il pourra être appelé et où, à son tour, il pourra
invoquer. L'affermissement d'une identité et l'aisance d'une vie
dépendent ainsi assez profondément des gestes et de la parole de
l'autre, dès l'origine.

Cette relation initiale, cependant, est comme étendue et
redoublée, par le *récit* et la *fête*. Ce que l'enfant a vécu dans son
origine et dont la mémoire est profondément inscrite en lui, arrive
à sa conscience par les récits qu'on lui fait, au fur et à mesure des
questions qu'il pose. Le *témoignage* qui lui est rendu par des êtres
très concrets, ses parents, fait venir à la parole ce qui, déjà, existe
dans son vécu. Rien ne peut remplacer cette parole, qui porte sur
des événements, en partie hors de l'expérience, même implicite,
puisque l'enfant n'était ni né ni même peut-être conçu quand ils
se sont produits, et en partie dans son expérience mais pour
lesquels il n'a aucun mot. Ce témoignage, porté et reçu, est
essentiel pour que le « Je », qui ne cessera plus de se dire,
s'enracine dans son temps et son espace. Les informations qui
parviennent ainsi « après-coup » et qui correspondent à des
événements « préalables » structurent l'identité ; elles enrichissent
la mémoire de ce dont on ne se souvient pas explicitement et qui
n'en est pas moins fondateur. En d'autres termes, le récit des
origines atteste à l'homme que son identité lui est d'abord donnée ;
elle est en deçà de la maîtrise de soi et de la responsabilité : celles-ci
au contraire naissent et se développent à la mesure de l'accueil de
ce récit, auquel, spontanément, celui qui l'écoute ajoute *foi*. C'est
cet ensemble, témoignage-foi, qui fonde ultimement l'identité
consciente, et non une évidence première et solipsiste de soi-même.

Le *nom* résume et signifie cette histoire de la naissance : il est
d'abord nom donné par les parents, que le petit d'homme entend ;
une fois accepté et assumé, le nom devient le moyen de l'échange

et de l'alliance, le symbole par où joue sans cesse le jeu de la
demande et du don, l'écoute et la responsabilité. L'homme n'a pas
pouvoir sur son nom, en tant qu'il l'a reçu, pas plus qu'il n'a
pouvoir sur le récit de sa naissance ; mais il lui revient ensuite de
faire de son nom ce qu'il veut : s'ouvrir aux appels que ce nom
reçoit ou se clore sur un nom devenu stérile.

Le récit est encore « nécessaire » si l'homme doit vraiment se
reconnaître *corps* et pas seulement conscience. Le récit fait en effet
venir à la parole, non seulement ce qui a trait à une ou à des
personnalités, à la qualité et aux péripéties d'un amour, à
l'avènement d'une conscience, etc., mais il concerne aussi et
inséparablement une histoire des corps et du corps en qui tout s'est
incarné et qui symbolisent tout. Au contraire, un Cogito, exclusif
du récit et ne portant que sur l'évidence de la pensée, ne peut
résulter que d'une scission préalable, peut-être inconsciente, et en
provoquer une autre. Parce que le Cogito s'éloigne du récit
fondateur, il est déjà en rupture d'identité globale et, dans la
mesure où il veut fonder une identité consciente, il consacre le
divorce entre le Moi et le corps.

Quand le récit, au contraire, est accueilli, il provoque la *fête*,
celle, par exemple, des anniversaires. La fête sourd spontanément
de la vérité du temps, du récit et du corps. Elle serait artificielle
si elle venait seulement scander la succession des années : pourquoi
fêter les moments où, selon une récurrence purement
astronomique, une année s'ajoute aux autres et rapproche ainsi de
la mort ? Elle ne le serait pas moins si elle tentait, pour un instant,
une mise en parenthèse de toute temporalité et voulait créer un
espace de jeu (ou de culte) hors temps et hors espace, où
s'exalterait la pure présence. Mais elle est vraie lorsqu'elle exprime
la *surimposition des temps* : elle est le comportement symbolique
adéquat à dire que le temps de cet homme, de son corps, de son
cœur, ne s'épuise pas dans le pur présent : il *est* aussi le temps de
son origine et de son destin, celui de ses parents et de sa
descendance ainsi que, nous le verrons plus loin, celui de Dieu avec
lui. Ce temps advient, par la grâce du symbole et du récit, sans
confusion ni séparation, dans la fête. Celle-ci est répétition de la
naissance, évocation de la vie, anticipation de la gloire : elle
s'enracine dans un ou plusieurs récits et en prépare d'autres ; elle
s'accomplit par une mise en valeur originale des symboles et des
corps. Elle reprend et continue en quelque sorte la grâce de
l'origine et, en toute littéralité, re-nouvelle la vie.

Tout ce qui vient d'être dit présuppose évidemment la *vérité* du récit. A ce sujet, on pourrait dire d'abord, en retournant la proposition, que la vérité est ici toujours présupposée, parce qu'il est de l'essence même du récit, comme d'ailleurs de toute parole adressée, de n'être pas totalement vérifiable. Toute relation de parole s'enracine dans un consentement réciproque à la foi ; dans une procédure de dialogue, la vérification fait partie, non de la mise en évidence de ce qui est dit, mais plutôt de l'*intellectus fidei* (je prends ici l'expression en dehors de sa connotation théologique). C'est encore plus vrai quand il s'agit d'un récit d'origine fait à l'enfant ; la foi, en ce cas, est d'ailleurs peut-être plus spontanée qu'en tout autre, car écouter une parole sur sa naissance appartient à l'être le plus profond de l'homme. S'il le fallait, on pourrait d'ailleurs, moyennant des procédures relevant de la critique historique, établir pour certains éléments du récit, une probabilité suffisante. Le vérifiable toutefois est ici, plus que partout ailleurs en histoire, fragmentaire ; quand on l'a obtenu, la vérité ne s'obtient encore que moyennant une foi renouvelée à ceux qui ont raconté, dont on reconnaît l'autorité et le témoignage. Encore une fois, il est impossible d'avoir une identité et donc de vivre, sinon en acceptant d'*écouter* un récit qui fait venir à la parole ce qu'on a *reçu* mais non produit : son corps et son nom.

Le problème de la vérité du récit de la naissance vient peut-être d'ailleurs : de ce que ni ceux qui le font, ni celui qui l'entend ne sont en mesure de rejoindre pleinement la vérité [9]. Sciemment ou non, le récit occulte des éléments, anecdotiques ou psychiques, qui ont été présents à l'histoire initiale de l'enfant, même avant sa conception, et sont donc inscrits dans son propre corps ou dans son psychisme sans avoir été portés au langage. L'accueil du récit s'en trouve marqué, et nous avons peut-être ici une des raisons qui portent ou porteront l'enfant à modifier, voire à falsifier son identité, une fois assouvi le besoin de s'en assurer une par la foi au témoignage. En un sens, toute l'histoire du monde, de son mal, de son salut, des élans et des rechutes, est présente à toute l'histoire individuelle, car il existe une solidarité de fait, *corporellement*

---

9. « Les parents disent toujours la vérité, mais ils ne la disent pas toute, et c'est dans cet écart que se situe la tromperie. Et je me demande si, intuitivement, la création, la résurrection ne sont pas des événements où il n'y a pas d'écart entre ce qui est dit et le vécu de l'événement » (B. Lafont).

inscrite, entre tous les âges de l'humanité comme entre deux générations immédiates. Et peut-être l'effort de chaque homme, tout au long de sa vie, consiste-t-il d'une part à porter à son tour une parole créatrice et de l'autre à guérir de son mal, originel et historique : ainsi d'une double manière, il se rétablit dans la vérité.

Ces observations sur le nécessaire récit de la naissance, avec ses inévitables ambiguïtés, et sur la foi, également mélangée, qui lui est donnée, peuvent nous aider à dessiner en creux les caractéristiques du récit fondateur plus global dont nous avons besoin, s'il y a une autre issue possible que diverses variantes gnostiques du mythe. Ce récit doit porter sur les origines, non tellement pour détailler anecdotiquement les faits (nous verrons que ce n'est pas possible) que pour nous faire reconnaître l'Originant ; il doit aussi définir une orientation, sans laquelle le temps ne peut prendre sa valeur et en dehors de laquelle on est condamné à la nostalgie d'un avant, quel qu'il soit, de la condition présente ; il doit enfin rendre compte du mal, ce qui n'est pas possible, à moins de se placer au point de vue non seulement du pardon (le mal n'est plus imputé) mais du salut (une condition positive est restituée) ; avec toutes ces caractéristiques, à la fois il situe le monde et l'homme dans une perspective où ils ne sont pas premiers, et il valorise leur être et leur destin ; il y a une histoire possible, jusque dans la corporalité et le temps, l'issue étant en avant et non derrière nous.

Des investigations qui précèdent, je voudrais retenir un certain nombre de points, importants à notre propos :

1. L'identité de l'homme, à la fois sous l'angle personnel de sa naissance singulière et sous l'angle universel de son appartenance à l'humanité, est *fondée* sur un *récit* que l'homme accepte d'écouter.

2. Ce récit est dû à des *témoins*, plus ou moins directement rejoints mais en tout cas réels et personnels, auxquels on accorde sa foi.

3. Ce récit vise tout l'homme, et donc très réellement le *corps*, c'est-à-dire une insertion et une histoire spatio-temporelles.

4. L'ambiance de ce récit est tout naturellement la *fête*, non comme retraite hors temps et espace pour des prestations rituelles

qui relèveraient d'un *in illo tempore*, mais comme moment fort qui rythme le temps et lui confère sa figure vraie.

5. La tendance de l'homme, cependant, est sans cesse d'*obnubiler le récit*, de lui substituer des narrations *produites*, non écoutées, ou des descriptions et des spéculations *construites*, à moins que, sous couvert d'une investigation scientifique légitime, il se contente de la reconstruction du processus évolutif qui *prépare* l'avènement de l'homme, mais ne lui donne pas naissance. Or c'est de naissance qu'il s'agit.

Ces deux exemples, histoire scientifique des origines et récit de la naissance individuelle, peuvent nous faire quelque peu comprendre le lieu et le mode d'un *récit fondateur* : l'histoire scientifique des origines nous parle bien de celles-ci, mais selon qu'elle a pu les *reconstruire* ; quant à l'avenir, elle nous laisse, en ce qui concerne l'homme sur une perspective bien bouchée, et en ce qui concerne le cosmos, sur un inéluctable futur de nuit et de glaces. Pourtant, le besoin d'entendre un récit total demeure, et donc aussi la question : *qui* pourrait nous *dire* ce qu'il en est du temps ?

Inversement, le récit de la naissance individuelle est bien un récit *écouté* et non produit, moyennant lequel une personnalité peut s'assurer dans le temps et envisager la vie. Mais les capacités généalogiques de la mémoire sont faibles et le témoignage nécessairement limité. Ce récit *individuel* ne dispense pas d'un *récit fondateur universel*, et de nouveau : *qui* pourra en témoigner [10] ?

C'est à ces questions que je voudrais esquisser une réponse.

---

10. Les témoignages qui m'ont été donnés font plusieurs fois état de la difficulté des enfants à penser, voire même à admettre un avant leur naissance. Qu'il puisse y avoir un temps où ils n'étaient « pas nés » leur paraît parfois inacceptable (est-ce déjà la marque du « péché » en eux ?). En tout cas, les parents trouvent là l'occasion d'une catéchèse élémentaire sur Dieu et son amour créateur.

CHAPITRE PREMIER

LE RÉCIT DE PÂQUES

Pour fragmentaires qu'elles soient, les indications données sur le principe de narrativité et les exemples fournis peuvent provisoirement suffire pour indiquer ce qui me semble la norme générale d'interprétation de toute pensée et de tout texte qui prétendraient indiquer le sens ultime de l'existence humaine et répondre au besoin de salut qui l'habite. Cette norme est celle d'un *primat de l'écoute*, antérieure structurellement et chronologiquement à toute *production de sens* et demeurant sans cesse présente à celle-ci pour en orienter le travail.

C'est à la lumière de ce principe que je voudrais envisager maintenant le récit que la foi chrétienne considère comme fondateur, non seulement de son existence particulière et des communautés qu'elle réunit, mais de l'histoire humaine en général ; il s'agit du récit de la résurrection de Jésus de Nazareth, crucifié au terme d'une courte existence marquée par une intense activité prophétique au sein du peuple juif. De ce récit, on considérera d'abord la forme et les conditions de transmission afin d'en préciser la portée épistémologique et d'en vérifier la valeur fondatrice.

I. UN RÉCIT FONDATEUR

La problématique proposée entraîne le choix d'une perspective pour présenter la narration du Mystère pascal de Jésus : celle-ci ira de la résurrection à la résurrection en passant par la croix. La raison en est assez claire : seul de tous les prophètes et les justes souffrants de l'histoire (et celle-ci en comporte beaucoup, dont l'exemple et la doctrine demeurent importants et nécessaires), Jésus de Nazareth a été proclamé ressuscité, c'est-à-dire mystérieusement conduit au-delà d'une mort en laquelle s'est achevé et accompli son témoignage de juste souffrant. C'est sur la base d'une confession de Jésus vivant « au-delà » de la mort que s'est constituée la communauté chrétienne et qu'elle continue de témoigner et de vivre. Or, une telle proclamation et une telle confession relèvent, et elles seules, de ce *récit fondateur* qu'il faut d'abord *écouter*, précisément parce que, d'un certain côté du moins, elles transcendent le régime du temps et de l'espace et pointent vers un accomplissement qui est aussi « création » nouvelle. Prise à elle seule, la mort de Jésus ne présente pas cette caractéristique fondatrice, et elle risquerait de ne la recevoir que moyennant des productions de sens, des interprétations qu'on pourrait suspecter d'être mythiques ou idéales : projections sur un fait divers, aussi bien attesté que n'importe quel autre de l'histoire romaine, de constructions idéologiques d'une humanité en peine de salut. A cause même de ce qu'il raconte et de ce dont il témoigne, le récit de la résurrection appartient à un autre niveau épistémologique, celui qui suppose nécessairement la reconnaissance d'une hétéronomie fondatrice. C'est pourquoi il faut recevoir la narration pascale à partir de la résurrection.

Ce faisant, on ne diminue en rien la croix ! La résurrection est celle du crucifié : aussi bien l'ampleur fondatrice de la résurrection permet-elle le dévoilement du *sens fondateur de la croix*, tandis que le *réalisme* de la crucifixion de Jésus de Nazareth qualifie à son tour sa résurrection. En définitive, il n'y a qu'un seul récit, celui de la résurrection du crucifié et de sa signification globale, fondatrice d'une histoire et d'un monde. Après une première écoute, du récit de la résurrection, nous envisagerons aussi longuement celui de la croix, pour lui-même et dans les figures qui en mettaient d'avance le sens en évidence. Puis nous retournerons à la résurrection. Ainsi espérons-nous favoriser une écoute totale de la narration pascale fondatrice [11].

---

11. Cf. J. MOINGT, « La révélation du salut dans la mort du Christ. Esquisse d'une théologie systématique de la rédemption », dans *Mort pour nos péchés*, Bruxelles, 1976, p. 117-172. Sur le rapport résurrection/croix, voir p. 118 s.

Une communauté de témoins

S'il s'agit d'écouter un récit, nous devons nous attendre à ce que vienne au premier plan la question de savoir *qui* peut faire ce récit, *où* on peut l'entendre et y répondre, quelle *communauté* peut s'établir entre ceux qui ont témoigné et ceux qui aujourd'hui écoutent : la question décisive est donc celle du *témoignage*, à partir de laquelle il faudra aussi considérer, s'agissant d'un témoignage *daté*, la signification des monuments écrits où ce témoignage est consigné.

A celui dont le cœur s'ouvre, rien n'importe davantage que de rencontrer des témoins dignes de foi, c'est-à-dire dont il puisse entendre avec joie le récit qui lui révèle son origine vraie et son destin transfiguré. L'accès au récit fondateur passe par une communauté *actuelle* de témoins, qui ajoute elle-même foi à ce qu'elle retransmet. Son témoignage n'est pas « immémorial » mais, de proche en proche, remonte à des témoins *premiers*, eux aussi identifiés — témoins premiers, en ce sens qu'ils ont été les premiers à être fondés par ce dont ils témoignent et à en faire le récit.

Le récit de la résurrection en effet n'est pas sans auteur, ni le témoignage apostolique anonyme. A l'origine, quand le témoignage s'est formé, et par la suite, quand il a été transmis, il s'est toujours agi d'un récit *responsable*, correspondant à une *mission* de témoignage et ouvrant sur une *expérience festive*. La réalité de la résurrection et son fruit de création nouvelle ne parviennent à l'homme que par la médiation de la communauté croyante, qui garde et transmet le témoignage apostolique qu'elle répète et célèbre dans la fête eucharistique. Il n'est pas possible de confesser la résurrection et, dans cette confession, d'expérimenter la libération que ni le mythe ni la gnose ne peuvent donner, en dehors de l'Église des apôtres, car c'est d'elle que, très concrètement, *on écoute le récit*, non pas une fois, mais toujours ; c'est en elle qu'on professe la foi à ce récit et qu'on en célèbre la joie.

Ce point me paraît très important : à ce niveau fondateur, il s'agit d'*écoute* et d'*engagement*, et non pas de *lecture* et de *commentaire.* En ce sens, il faut simplement donner acte à Derrida du fait que, quand Dieu est impliqué, le privilège est à la *phônè*, non à l'écriture : l'écriture, en effet, prêchée et proclamée, devient parole dans cet acte même. Lorsqu'on se trouve devant le seul *texte*, on est *immédiatement en position de réinterprétation*, c'est-à-dire d'une certaine *production* de sens. Lorsque, au contraire, on *écoute* des témoins, on se trouve relié à *ce dont il est fait mémoire et qu'on ne peut en aucun cas produire*. La réinterprétation viendra *après* comme *intellectus fidei* ultimement gouverné par ce qui aura été écouté.

Cela n'est pas sans conséquence en ce qui concerne l'objet même du récit : s'il est possible d'être sensible à la sagesse et à l'éthique du Discours sur la Montagne, voire au rayonnement posthume d'un homme nommé Jésus tout en restant à l'écart d'une communion ecclésiale, ce ne l'est plus quand il s'agit de croire au ressuscité : dans le premier cas, en effet, on accueille une inspiration nouvelle en vue de la *production* par soi-même d'un comportement qu'on voudrait authentique ; dans le second, *on reçoit la révélation* de ses origines et de sa fin, dans un échange interpersonnel et communautaire, ainsi que dans l'insertion au sein d'une tradition récitative où on accepte de se retrouver et de prendre place [12].

Un témoignage situé

S'il y a une continuité dans la tradition des témoins, il y a aussi une situation du témoignage : les témoins ne renvoient pas à un « il était une fois » perdu dans la nuit des temps ou le désert des âges. Il y a là un paradoxe, mais très éclairant : le *récit fondateur* offert par le christianisme ne se situe ni au début, ni à la fin des temps, mais, pour une part tout au moins, « au milieu des temps » : c'est un récit qui porte sur un personnage concret, Jésus de Nazareth, avec qui ceux qui en ont parlé les premiers ont vécu et dont ils ont entendu l'enseignement et la prophétie : il y a là un

---

12. Dans un autre contexte culturel, on retrouve ici l'intuition d'Irénée sur la Tradition apostolique *(Adv. Haer. III, 1-5)*. La différence est que, aujourd'hui, l'attitude « gnostique » est entièrement sécularisée et ne s'appuie pas sur l'interprétation d'aucune écriture ; aussi bien, c'est ici par le biais de la nécessité absolue de l'*écoute* qu'on est conduit à insister sur l'Église des apôtres, comme communauté *concrète* où il est possible d'entendre des témoins *réels*. En tout cas, comme au temps d'Irénée, l'alternative semble sans échappatoire : ou bien le recours à une « déchirure fondamentale » inexpliquée, qu'on prend comme telle ou au-delà de laquelle on désire remonter, ou bien l'écoute des témoins autorisés d'une fondation qui oriente notre avenir et notre présent.

puissant ancrage dans le temps. Mais c'est de ce même Jésus, que tous les contemporains ont vu vivre et mourir, dont ils disent qu'il est ressuscité, juxtaposant ainsi à un langage de temps et d'histoire un langage d'origine et d'accomplissement, pour lequel il n'est pas de mots propres, mais des images ou des prépositions et des préfixes transposant la parole au moment même où on la profère. Il y a donc témoignage *situé* puisque des hommes identifiés, les apôtres, ont parlé du Jésus qu'ils connaissaient, mais ce témoignage est *fondateur* puisque leur récit au sujet de ce Jésus dépasse les limites du langage historique pour en faire un langage de l'origine.

Un témoignage inspiré

C'est que, même premiers, les témoins à qui la communauté chrétienne doit la narration pascale n'en sont pas fondateurs. Ayant vécu à la lisière de l'événement dont ils témoignent, ils en sont eux-mêmes fondés. Leur récit porte la marque de cette dimension « antérieure » à eux, « autre », sans laquelle il ne serait pas fondateur. Aussi bien les apôtres ne présentent-ils pas leur témoignage comme purement humain (bien qu'il ait, comme je l'ai dit, un fort ancrage dans le temps et qu'on ne puisse le détacher des hommes qui l'ont porté) : ils prétendent parler sous la mouvance de l'*Esprit* et en vertu de la *mission* qu'ils ont reçue du ressuscité ; en ce sens, ils rendent leur témoignage comme venant d'ailleurs et ne se considèrent que comme envoyés ou serviteurs d'une parole qui est, elle, fondatrice. Quant au récit dans lequel ils rendent leur témoignage, il comporte inséparablement le *fait* lui-même qui leur a été annoncé (et dont, nous le redirons, ils n'ont pas été témoins oculaires) et l'*interprétation inspirée* qu'ils en ont reçue. Le fait *et* le sens font partie de l'événement fondateur dont ils témoignent.

Ce dernier point est important : trop souvent, en effet, dans un passé récent ou lointain, on a dissocié la résurrection du témoignage apostolique qui la fait connaître, et donc de l'expérience par où les apôtres ont été eux-mêmes fondés ; alors, ou bien on réduit la résurrection à un pur fait (mais que veut dire « pur fait » ?) qui, bien qu'inouï et un peu bizarre, est cependant bien attesté et peut donc servir de *preuve extérieure* pour la véracité d'une doctrine connue par ailleurs ; ou bien, gardant une prudente réserve quant à la réalité du fait, on s'attache quasi exclusivement aux interprétations, de plus en plus sophistiquées avec le temps, qu'en auraient produites les apôtres et leurs disciples. En réalité, la notion de témoignage implique que les apôtres aient *reçu* et *écouté* l'annonce d'une résurrection à la fois factuelle et sensée. A tous égards, ils sont *inclus* dans leur témoignage ; ils ne le dominent en aucune manière et ils sont les premiers à être fondés par le récit fondateur dont ils ont pour tous les hommes la responsabilité.

On pourrait essayer de dire la même chose en soulignant l'aspect en quelque sorte *sacramentel* de l'expérience de la résurrection — aspect qui va gouverner le récit qui en est fait. Il y a en effet un équilibre de *visible* et d'*invisible* digne d'être noté. On a souvent relevé que les apôtres ne se sont pas présentés comme témoins oculaires de la résurrection : ils *attestent* celle-ci ainsi que l'exaltation, la glorification de Jésus, la rémission des péchés et l'effusion de l'Esprit : rien de tout cela n'appartient à l'ordre du visible. Il ne s'agit pourtant pas d'un invisible pur, puisque les apôtres témoignent avoir « mangé et bu » avec Jésus ressuscité et avoir reçu de lui l'ordre de témoigner de ces actions qu'ils n'ont pas vues mais dont Jésus vivant, qu'ils ont vu et entendu, est lui-même le garant. La structure de leur témoignage est donc complexe : celui-ci s'appuie sur ce qu'ils ont vu et entendu : Jésus vivant et la mission de témoin reçue de lui ; ultérieurement, les œuvres de puissance accomplies en son Nom ont, elles aussi, rendu un témoignage visible. Mais d'autre part ce témoignage va jusqu'à Dieu, leur *révélant* et son action sur Jésus et le sens de celle-ci pour Jésus et pour l'ensemble du dessein divin de salut. Tout bien pris en compte, il y a là un *niveau épistémologique* de discours qui est spécifique et que j'appelle « sacramentel », tout en le disant aussi « inspiré ».[13]

---

13. Pour mieux faire saisir la différence que je mets entre *interprétation* et *réinterprétation*, j'aimerais faire une remarque au sujet de l'opposition mise par le P. Moingt, *op. cit.*, p. 139, entre « illumination soudaine » ou « instructions données par le Christ à ses disciples entre Pâques et l'Ascension », d'une part, et « activité intellectuelle, réflexion, relecture » de l'autre. Il me semble que, pour mener à bien, dans les diverses circonstances concrètes de la mission, cette réflexion et cette relecture, les apôtres, non seulement ont été assistés par l'Esprit au fur et à mesure des nécessités, mais ont reçu de ce même Esprit une inspiration *initiale* attestant la vérité de la résurrection et donnant le principe herméneutique ultime des écritures, à savoir que le Mystère pascal du Christ en est l'accomplissement.

Il est tout aussi essentiel que la communauté qui garde et transmet le témoignage apostolique soit une communauté « sacramentelle » et « inspirée ». C'est par l'Esprit envoyé par le ressuscité que les apôtres annoncent la résurrection et c'est l'Esprit qui, par son travail intérieur, confirme cette annonce. Les témoignages qui nous ont été laissés et que nous trouvons dans le Nouveau Testament sous forme de confessions de foi, d'hymnes, puis de récits organiques, etc., tout cela nous est transmis comme provenant du Christ par l'Esprit. Il y a une réciprocité insécable entre l'extériorité du témoignage et l'intériorité de l'Esprit : celui-ci est d'ailleurs l'Esprit du Christ et nous renvoie au « Dieu des Pères ». S'il faut l'Esprit pour confesser que « Jésus est Seigneur », réciproquement, cela se fait à partir de la prédication apostolique et dans la communauté chrétienne.

La fête eucharistique

Si le réalisme de la résurrection est lié à la réalité de l'Église qui témoigne et de l'Esprit qui atteste, on comprend que le *lieu* où le témoignage est porté de manière actuelle soit la fête eucharistique. La raison d'être de celle-ci est de *faire entendre de manière fondatrice ce langage fondateur*, et de telle manière *qu'il y soit immédiatement répondu*. L'écoute, en effet, ne se parfait que par et dans le moment de la *réponse*, faite de foi et d'engagement, par où ceux qui écoutent et reçoivent authentifient pour eux-mêmes et pour autrui le message qu'ils écoutent. Aussi bien une étude de la fête eucharistique serait-elle ici en place. Je me bornerai pour l'instant à relever quelques éléments de la complexité du *langage* eucharistique, et à qualifier le *temps* de la fête :

1. Si nous en restons d'abord au langage proprement dit, en faisant abstraction de son environnement plastique, nous y trouvons une gamme de formes dont chacune actualise une orientation vraie du désir de l'homme. Je relève d'abord la

---

Or je crois que cela a quelque chose de « soudain », comme fut soudaine l'« illumination » de base de Paul sur le chemin de Damas, lui découvrant cela même qu'il s'employait à déraciner comme blasphème. C'est cette inspiration initiale que j'appelle ici « interprétation » réservant aux relectures (même, dans le cas de l'Écriture canonique, inspirées) celui de « réinterprétation ».

forme de base invocative, accompagnée de doxologie ; puis, en contrepoint, la forme de confession des péchés et de demande de pardon, c'est-à-dire de restitution d'une possibilité authentique d'invocation doxologique. Un autre couple survient, celui de l'action de grâces et celui de l'intercession, grâce auquel s'établissent deux relations spécifiques fondées sur la double reconnaissance de la surabondance reçue et de la pauvreté qui s'ouvre ; et ici, le moment du récit est fondateur, car c'est la mise en récit des bienfaits de Dieu qui sous-tend l'action de grâces (qui est elle-même, en un sens, action de grâces) et fonde l'espérance qui, seule, permet l'intercession. Forme, enfin, de l'offrande, par où la communauté consent le sacrifice de communion et se transcende elle-même dans l'acceptation de son origine et de son destin. Invocation, louange, confession, action de grâces, récit, offrande, tels sont les genres littéraires qui intègrent la parole eucharistique et, en dernière analyse, restituent au langage humain sa vérité.

2. Dans un tel langage, cependant, on ne peut isoler les symboles linguistiques dont il est fait de l'ensemble de symboles plastiques auquel ils sont intimement liés. Le lien entre les sons articulés de la bouche et les mouvements du corps n'est pas laissé de côté mais au contraire affirmé : des gestes de prière correspondent aux formules de prière ; ils les incarnent, et, réciproquement, en provoquent une meilleure authenticité. L'exigence d'un décor (au sens où Gadamer parle de l'élément décoratif dans l'art) naît aussi, comme naturellement, du type et du rythme des paroles qui s'échangent dans l'Eucharistie. Le langage de celle-ci s'institue dans un cadre spatial et une répartition de ce cadre, sans lesquels les mots ne peuvent atteindre à la plénitude de leur sens : la lumière, les vêtements, le mobilier ne sont pas extérieurs à la portée du langage : ils en créent le milieu, soit de surabondance, soit de ce qu'on pourrait appeler de suraustérité. Mais surtout, un des moments de ce langage est relatif à un comportement symbolique qui met en jeu la plus spontanée des conduites humaines : le boire et le manger ; le jeu des nourritures dit à sa manière ce que les paroles racontent, et c'est précisément cette connexion du récit et du geste qui donne au langage eucharistique la plénitude de sa signification humaine et de sa portée réelle au-delà de l'homme.

3. Enfin, le langage eucharistique a ceci de spécifique, qui doit être pris en considération, qu'il organise en un certain ordre une série de locuteurs, qui écoutent et parlent tour à tour, tandis que par ailleurs, l'un ou plusieurs d'entre eux exercent une fonction représentative, laquelle fait aussi partie de l'économie concrète de tout langage : s'il arrive qu'on parle pour soi, on parle du moins toujours à d'autres, ce qui articule le langage personnel sur la réalité sociale, et on parle souvent, quand ce ne serait qu'implicitement, au nom d'un groupe d'autres. Cet ordre de la communauté est ce qui permet l'articulation vive du témoignage et de la réponse.

Bien que trop schématiques, ces quelques réflexions sur le langage eucharistique manifestent que la fondation opérée par l'écoute festive n'est pas seulement affaire de la mémoire intérieure et du cœur : elle prend une actualité liée à l'économie spécifique du temps et de l'espace que révèle la fête, sans être pour autant séparée de l'économie du temps « ordinaire » auquel appartient la communauté qui écoute et répond.

Il me semble très important de souligner ici que le temps de l'écoute qui est celui de la fête eucharistique est marqué par cette *surimposition des temps* dont je parlais plus haut, et qui me semble répondre à la requête de Derrida pour un certain dépassement de la « conception vulgaire du temps » (ou, plus exactement, qui rend possible ce dépassement que Derrida appelait tout en le jugeant impossible) : il ne s'agit ici en effet ni d'un temps/espace (ou d'un hors-temps/hors-espace) mythique, ni d'une temporalité strictement cosmique ou humaine sans autre perspective qu'un éternel retour ou une durée insensée ; on trouve ensemble le temps présent, qui est à la fois celui de la célébration, mais aussi de la vie humaine d'échange et de travail, de développement et de libération, le temps du Mystère pascal de Jésus, qui donne à ce présent ses coordonnées ultimes d'avenir eschatologique et de passé fondateur, l'« hors-temps » spécifique mais non irréel de la Parole et de l'Esprit de Dieu. La catégorie célèbre de *mémorial* accède ici à sa densité spéculative, acte de symbole et de langage qui révèle et fonde la figure du temps.

L'écriture et les réinterprétations

J'ai beaucoup insisté sur l'écoute et son lieu festif, qui me semblent essentiels à la *fondation*. Cependant, si le récit fondateur est essentiellement écouté et célébré, il a été et demeure aussi constamment *redit* et *écrit*. Il y a là un processus aux racines anthropologiques profondes, fait de la dialectique entre les moments d'annonce/foi, d'écoute/réponse et d'écriture/réinterprétation, tous trois essentiels au chemin global de la communication, de sorte que le *récit fondateur* se fait aussi entendre dans les *réinterprétations* qui en sont toujours de nouveau données. Le moment d'écriture/réinterprétation est physiquement marqué par le travail de la main, intellectuellement par l'œuvre de la *composition*, liée aux ressources propres de la spatialité. Dans le cas fondateur qui nous occupe, je parle de « réinterprétation » car, comme je l'ai dit, une interprétation est incluse comme telle dans le récit fondateur et contient les catégories de sens que les apôtres ont eux-mêmes *reçues* et qui ne sont autres que l'actualisation du message de Jésus concernant son Père, le Royaume et le don de l'Esprit, lui-même et l'Église ; cette actualisation est intrinsèquement liée au fait de la résurrection d'entre les morts et manifesté avec lui. L'ensemble en forme le récit fondateur qui « travaille » au cœur de toute réinterprétation authentique.

Mais ce récit fondateur apostolique, *dont l'écoute est vive* à n'importe quel moment de l'économie chrétienne, n'est accepté que parce qu'il répond à certaines questions fondamentales de l'homme, celles qu'on peut commodément rassembler (comme je l'ai fait plus haut à propos de Heidegger) sous les trois grandes interrogations de Kant. Or, si le témoignage apostolique nous donne un repère fondamental pour connaître ce qu'il nous est permis d'espérer, ce que nous pouvons savoir et ce que nous devons faire, il nous permet aussi de *reformuler* ces questions et de *reconstruire* les réponses à partir de ce repère. La figure du temps à venir, la connaissance de Jésus-Christ et de son Mystère total et l'orientation éthique concrète de la vie sont ainsi continuellement soumises à *réinterprétation* : on pourrait dire qu'il s'agit ici d'actualisation « médiate » du message de Jésus (par distinction de l'actualisation « immédiate » qui fait partie du témoignage apostolique). A ce niveau, mais à ce niveau seulement qui repose *sans cesse* sur le témoignage apostolique, il y a constamment aussi *production de sens*.

Nous arrivons aujourd'hui les derniers (mais d'autres viendront après nous) dans l'histoire séculaire de ces réinterprétations. Avant nous, dans des contextes culturels et politiques divers, avec moyens et méthodes à disposition, mais aussi en fonction de l'héritage passé de la réinterprétation chrétienne, d'autres ont *produit du sens chrétien pour l'Église*. Il nous revient de poursuivre leur effort et de dire aujourd'hui notre espérance, fondée sur le Mystère du Christ et déterminant des engagements concrets, personnels et collectifs. Pour cette tâche de discernement et de renouvellement, nous bénéficions de l'assistance de l'Esprit (j'ai dit plus haut que la communauté qui *écoute* le récit fondateur est en quelque mesure « inspirée »), du critère permanent qu'est la fête eucharistique de l'Église avec son langage englobant, mais aussi de l'exemple et de la méthode de la communauté chrétienne primitive, dont les réinterprétations ont la caractéristique propre d'être, à leur niveau, *fondatrices*, et, en un sens propre, *inspirées*. Sans vouloir faire une énumération exhaustive, on peut dire que trois éléments ont principalement joué dans le travail réinterprétatif des premières communautés : la conviction que la résurrection de Jésus accomplit les écritures, dont elle fournit la clef de lecture propre ; la conviction que la résurrection de Jésus dévoile le sens de sa vie et de son enseignement, tels qu'on pouvait se les rappeler et tels qu'on cherchait de plus en plus à les retrouver ; enfin la nécessité, religieuse et politique, qui a contraint les communautés à s'organiser, à se comprendre elles-mêmes en face d'autres tendances religieuses, juives ou grecques, à interpréter le retard de la Parousie aussi bien que la chute de Jérusalem... Le fruit de ces réinterprétations fondatrices, tant pour la méthode que pour le contenu, dans lesquelles aussi se fait entendre le récit fondateur, demeure pour nous normatif, c'est-à-dire qu'elles sont aussi, d'une certaine manière, objet d'*écoute* encore qu'une telle écoute ne soit pas exclusive de nos propres processus de réinterprétation, gouvernés par les mêmes requêtes que ceux de l'époque apostolique.

Réinterprétation et vérité

La vérité d'une réinterprétation se prend de la manière dont le *récit fondateur* s'y fait entendre et délivre, au travers des productions de sens engendrées, les mêmes effets de conversion à Dieu et de libération de l'humain que le récit lui-même. C'est dire que cette vérité, qui ne sera jamais ni unique ni apodictique, se prendra, me semble-t-il, de trois facteurs :

1. Sa correspondance à l'anamnèse festive où la communauté écoute et reçoit sa fondation : vérité et liturgie (au sens théo-anthropologique de ce mot).

2. La justice et la charité des comportements qu'elle provoque, à l'intérieur de la communauté d'écoute comme à l'extérieur : vérité et éthique.

3. La qualité de la méthode de lecture des textes disponibles : vérité et critique.

Si ces trois éléments sont présents, c'est-à-dire s'ils s'imbriquent et s'entrelacent constamment, se corrigeant et se renforçant mutuellement, on peut espérer que le sens produit dans une réinterprétation est dans le droit fil du récit fondateur.

A propos du troisième élément, vérité et critique, je voudrais indiquer ici l'hypothèse selon laquelle il me semble plus exact de travailler, et à laquelle par conséquent je me référerai par la suite, dans la lecture de certains textes. Selon cette hypothèse, on considère les écrits du Nouveau Testament (mais aussi l'Écriture ancienne et, éventuellement, des monuments plus récents de la Tradition chrétienne) comme appartenant à ce que l'on appelle la *littérature* : c'est à ce niveau littéraire qu'il importe de les aborder. Toute production littéraire trouve son unité dans la composition et l'articulation des parties — quels que puissent être d'ailleurs les principes formels (symbolique, logique, imagé, sonore...) selon lesquels la composition est réalisée et l'unité achevée ; réciproquement, tout élément trouve sa signification, non seulement de son contenu propre, mais de sa position dans un ensemble. Comme le faisait remarquer Émile Poulat, Tacite ou Thucydide sont autant des « travaux » que des « sources », et on dirait justement qu'ils ne sont « sources » que dans la mesure où on a percé leur secret en tant que « travaux » [14].

---

14. É. Poulat, « Critique et théologie dans la crise moderniste », dans *Recherches de Sciences religieuses*, 1970, p. 549.

Ce *primat du littéraire* comme production originale écrite de sens me paraît fondamental ; lui seul peut nous éviter de prendre les textes comme des mines assez impures de renseignements auxquels seule une critique impitoyable permet de parvenir, rejetant le reste comme une gangue surajoutée et inutile, ou, inversement, de ne voir en eux que des chroniques impersonnelles dont le degré de vérité est proportionnel à leur proximité chronologique des événements qu'ils annoncent. N'est-ce pas en étant fidèle à la nature même d'un *texte* qu'on recueillera au mieux son message ? Ce disant, je laisse évidemment entier le problème de la nature de la (ou des) critique(s) littéraire(s) susceptible(s) de favoriser une lecture fidèle et donc fructueuse des textes. Il reste que, si on est d'accord sur le principe de la nature littéraire d'un texte, on trouvera plus facilement les méthodes de lecture adaptées que si on les soumet d'emblée à un procès d'historicité ou de dogmatique en oubliant de regarder d'abord les mots, les symboles, les images, les articulations, etc. Nous sommes certainement fondés à pratiquer ce qu'on pourrait appeler des « analyses spectrales » qui permettent de discerner l'âge relatif et la provenance de divers éléments du texte, mais à condition de ne pas oublier que ces éléments ne prennent sens que dans l'organisation littéraire sans laquelle ils *n'existent littéralement et littérairement pas*. On en dira autant des « analyses comparatives », par exemple entre les divers évangiles, qui permettent de mieux comprendre le sens des diversités constatées et d'émettre des probabilités sur l'ancienneté comparée de tel ou tel passage ou interprétation [15].

Si ce qui vient d'être dit sur les critères liturgique, éthique et critique de la réinterprétation est juste, et si la mise en œuvre est correcte, alors il est permis de penser qu'on pourra discerner dans les textes, tels que, littérairement, ils se présentent, la *récurrence du récit fondateur*. Celui-ci en effet n'est pas présent dans le texte

---

15. Dans l'interprétation des récits évangéliques ou vétéro-testamentaires que j'aurai l'occasion de présenter ici, j'userai d'une méthode que j'ai apprise à l'école du regretté Norman PERRIN dont j'ai suivi les cours à l'université de Chicago durant l'année scolaire 1971-1972. On trouvera cette méthode mise en œuvre dans « Towards an interpretation of the Gospel of Mark », dans *Christology and a Modern Pilgrimage*, edited by H.-D. Betz, Claremont, 1971. Cette méthode s'ouvrait d'elle-même à certaines amplifications rendues possibles par le structuralisme tandis qu'elle était par ailleurs très liée à la *Form-und Redaktionsgeschichte*, mais son originalité et sa valeur résidaient, à mon avis, dans l'accent mis sur la dimension littéraire.

littéraire comme il l'était dans la prédication orale des apôtres au commencement, puisqu'il est précisément une production organique de sens. Il n'est même pas possible, dans certains cas, peut-être dans tous, de retrouver la *forme littéraire initiale* du récit fondateur. Mais il est toujours possible de discerner la *figure* de celui-ci, le *profil* du Christ qu'il annonce ; comme elle a gouverné la production littéraire, cette figure ou ce profil gouverne aussi notre réinterprétation. Si les œuvres littéraires du Nouveau Testament sont nées d'une *écoute fondatrice*, celle-ci résonne, chaque fois de manière nouvelle, en toute réinterprétation. Et le critère de vérité de nos propres réinterprétations réside dans l'harmonie que nous pouvons, à notre tour, construire, entre la figure du Christ ressuscité dans l'Esprit et l'expression de nos requêtes d'hommes engagés dans une culture et un combat [16].

Il est clair que les pages qui précèdent n'ont pas la prétention de donner une solution définitive à l'ensemble des problèmes complexes de théologie fondamentale qu'elles soulèvent. Disons qu'elles définissent un complexe articulé d'*hypothèses*, au sens fort de ce terme, dans le cadre duquel se poursuivra le présent travail : elles voudraient en valider les démarches, tandis que celles-ci devraient contribuer, à leur tour, à vérifier ces hypothèses.

1. Au commencement (chronologique) et au principe (structurel) se trouve le moment de l'*écoute*, par où la figure du temps est révélée et fondée.

2. Le *récit fondateur* fonde ceux-là mêmes qui en sont les premiers auditeurs et leur dévoile le sens de ce qu'ils ont vécu.

---

16. Dans ces pages, trop schématiques (mais il faudrait un livre entier pour qualifier cette question du *récit fondateur* et de ses *réinterprétations*), j'ai tenté d'exposer brièvement pour eux-mêmes les points de vue exposés dans ma discussion avec Pierre Gisel sur « La pertinence théologique de l'histoire », dans *RSPT* (63), 1979, p. 161-202, notamment sur le primat de l'écoute, la permanence d'une « figure » fondamentale au cœur des réinterprétations, le pluralisme de celles-ci et leur degré « probable » de vérité, l'importance première de l'Église (ici précisée comme communauté eucharistique). En situant ces propos dans le cadre d'une sorte de phénoménologie du récit originel (cf. Prologue), j'espère avoir en partie rencontré les requêtes de Pierre Gisel dans « L'assomption du réel au travers du nom », *ibid.*, p. 580-592.

3. Le *témoignage* de ceux qui ont vécu, écouté et transmis, est situé dans la durée ; il provient d'hommes réels et concrets et est transmis de même au long des générations.

4. Portant sur la *figure globale du temps*, ce témoignage a son lieu essentiel dans la fête eucharistique, où le *récit*, proclamé et répondu, *fonde* la figure actuelle et à venir du temps.

5. Écouté et répondu, le *récit fondateur* est, dès les origines et jusqu'à la fin, *réinterprété*, mais sa figure fondamentale transparaît dans les réinterprétations si celles-ci sont menées selon des critères appropriés de fidélité liturgique, de vérité éthique et d'authenticité critique.

Ces hypothèses, relatives à la formation, la transmission, la célébration et la réinterprétation du récit de Pâques indiquent déjà, bien que d'une manière encore formelle, la figure des retrouvailles avec le temps. En effet, si le temps de la « présence pure et pleine », que les penseurs récents déclarent à juste titre irrémédiablement perdu, est bien refoulé par le fait même du *récit fondateur*, toute temporalité n'en est pas pour autant perdue, au contraire, puisque c'est dans ce temps-ci que le récit intervient, et qu'il fait mémoire non d'un héros mythique, mais de Jésus de Nazareth, tout en témoignant d'une origine que l'homme ne saurait se donner à lui-même et en instaurant la possibilité d'un avenir et d'un présent.

Un examen, même rapide et partiel du *contenu* de ce récit fondateur, nous confirmera sans doute dans la redécouverte du temps en sa vérité et de ce qui la fonde.

II. DU CÔTÉ DE LA VIE

En réalité, cet examen de contenu sera bref ; il ne peut être question de reprendre ici un examen complet des textes du Nouveau Testament relatifs à la résurrection de Jésus. Je me bornerai à deux exemples pris parmi beaucoup d'autres possibles et considérés ici comme ayant valeur d'échantillon. Il s'agit d'abord de la formule kérygmatique qui nous est plusieurs fois rapportée dans la première partie des Actes des Apôtres, et ensuite d'un des récits évangéliques de la résurrection, celui de saint Matthieu. On a là deux genres littéraires suffisamment divers pour que leur étude et leur comparaison permettent de répondre avec quelque vraisemblance à la double question : à qui et de quoi les Apôtres rendent-ils témoignage ?

1. « Ce Jésus que vous avez fait mourir, Dieu l'a ressuscité »

Il s'agit de commenter brièvement le motif littéraire qui se retrouve huit fois dans les premiers discours des Actes, mis par S. Luc sur les lèvres de Pierre, puis, pour le dernier de ces discours, sur celles de Paul [17]. Dans ces textes de structure similaire, on trouve quatre fois la mention : « nous en sommes témoins » : c'est donc bien de l'objet du témoignage qu'il s'agit. De quoi les apôtres se portent-ils garants ? Pour le comprendre, il faut relever le caractère antithétique de la formule : dans tous les cas, elle est construite sur une opposition *vous/Dieu* dont l'objet est *Jésus*. « Vous », ce sont les auditeurs de Pierre rassemblés dans une commune responsabilité pour la mort de Jésus : « vous l'avez pris et fait mourir en le clouant à la Croix par la main des impies » (2,23). Par rapport à ce Jésus, bien connu des auditeurs, l'action de « vous » aboutit à la mort. Au contraire, *Dieu* « l'a ressuscité en le délivrant des affres de l'Hadès » (2, 24). Dans six des textes sur huit, l'action de Dieu est exprimée en termes de résurrection, dans un autre on écrit (toujours dans la même perspective d'opposition entre « vous » et « Dieu ») : « Dieu l'a fait Seigneur et Christ » et dans un autre : « Dieu l'a glorifié ». Dans trois des cas où on a la formule « Dieu l'a ressuscité », celle-ci est amplifiée par une description complète de l'action de Dieu sur Jésus : exaltation à sa droite, dignité de chef et Seigneur, don fait au Christ de l'Esprit pour qu'il le répande et accomplisse la rémission des péchés. A l'action de mort imputée à « vous » s'oppose donc,

---

17. Actes 2, 23-24, 32, 36 ; 3, 15 ; 4, 10 ; 5, 30 ; 10, 39-40 ; 13, 28-31. De ces textes, on s'accorde aujourd'hui à dire d'une part qu'ils sont entièrement inclus dans la structure littéraire des Discours, œuvre de Luc, et d'autre part qu'ils donnent une fidèle réinterprétation du kérygme primitif. Cf. p. ex. E. HAENCHEN, *Die Apostelgeschichte*, Göttingen, 1959, p. 5, et dans le commentaire des divers passages. C.H. DODD, *La Prédication apostolique et ses développements*, Paris, 1964, p. 17-37 ; G. SCHNEIDER, *Die Apostelgeschichte*, Freiburg, 1980, I, p. 271 ; J. SCHMITT, « Résurrection de Jésus », dans *DBS* X (1980), col. 491, etc.

pour le même Jésus, une action par laquelle Dieu donne la vie en abondance, non seulement à Jésus, mais à « vous » et à tous.

Cet acte de Dieu est donc *total.* En effet, même si l'accent est sur la résurrection, mise en valeur par l'antithèse entre « vous » (qui l'avez fait mourir) et « Dieu » (qui l'a rendu à la vie), les apôtres témoignent d'un ensemble plus global. S'ils affirment la résurrection, ce n'est pas en la séparant du reste. Ce qu'ils « racontent », c'est l'ensemble d'une irruption du monde nouveau, qui concerne simultanément « ce Jésus que vous avez fait mourir », mais aussi Israël et finalement tous les hommes. Pour Jésus, c'est la séquence résurrection, exaltation par et à la droite de Dieu, constitution comme chef, sauveur et christ ; pour les hommes, moyennant la médiation de Jésus ainsi glorifié, c'est la rémission des péchés et l'effusion sanctifiante et missionnaire de l'Esprit : « c'est de ces choses que nous sommes témoins », dit Pierre. Cela forme un ensemble insécable, dont l'origine est l'acte de Dieu et que l'homme est invité à recevoir comme récit fondateur.

Dans la perspective qui nous occupe ici, plusieurs points peuvent être mis en relief :

1. La réciprocité dont j'ai parlé plus haut entre résurrection et croix est mise en valeur ici par l'opposition *vous/Dieu* : le réalisme de la résurrection est suggéré par le réalisme de la mort tandis que l'effet incommensurable de résurrection invite à une interprétation plus approfondie de la mort : l'une et l'autre constitueront le récit fondateur.

2. L'économie du temps reçoit une double caractérisation : d'une part, l'événement témoigné est *rémission des péchés,* pour le passé, et don de l'*Esprit de la promesse* pour le futur. Le facteur *culpabilité* dont j'ai noté plusieurs fois qu'il s'entremêlait inextricablement, dans « l'attitude gnostique », avec le facteur *finitude,* reçoit en même temps réalité et annulation : la culpabilité relève du « péché », notion dont il faudra apprécier la place et le rôle dans la réalité du temps ; mais, du fait que les péchés sont « remis », s'ouvre une autre économie du temps, marquée par l'Esprit.

3. *Le nom* de Dieu est défini par rapport à son activité, opposée à celle de « vous » : « celui qui a ressuscité Jésus d'entre les

morts ». Le récit rend témoignage à Dieu de ce qu'il est
l'Opérateur transcendant de l'économie du temps inaugurée en et
par la résurrection de Jésus. On ne peut recevoir le témoignage
apostolique sans adhérer au nom de Dieu qu'il inclut. Deux
remarques aideront à situer ce nom : d'une part, puisqu'il s'agit
de récit concret et d'initiative divine inconditionnée, ce nom est
libre de tout lien systématique nécessaire avec la réalité humaine,
et il pourra donc échapper à une interprétation onto-théologique ;
d'autre part, cependant, comme il s'agit d'un nom défini par une
action sur l'homme Jésus, il n'apparaît pas immédiatement si et
dans quelle mesure on devra ou on pourra « l'absoudre » de cette
relation.

2. *Les femmes, les gardes et les disciples (Mt 27,57-28,20)* [18]

Pour comprendre au mieux le sens du message de la résurrection
selon S. Matthieu, il est sans doute préférable de considérer comme
une unité littéraire l'ensemble formé par le récit de
l'ensevelissement, l'apparition de l'Ange de Dieu aux femmes et
les divers mouvements qui s'ensuivent et culminent dans la
rencontre avec Jésus en Galilée. Cet ensemble est marqué
d'antithèses et de correspondances dont je propose ici une figure,
sans prétendre qu'elle soit la seule possible.

Il semble que le texte s'organise selon deux mouvements
successifs, le premier est consacré à la *résurrection* (27, 57 - 28,
6), établie moyennant *le témoignage rendu par Dieu à la parole
prophétique de Jésus* : ce témoignage est rendu à *celles qui croient*,
non aux fragiles, les disciples, et aux hommes de mauvaise foi,
grands prêtres et pharisiens, qui, les uns et les autres, en sont restés
au stade de l'ensevelissement du corps de Jésus. Le second
mouvement est consacré à l'*enseignement* (28, 7-20) : celui de Jésus
diffusé dans le monde entier par la prédication et l'initiation
apostoliques ; celui des grands prêtres et des pharisiens, mensonge

18. X. LÉON-DUFOUR, *Résurrection de Jésus et message pascal*, Paris, 1971,
p. 187-198 ; R.H. FULLER, *The Formation of the Resurrection Narratives*,
Londres, 1972, p. 71-93 ; S. VAN TILBORG, *The Jewish Leaders in Matthew*,
Leyde, 1972, p. 106-108 ; C.H. GIBLIN, « Structural and Thematic Correlations in
the Matthaean Burial-Resurrection Narratives », dans *New Testament Studies*, 21
(1975), p. 406-420 ; P. JULLIEN de POMEROL, *Quand un évangile nous est conté.
Analyse morphologique du récit de Matthieu*, Bruxelles, 1980, p. 194-200.

sans envergure dans un petit cercle hiérosolymitain. Essayons de voir cela avec un peu plus de détail.

Le corps enseveli et la parole véridique

La réalité de l'ensevelissement de Jésus est attestée par deux démarches absolument parallèles, bien que d'intention contraire, dont les femmes semblent être les témoins insensibles : je lis en parallèle 27, 58-61 et 27, 62 - 28, 1.

Une fois Jésus mort, un disciple, Joseph, se préoccupe de l'ensevelissement et va demander le corps à Pilate ; l'ayant reçu, il fait grandement le nécessaire (linceul propre, sépulcre neuf), puis il roule la pierre et s'en va. Toute pieuse qu'elle soit, sa démarche semble close sur la mort, et le *disciple* ne semble pas tellement habité par une foi ultérieure en celui qui fut un temps son maître. Des femmes pourtant, une fois Joseph parti, persévèrent, on ne nous dit pas pourquoi, et restent assises là.

Le lendemain (c'est le jour du sabbat, que Matthieu désigne par une circonlocution) les grands prêtres et les pharisiens font le même chemin vers Pilate. Plus attentifs que Joseph (« la haine rend lucide », disait Emmanuel Mounier), ils ont retenu une mystérieuse parole de Jésus sur sa résurrection ; ils n'y croient pas, mais ne veulent pas que les disciples en abusent (l'exemple de Joseph montre pourtant qu'il n'y a pas de danger !) et eux aussi s'inquiètent du sépulcre qui garde le corps enseveli : ils ciment l'entrée du tombeau et apposent une garde. Dès le lendemain matin, les femmes (qui, elles, ont respecté le sabbat) reviennent au tombeau, et on ne nous dit toujours pas pourquoi. Nous avons donc vu le *disciple* qui a enseveli son Maître sans se poser de question, les *grands prêtres* qui, eux, se posent des questions et redoublent en quelque sorte l'ensevelissement, les *femmes*, persévérantes et silencieuses.

Survient alors un événement apocalyptique annoncé par le grand tremblement de terre. Mais il semble que cette nouvelle scène commence d'abord avec une pointe d'humour, en ce qui concerne Joseph le *disciple*. De celui-ci en effet, le récit disait (27, 60) : « ayant roulé une grande pierre *(proskulisas)* à l'entrée du tombeau, il s'en alla » ; de l'Ange de Dieu (28, 2) : « descendant du ciel et s'en venant, il déroula la pierre *(apekulisen)* et s'assit dessus » ! Comme la correspondance verbale est frappante et que, d'autre part, il n'est rien dit des scellés apposés par les grands prêtres et les pharisiens, on ne peut éviter l'impression que l'Ange de Dieu, ne voulant pas condamner Joseph, réplique du moins du tac au tac, et nous indique qu'il va y avoir une suite en ce qui concerne les disciples.

Quoi qu'il en soit, on décrit ensuite le vêtement de lumière de l'Ange de Dieu (en termes qui rappellent le vêtement de l'Ancien en Dn 7, 9) et c'est alors que vient le moment du jugement : il est rendu entre les *gardes*, symbole des craintes pharisiennes devant la parole de Jésus, et les *femmes*. Des gardes, on écrit que la *crainte* qu'ils éprouvent de l'Ange de Dieu les rend « comme morts » : ceux qui gardaient le cadavre sont mis symboliquement à mort ; aux femmes, au contraire, l'Ange de Dieu dit : « vous, ne *craignez* pas ! », ce qui, dans ce contexte d'antithèse avec les gardes, signifie aussi « vivez ! », et implique que, ce à quoi Joseph n'avait pas pensé, ce que les pharisiens redoutaient, les femmes y avaient ajouté foi ; elles étaient restées le premier soir, revenues après le sabbat, parce qu'elles avaient cru à la parole de Jésus. Au moment du jugement, elles reçoivent confirmation de leur foi, et par le *témoignage rendu par l'Ange de Dieu*, et par le *signe* du tombeau ouvert et vide. A cet égard, le fait de voir Jésus n'ajouterait sans doute rien à la certitude et à la joie eschatologiques où l'Ange de Dieu les a établies.

Il me semble que l'unité de ce premier ensemble dans notre récit lui vient du thème de la *parole prophétique de Jésus* : le *disciple* n'y a pas pensé, les *grands prêtres* et les *pharisiens* en ont eu peur (et finalement en sont symboliquement morts), les *femmes* y ont cru. Et *Dieu* lui a rendu témoignage.

Le mensonge et la mission

La suite du texte est orientée vers la mission : une démarche des femmes vers les disciples prépare la rencontre de Jésus et de ceux-ci ; elle s'effectue sur le fond de tableau contrasté de la démarche des gardes vers leurs mandataires et du mensonge qu'elle provoque.

Aussitôt affermies dans leur foi, les femmes sont envoyées évangéliser les disciples. Ceux-ci sont absents depuis l'arrestation de Jésus (26, 56) et on ne les a vus revenir, en la personne de Joseph le disciple, que pour l'ensevelissement de Jésus ; ils ont besoin d'être réinsérés dans le Mystère du Christ, et il est normal que celles qui ont cru soient leurs évangélistes. La rencontre avec Jésus, qui se produit tandis que les femmes sont en route vers les disciples, semble en réalité tournée vers ceux-ci : Jésus ne dit rien d'original par rapport à ce qu'avait dit l'Ange de Dieu, sinon qu'il appelle les disciples « mes frères », et il y a là sans doute une parole de rédemption et de création : rédemption, dans la mesure où Jésus pardonne l'inintelligence et la fuite des disciples, création, dans la mesure où il les rend capables de se montrer par la suite ses frères, c'est-à-dire ceux qui écoutent et mettent en pratique ses enseignements.

Or, tandis que les femmes sont en route en vue de transmettre leur message aux disciples et de les mettre à leur tour en route vers la Galilée où Jésus les rencontrera, les gardes, eux aussi, vont en ville pour rendre compte de l'événement : eux qui sont comme morts et n'ont pas eu la clef de ce par où ils étaient passés, le racontent, dépourvus qu'ils sont de toute interprétation sensée. Après délibération, ils reçoivent commission de répandre un « enseignement » *(ôs edidachthèsan)* et sont largement payés pour ce faire. Or cet « enseignement » consiste à dire que s'est précisément passé ce qu'ils avaient été postés pour empêcher (cp. 28, 13 et 27, 64). Et c'est bien ce qu'ils font, perpétuant ainsi une « parole » à Jérusalem.

Inversement, les disciples rencontrent enfin Jésus ressuscité. On ne s'étonne pas, étant donné la figure du disciple mal croyant que l'évangile a plusieurs fois esquissée devant nous, que certains d'entre eux doutent à la vision même de Jésus — car nous savons qu'il ne suffit pas de voir ou, plus exactement, que pour voir il faut croire. Toujours est-il que la parole de Jésus les oriente vers l'infini de l'espace et du temps : ils reçoivent une mission de témoignage, d'initiation et d'enseignement *(didaskontes)* de tout ce que Jésus avait dit : la résurrection de Jésus prend sens avec et dans la mission initiatique et doctrinale qui leur est confiée. Alors que les grands prêtres et les pharisiens s'efforçaient d'infirmer le *fait* brut de la résurrection dans le milieu clos de Jérusalem, Jésus atteste en quelque sorte la *vérité* de la résurrection par l'ampleur de la mission qu'il confie de répandre les paroles qu'il avait dites.

Si ce commentaire est exact, il met en lumière avec une force étrange le *primat de l'écoute*, que j'ai posé comme principe premier d'une attitude centrée sur un récit fondateur. Les femmes, en effet, ont écouté la parole de Jésus avant sa mort, c'est-à-dire un

« récit », réduit à l'essentiel et sans doute présenté en énigme, de ce qui devait suivre sa mort ; c'est cette écoute ferme qui détermine leur attitude d'attente silencieuse et leur permet de recevoir une confirmation dont la venue, pour elles, ne faisait pas de doute.

Il y a aussi dans ce texte une opposition, différente de celle marquée par les Actes, entre « vous » et « Dieu », mais dont le sens rejoint celle-ci ; on pourrait la formuler ainsi : « ce Jésus dont vous avez soigneusement enseveli le corps, il est ressuscité, il est vivant » : il y a donc bien un événement qui concerne Jésus et qui s'exprime en opposant une attitude tournée vers la mort (non pas la mort infligée, mais la mort reconnue et affirmée) et l'irruption de la vie. Mais cet événement ne s'arrête pas à Jésus : il ouvre une temporalité nouvelle, étendue sur un espace universel, celle définie par l'initiation au Mystère fondateur raconté, point de départ d'un mode de vivre défini par l'évangile de Jésus. Cette temporalité n'est pas autonome : elle est suspendue à la présence de Jésus ressuscité ; on pourrait dire que la nouvelle figure du temps est celle d'un temps « accompagné » : non l'extension d'une pure présence à soi, mais le développement d'une présence-avec.

Présence de Dieu (car l'« Ange de Dieu » est ici Dieu lui-même, comme le montre le parallèle avec Dn 7), il apparaît ici comme *témoin de la parole de Jésus* : attestée de manière transcendante, non seulement cette parole peut être reçue comme vraie et sa réalisation tenue comme assurée, mais il est suggéré (et cette suggestion devra être reprise) que cette parole appartient à l'espace d'où lui vient l'attestation : la résurrection de Jésus, prophétisée par une parole vraie, appartient au monde de Dieu qui en confirme la vérité.

A qui et de quoi les apôtres rendent-ils témoignage ? Sur la base des deux « échantillons » qu'on vient d'analyser, on peut dire qu'ils rendent témoignage *à* Dieu, de ce qu'Il a fait et dont Il a lui-même témoigné en Jésus de Nazareth, le crucifié. Ils rendent témoignage *de* ce qui a été accompli en Jésus et qui s'exprime bien avec les mots de saint Paul : « établi fils de Dieu avec puissance, selon l'Esprit de sainteté, par sa résurrection des morts », ce qui implique la promesse d'une vie nouvelle pour tous et la fin du règne du péché et de la mort ; par ailleurs, la résurrection de Jésus confirme la validité de son enseignement et définit les orientations de cette vie nouvelle proposée à tous.

Quant au langage avec lequel ce témoignage est rendu, il correspond à ce que nous avons vu en en parlant plus haut d'une manière plus formelle. Il s'agit d'un langage *récitatif*, mais dont la narrativité se situe aux limites extrêmes des possibilités de la parole. En un sens, il s'agit d'un récitatif homogène aux dimensions spatio-temporelles de la parole humaine ; il raconte ce qui est advenu de Jésus de Nazareth, le même avant sa mort et après sa résurrection, et ce récit prétend donner sens et orientation à la vie des hommes concrets et incarnés auxquels il s'adresse ; en ce sens, ce n'est en aucune manière un récit mythique ou une spéculation gnostique ; les points d'ancrage dans la réalité concrète sont évidents. Mais, en un autre sens, ce langage est hétérogène à ces dimensions usuelles de l'existence humaine : il évoque une destinée eschatologique, dont la résurrection elle-même montre qu'elle n'est pas au pouvoir de l'homme ; il veut décrire une origine première, qui échappe par définition aux schèmes de l'avant et de l'après. Aussi, pour dire ces extrêmes, doit-il immédiatement nommer Dieu, qui en est l'auteur, et exprimer les dimensions de Jésus qui échappent à une narrativité univoque. Le langage des images, des expressions symboliques, des événements « extraordinaires » comme le sont des apparitions échappant aux règles du jeu spatio-temporel, est ici inévitable : mais par là même il est fondateur *car c'est ce qui est dit au niveau-limite qui permet un langage plus homogène et c'est ce que le langage-limite évoque qui rend possible une temporalité humaine sensée.*

A la vérité, si on admet ce que j'ai essayé de développer plus haut sur l'hétéronomie du langage fondateur, les notes spécifiques du langage de la résurrection n'ont rien pour surprendre. Quel qu'il soit en effet, le langage fondateur ne peut pas être produit ; il échappe donc, par définition, soit à la prose de notre discours quotidien, soit à la poésie d'une projection rituelle, imaginaire ou gnostique de nos désirs, dans un monde fictif que nous préférons reconnaître comme vrai, de préférence à l'autre. Certes, il s'agit d'un récit qui transcende la narrativité homogène d'une histoire naturelle ou sociale : mais il ne le fait pas à la manière du « il était une fois » déconnecté de notre réalité ; il transcende en fondant et en donnant à l'histoire direction et valeur. Quant aux éléments homogènes, et qui peuvent par conséquent donner lieu à narration continue, ils s'organisent de telle sorte que la référence à ce que j'ai appelé l'Opérateur transcendant et à « l'événement extraordinaire » qu'il rend réel interviennent dans le fil du même discours — sans quoi celui-ci perdrait tout sens.

Le témoignage rendu à la résurrection met en opposition, de diverses manières, ce qu'on pourrait appeler un « côté de la mort » (mise à mort de Jésus, son ensevelissement, mais aussi et peut-être surtout les hommes inclus dans ce processus et le cercle clos où ils évoluent) et ce qu'on pourrait appeler un « côté de la vie », dont Dieu est auteur et témoin, et qui regarde d'abord Jésus de Nazareth, mais aussi tous ceux dans l'espace et dans le temps qui accueillent le témoignage porté à son sujet, sont déliés de culpabilité et promis à vivre.

Aujourd'hui comme aux débuts de l'Église, nous ne pouvons en rester là, et il faut bien tenter de réfléchir à la question : pourquoi le *récit fondateur* concerne-t-il cet homme, au milieu des temps, Jésus de Nazareth ? Comment penser un temps fondateur qui se surimpose à une chronologie déjà réelle ? Et, d'autre part, que devons-nous entendre sous l'expression plusieurs fois rencontrée de la « rémission des péchés » ? Quel a été le rôle passé de la culpabilité dans le déroulement du temps ? Et ce rôle est-il aussi anéanti qu'une proclamation de la rémission des péchés tendrait à le faire accroire ?

Si on veut aborder ce type de problèmes de manière plus immédiatement théologique, on se demandera : pourquoi Jésus est-il le seul, de tous les justes souffrants et de tous les saints persécutés, dont on ait proclamé la résurrection ? Ou, si on veut s'exprimer en termes de noms divins, comment entendre qu'un nom fondamental de Dieu soit : « Celui qui a ressuscité Jésus d'entre les morts » ? Comment le Nom est-il invoqué par référence à une personne particulière déterminée ? Et si on répondait, anticipant un peu sur les résultats de la méditation théologique : parce que Jésus était son Messie et son Fils — la question se renverse alors : si Jésus est vraiment tel, pourquoi l'avoir laissé mourir ? Quel est ce « dessein bien arrêté et la prescience de Dieu » selon lequel Jésus a été « livré » ? Comment articuler, en ce qui concerne Dieu que nous confessons l'Opérateur transcendant de la résurrection, le Nom de vie que cet acte permet de lui donner, et d'autres noms plus négatifs comme par exemple : « Celui qui a abandonné Jésus à la mort » ? Et la question rebondit en ce qui concerne la « rémission des péchés » : quel lien établir entre la résurrection et la mort de Jésus, d'une part, et l'annulation de toute faute, de l'autre ?

Nous sommes ainsi conduits à entrer dans la méditation de ce qu'on pourrait appeler le *temps de Jésus* : quelle interprétation donner à sa mort et à sa vie, à la lumière de la proclamation fondatrice de sa résurrection ? Cette question met en jeu non seulement l'identité de Jésus ou la nôtre, mais aussi celle de Dieu. Nous essaierons de progresser sans confusion, en lisant les récits de la mort de Jésus puis en explorant les figures qui confirment le sens de ces récits.

III. LA CROIX, ESPACE DE FILIATION

Autant qu'on puisse le percevoir, au travers des présentations des évangiles, Jésus s'est manifesté comme le Prophète du Royaume de Dieu imminent ; il s'est efforcé de rassembler le Peuple d'Israël afin de le préparer à l'irruption attendue de ce qui était depuis toujours son espérance ; sans doute a-t-il voulu aussi l'associer à sa mission prophétique de sorte que, par Israël purifié et rassemblé, le Royaume pût s'étendre à toutes les nations et que la Nouvelle Alliance fût établie sur toute la terre. Cette prédication du Royaume comprenait essentiellement, aux yeux de Jésus, l'accomplissement de la Révélation de Dieu, par le dévoilement d'un Nom, sinon inconnu, du moins peu utilisé par Israël dans sa foi et son invocation : le nom de Père. Jésus n'a pas manifesté ce visage de Dieu de manière abstraite et théorique, mais simplement en donnant à Dieu ce nom, en en parlant comme du Père et, plus précisément, de son Père [19].

Or Jésus est mort. Et sa mort a quelque chose de spécialement déconcertant, dans la mesure précisément où il se présentait comme

---

19. Ces quelques lignes voudraient résumer le consensus qui semble s'être établi entre théologiens à partir de trois types de recherche : la première sur l'eschatologie dans la conscience et l'enseignement de Jésus (avec référence, en particulier, à des *logia* comme Mc 9, 1 et 13, 30 ; Mt 10, 23) ; la seconde sur l'attitude de Jésus devant sa mort probable puis imminente ; la troisième sur la prière de Jésus et le nom de Père. La littérature sur ces sujets est si abondante que toute indication bibliographique est dérisoire ! J'indique quelques références : W.G. KUEMMEL, « Die Naherwartung in der Verkündigung Jesu », dans *Zeit und Geschichte*, Tübingen, 1964, s., p. 31-46 ; A. VOEGTLE, « Réflexions exégétiques sur la psychologie de Jésus », dans *Le Message de Jésus et l'interprétation moderne*, Paris, 1969, p. 41-113 ; H. SCHUERMANN, *Comment Jésus a-t-il vécu sa mort ?*, trad. fr. Paris, 1977 ; M. HENGEL, *La Crucifixion*, trad. fr. Paris, 1981 (2e partie, chap. 2) ; J. JEREMIAS, *Abba. Jésus et son Père*, trad. fr. Paris, 1972.

le dernier des prophètes, comme envoyé au service de l'accomplissement des desseins de Dieu, comme le révélateur du Père. Sans doute beaucoup de prophètes avant lui étaient-ils morts. Mais comment le dernier a-t-il pu échouer ? Comment celui qui annonce l'imminence du Royaume a-t-il pu disparaître sans que Dieu, fût-ce au dernier moment, intervienne pour donner raison avec puissance à son prophète et reconnaître, avec tendresse, son Fils ? Pourquoi cet ultime innocent, à la fidélité non seulement de juste, mais aussi (du moins le pensait-il) d'envoyé et de fils, a-t-il subi le sort déconcertant de ceux qui l'avaient précédé ? Cette question, relative au sort de Jésus, met surtout Dieu en cause, comme le fait presque automatiquement toute histoire d'innocent soumis à la souffrance. Comment, dans le cas de Jésus, le nom de Dieu peut-il être encore : « celui qui abandonne » ?

Notons ici que la résurrection de Jésus ne donne à proprement parler aucune réponse à cette question. Même si la résurrection fait apparaître d'autres noms de Dieu, à partir de celui, initial, de « Celui qui a ressuscité Jésus d'entre les morts », ces noms positifs et glorieux n'effacent pas les autres. La résurrection ne justifie pas la croix ; à supposer (mais ce serait là une intelligence bien limitée de ce Mystère) qu'elle dédommage le crucifié, elle ne dit pas pourquoi l'innocent a dû passer par une telle épreuve et n'absout pas Dieu de l'y avoir abandonné. La question sur Dieu posée par l'épreuve ultime de la croix ne reçoit pas de réponse de la résurrection, ou du moins pas toute sa réponse ; il faut d'abord chercher ailleurs.

Cet ailleurs, je propose de le trouver dans deux récits synoptiques de la mort de Jésus, celui de Marc et celui de Luc. Nous en ferons une lecture, un peu analogue, quant à la méthode, à celle qui a été proposée plus haut pour le récit de la résurrection, et nous essaierons d'en dégager des conclusions capables d'éclairer la perspective ouverte au chapitre suivant par les figures d'Adam et de Job. Il sera temps ensuite de revenir à la résurrection.

1. Marc 15, 24-39 [20]

Les temps

Dans l'évangile de Marc, la crucifixion et la mort de Jésus se déroulent sur six heures : de la troisième heure, moment où on le crucifie à la neuvième ou un peu après, moment où il expire. Les trois premières heures sont pleines de bruit et de paroles : tout le monde parle au Christ, sur un ton d'ironie encore apeurée : les passants, les grands prêtres et les scribes, même les brigands crucifiés avec lui. Puis vient un temps — trois heures encore — d'obscurité et de silence complet : les ténèbres s'étendent sur la terre, encore qu'on soit en plein midi, et coupent en quelque sorte la parole aux gens ; Jésus, de son côté, ne dit rien. Une troisième période, très brève, à la neuvième heure comporte une parole de Jésus, une seule, la réponse active de quelqu'un qui se trouve là (le récit ne nous dit pas à quel groupe il appartient), puis un dernier cri de Jésus et la mort.

Mais il y a le temps d'après la mort. Il est marqué de deux épisodes : l'un qui concerne le Temple, là-bas, dans la ville ; l'autre est une réaction du centurion romain, tout près, en face de Jésus.

Les paroles : descendre de la Croix ?

Ces temps, soigneusement distingués par l'évangéliste, sont marqués par des paroles. Il n'y a plus d'action, en effet : Jésus, crucifié, immobile, est devenu en son corps comme l'expression patente de l'échec de sa mission. Comme prophète, il est réduit au silence. Comme thaumaturge, à l'impuissance. Pourtant, par trois fois, on va l'inviter à une ultime action, qui pourrait en dernière minute réparer tout le dommage : *qu'il descende de la Croix.* Écoutons successivement les uns et les autres.

Les passants ont entendu parler de la prétention de Jésus rapportée à son procès : « Je détruirai ce Temple fait de main

---

20. T.A. BURKILL, « St. Mark's Philosophy of the Passion », dans *Novum Testamentum* 2 (1957), p. 245-271, et « The Trial of Jesus », dans *Vigiliae Christianae*, 12 (1958), p. 1-18 ; D. JUEL, *Messiah and Temple*, Missoula, Montana, 1977.

d'homme et, en trois jours, j'en rebâtirai un autre qui ne sera pas fait de main d'homme. » Ils comprennent bien le sens apparemment blasphématoire de cette parole. Détruire le Temple, c'était détruire la religion d'Israël, dès longtemps centrée sur le Temple. Le Temple était le lieu où Dieu manifestait sa Gloire et rencontrait son peuple, et cela depuis la Tente érigée par Moïse au désert, celle montée par David à Jérusalem, en attendant la construction du Temple de Salomon, puis sa reconstruction après l'exil et sa restauration récente sous Hérode. Prétendre détruire le Temple, c'était un des blasphèmes les plus graves qu'on pût imaginer : détruire la religion d'Israël et en substituer une autre, nécessairement idolâtrique ! Or le blasphémateur est maintenant crucifié, immobile. Sa passion est le signe évident de l'inanité de sa prétention ; elle témoigne en faveur de la religion du Temple. Pour que Jésus réalise ce qu'il a annoncé, il faudra d'abord qu'il descende de la Croix ! C'est ce qu'on lui clame.

Pendant le même procès de Jésus, les scribes et les grands prêtres ont posé à Jésus la question décisive : « Es-tu le Christ, le Fils du Dieu béni ? », et ils ont entendu une réponse positive, à laquelle Jésus a ajouté l'annonce d'une mystérieuse intronisation à la droite de Dieu. C'est pour cela même qu'ils l'ont livré. Maintenant, il leur semble que la croix où pend Jésus est d'elle-même l'annulation de sa prétention filiale et messianique. Si cette prétention, toutefois, était fondée, que Jésus descende de la croix ! Que ne pourrait faire un Messie ! Alors, on pourrait croire, et c'est ce que, d'en-bas, on lui clame. Jésus pourtant ne répond rien, reste immobile, et voici que les ténèbres s'étendent sur toute la terre.

A la neuvième heure enfin, Jésus sort de son silence, mais c'est pour prononcer la mystérieuse phrase : « Éloï, Éloï, lahma sabachtani ». On s'interroge sur le sens exact de cette parole sur les lèvres de Jésus à ce moment-là et sur l'expérience spirituelle qu'elle exprime. Avant toutefois de chercher une réponse à cette question, il faut remarquer que cette phrase vient là peut-être tout d'abord à cause de la manière dont les auditeurs l'ont entendue : « Il appelle Élie ». Élie, en effet, devait être le précurseur du Messie ; telle était la conviction, fondée sur un oracle du prophète Malachie, auquel déjà le récit de la Transfiguration, plus haut dans l'Évangile, avait fait allusion. Entendant le cri de Jésus, les assistants comprennent que, dans son abandon, le crucifié appelle désespérément celui qui devait précéder le Messie, l'introduire auprès du peuple et le protéger de ses ennemis. On donne donc un peu à boire à Jésus, pour lui laisser en quelque sorte un répit, qui permettrait à Élie de venir accomplir sa mission en le descendant de la croix !

Il semble donc que, de la troisième à la neuvième heure, dans la présentation que nous donne saint Marc de la mort de Jésus, la question pendante soit celle-ci : « Descendra-t-il de la croix ? », et c'est pourquoi il est permis de discerner une nuance de peur dans l'ironie de ceux qui s'adressent à Jésus : s'il descendait ! En tout cas, la confession de l'identité filiale et messianique de Jésus dépend de ce défi.

La mort de Jésus

Or Jésus ne descend pas. Il jette à nouveau un grand cri et expire. En d'autres termes, par rapport à tous ceux qui l'entourent, il perd la partie ; il n'a pas donné le signe ultime qui aurait pu redresser la situation ; ses revendications sont donc finies et son identité est insignifiante. Jésus ne peut justifier ce qu'il a dit de lui-même à son procès et auparavant. Il prétendait détruire et rebâtir le Temple : c'est lui qui est détruit ; il s'est présenté comme le Messie, le Fils du Dieu béni, il a annoncé son intronisation à la droite de Dieu ; en fait, il est mort. Son incapacité à descendre de la croix marque donc le triomphe de ses opposants : pas seulement un triomphe, finalement assez sordide, d'hommes qui seraient jaloux d'un autre qui les dépasse, mais surtout, en apparence du moins, le triomphe de la vraie religion sur l'imposture. Aux yeux des assistants, c'est aussi un abandon par Dieu : Celui-ci est demeuré invisible et inactif en toute cette scène ; il n'a manifesté aucun secours au crucifié. Or si Dieu n'a rien fait à ce moment-là, on peut dire qu'il n'a jamais été avec Jésus. L'abandon au moment décisif signifie que Jésus n'a jamais été en réalité envoyé par Dieu et accompagné de Lui, à aucun moment. Il n'était pas mandaté pour annoncer le Royaume tout proche, encore moins pour présenter un visage de Dieu qui soit, dans une certaine mesure, en rupture avec la tradition des anciens, ni pour mettre en lumière un nom de Dieu jusqu'alors peu usité : Père.

Vers un nouveau Temple ?

Pourtant l'évangéliste n'arrête pas son récit avec le dernier soupir de Jésus. Il mentionne un épisode relatif au Temple (et ceci renvoie à la prétention de Jésus sur le Temple et aux outrages des « passants ») et il décrit la réaction du centurion romain en service au pied de la croix (et ceci renvoie à la prétention messianique et filiale de Jésus et aux outrages des « grands prêtres et des scribes »).

Le voile du Temple, on le sait, séparait les deux salles sacrées du Saint et du Saint des Saints et empêchait tant de voir le Saint des Saints que d'y pénétrer. Avant la destruction du premier Temple, le Saint des Saints contenait les objets sacrés, signe de la Présence de Dieu, lieu de manifestation de la Gloire, et moyen de la rencontre avec le Très-Haut. Détruits ou perdus au moment de l'exil, ces objets n'avaient pas été remplacés, et le Saint des Saints était donc vide — qu'on interprète ce vide comme un signe plus parlant encore de la Présence ou, au contraire, comme l'expression soigneusement cachée de la non-Présence. Quoi qu'il en soit, le récit de Marc nous dit que, au moment de la mort de Jésus, le voile du Temple se déchire du haut en bas. Ce qui était caché apparaît aux yeux de tous ; la suppression de ce caractère caché et mystérieux du Saint des Saints, désormais ouvert à tous les regards, est déjà une première profanation du Temple. Mais il y a davantage : lorsque se déchire le voile, apparaît la vacuité, le vide du Saint des Saints ; les signes de l'Alliance et de la Présence l'ont déserté ! Il n'y a donc plus ni les signes, ni le secret gardé par le voilement : il n'y a plus rien ; le Temple est désacralisé, profané, désaffecté ; il manifeste de lui-même son inanité : la déchirure du voile au moment où meurt Jésus est donc bien cette destruction qu'avait annoncée Jésus.

Mais alors, le lecteur de l'évangile est amené à se poser la question de la reconstruction : si la mort de Jésus a opéré la destruction du Temple fait de main d'homme, comment Jésus rebâtira-t-il un Temple nouveau, non fait de main d'homme ? Le paradoxe auquel personne, croyant ou adversaire, ne pouvait s'attendre est que Jésus détruirait le Temple au moyen de sa propre mort, comme s'il y avait quelque identification mystique entre le monument de pierre et sa signification spirituelle et le corps de Jésus, de sorte que la mort de l'un fût la destruction de l'autre. Mais ce paradoxe appelle sa propre continuité : la restauration du

Temple passe par la restauration du corps de Jésus. Marc n'en dit rien ici, mais le jeu des symboles et leur contemporanéité absolue nous laisse dans une expectative qui est loin d'être totalement aveugle ; nous pressentons que Jésus, détruisant le Temple en mourant, manifeste qu'il est, comme le Temple, le Lieu de la Présence de Dieu ; « dans trois jours » il sera révélé que Jésus est le Saint des Saints.

Confesser le Fils

Ce que suggère la déchirure du Temple, la parole du centurion le dit en clair. D'abord, c'est un centurion qui parle : ni un passant, ni un grand prêtre, ni un scribe, ni même ce « quelqu'un des assistants » qui avait donné à boire à Jésus. Mais un soldat romain, dont le texte n'a jusqu'ici pas parlé : même si on le qualifie par l'article défini : « le centurion », on ne l'a pas encore présenté, de sorte que cet article signifie peut-être une sorte d'universalité. Le centurion parle pour tous les païens, tous ceux qui n'ont pas été mêlés à l'histoire de Jésus parce qu'ils n'avaient rien à faire avec « Juda et Jérusalem ». Comme si le Nouveau Temple devait être pour les nations...

Or ce centurion est tout contre la croix et voit Jésus expirer. Qu'y a-t-il eu dans ce dernier soupir, nous ne le savons pas. Mais il y a eu sans doute une tonalité bien expressive puisque, le voyant expirer « de la sorte », le centurion a une illumination intérieure ; la manière silencieuse, mystérieuse, dont cet homme est mort rend pour lui témoignage de la transcendance : « Vraiment cet homme était le Fils de Dieu. » Ce n'est donc pas parce que Jésus est descendu de la croix que le centurion confesse cette filiation divine, mais parce qu'il est mort ! On sait que, tout au long de l'évangile de saint Marc, Jésus interdit qu'on le proclame Fils de Dieu. Au moment de sa mort, indépendamment par conséquent de tout enseignement prophétique ou de tout accomplissement thaumaturgique, Jésus est reconnu Fils de Dieu par un païen et personne ne peut s'opposer à cette assertion, qui renvoie au premier verset de l'Évangile, où Jésus était aussi présenté (mais en dehors de son histoire concrète) comme Fils de Dieu. De même que le déchirement du voile du Temple s'opposait aux injures des « passants », de même la confession du centurion s'oppose victorieusement aux sarcasmes des « grands prêtres et des scribes » : ceux-ci voulaient que Jésus descendît de la Croix pour reconnaître sa messianité mais le centurion lit sur la croix du Christ, sur le Christ mort, sa filiation divine. Il y a là une opposition frappante et une révélation stupéfiante : ce n'est pas le fait d'avoir pu descendre de la croix qui est la preuve, la manifestation, l'épiphanie de Jésus comme Fils de Dieu, Messie et sauveur, c'est sa mort. C'est dans sa mort et non pas dans sa vie, c'est dans son échec et non pas dans sa réussite ou dans une échappatoire de dernière heure que Jésus est manifesté dans sa condition de transcendance.

On le voit, la présentation faite par saint Marc de la mort de Jésus est une composition étudiée et savante. Les deux thèmes du Temple et de la Filiation divine se répondent, dans une succession qui va du procès de Jésus aux événements décisifs d'après la mort, en passant par les propos ironiques et inquiets des passants et des prêtres. La mort de Jésus prend ainsi une double profondeur : le moment d'échec est réel, souligné par l'impuissance du Crucifié à descendre de la Croix, mais cet échec est en réalité instauration et manifestation. Destruction de l'ancien Temple, la mort de Jésus est prélude à l'instauration de la religion nouvelle fondée sur son corps et dont le principe ultime est l'identité même de Jésus qui se révèle dans sa mort : celle du Fils.

2. *Luc 23, 44-45*[21]

Le récit de Luc présente davantage l'aspect d'une chronique. Jésus monte vers le lieu de la crucifixion entouré d'une foule inquiète et culpabilisée, à laquelle il adresse une parole de lamentation. On nous dit alors ce qui se passe pendant le temps où Jésus, crucifié, est encore vivant : de la part des assistants, chefs, soldats et un des malfaiteurs, des outrages ironiques ; mais le peuple, qui est monté avec Jésus, regarde, silencieux et interdit. Jésus étend à tous sa miséricorde : sous forme de prière, pour ceux qui lui ont fait ou lui font du mal ; sous forme de pardon pour celui qui le demande. Vient alors le troisième temps, celui de la mort proprement dite de Jésus. Alors, après une réaction du

---

21. F. Bovon, *Luc le Théologien*, Neuchâtel-Paris, 1978, p. 175-181 et 208 (bibliographie) ; R. Meynet, *Quelle est donc cette Parole*, Paris, 1979, p. 186-188.

centurion (dont la teneur est moins dense que selon le récit de Marc : il y a une reconnaissance de la « mort du Juste », et non une confession du Fils de Dieu), la foule redescend, avec la même tristesse manifestée lors de la montée et durant le temps de la crucifixion.

Dans cette perspective, le troisième temps de la chronique, qui aurait pu être raconté, lui aussi, de manière objective, événementielle, prend un relief plus saisissant. Il décrit en effet, brièvement mais nettement, la fin d'un monde, puis il rapporte le dernier moment de Jésus.

La fin d'un monde

A l'orée de ce troisième temps de la chronique, l'attention du lecteur est en effet ravivée par une indication chronologique ; c'est la seule qu'on trouve dans le récit. Il est près de midi, l'heure du plein soleil. Or le soleil disparaît et, à cause de cela, les ténèbres s'étendent sur la terre (c'est Luc qui souligne ce rapport de cause à effet). Le jour cesse là où il aurait dû rayonner. Puis, avant la mort de Jésus (et non pas après, comme chez saint Marc), le voile du Temple se déchire, comme si la religion vécue dans le Temple et symbolisée par lui s'effondrait et, avec elle, le peuple qui se définissait par elle. Double symbole eschatologique : le monde cède, le Temple tombe. En un sens, il ne reste plus que Jésus sur sa croix, mais Jésus va mourir, solidaire de ce monde et de ce Temple.

La voix du Fils

C'est alors que se fait entendre la voix de Jésus. Elle n'est plus tournée ni vers le monde, ni vers les hommes, même pas vers ceux de son peuple. Jésus a fini de parler aux hommes et ceux-ci sont, à leur choix, sous le jugement eschatologique dont les symboles se sont manifestés ou sous la miséricorde que Jésus a demandée pour eux et leur a offerte. Maintenant, la voix de Jésus se tourne vers le Père, et elle concerne Jésus seul : « Père, entre tes mains, je remets mon esprit. » Dans la ruine universelle à laquelle sa crucifixion et sa mort imminente lui font prendre part, l'identifient même, Jésus garde sur les lèvres l'invocation de Dieu et se remet totalement à Celui qu'il ne cesse pas d'appeler Père.

Cette persévérance de Jésus dans l'invocation au moment ultime de la mort nous signifie peut-être deux choses. D'abord que l'invocation, si l'homme consent à la proférer, est indestructible, hors des prises de la mort, mais qu'elle manifeste toute son intensité dans l'événement de la mort : comme si l'ultime moment sur la croix était précisément l'instant par excellence pour dire « Père », non seulement des lèvres, mais des profondeurs de l'esprit et de toute la réalité du corps qui expire en cette invocation. L'abandon filial est d'autant plus manifeste que tout ce qui pouvait le soutenir disparaît ; peut-être, dans cette invocation totalement dépouillée et pure, commençons-nous à discerner ce qu'est le Fils.

D'autre part, cependant, cette invocation, parce qu'elle arrive après les signes de la fin : altération du monde et ruine du Temple, indique l'aurore d'un monde nouveau et d'une religion nouvelle dont elle sera le fondement. Quand tout a disparu, demeure pourtant la voix du Fils, et la parole qu'elle exprime est fondatrice d'un monde filial, qui ne se voit pas encore puisqu'on est dans les ténèbres, mais qui s'entend puisque Jésus dit « Père ».

Par l'agencement de son récit, par la manière dont il isole dans la chronique de la miséricorde le moment eschatologique de la mort et de l'invocation, Luc suggère donc que l'invocation dans laquelle Jésus se remet totalement à son Père *ouvre le temps de la filiation* ; il nous fait pressentir un monde renouvelé et une durée différente, entièrement sous le signe d'une relation de Fils à Père et de Père à Fils : cette relation était le terme de toute la montée de l'histoire antécédente, avec ses épreuves, ses dépouillements et (il faudra le dire) ses péchés. Accomplie pour la première fois dans l'ultime prière de Jésus mourant, elle mettra sa marque sur tout ce qui viendra ensuite. Ici encore, comme dans Marc, mais différemment, la mort filiale de Jésus pointe sur une résurrection.

3. *Mort et filiation*

Cette lecture des textes venant des évangiles synoptiques (je n'ai pas parlé de Matthieu qui, en ces passages, est proche de Marc) semble manifester combien la *mort* de Jésus et sa *filiation* divine sont étroitement liées. Les contextes sont différents, mais ils se complètent l'un l'autre pour orienter dans la même direction. Marc est plus tragique ; sa composition met davantage en valeur l'impuissance du Christ : séparé de ses disciples, dépouillé apparemment de sa mission et de sa puissance, torturé dans son corps, immobile sur sa croix malgré les invitations réitérées à en descendre, Jésus fait entendre une parole douloureuse que rien ne nous empêche de prendre à la lettre ; aussi bien donne-t-elle l'écho d'un aspect de son agonie. Et il entre dans la mort avec un grand cri. Mais l'évangéliste invite tous ceux qui ont les yeux lucides à suivre le regard du centurion et *à trouver dans ce tragique même* l'ultime (et même la seule) confession du Fils de Dieu, l'aurore de la religion nouvelle dans le Temple nouveau dont cette mort laisse pressentir le surgissement.

Luc souligne autrement ce rapport entre la mort et la filiation. Il nous fait assister à la fin d'un monde (dont pourtant le sort peut être envisagé avec espérance, puisqu'il a été enveloppé de paroles de miséricorde) et, comme à la charnière de ce monde qui expire et d'un autre qui viendra, il met l'invocation filiale de Jésus. Isolé de tout homme et de tout monde par les ténèbres qui se sont étendues sur la terre et par la ruine religieuse de son peuple symbolisée par le dévoilement du sanctuaire, Jésus garde sur les lèvres l'invocation du Père : comme si, à ce moment précis où l'ancien monde s'en va (et Jésus, en son corps, s'en va avec lui) sans que l'autre ait encore fait irruption, il ne restait que l'invocation. Comme si le Fils apparaissait dans la pureté de la relation au Père en ce moment de l'histoire où rien d'autre n'a consistance. Pureté paisible, mais dont il faudrait n'avoir aucune connaissance des traditions de la vie spirituelle et mystique pour l'opposer à l'expérience tragique de l'abandon. Paradoxalement, ces deux aspects sont compatibles et c'est la *filiation* qui en est l'unité.

Jésus est assimilé au cosmos : sa mort est précédée des signes apocalyptiques qui détruisent l'harmonieuse succession du jour et de la nuit. Il est assimilé au peuple d'Israël, en ce que celui-ci a de plus précieux et de plus pur : le Temple, lieu de la demeure de Dieu avec les hommes. Ce qui meurt avec lui, ce n'est donc pas seulement un monde de péché, abîmé au point de ne pouvoir être restauré ; ce n'est pas seulement un peuple impur ou un Temple plus ou moins détourné de ses fonctions. Mais c'est aussi, et peut-être d'abord, le monde comme création et le Temple comme Saint des Saints. *La filiation est au-delà.*

Jésus n'est pas seulement assimilé au cosmos et au Temple. En sa personne, il est venu comme ultime prophète du Royaume, comme Messie, comme Fils. Du moins est-ce ainsi que, au travers d'une prédication centrée sur le dessein de Dieu, il s'est lui-même manifesté et a demandé qu'on crût en Lui. Or, par sa mort, s'effondre sa prophétie et s'annule sa messianité : tout ce qui, en sa personne et en son message, était dirigé vers ce monde de création et ce peuple au milieu de qui habitait Dieu est ruiné à mort, sans qu'aucune aide ne semble lui venir du Dieu créateur, Seigneur de son peuple, qui envoie les prophètes et suscite son Messie. Les évangiles sont discrets sur l'âme du Christ, mais le peu qu'ils nous en disent peut nous aider à deviner, de très loin, ce que fut son épreuve devant le silence de Dieu. La ruine douloureuse de son corps, fort comme la création, la déréliction de son cœur, pur comme le Temple, l'échec d'espérances, divines comme Celui qui les avait suscitées, qui aurait pu les comprendre ? Personne, et celui qui les subissait moins qu'un autre peut-être, au moment où il courbait sous leur poids. Mais la question n'était pas de comprendre ; elle était de se laisser mener et de persévérer dans la confession du Dieu Vivant. Prophète rejeté, Messie déçu, *Jésus restait fils*, et il l'était d'autant plus, en un sens, que tout le reste, si saint que ce fût, lui était enlevé. Et Jésus n'a pas refusé de rester fils. D'après Marc, la manière même, immobile, silencieuse, dont il est mort témoignait qu'il était le Fils. D'après Luc, qui exprime la forme parlée de cette attitude filiale, c'est la persévérance dans l'invocation du Nom de Père, qui a porté ce témoignage. Comme si Jésus se trouvait enfin dans la plénitude de sa condition filiale, au moment où tout le reste absolument lui était ôté.

Le temps de Jésus

Le temps de Jésus est ainsi celui de la filiation ; il est la durée d'un processus total de dépouillement pour que la filiation apparaisse dans sa vérité : une relation qui est au-delà de tout, qui n'est fondée par rien mais qui fonde tout. Pour Jésus, tout s'est passé comme si, pour rejoindre à ce niveau plénier de la filiation, il lui avait fallu être conduit au-delà de tout le reste, ce reste qui, pourtant, était un fruit de l'amour paternel : non pas nier le Temple (lieu de la Gloire de Dieu), ni le monde et le corps (créations de Dieu) ni la mission messianique (fruit de l'envoi de

Dieu), mais expérimenter, au travers de leur ruine apparente (et d'une apparence qui prend tous les aspects vécus de la réalité), la filiation comme relation pure, le Nom de Père comme Nom que l'on continue de prononcer parce que l'invocation du Père au cœur du Fils est plus intime et radicale que n'importe quel des bienfaits donnés par le Père au Fils, voire des charges confiées. Le temps de Jésus est dirigé vers une invocation pure dont le symbole est la mort à toute autre réalité absolument.

De ce temps de Jésus, rythmé par l'aventure de la filiation, il nous faut voir qu'il est marqué par la « forme de mort » et l'« échange symbolique », et il nous faut progresser dans la compréhension du fait que, moyennant la résurrection dont la communauté chrétienne maintient vif le témoignage, il est le *temps fondateur**.

Forme de mort et échange symbolique

Les auteurs qui ont été étudiés en première partie nous ont rendus attentifs à une dramatique occultation de la mort dans la civilisation et ils appelaient à cribler en quelque sorte une pensée et un comportement du « compact », afin que le temps puisse être retrouvé grâce aux interstices ainsi créés dans un monde de l'auto-possession sans failles. Par là, pour reprendre les termes de Baudrillard, une « forme de mort » bénéfique pourrait à nouveau régler une vie sociale tout entière sous le signe de l'échange symbolique. L'histoire de Jésus nous indique le point d'impact spécifique de cette forme de mort : que les hommes soient impliqués dans la forme concrète qu'elle prend n'est pas contestable, mais, dans son essence pure, elle est chemin d'une relation *avec Dieu*. L'occultation déplorée est le fruit d'une relation négative à l'aventure avec Dieu, l'envers d'une vie filiale, de sorte que la désocculation ne pourrait advenir que moyennant une acceptation positive de la Parole ou de la conduite de Dieu, même si elle prenait les formes de l'abandon ; et alors redeviendrait possible aussi une relation positive et constructive avec les hommes

---

* Il est difficile, peut-être même impossible, lorsqu'on parle ou écrit sur l'aventure *humaine* de Jésus, d'éviter totalement les mots et les formules qui pourraient être pris dans un sens *adoptianiste*. Tout ce que je dis, ici et plus loin, à propos de « l'aventure de la filiation » doit s'entendre de tout le périple *humain* par où Jésus s'est égalé au Nom qui depuis toujours est le sien en Dieu : Fils (cf. *infra* p. 260).

et avec le monde. Il y a là une figure fondamentale, dont l'analyse va nous retenir longuement.

Le temps fondateur

La résurrection de Jésus, unique comme je l'ai dit parmi les histoires des hommes fidèles, manifeste par conséquent aussi l'*unicité* de cette relation filiale de Jésus à son Père : la résurrection témoigne que l'espace de filiation parcouru à la Croix est sans comparaison ; elle invite donc à méditer plus avant le sens de ce temps filial de Jésus qui semble être à la fois la matrice et le modèle de tout temps de l'homme. Nous nous étonnions qu'un récit fondateur puisse se référer au « milieu » des temps ; mais si c'est en ce « milieu » que s'est manifestée la filiation pure et son jeu, alors une certaine lumière commence à poindre sur l'économie réelle des temps.

Réciproquement, la méditation de la croix comme espace de la filiation nous donne une indication sur le sens de la résurrection. Quoi que nous puissions en dire, il est en tout cas exclu que le ressuscité puisse vivre désormais autrement que pour le Père invoqué sur la croix ; il est impossible qu'il se reprenne pour soi, ou qu'on lui rende purement et simplement ce qu'il aurait auparavant librement laissé. L'invocation sur la croix n'est pas un cri provisoire puisqu'elle exprime au contraire la profondeur ultime de Jésus. Cette invocation-là ne peut pas mourir — au sens d'une « seconde mort ». On ne peut s'imaginer le ressuscité dans une condition statique, comme revenu au calme après un paroxysme d'effort qui aurait cessé avec la mort ; on ne peut le concevoir comme mis en possession, par manière de récompense, de la Puissance du Nom au-dessus de tout nom, du Corps enfin glorifié — toutes choses qui seraient désormais bien à lui : s'il y a résurrection et effectivement don de la Puissance, du Nom et du Corps, ce ne peut être que dans l'impérissable dynamique d'une invocation du Père dans laquelle le ressuscité passe tout entier et toujours : « échange symbolique » dans lequel, comme nous le verrons, le Père ne demeure pas en arrière.

Ainsi, nous commençons à percevoir pourquoi le récit du Mystère pascal est *le* récit fondateur : il rend témoignage à l'économie du temps, qui est celle d'un accès progressif à la perfection réciproque de la relation entre l'homme et Dieu.

Le double Nom de Dieu

La dernière partie de ce chapitre nous a permis d'entrevoir le sens positif du nom déconcertant « Dieu qui abandonne », l'abandon étant le visage mystérieux de la Paternité. Mais ce nom n'annule pas l'autre : Dieu est aussi « celui qui a ressuscité Jésus d'entre les morts », qui lui avait donné corps et mission et les lui rend transfigurés par la résurrection. Nous ne pouvons pas confondre le *don* par où Jésus est constitué et envoyé, et l'*abandon* par où il est provoqué à la perfection de la relation filiale. Une des tâches qui nous reste consistera de fait à découvrir et, si possible, à dire l'harmonie de ces noms divins.

CONCLUSION

De cette investigation portant sur la narration chrétienne de la résurrection et de la mort de Jésus de Nazareth, nous pouvons tirer quelques conclusions provisoires. A la recherche d'un récit fondateur digne d'être écouté, nous avons rencontré celui de la communauté chrétienne, raconté comme mémorial et célébré dans le rite. Dieu est Celui qui a ressuscité son fils, Jésus de Nazareth, faisant de lui le principe de la vie nouvelle, au-delà de la rémission des péchés, donnant ainsi autorité à l'enseignement et à l'exemple de ce Jésus, moyennant le don de l'Esprit. Une trajectoire de vie est donc possible, fondée sur ce don qui est aussi une promesse. Mais la résurrection de Jésus, fondatrice d'un monde de justice et d'amour, *répond* de la part de Dieu à la manière parfaite, intégrale, selon laquelle Jésus est entré dans l'épreuve qui lui était proposée ; durant cette épreuve, Dieu s'est retiré et n'a pas secouru, de sorte que Jésus a été amené par sa persévérance à manifester le caractère ultime et premier, l'originalité et le dynamisme par rapport à Dieu de sa condition de Fils. Dieu, vis-à-vis de Jésus, s'est retiré en deçà du Commandement, de la Loi, de la Sagesse, de la Promesse, mais aussi de l'envoi ultime du Messie. Et au travers de cela s'est manifesté ce qui, nous allons le voir plus en détail, était dès le commencement : Dieu comme Père, et l'homme, au-delà de toute essence et de toute loi, comme fils.

Ainsi la figure du temps se révèle-t-elle, de la part de Dieu, comme un jeu extrêmement délicat de don et d'abandon, et pour l'homme comme une dialectique tout aussi difficile à bien mener de joie et d'épreuve. Et tout cela prend sens et peut se réaliser en référence à et en fonction du *temps primordial* raconté dans le *récit fondateur* et célébré dans la *fête eucharistique* : celui de Jésus de Nazareth mort et ressuscité.

CHAPITRE II

DU JARDIN D'ÉDEN
A LA TERRE DE HUS

Si le récit fondateur renvoie au *temps de Jésus*, situé « au milieu des temps », il ne s'ensuit pas que tout ce qui a précédé ce temps de Jésus n'ait rien eu à voir avec la fondation. Ce serait ici le lieu d'une théologie des temps avant le Temps, non seulement dans leur déroulement, mais dans la manière selon laquelle ils ont été interprétés et ont ainsi *préparé* l'interprétation et l'intelligence du *temps de Jésus*. En d'autres termes, ce serait le lieu d'une Théologie de l'Ancien Testament comme mise en place progressive des *figures* sur lesquelles s'inscrivait par avance le Visage du Christ. Comme je l'ai dit en parlant du « témoignage inspiré et sacramentel » des apôtres, la référence à ces figures fait dès le principe partie de la manifestation révélée du sens de la résurrection, et les développements soit de l'époque apostolique, soit de la Tradition post-apostolique ne cessent de mettre en œuvre ce principe fondamental d'interprétation. Le lieu où cette relation figures/réalité se manifeste en plénitude et où peut véritablement être vécue une expérience de *fondation* est la liturgie de la Nuit pascale où le Mystère du Christ est raconté avec toute la plénitude de sens qui jaillit des figures, tandis que, réciproquement, l'intensité du mémorial liturgique amène pour ainsi dire à réalité ces figures qui scandaient le temps en attendant que leur sens fût dévoilé.

Ces remarques ont ici pour objet d'introduire une méditation partielle des figures qui peuvent aider l'intelligence de la foi en Jésus dans son mystère de filiation. Je voudrais considérer tout d'abord deux figures d'*innocents mis à l'épreuve*, Adam au jardin d'Éden et Job en terre de Hus : ce sera l'objet du présent chapitre. Nous nous pencherons ensuite sur le problème, déjà signalé, de la *rémission des péchés*, puisque cette relation au péché semble qualifier le temps d'avant le Christ, tandis que le temps d'après le Christ en semblerait (ce qui n'est pourtant pas tellement évident !) libéré.

Les figures de Job et d'Adam peuvent nous aider à comprendre la Croix du Christ, dans la mesure où l'une et l'autre mettent en jeu l'irruption, au sein d'une situation réputée innocente, d'une *épreuve* ; de celle-ci l'homme ne triomphera que dans la mesure où il acceptera la *distance* de Dieu, manifestée par cette épreuve, et inclinera sa sagesse à se régler sur le mystère à la fois voilé et révélé par cette épreuve elle-même. L'épreuve semble en effet ordonnée à manifester la dissemblance de Dieu, afin d'ailleurs que, une fois celle-ci humblement acceptée, il soit donné à l'homme d'être élevé à la *vraie* ressemblance. La transfiguration à « l'image et ressemblance » ne va pas — il faudra essayer de voir pourquoi — sans une certaine défiguration, celle d'une image trop grossière encore qu'on pouvait se faire, soit de Dieu, soit de l'homme lui-même. L'épreuve semble être un moment clef dans le processus d'intelligence de Dieu et de la relation avec lui.

Il n'est pas impossible que les deux figures en question, celle de Job, celle d'Adam, aient été mises en relation par l'auteur biblique lui-même [22] : il est en effet assez frappant que le cadre et le déroulement de l'action se ressemblent fortement dans les deux cas, au point qu'on peut se demander si, dans le récit en prose qui commence et finit le livre de Job, l'auteur n'aurait pas voulu nous donner une sorte de parabole de l'Adam véritable. Toujours est-il que nous trouvons les mêmes protagonistes : Dieu, l'homme et la femme, un adversaire ; ce dernier et la femme contribuent par la tentation à l'épreuve de l'homme. Adam succombe, mais Job résiste. Il y a un assez strict parallèle dans la narration elle-même : d'une situation heureuse et sans histoire, on passe à une situation d'épreuve, due au fait que Dieu réserve ou retire ce qu'il avait donné ; enfin, selon que l'homme sort ou non victorieux de l'épreuve, commence le temps de la miséricorde ou celui de la transfiguration.

---

22. Le rapprochement, en tout cas, est fait par l'exégèse rabbinique. Cf. dans le commentaire de Marvin H. POPE, *The Anchor Bible*, Garden City, N.Y., 1965, p. 22 (sur 2, 9).

Au temps où s'écrit le livre de Job [23], Israël, que ce soit par la réflexion de la sagesse humaine, que ce soit surtout par le travail de la Parole de Dieu, contenue dans la Loi et les Prophètes, a reçu une vision de Dieu, des choses et des hommes selon laquelle le Peuple s'efforce difficilement de vivre. Nous sommes à un moment où la notion de création s'est profondément affinée : l'homme a su y reconnaître l'œuvre d'une Sagesse harmonieuse et amie des hommes (cf. Pr. 8), et Job y voit un don de Dieu marqué d'attention et de tendresse (cf. Jb 3). Les lois de l'univers s'originent aussi à cette sagesse créatrice et témoignent à leur place de la sollicitude de Dieu. Enfin, Dieu, qui a fait alliance avec les hommes, a donné sa Loi dont on sait que l'observer, c'est vivre : à l'époque de Job, d'ailleurs, une sorte d'osmose tend à se faire entre la Loi et la Sagesse, l'une plus collective et liée à l'histoire d'un peuple, l'autre plus individuelle et liée à une méditation sur l'existence, mais l'une et l'autre se rejoignant pour fournir, *de la part de Dieu*, cette « connaissance du bonheur et du malheur » que l'homme à l'origine ne devait pas, on le sait, s'approprier de lui-même. Ainsi, au niveau de la Loi et de la Sagesse comme de la création, l'homme est-il sous le don multiforme de Dieu.

Le don de Dieu est par ailleurs confirmé et multiplié lorsqu'il assure une juste rétribution à qui fait le bien comme à qui fait le mal. Entre un grand nombre d'autres textes, le Ps 18 (vv. 26-27) peut nous donner ici une formule de la rétribution :

Avec le fidèle, tu es fidèle
avec l'homme intègre, tu es intègre.
Avec le pur, tu es pur
avec le pervers, tu es retors.

Or Job nous est présenté comme « intègre et droit, craignant Dieu et s'écartant du mal » (1, 1 et 8, 2, 3). Même si le récit nous le montre habitant une terre païenne, il en fait comme le modèle même de l'homme sensible et fidèle à cet univers de création, de Loi et de Sagesse qui sont le don de Dieu. Son obéissance et sa

---

23. Plus peut-être que par les commentaires, j'ai été aidé, dans cette investigation sur le personnage de Job par l'essai incisif de P. NEMO, *Job et l'excès du mal*, Paris, 1978 (cf. mon étude « L'excès du malheur et la reconnaissance de Dieu », dans *NRT* 111 [1979], p. 724-739), remarqué et mis en valeur par E. LÉVINAS (cf. «Transcendance et mal », dans *De Dieu qui vient à l'idée*, Paris, 1982, p. 188-207).

rectitude morale sont impressionnantes. Lui-même, au temps de son malheur et de son procès avec Dieu, en fait l'inventaire, dans un texte admirable auquel Philippe Nemo donne le titre magnifique de « litanies des innocences de Job » (cf. Jb 21 et 31). Job ne fait pas résider la perfection dans l'observance légaliste de préceptes surtout cultuels, mais il fait preuve d'un souci constant, non seulement de ne pas léser les hommes, mais de les servir : il va ainsi au cœur des préceptes de la Loi. Sa « fidélité aux décrets du Très-Haut » concerne plus spécialement les pauvres, la veuve et l'orphelin, l'aveugle, l'impotent, l'indigent, le persécuté, mais elle n'est pas exclusive d'une fidélité à Dieu lui-même dans la prière. Job est la figure de l'homme attentif aux exigences les plus fines, les plus humaines et, en même temps, les plus divines, de la Loi de Dieu, aux indications les plus centrales de sa Sagesse. Aussi bien, à la fois par son expérience d'homme heureux, béni dans sa famille et dans ses biens (cf. Ps 128), et d'homme fidèle dont la rectitude morale est sans failles, Job perçoit-il de tout son être l'harmonie que sa fidélité à Dieu instaure dans toute sa vie. Ce qui est écrit dans le Livre sous forme d'admonition, de menace ou de promesse, se réalise concrètement pour lui ; son bonheur n'est pas lié à une suite de conjonctures chanceuses, il est la réalisation, dans une existence d'homme, de cette harmonie équilibrée, juste, des êtres et des choses devant Dieu. Rien ne saurait — du moins selon l'enseignement du Livre lui-même —, briser cette harmonie, sinon l'injustice et le péché. Comme Job se tient soigneusement à l'écart de la perversité, il pense à bon droit ne pouvoir rien perdre de cet équilibre exact dans lequel il vit et qui a nom : le bonheur.

Dans la perspective instaurée par le livre de Job, le don de Dieu, qui porte en quelque sorte matériellement sur les biens de la vie humaine, famille, richesse, santé, s'enracine en réalité bien plus profondément dans la réalité d'une *alliance* dont Dieu prend l'initiative et dont ces biens sont en quelque sorte le symbole permanent. Et ils reçoivent de cette valeur symbolique le plus clair de leur valeur, reconnue et confirmée par la fidélité de l'homme.

Ainsi, quand s'écrit le livre de Job, il y a déjà une longue histoire de l'expérience d'Israël, une longue méditation sur la Sagesse et sur la Loi : une « parole de Dieu » est profondément inscrite dans les mentalités et les jugements, et le drame en quoi consistera précisément l'épreuve naîtra de ce que les événements viennent apparemment démentir, voire subvertir cette parole. La rédaction du récit des origines dans le document le plus ancien du Pentateuque, le récit yahviste, obéit à d'autres requêtes [24]. L'auteur écrit sans doute à un moment donné du règne de Salomon, peut-être lorsque la situation de la royauté en Israël se fragilise et que se concrétisent les menaces de déchirure entre les tribus difficilement rassemblées par David en un seul royaume, peut-être seulement parce que la conduite de Salomon, spécialement en matière religieuse, donne des craintes. Quoi qu'il en soit des circonstances exactes, le yahviste, habité par une espérance théologale, veut donner les raisons de celle-ci en considérant l'histoire véhiculée dans les traditions orales de son peuple et en l'interprétant à l'aide sans doute d'un *credo* théologique dont la vie et les tribulations du roi David ont été l'illustration éclatante : l'élection, la bénédiction et le péché, la malédiction et la miséricorde sont au centre de ce *credo*, et les diverses traditions permettent d'en illustrer la pertinence et la vérité ; ainsi l'histoire passée devient-elle un gage d'espérance pour le futur. L'auteur a voulu, dans la répétition et la présentation théologique des traditions de son peuple, remonter jusqu'aux origines de l'homme et à son histoire primitive : de la sorte, il lui était possible de saisir comme à l'état naissant, dans leur jaillissement même, les éléments qui feraient pour toujours la trame de l'histoire humaine, jusqu'au moment où, moyennant la médiation de l'ultime descendant de David, le salut serait répandu sur toute la terre : le don de Dieu, l'élection et le bonheur, puis l'interruption qui éprouve en mettant ce bonheur en question, la faiblesse de l'homme et les ruptures essentielles qu'elle entraîne, par rapport à Dieu, aux autres hommes, à la terre, la miséricorde et les espérances qu'elle suscite. L'histoire d'Adam et d'Ève prend ainsi le sens d'un paradigme de l'histoire universelle tout autant que d'une réflexion fondamentale sur les coordonnées essentielles de l'existence humaine. Non seulement elle est le point d'origine au-delà duquel il n'était pas possible de remonter, mais encore elle fournit le point de mire à partir duquel envisager un avenir

---

24. A l'heure présente, la composition aussi bien que l'étendue du « yahviste » sont sujettes à des investigations renouvelées ; autant que je puisse me rendre compte, ces recherches n'invalident pas le résumé, naturellement sommaire et simplifié, que je donne ici. Cf. R. RENDTORFF, « Der Jahvist als Theologe ? Zum Dilemma der Pentateuchkritik », dans *Congress Volume Edinburg, 1974*, SVT 28, Leyde, 1975, p. 158-166 et J. VERMEYLEN, « La formation du Pentateuque à la lumière de l'exégèse historico-critique », dans *RTL*, 12 (1981), p. 324-346.

douloureux mais réconcilié. D'Adam, le yahviste aurait pu dire, comme plus tard saint Paul, qu'il était « figure de celui qui doit venir », figure relayée par celles des patriarches, voire de Moïse, mais éclairée surtout par celle de David.

Or cette histoire primitive et primordiale articule l'un sur l'autre deux récits, celui de la création et celui du commandement au travers desquels se dessinent, de Dieu et de l'homme des images à champs de profondeur multiples. J'essaierai d'en faire ici une lecture assez soigneuse, qui mette en lumière les divers plans et leurs entrecroisements [25].

1. L'Éden, lieu dramatique

Les espaces

Quand l'histoire commence, nous sommes dans l'espace indéfini. La lande est désertique, aucune herbe, aucun arbuste, un paysage presque lunaire ; il n'y a rien.

Il n'y a rien, parce qu'il n'y a pas encore d'eau venue du ciel : la terre est séparée de l'en-haut ; le ciel est comme neutre, car il ne s'est pas manifesté à la terre sous forme de pluie fécondante. Il n'y a rien, puisqu'il n'y a pas d'homme pour faire rendre à cette lande inculte quelque chose, ou la totalité, des virtualités qu'elle recèle.

---

25. Ici se pose la question de la *méthode* de lecture. Intelligemment pratiquée, l'exégèse historico-critique manifeste la relation étroite entre la composition présente et ses diverses strates avec les expériences de l'histoire d'Israël, telle que pouvaient l'interpréter les auteurs et « réviseurs » de « J » ; elle met donc en valeur le rapport création-histoire-alliance. Par ailleurs, du fait qu'il s'agit d'un récit d'*origines*, le début de la Genèse ne peut pas ne pas être lu en fonction aussi des questions que nous nous posons à ce sujet. Les approches sont alors très diverses. Un ouvrage comme celui d'E. DREWERMANN, *Strukturen des Bösen*, 3 vol., Paderborn, 1978, multiplie les approches en allant de l'exégèse à la philosophie allemande (Kant, Hegel, Kierkegaard) et à l'existentialisme de Sartre, en passant par la psychanalyse de langue allemande. Comparée à ce monument, la conférence de J.-P. AUDET, *Admiration religieuse et désir de savoir*, Montréal-Paris, 1962, 70 p., est minuscule, mais approfondit avec une très grande intelligence la *question humaine* de l'écrivain yahviste. Quelques pages de X. THÉVENOT, dans *Les Péchés. Que peut-on en dire ?*, Mulhouse, 1983, p. 25-50, manifestent davantage l'inspiration lacanienne. Ici, conformément à ce que j'ai dit plus haut, j'essaierai de privilégier une approche *littéraire* et *symbolique*, en faisant jouer, mais sans exclusive, certaines techniques structurales.

Pourtant ce paysage désert à l'infini n'est pas lunaire car, même s'il n'y a pas d'eau venant du ciel pour le féconder, ni d'homme marchant sur la terre pour travailler, du moins y a-t-il un flot ténu qui monte de la terre, une humidité, qui signifie peut-être l'attente d'une effloraison.

Cet espace illimité, nous le retrouverons à la fin du récit (cf. 3, 23) mais dans un tout autre contexte : il sera alors question de l'homme renvoyé par Dieu vers cette lande, ce « sol » d'où il avait été pris. Mais, à ce moment, l'homme pourra cultiver la terre. Un peu comme si tout ce qui se passe entre la première mention du sol (2, 5-6) et la dernière (3, 23) ouvrait en réalité la terre tout entière au génie agriculteur de l'homme.

Le récit pourtant centre davantage l'espace : « Dieu planta un jardin en Éden, à l'Orient » (2, 8) : à l'endroit où la terre reçoit pour la première fois le soleil du matin, un espace se dessine, clos en quelque sorte par sa luxuriance même. Baigné de lumière, il est traversé d'eau dans les quatre directions. Il se détache d'une manière impressionnante sur la terre désertique. Il est comme un centre défini, sur quoi le regard puisse s'arrêter, un lieu où quelque chose peut-être puisse se passer et se laisser cerner.

Le texte précise encore : il parle du « milieu du jardin », endroit marqué par la présence de deux arbres aux noms prestigieux. Depuis le début du récit d'ailleurs, c'est la végétation qui a défini les espaces : la première vision ouvrait à l'infini sur un sol inculte ; la seconde a découvert un jardin merveilleux, planté d'arbres dont on nous a dit qu'ils étaient beaux à voir et bons à manger ; la troisième conduit au centre du jardin, que deux arbres, encore, marquent. Ces arbres, avec leur mystérieuse et fondamentale désignation (la connaissance, la vie) sont les pôles du jardin : si quelque chose advient, ne sera-ce pas là ? Et si quelque issue tragique se manifeste, ne sera-ce pas à propos de ces deux arbres où l'art du conteur nous a conduits ?

Les personnages

Le premier personnage, « par ordre d'entrée en scène » pourrait-on dire, c'est Dieu, le Seigneur Dieu. On le désigne immédiatement par son nom propre. Il n'a ici ni justification, ni définition. Il n'y a aucun préalable pour parler de lui : la question de Dieu ne se pose pas, puisque d'emblée son Nom est prononcé. Inexpliqué,

Dieu est là et le récit ne manifeste aucun trouble à dire son Nom sans introduction préalable. De Dieu, on affirme pourtant des choses étranges, et tout d'abord qu'il a fait le ciel et la terre. Ces espaces où le récit nous introduit avec sûreté pour nous conduire au centre d'un jardin, Dieu n'y est comme personne d'autre : il les a faits. Et non seulement les espaces, mais tout le reste. Dieu plante (les arbres), modèle (l'homme, les animaux), façonne (la femme). Pourtant, présent d'une façon différente, Dieu est vraiment là. On nous dit même qu'il se promène dans le jardin à la brise du soir ! Peut-on être plus intégré au jardin et à tout ce qui s'y trouve ?

Surtout, Dieu parle. A soi-même (2, 18 et 3, 22), et à chacun des autres personnages : l'homme (2, 16 et 3, 9, 17), la femme (3, 13 et 16), le serpent (3, 14-15). Il sera donc intéressant d'écouter ce qu'il dit.

Dieu, enfin, agit : il place l'homme et la femme dans le jardin, puis, au terme de l'histoire, il les déplace et les envoie sur la lande infinie.

Après Dieu, il y a l'homme ; celui-ci est fait du sol, il est contemporain de la lande infinie. Il est le premier être à fouler cette terre aride et, pendant un moment, il demeure seul.

Puis viennent les animaux. Eux aussi sont modelés par Dieu, mais dans des circonstances significatives. Dieu a perçu, il s'est dit, peut-être a-t-il clamé à la cantonade, qu'il n'est pas bon pour l'homme d'être seul (2, 18) : l'isolement lui est néfaste et Dieu veut y remédier, en lui faisant « une aide qui soit comme son vis-à-vis ». Et le récit nous montre Dieu qui ne réussit pas tout de suite dans son projet : il quitte le jardin, retourne à la lande et y modèle quantité d'êtres vivants qu'il amène à l'homme. L'homme les nomme, certes, en prend possession par là même, mais il n'y reconnaît pas l'« aide qui soit comme son vis-à-vis ». En un sens, la population animale de la terre est comme l'ensemble des « ratés » dans l'effort de Dieu pour pourvoir l'homme d'un semblable ; elle est faite de la masse des êtres vivants en qui l'homme ne parvient pas à se reconnaître. Il peut certes leur donner des noms, mais pas son propre nom.

C'est alors que Dieu crée la femme. Il la façonne dans le jardin et non au-dehors. Pourtant, il ne la façonne pas à partir du « sol » comme il avait fait pour l'homme et les animaux ; il n'utilise même pas le terreau de ce jardin planté d'arbres. Il la tire de la chair de l'homme ; il fait en quelque sorte violence — quelque précaution qu'il prenne cependant — à l'intégrité de l'homme dont il arrache quelque chose, mais pour le lui rendre, transfiguré, sous la forme, enfin, de cette « aide qui soit comme son vis-à-vis ». La femme, quintessence des œuvres de Dieu, formée comme nulle autre créature par l'environnement où elle fut faite et la substance dont on l'a tirée. La femme, parfaite « vis-à-vis » de l'homme, qui ne peut se connaître soi-même qu'en donnant son propre nom à celle qui lui est amenée ; ils s'attachent l'un à l'autre parce qu'ils ne sont qu'un nom, qu'une chair.

Le quatrième personnage par ordre d'apparition est le serpent. Dieu l'a sans doute modelé à partir du sol, comme toutes les bêtes des champs qu'il avait faites. Tout rusé et astucieux qu'il soit, il fait partie de ces êtres en qui l'homme ne s'est pas reconnu, à qui il ne s'est pas attaché, à qui il a donné, non pas son nom, mais un nom. Désigné comme « bête des champs », il est situé d'emblée en dessous de l'homme et de la femme. Mais remarquons qu'on parle de lui au moment où il va être question d'un des deux arbres au milieu du jardin : l'homme, fait de la lande et amené dans le jardin, la femme faite de l'homme, dans le jardin, et amenée à l'homme, le serpent fait du sol et présent, debout sur sa queue, près de l'arbre — l'ordre d'entrée en scène nous ramène donc encore au milieu du jardin, au centre. Si quelque chose doit se passer, ce sera là.

Les préliminaires du drame

Que l'homme, modelé par Dieu et ayant reçu de Lui le souffle de vie, soit un cultivateur, c'est pour le conteur comme une sorte d'évidence. Dieu met l'homme à cultiver et à garder le jardin qu'il a lui-même planté, et s'il exclut l'homme du jardin à la fin du récit, ce sera pour le renvoyer cultiver la lande dont il avait été tiré (cf. 2, 5 et 15 ; 3, 23). Cette tâche de cultivateur va en quelque sorte de soi. Tout au moins — et c'est là le point qu'il nous faut relever ici —, elle n'est pas introduite par quelque parole de Dieu. Comme si l'homme, placé et établi dans le jardin, trouvait d'emblée les techniques nécessaires à le cultiver.

Cependant, si l'homme n'entend aucune parole concernant l'agriculture, il en entend une relativement à la consommation des fruits du jardin. C'est même la première parole qui nous soit rapportée, venant de Dieu. Jusque-là tout a été fait dans le silence

— ou, tout au moins le récit n'a pas jugé utile de nous transmettre ce qui s'est dit. Mais maintenant, nous entendons la voix de ce Dieu dont on nous a dit qu'il a fait l'homme et l'a établi dans le jardin.

Ces premiers mots de Dieu à l'homme sont d'abord une parole de don : « Tu peux manger de tous les arbres du jardin. » Don à la mesure de la création de l'homme et de la plantation de l'Éden. A l'intérieur, pourtant, de ce don, il y a une restriction, visant l'un des deux arbres au milieu du jardin. De l'arbre de la connaissance du bien et du mal, il est dit : « tu ne mangeras pas » ; de l'autre on ne dit rien, ce qui signifie sans doute que l'arbre de vie fait partie de tous les arbres donnés à l'homme pour en manger. L'homme ne sera éloigné, pour mourir, de l'arbre de vie, que s'il transgresse l'interdit porté sur l'arbre de la connaissance du bien et du mal.

Cette parole de Dieu ouvre ainsi l'espace d'un drame ! Sélectionnant un secteur dans le jardin, si petit soit-il, et l'interdisant alors qu'elle a libéré tous les autres, elle pose les conditions d'une réponse. L'enjeu de cet échange de parole entre Dieu et l'homme est immense : la vie ou la mort. Tout ce que l'homme, établi dans le jardin pour le cultiver et le garder, pouvait faire comme agriculteur, il le faisait en quelque sorte spontanément, par capacité innée. Tout ce que l'homme avait prononcé jusque-là, il l'avait dit sur le mode de la prise de possession en nommant les animaux, ou dans le cadre de la reconnaissance mutuelle et spontanée de son semblable, en nommant la femme de son propre nom. Mais voici que s'ouvre un espace de parole qui semble relever d'un autre ordre : espace de responsabilité qui, au moyen de l'interdit, établit entre Dieu et l'homme, entre Celui qui a fait et celui qui a été fait, la possibilité d'une parole mutuelle.

Tels sont les préliminaires du drame. Celui-ci se jouera entre Dieu et l'homme, au prix de la vie ou de la mort et sur la base d'une parole dont Dieu a pris l'initiative, créant, par l'exclusion mise à l'intérieur du don, la tension propre à la tragédie. Que va-t-il advenir ?

Le silence de l'homme

Le récit ne mentionne aucune parole de l'homme, ni répondant dans l'action de grâces aux bienfaits de sa propre création, de celle du jardin, des animaux ou de la femme, ni prenant position par rapport à la double parole de don et de réserve que Dieu lui adresse. L'homme parle aux animaux que Dieu lui a amenés, à la femme qu'il a reçue de Dieu, mais il ne s'adresse pas à Dieu. Peut-on conjecturer que, dans l'esprit de l'auteur, ce silence est d'acquiescement ? L'homme prend acte silencieusement des dons de Dieu et les met en œuvre. L'interdit lui-même ne provoque aucune réaction. Sans doute, en mettant une limite au champ de l'activité de l'homme, Dieu lui manifeste-t-il qu'une transgression est possible : un interdit n'a de sens que par rapport à un pouvoir réel qui pourrait être exercé. L'interdit éveille donc en l'homme une première conscience de sa connivence avec l'arbre qu'on lui montre et le fruit qu'on lui refuse — première conscience qui servira tout à l'heure de point d'appui à la tentation. Pourtant, dans l'immédiat, l'homme ne dit rien ; en effet, cette révélation de son pouvoir et l'ouverture éventuelle de son désir sont intérieures à l'audition de la parole de Dieu. C'est Dieu qui présente l'action comme dangereuse et l'interdit positivement. Le poids de cette parole, prononcée par le Dieu bienveillant dont l'homme a tout reçu, apaiserait donc sans effort, si même il en était besoin, la tendance que l'interdit est le seul à avoir signalée. L'homme se soumet donc comme naturellement, lui, son pouvoir et son désir, à l'indication divine ; celle-ci est entendue comme une « règle du jeu », un « mode d'emploi » qui n'appelle d'autre réponse que sa mise en œuvre fidèle.

La tentation

Le drame naît à proprement parler lorsqu'une autre parole se fait entendre : non plus la parole de Dieu, avec sa nuance de mystérieuse exclusion, ni la parole humaine de mutuelle reconnaissance entre l'homme et la femme, ni la parole du seigneur des animaux, mais la parole du serpent, dont l'auteur nous a dit qu'il est une « bête des champs » ; cette notation souligne l'identité infra-humaine du serpent et classe en quelque sorte à priori sa parole : l'homme devrait d'emblée refuser toute écoute et toute réponse à cet être qui lui est inférieur et peut-être le début de la faute consiste-t-il justement à lui prêter l'oreille. Que dit en tout cas le serpent ? Rusé plus que tout animal, il propose, sous forme de question, l'inverse exactement de ce que Dieu a dit, ce qui va conduire la femme à rétablir la parole de Dieu en sa teneur exacte et donc à se centrer précisément sur l'interdit portant sur l'arbre qui est au milieu du jardin. Le serpent attaque alors et conteste la véracité de la parole de Dieu : il dissocie l'interdit de la peine attachée à la transgression et fournit une autre explication : Dieu serait jaloux de son privilège de Dieu et ne voudrait pas le communiquer. Or ce privilège est communicable : « vous serez comme des dieux ». Affirmation qui éveille le désir de la femme dont le regard sur le fruit défendu se transforme : il peut mettre le couple à égalité avec Dieu. La tentation joue sur deux tableaux qui s'épaulent mutuellement ; elle brouille l'image du Dieu bon qu'ont Adam et Ève en suggérant l'image d'un Dieu jaloux ; elle essaie d'attiser un désir d'être « comme des dieux ». Dieu est jaloux de ce que l'homme peut acquérir ; Dieu, en réalité, n'est que ce que l'homme peut devenir et sa supériorité provisoire ne vient que de l'interdit ; que l'homme transgresse celui-ci, et il n'y aura plus en quelque sorte ni hommes ni dieu, mais seulement des « comme des dieux ».

Les enjeux de la tentation

La parole du serpent n'aurait eu aucune portée pour l'homme si elle avait été absolument fausse. Mais, on l'a vu, la monition divine avait entraîné chez l'homme une première prise de conscience de sa capacité à faire ce qu'on lui défendait ; la tentation, revenant sur le même point, développe cette connaissance de soi et l'homme se perçoit davantage comme capable de faire ce qu'on lui interdit et de recueillir quelque bénéfice de ce que Dieu l'empêche de faire. La nouvelle image du Dieu jaloux renvoie à une nouvelle image de l'homme puissant. La contestation peut donc « prendre » sur l'esprit de l'homme, qui perd inexorablement une naïveté et une enfance premières, tant dans son invocation de Dieu que dans l'image qu'il s'en faisait et le regard qu'il porte sur lui. Dieu n'est pas seulement l'organisateur puissant du Paradis d'Éden, le témoin bienveillant du bonheur de l'homme et de la femme au milieu des arbres et avec les animaux.

Il apparaît maintenant aussi comme un compétiteur, comme celui qui retirerait d'une main ce qu'il a donné de l'autre. Qui est-il donc alors au juste et quelle devra être la première parole de l'homme sortant enfin de son silence : une invocation ou un blasphème ?

S'il perd une naïveté et une enfance premières, l'homme ne sort pourtant pas, par la seule tentation, de son innocence. Il ne faut pas projeter le consentement à la tentation sur la tentation elle-même ; l'homme n'est pas toujours déjà pécheur. Il n'y a, dans le récit de la Genèse, aucun *fatum* ; la Tragédie y est certes entièrement présente, mais le drame n'est pas conclu avant d'avoir commencé : tout se situe au niveau de la *responsabilité de la parole*. L'intervention du tentateur était peut-être « nécessaire » pour promouvoir l'innocence humaine à un niveau pleinement réfléchi et donner à une éventuelle invocation de Dieu toute son ampleur : il revient maintenant à l'homme de se prononcer sur l'identité de Dieu : un Dieu jaloux, dont on ignore désormais les bienfaits pour s'approprier son pouvoir ? ou un Dieu toujours bon, à qui on se soumet, même quand il interdit, car rien ne permet de mettre en doute sa parole et d'attendre de soi-même, et non de lui, l'accomplissement éventuel de capacités que sa parole a rendues manifestes ? Ce jugement sur Dieu est au pouvoir de l'homme : acceptant de proférer une parole, Dieu se remet à la réponse qu'il recevra. Et cette réponse procède elle-même du désir. Dieu n'a peut-être hâté la perte par l'homme de sa naïveté première que pour lui permettre de se laisser emporter dans l'invocation authentique : celle qui proférerait le Nom de Dieu à partir du cœur aimant de la liberté humaine, qui reconnaîtrait sans scandale l'élément du Mystère introduit par le précepte et renouvellerait à Dieu sa foi au lieu d'exacerber un désir à la fois retourné sur soi-même (« vous serez comme des dieux ») et, par le fait même, déicide.

Car tel est vraiment l'enjeu du Précepte, mis en vedette par la tentation. S'il ne s'agit plus seulement de « mode d'emploi » ou de « règle du jeu » pour la vie dans le jardin, c'est donc qu'il s'agit d'autre chose. Les actes de Dieu relatifs au jardin ou aux animaux, voire à la femme, étaient en quelque sorte explicables dans un contexte d'environnement humain. En formulant le Précepte, au contraire, Dieu a dépassé le langage des êtres et du monde ; la tentative du serpent a même pour objet de ramener le Précepte à ce langage, en suggérant à l'homme que, puisqu'il est capable de ce qu'on lui défend, le Précepte est fallacieux et son auteur menteur. En réalité, cependant, le Précepte n'est pas seulement ni principalement une parole tournée vers un quelconque objet du monde : il est là pour suggérer le Mystère de Dieu et inviter à le reconnaître. A l'intérieur de l'obéissance demandée, il y a une proposition personnelle de la Vérité, en ce qu'elle a d'incommensurable à toute perception humaine, une invitation venant de la Personne de Dieu à une invocation renouvelée et, pour employer enfin le terme fondamental de l'Écriture, une proposition d'Alliance. Ce n'est vraiment que moyennant le Précepte que Dieu s'adresse à l'homme en Dieu qu'Il est : le provoquant à dépasser la mesure seulement humaine de ce qui lui est accessible, il l'invite à une autre « connaissance » ; dans le Commandement se laisse discerner la Révélation.

Le lieu de la connaissance de soi

La tentation ne peut pas manifester le Précepte et, par le Précepte, Dieu lui-même comme Mystère et comme Parole, sans révéler du même coup l'homme à lui-même comme sujet libre en face de Dieu. Cette lumière nouvelle résulte en effet nécessairement de la perspective de transgression ouverte par le Serpent. Avant même qu'ils n'aient l'un et l'autre pris parti, le seul fait d'avoir été mis clairement en face du Précepte divin, de comprendre concrètement l'éventualité de passer outre et d'avoir en tout cas à se décider à son endroit, engendre pour le couple et chacun de ses membres une prise de conscience de soi en face de Dieu. Si Dieu se manifeste comme Mystère et que cette manifestation appelle une réponse, l'homme se perçoit obscurément comme harmonisé à ce Mystère ; il discerne, mais en creux, une dimension que sa réponse fera venir à la réalité. C'est dans l'acte de répondre à la parole de Dieu que l'homme se découvre lui-même ; c'est dans la non-réponse qu'il se perd soi-même, en même temps que Dieu. En d'autres termes, lorsque Dieu se manifeste à l'homme comme Parole mystérieuse par le moyen de l'interdit, l'homme perçoit qu'il est lui aussi Parole et il se comprend dans la réponse qu'il choisit de donner. Ainsi la tentation, qui a manifesté Dieu en lui-même, découvre-t-elle aussi l'homme à lui-même, non seulement comme pouvoir sur le monde et comme personne en face de la femme, mais comme liberté appelée à se poser comme Parole en face de Dieu.

Le monde comme symbole du Mystère

La tentation est donc pour l'homme une mise en demeure de se déclarer, une invitation inéluctable à la parole. Simultanément, elle fait accéder l'homme à la perception de son propre mystère, que celui-ci veuille se poser comme réciproque du Mystère de Dieu ou qu'il tente de s'affirmer dans l'indépendance. Mais il faut encore ajouter ceci : si une Parole divine prohibe quoi que ce soit dans l'enclos du jardin merveilleux et insinue par là le Mystère de Dieu et celui, réciproque, de l'homme, elle affecte par contre-coup d'un indice nouveau tout ce qui était déjà à la disposition de l'homme : les autres arbres du jardin, les animaux, la femme elle-même à l'homme et l'homme à la femme apparaissent comme donnés une seconde fois, dès le moment où on prend conscience qu'un seul arbre est refusé ; le reste aussi, en effet, aurait pu être refusé ou donné autrement. Ainsi le Don, expérimenté et loué au niveau de la création première, apparaît-il comme redoublé, enraciné dans le même Mystère que le Précepte. Si une seule parole accède au niveau de symbole de la transcendance et de la proximité de Dieu, toutes les autres en sont rétrospectivement éclairées, et c'est la création tout entière qui, à son tour, apparaît dans la lumière obscure du Mystère de Dieu s'adressant à l'homme. Réciproquement, elle renvoie en quelque sorte « sacramentellement », à ce Mystère et le fait, à sa manière connaître : demeurant témoin de la « bénédiction », elle devient aussi symbole du Mystère.

En présentant ainsi les enjeux de la tentation, j'espère n'avoir pas déformé l'orientation inscrite dans la forme narrative du récit de l'Éden, même si le genre littéraire du commentaire et de l'interprétation conduit à des explicitations dont le mieux qu'on puisse attendre est qu'elles ne trahissent pas ce que la narration dit d'une manière à la fois plus enveloppée et plus réelle. Toujours est-il que, pour revenir maintenant au point de départ, c'est-à-dire à l'intention de l'auteur yahviste de saisir dans son état naissant l'épure de l'histoire humaine, à laquelle les étapes successives donnent une coloration chaque fois nouvelle, il est intéressant de relever que, cherchant à comprendre l'histoire et à donner les raisons de son espérance, cet auteur laisse transparaître, sous la forme narrative, une vision extrêmement profonde de la Parole de Dieu. Celle-ci détermine, dans une création bonne, un espace fait pour éveiller l'amour et l'obéissance et mettre l'homme en responsabilité devant Dieu. Un exercice positif de cette responsabilité devrait comme transfigurer, mais au prix du respect nécessairement quelque peu onéreux d'un Précepte, le visage de Dieu, l'intelligence de la création et la connaissance elle-même que l'homme prend de soi.

2. L'épreuve de Job

Attentif à mettre en lumière la signification du Précepte comme révélation proposée du Mystère et invitation au discernement dont seul est capable le désir rectifié, c'est-à-dire l'amour, j'ai peu insisté sur le contenu du Précepte, à savoir l'interdiction de la connaissance du bien et du mal ou, comme le dit une récente traduction, « du bonheur et du malheur ». C'est que le récit de la Genèse ne s'étend pas sur le sens précis de l'expression ; à l'aurore de l'humanité où veut nous transporter le texte, cette expression ne peut guère avoir de sens très défini. Il semble que Dieu interdise à l'homme une certaine autonomie dans la direction de sa propre vie, qu'il lui barre le chemin d'une certaine sagesse, la relation d'Alliance établie sur la base du Précepte devant en quelque sorte fournir à l'homme une autre lumière pour mener son existence.

Quoi qu'il en soit, dans le livre de Job, nous l'avons vu, cette connaissance est bien acquise, à la fois par une expérience humaine séculaire et par le développement de la Parole de Dieu. Mais le même problème que dans le cas originel du récit de l'Éden va se reposer, redoublé en quelque sorte par la connaissance même que l'homme a acquise et reçue : Dieu en effet va se conduire autrement qu'il n'était prévu, en laissant venir le malheur sur l'homme innocent. Il ne s'agit plus seulement en effet d'un interdit symbolique, c'est-à-dire intervenant ici pour permettre l'établissement d'une relation nouvelle avec Dieu ; il s'agit d'un comportement effectif de Dieu qui, apparemment, rompt la relation.

La dialectique du livre de Job

Avant de poursuivre cette présentation du « problème » de Job, il faut dire quelques mots du livre lui-même tel qu'il se présente à nous aujourd'hui. Nous savons qu'un récit en prose encadre un long ensemble de discours dans lequel Job débat de sa souffrance avec ses « amis » et se débat avec elle. Or le récit en prose nous donne, sous une forme narrative qui en masque peut-être la profondeur, la solution juste du débat, solution à laquelle le Job des discours ne parviendra que tardivement et moyennant une expérience forte sur laquelle je reviendrai. Comment comprendre cette différence de niveau ? La distinction de couches rédactionnelles ne nous aide pas ici : car la question n'est pas de la distinction, mais de l'unité : comment lire *aujourd'hui* le livre de Job, dans l'unité de sa composition ? Je propose ici un point de vue : les récits en prose nous donnent effectivement la « solution » au problème de la souffrance, que voulait mettre en lumière l'auteur, tandis que les discours de Job *développent* le prix payé pour parvenir à cette solution ; ils disent le travail intérieur à l'homme et l'action puissante de Dieu nécessaires pour rejoindre l'attitude apparemment toute simple de Job dans le récit en prose : « Si nous accueillons le bonheur comme un don de Dieu, comment ne pas accepter de même le malheur ? » (2, 11).

Comme je l'ai remarqué plus haut, nous trouvons dans ce récit en prose les mêmes protagonistes que dans la Genèse : Dieu, l'Adversaire, l'homme et la femme ; nous retrouvons l'innocent soumis à l'épreuve et à la tentation, d'abord par l'Adversaire, puis par sa femme. Mais cette fois-ci, l'innocent sort vainqueur. La question, on le remarquera, est la même que dans la Genèse, mais elle est ici explicitée ; sous la tentation, Job va-t-il persévérer ou non dans la doxologie ? Ce thème de la doxologie rythme en effet tout le récit.

Du temps de sa félicité, Job se montrait soucieux que Dieu ne soit pas maudit, même inconsciemment ou sous l'effet de l'ivresse, par ses enfants, et « en cas », il offrait des sacrifices « car il se disait : peut-être mes fils ont-ils péché et maudit Dieu dans leur cœur » (1, 5). La double tentation de Job vise également la doxologie : Job ne va pas persévérer : « Je te jure qu'il te maudira en face » (1, 12 et 2, 5). Comme dans la Genèse, où la femme avait accepté de considérer Dieu comme menteur et jaloux et avait induit son mari à en faire autant, moyennant cette parole en acte qu'était la manducation du fruit, de même la femme de Job induit son mari à maudire Dieu en mourant. Mais, ici, les efforts conjugués de l'Adversaire et de la femme ne viennent pas à bout de l'intégrité de Job, laquelle consiste à ne pas pécher en se laissant aller à des paroles contre Dieu (1, 22 et 2, 10). Dans les deux cas, la doxologie consiste pour l'homme à s'humilier lui-même (déchirer ses

vêtements, raser sa tête, se coucher dans la cendre) et à confesser
Dieu, toujours le même qu'il donne ou qu'il reprenne, qu'il fasse
venir le bonheur ou le malheur : Dieu, en quelque sorte au-delà
de sa conduite vis-à-vis de l'homme. Mais comment parvenir à
cette attitude et, surtout peut-être, comment la légitimer, c'est ce
que le récit en prose ne dit pas, alors que, au contraire, le combat
de Job s'étale tout au long dans le corps de l'ouvrage.

Le récit en prose pourrait en effet nous induire en erreur. Dans
son ciel, au milieu de sa cour, Dieu apparaît bienveillant et
imperturbable. Il reste le même d'un bout à l'autre, semble jouer
avec l'Adversaire et faire de Job l'objet malheureux d'un pari
qu'on est sûr de gagner. Ce qu'il y a d'énorme à soumettre
l'homme juste à un lourd faisceau d'épreuves ne ressort
absolument pas du récit, d'autant moins que Dieu gagne son pari,
ce qui justifie à posteriori toute l'aventure sans que l'attention
s'attache spécialement à Dieu qui l'a permise. Mais, vu d'en bas,
par un homme qui est soumis à la souffrance et n'a pas accès aux
délibérations de la cour céleste, « Dieu » devient problématique,
c'est-à-dire qu'une question se pose à son sujet : qui est ce Dieu
qui laisse le malheur submerger l'homme intègre et droit, fidèle à
la Loi et à la Sagesse ? Qui est-il pour jouer aussi avec une
existence humaine ? Telle est la question lancinante,
obsessionnelle, de Job dans ses discours : il la retourne sous tous
les angles sans lui trouver de réponse.

Qui est Dieu ?

Le malheur qui s'est abattu sur Job est en effet proprement
incompréhensible : il ouvre comme une lézarde extrêmement
profonde dans un édifice spirituel, moral et cosmique dont Job
reconnaissait à bon droit l'origine dans la Sagesse de Dieu et les
décrets de sa Loi. Or il ne s'agit pas ici de problèmes seulement
spéculatifs : Job entre d'un seul coup dans le monde de l'angoisse.
Dépouillé de ses biens, c'est-à-dire de son enracinement
économique dans le monde des choses, privé de ses enfants, c'est-
à-dire de son enracinement familial dans le temps des hommes, il
est, en ce qui le concerne personnellement, en proie à un
dépérissement douloureux et incurable : son corps, c'est-à-dire lui-
même, se désagrège. Peu à peu, il en arrive au point de non-
retour : tout regard vers l'avenir, tout projet constructeur lui sont

désormais interdits par sa chair malade et son isolement social, en sorte que la mort, déjà, investit sa vie en sursis. Et, dans cette angoisse résultant de la disparition de toute stabilité de l'homme dans sa personne et son environnement, nul ne peut venir au secours de Job : d'abord parce que nul secours humain ne peut réellement subvenir à la panique de l'homme qui « s'en va » et le sent ; ensuite parce qu'une telle angoisse est insupportable à l'entourage de Job, sans doute parce qu'elle rappelle la réalité oubliée et toujours inacceptable de la souffrance : on s'écarte donc plutôt de lui. De la sorte, c'est la personnalité même de Job qui tend à s'effriter ; rien, de la terre, de la chair, des amis ou des parents, ne lui fournit plus les repères qui lui permettraient de se comprendre à nouveau et donc de survivre. Ou, s'il devait mourir, de trouver quelque sens à sa mort.

A un moment donné, par conséquent, le malheur de Job est total. Il résulte d'une série de distorsions qui l'ont accablé et dont la somme a fini par devenir insupportable. Rien n'a échappé à cette progressive et lente expérience de la destruction : les biens, la famille, la chair, la possibilité de communiquer avec autrui, le psychisme enfin, tout est atteint, détruit, ravagé. Or ce malheur total : économique, social, personnel, est en quelque sorte redoublé du fait qu'il n'a pas de fondement, pas de raison ; il est proprement démesuré, parce que rien ne permet de le cadrer quelque peu, de le comprendre. Rien, selon la vision du monde de laquelle vivait Job, n'autorisait son malheur à advenir, puisque le malheur y était lié à la faute et le bonheur à la justice. Infortune d'autant plus incompréhensible — et c'est là le point le plus douloureux, celui autour duquel tout se noue —, que Dieu lui-même était l'origine et le garant d'une harmonie entre la justice et la félicité, pourvu que l'homme obéisse à la Loi et vive selon la Sagesse. S'il advient soudainement que le malheur soit lié à la justice et le bonheur à la faute, que penser et que croire, surtout quand on est effectivement sous l'emprise destructrice de ce malheur ? Qui est Dieu, en définitive, si une vie qui s'est voulue fidèle à sa Parole et à son commandement s'effondre à ce point ?

Ce que crie la chair torturée de Job, c'est finalement la question de la Sagesse de Dieu, de Dieu lui-même. L'attitude de Job appelait absolument une réponse, qui fût en définitive la fidélité de Dieu à sa créature fidèle et qui s'exprimât dans le seul monde où, concrètement, vivait Job : celui de la nature, de la vie, des relations interhumaines. Le Dieu de Job est un Dieu qui *devait* répondre, au nom même de sa fidélité, en soutenant le bonheur de l'homme fidèle. C'est d'ailleurs souvent un Dieu qui répondait, comme l'expérience traditionnelle avait pu le constater. Sans doute certains sages d'Israël avaient-ils parfois eu le tort de laisser à l'arrière-plan la personne de Dieu, qui répond, pour ne plus mettre en valeur que les lois récurrentes de la réponse : d'où un certain danger de sclérose dans leur appréciation des événements et des hommes. Mais tel n'était pas le cas de Job, dont toute la réaction douloureuse garde le caractère d'une parole vigoureusement adressée à Dieu lui-même. C'est Dieu qui doit répondre, puisque c'est Lui qui était au principe de tout. Job ne peut ni ne veut mettre en doute ses convictions antérieures, parce qu'elles étaient justement fondées en Dieu, en sa Sagesse, en ses Commandements et, à un niveau encore plus radical, en sa création elle-même dont Job saisissait les valeurs de distance et de présence, sans lesquelles un rapport de co-répondance n'aurait pas été possible. Présence, en ce que le développement et le rythme du monde, des « lois » qui à divers niveaux le règlent, s'originent à la Sagesse créatrice. Distance, en ce que cette Sagesse garde toujours l'initiative, c'est-à-dire qu'elle présente constamment l'aspect d'un *don*. C'est précisément parce qu'il connaît dès longtemps cette sollicitude que Job est étonné de la « méchanceté » de Dieu, qui ne répond plus à la fidélité de sa créature fidèle. S'il est « bon », pourquoi se montre-t-il « méchant » ? Telle est la question qui ronge Job et ne lui laisse pas de répit. Dans le Livre des Proverbes, la Sagesse apparaissait dans le Ciel, rayonnante de la joyeuse puissance créatrice de Dieu (cf. Pr 8) ; dans le Livre de Job, personne — et surtout pas Job lui-même — ne sait plus où est cette Sagesse. S'il fallait la chercher quelque part, ne serait-ce pas plutôt au creux caché de la terre (cf. Jb 28) ? Et pourtant !

3. La résolution de l'épreuve

Entre Adam et Job, il y a toute la différence entre l'enfant comblé, tenté de s'approprier encore ce qui lui est refusé au lieu d'entrer dans un processus de relation, et l'homme mûr, qui a longuement médité et vécu ce processus, mais se trouve tenté de blasphème au moment où sa vie bascule dans un échec incompréhensible. Mais la Bible sait sans doute que tout homme est, par quelque côté, cet enfant gâté qui refuse de naître à la vie au prix d'une certaine mort, et par quelque autre, cet homme généreux mais à la frange d'un découragement total. Et c'est pourquoi sans doute, elle campe devant nous ces deux hommes et nous montre, dans les deux cas, la pédagogie divine à l'œuvre.

Péché, colère et miséricorde dans le récit de l'Éden

Il aurait été préférable que l'enfant gâté comprît de quoi il s'agissait dans l'interdit de manger du fruit de l'arbre au milieu du jardin : Dieu proposait une relation d'alliance. S'étant fait connaître par la magnificence de sa bénédiction, il voulait encore se manifester dans l'échange de la parole. Mais si l'enfant ne veut pas comprendre avant, peut-être, appauvri et souffrant, comprendra-t-il après ! Oubliant que tout ce qu'il est et que tout ce qu'il a est *reçu* de Dieu, l'enfant veut s'approprier et ajouter à son acquis cela même qui lui est refusé au lieu d'attendre que ce lui soit, d'une autre manière, donné. En un sens, alors, il va tout perdre ; en un autre, il va être mis en mesure, dans son dépouillement même, de devenir l'homme en face de Dieu et d'autrui que, dans sa richesse, il n'avait pas voulu devenir.

Du péché proprement dit, il n'y a rien à dire : l'ultime décision d'une liberté repose finalement sur elle-même ; on peut seulement en prendre acte et, ensuite, en épeler les conséquences.

Celles-ci, si on se borne en un premier temps à considérer l'attitude de l'homme et de la femme, avant qu'ils ne soient confrontés à Dieu, pourraient se définir comme perte d'identité et naissance de l'angoisse ; des fermetures s'opèrent, dont le signe est qu'on commence à se cacher. On a souvent relevé l'ironie de l'auteur, soulignant que lorsque l'homme et la femme eurent mangé de l'arbre de la *connaissance*, ils *connurent* effectivement, mais qu'ils étaient nus : ils acquièrent la mesure de l'homme seul. Et cette nudité leur devient aussitôt insupportable, sans qu'ils aient moyen d'y remédier, car elle est devenue symbole de solitude et de pauvreté. Aussi bien, ces deux êtres, créés l'un pour l'autre, en « vis-à-vis », élèvent-ils entre eux l'écran des ceintures de feuilles ; la réciprocité de leur être est brisée et chacun renferme son corps sur soi-même, non par une décision volontaire de se vêtir, mais parce que telle est, en ce qui concerne leur relation mutuelle, le fruit immanent de leur rupture avec Dieu. Celle-ci se manifeste aussi par la tentation de dresser un écran pour se garder de Dieu :

les arbres du jardin, naguère donnés par Dieu et même devenus, grâce à la parole de l'interdit, symboles avec tout le créé d'une relation au niveau du Mystère, deviennent — ou du moins l'homme voudrait qu'ils deviennent — une protection contre la rencontre avec Dieu. Ainsi, non seulement par son refus l'homme a-t-il rompu avec le Dieu de la Parole, mais il a perdu une identité qui aurait dû se vivre dans l'action de grâces : avec la femme qu'on lui avait donnée, avec Dieu qui l'avait formé et avec lui-même. Et la cascade sordide de reproches qui va intervenir, au moment de la rencontre avec Dieu, chaque créature tentant de rejeter la faute sur une autre, est le signe de la profondeur de cette rupture de réciprocité.

En un sens, Dieu prend acte de cette rupture, et, dans les paroles qu'il prononce ou les gestes qu'il fait, en accuse et souligne la réalité. Chassant l'homme du lieu où on pouvait le rencontrer « à la brise du soir », il accuse la séparation entre l'homme et lui. Faisant des vêtements à l'homme et à la femme et prononçant une mystérieuse sentence sur le déséquilibre de la rencontre sexuelle, il accuse la séparation entre eux. Prononçant une parole sur le travail pénible et la mort finale, il accuse la séparation entre l'homme et le sol dont il avait été fait : celui-ci donnera difficilement son fruit et aura finalement raison de l'homme... En fait, cette « colère » de Dieu consiste à ne pas empêcher les effets en quelque sorte immanents et inévitables de la rupture avec lui — effets qui se reproduiront et s'aggraveront chaque fois qu'un homme continuera à jouer à l'enfant. Il y a là une profonde cohérence : l'homme qui a refusé l'alliance se trouve en dehors d'elle, mais ce refus s'inscrit totalement en lui et atteint le lieu où la vérité est impossible à cacher : le corps. Après le péché, l'homme est un corps solitaire : qui ne peut plus adorer, ni rencontrer son prochain, ni dominer la terre. Voué à la mort.

En un autre sens, cependant, et plus profond sans doute, Dieu ne prend pas acte de la rupture et entreprend, à partir même de la situation de péché, d'y remédier. Cette visée de miséricorde et de reprise est déjà visible dans le fait que *Dieu parle*. On peut s'en étonner car, la sentence de mort étant déjà portée par anticipation dans l'énoncé même du Précepte, elle était exécutoire immédiatement une fois la transgression commise. Or, il n'en est rien ; l'homme ne meurt pas immédiatement et est au contraire appelé à entendre une parole de Dieu. Et, si cette parole définit un châtiment, elle ouvre aussi des perspectives de vie. Dieu vêt l'homme et la femme : il les met ainsi en mesure d'exercer librement leur sexualité, de se dévêtir et de se rencontrer lorsqu'ils auront échangé une parole d'amour. Dieu prononce une parole sur la descendance de la femme, et c'est à ce moment précis qu'Adam donne à Ève un nouveau nom, plutôt étonnant dans ce contexte qui devrait être de mort : il l'appelle « la Vivante », car elle sera la mère de tous les vivants. L'homme est certes chassé du Paradis, afin qu'il ne tente pas d'acquérir par soi-même l'immortalité, ce qui serait encore plus fatal pour lui que de dérober la connaissance du bien et du mal ; mais cette expulsion est aussi un envoi sur la lande infinie ; les frontières du jardin s'élargissent au monde entier, et c'est sur un très long temps, une Histoire, que l'homme apprendra les chemins de la vie.

Ainsi, la vie à venir de l'homme, de la femme et de leur descendance est-elle tout entière sous la parole de Dieu : celle-ci est présente comme en creux dans l'ensemble des souffrances qui proviennent de ce qu'on ne l'a pas entendue et par là même y font secrètement écho ; elle est surtout présente parce qu'elle se fait réentendre et crée donc à nouveau un climat d'écoute, permettant à l'homme de rentrer, mais douloureusement, dans l'Alliance dont il n'avait pas voulu. Et l'ampleur de cette parole se laisse pressentir à ce qu'elle ouvre l'histoire, puisqu'elle parle de descendance, et la géographie puisqu'elle envoie l'homme sur la terre infinie.

La Parole créatrice dans le livre de Job

L'homme désespéré par un échec aussi total qu'incompréhensible, au terme d'une vie de justice et d'alliance, va se voir offrir le secours de Dieu avant qu'il ne tombe dans le blasphème. Il est en effet au terme d'un périple que l'enfant gâté de la Genèse ne faisait que commencer, et il ne faut pas qu'il succombe à la tentation.

Qu'il s'agisse d'une tentation, la phase résolutive de l'histoire nous le montre bien (38-42). Quand Dieu enfin se manifeste et prend la parole, il le dit d'emblée :

> Quel est celui-là qui obscurcit mes plans
> par des propos dénués de sens ? (38, 2.)

tandis qu'à la fin, Job est conduit à reconnaître qu'il s'agit bien de lui :

J'étais celui qui voile tes plans
par des propos dénués de sens (42, 3.)

Si on admet cependant, comme je crois l'avoir brièvement montré ci-dessus, que les questions de Job à Dieu, dans ses discours douloureux, étaient de vraies questions, on doit analyser le processus qui a pu le conduire à se taire, afin de discerner le sens de cette capitulation. A première vue, ce processus est simple : Job entend deux longs discours de Dieu, dans lesquels celui-ci parle longuement de la création, dans ses harmonies et dans ses forces hostiles, et pose la question de la puissance et de la sagesse qui y sont au principe. Job reconnaît que seul Dieu est au principe de cette puissance et de cette sagesse, que lui-même n'y a pas accès et, en conséquence, « se rétracte et s'afflige sur la poussière et sur la cendre ».

Mais ceci ne va pas sans poser un problème : dans ses discours antérieurs, en effet, Job avait lui-même reconnu, ici et là, cette transcendance de la sagesse de Dieu et en avait même tiré la conclusion que toute discussion avec Dieu de son propre cas était impossible (p. ex. chap. 9) ; moyennant quoi, il avait continué de parler ! Or ici, il se tait. Pourquoi ?

Je voudrais proposer une double réflexion, l'une sur le fait que *Dieu parle* : ces vérités sur la création, que Job avait lui-même dites, il les *entend* maintenant ; elles deviennent parole de Dieu et c'est à ce niveau qu'elles appellent une réponse. La seconde réflexion portera sur le fait que, parmi toutes les questions dont il aurait pu parler avec Job, Dieu ne choisit pas les questions *éthiques* qui formaient, aux yeux de Job, le fond du différend, mais la création ; il faudra élucider pourquoi ce choix.

1. *Dieu parle.* Il y a un dire, donc une adresse et une provocation à la réponse. Que le dit soit identique à ce que Job avait déjà dit et que rien de nouveau, par conséquent, ne puisse surgir du contenu, invite à s'arrêter sur le dire. Ce dire instaure un dialogue doublement inégal. D'abord, Dieu intervient sur le mode théophanique : il parle « du sein de la tempête » : toute l'expérience progressive de la distance de Dieu, faite par Israël au long de son histoire, et dont l'élément déterminant a peut-être été l'exil, c'est-à-dire la prise de distance de Dieu par rapport à son peuple et à son temple, est ici présente. Dans le livre de Job, Dieu parle en Dieu. Mais l'inégalité du dialogue ressort aussi de sa

forme interrogative : Dieu pose des questions relatives à l'*identité* de celui qui est au principe de la création ; en termes de puissance, avec les formules récurrentes : « Qui a fait ? Où étais-tu quand... ? Peux-tu ? » ; en termes de sagesse, avec des formules comme : « Sais-tu comment... ? As-tu pénétré ? ». L'homme est évidemment invité à se reconnaître étranger à cette puissance et à cette sagesse et, incapable personne, à renvoyer à la personne de Dieu l'autorité qu'il n'a pas.

Dialogue inégal, mais pourtant dialogue : puisqu'il y a question, il peut y avoir réponse et, par conséquent échange et alliance, ou au contraire, révolte et séparation. *Le discours de création est, en tant que discours adressé, proposition d'alliance.* Proposition onéreuse et où apparaît à nouveau la « forme de mort », dont j'ai tenté de montrer dans le précédent chapitre qu'elle intervenait au centre d'un procès d'alliance. Pour établir la communion avec Dieu sur la base qui lui est proposée par la parole envoyée « du sein de la tempête », l'homme doit faire deux choses : d'abord reconnaître son impuissance à fonder la création qui l'entoure et que, en un sens, il transcende (les discours de Dieu ne mentionnent pas la création de l'homme, mais seulement des éléments et des animaux) ; ensuite — et c'est infiniment plus difficile —, Job doit accepter la conséquence, implicite mais à laquelle tend tout le processus, concernant le procès avec Dieu en matière d'éthique et de rétribution : si la sagesse et la puissance de Dieu passent infiniment l'homme dans la création, elles le passent exactement autant dans la relation et l'alliance et on ne peut que se prosterner sans demander de comptes. On le voit, l'intensité de la mort ici proposée est sans commune mesure avec ce que nous avons vu en Éden : pour entrer en communion avec Dieu, l'homme doit sacrifier sa puissance, sa sagesse et sa justice. Mais alors s'agit-il encore d'une alliance ?

2. C'est ici que peut entrer en ligne de compte le second aspect de ce dialogue inégal entre Job et Dieu. Pour mettre en lumière sa transcendance qui le situe en dehors et au-dessus de toute assignation, Dieu prend comme thème la création et non pas l'alliance. Or il aurait été possible d'organiser un discours interrogatif de même forme : « Qui a pris l'initiative de l'alliance ? Où étais-tu lorsque j'en méditais les termes ? » Ou, de manière encore plus frappante dans notre contexte : « As-tu pénétré la connaissance du bien et du mal ? » Or Dieu ne dit pas cela. Il se

lance au contraire dans une très belle *description* (la plus belle peut-être de toute la Bible) des merveilles de la création, qu'elles soient simplement admirables (éléments et animaux) ou admirables et redoutables (Léviathan et Béhémot). Autrement dit, il se situe sur un plan *incontestable* : incontestable la mystérieuse richesse de la création ; incontestables la puissance et la sagesse qui l'ont « faite » et « pénétrée » ; incontestable la transcendance du Sujet divin qui est derrière cette puissance et cette sagesse par rapport à la puissance et à la sagesse de l'homme. La manifestation de cet incontestable est une invitation implicite à appliquer aussi au domaine de l'éthique et de la rétribution ce qui apparaît avec évidence dans le domaine de la création : la sagesse de Dieu se meut à un niveau où l'homme n'a pas accès ; mais si elle se révèle tellement puissante et positive encore que transcendante et cachée au niveau de la création, ne fournirait-elle pas un sens réel, bien que tout aussi mystérieux et hors des prises humaines, à la conduite déconcertante de Dieu au niveau de l'éthique et de la rétribution ?

Si Dieu avait choisi de manifester sa transcendance sur la base d'un discours immédiatement éthique, sa sagesse n'aurait-elle pas apparu arbitraire et tyrannique ? « J'ai promis et je ne tiens pas ma promesse, voilà tout. Je fonde la morale comme il me plaît et je la dérange comme je l'entends. La sagesse est folie et la folie sagesse, mais de toutes manières, la puissance est puissante ! » La question de Job était celle de la sagesse de Dieu au sein d'une conduite folle ; une théophanie qui se serait bornée à affirmer cette sagesse, sans la faire reconnaître au moins tant soit peu par un autre chemin, aurait vraiment jugé Dieu, et la femme de Job aurait été dans la vérité : Maudis Dieu (car il se joue de toi) et meurs (car il est plus fort que toi, et tout est absurde).

Quoi qu'il en soit de la pertinence de cette supposition théorique, il reste que Dieu a parlé de la création. Il n'en a pas parlé comme dans la Genèse, en termes de *don* (« Tu peux manger de tous les arbres du jardin »), mais en termes descriptifs et, en quelque sorte, neutres : les éléments du monde sont pris à témoins de la transcendance de la sagesse et de la puissance de Dieu et, au travers de celles-ci, renvoient au Mystère de Dieu lui-même. Au fond, Dieu tient ici un *discours analogique* et met en lumière les fondements positifs d'une doxologie [26]. Et il attend que l'homme, ainsi

---

26. Je veux dire par là que la manifestation de la création, reliée à la puissance de Dieu, va susciter en Job un émerveillement pour ainsi dire « à la puissance

conduit vers une perception positive de la sagesse de Dieu en matière de création, accepte que cette même sagesse mystérieuse joue aussi en matière d'alliance. La sagesse de Dieu créant le monde se porte en quelque sorte garante de la sagesse de Dieu faisant alliance, même lorsque ce Dieu est apparemment (mais d'une apparence qui, pour Job, est de chair et de sang) infidèle à sa Loi et à ses promesses. En d'autres termes, le discours de création tenu par Dieu à Job « du sein de la tempête » permet que le sacrifice de communion, à l'intensité duquel rien n'est retiré, ne soit pas un *sacrificium intellectus*. L'analogie vient au secours de la « forme de mort ». Et c'est la parole de Dieu elle-même qui présente ce secours.

Le jugement et la restitution

A la fin du discours de Dieu, l'assurance que montrait jusque-là Job s'effondre : il entend le message et l'accepte. Du coup, comme en Éden mais à l'inverse, ses yeux s'ouvrent et il « voit » Dieu ; ses dernières paroles, déjà citées : « je me rétracte et m'afflige sur la poussière et sur la cendre » (42, 6), disent en négatif, par rapport à toute la lutte passée, ce que le récit en prose disait en positif : « Si nous accueillons le bonheur comme un don de Dieu, comment ne pas accepter de même le malheur ? » (2, 10), mais nous comprenons maintenant que, pour passer de l'acceptation du bonheur à celle du malheur, il faut accepter d'abandonner l'image qu'on se faisait de Dieu et s'enfoncer dans le Mystère d'un Dieu au-delà du bonheur et du malheur.

Tel est bien en définitive l'enjeu du livre. N'est-il pas proposé à Job, par l'épreuve à travers laquelle il passe, d'interpréter ce paradoxe d'un Dieu bon et sage qui laisse venir le malheur, si même il ne le cause pas expressément ? Job n'est-il pas invité à « entendre » cet excès du malheur comme une Parole, une paradoxale « Révélation » ? Le comprendra-t-il au contraire comme le plus absurde des non-sens, qui condamnerait Dieu, sa

---

seconde » : en effet, c'est sur l'arrière-plan de sa souffrance restée inexpliquée, que brille la lumière de Dieu. Dans l'adoration finale, Job laisse l'émerveillement devant le Créateur englober, voire engloutir le procès fait à Dieu « infidèle » ; mais le passage par la tentative de procès donne une autre profondeur à la perception de la création que dans le cas d'Adam et d'Ève se promenant dans le Paradis.

Loi, et l'homme dans son effort de justice et de fidélité, et renverrait à une sorte de nihilisme désespéré ? Job saura-t-il et voudra-t-il lire l'excès du malheur comme une question, que l'on pourrait ainsi formuler : n'y a-t-il pas un bien qui soit au-dessus du bonheur, et un mal qui soit plus horrible encore que le malheur ? N'y a-t-il pas une dimension de Dieu qui soit plus profonde que celle de Créateur et de Législateur répondant à la fidélité de l'homme, et une certaine souffrance imméritée ne serait-elle pas le chemin pour y accéder ? N'y a-t-il pas une figure de l'homme qui lui soit plus intime que l'obéissance elle-même « aux décrets du Très-Haut ? En supprimant le bonheur, Dieu ne se révélerait-il pas comme le Dieu du Bien, et le mal ne serait-il pas de se laisser prendre à l'horrible du malheur pour contester la bonté suréminente de Dieu ? Il n'est plus possible à Job d'en rester à l'humanisme religieux de bon aloi dont il vivait jusqu'alors. Cette étape n'était certes pas mauvaise en elle-même, mais l'excès du malheur contraint Job à la dépasser : soit par la découverte ou le pressentiment de dimensions supérieures ou plus profondes, pour Dieu comme pour l'homme, soit par l'effondrement dans un désespoir absolu. C'est donc vraiment ici le lieu de l'épreuve, et celui d'une décision que l'on peut bien qualifier de « foi » : à ce niveau, Dieu ne s'impose pas ; il se propose d'une manière étonnante, se révèle, mais si mystérieusement que seule une démarche profondément spirituelle permet de le reconnaître. On est ici au seuil de la « mystique » (si par là il faut entendre le mode propre de la saisie du Mystère).

De même que le Précepte, introduisant la tragédie dans le jardin d'Éden, ne faisait pas pour autant perdre à l'homme son innocence, bien qu'il le dépouillât de sa naïveté, de même ici l'excès du malheur n'est pas un mal absolu, mais plutôt une voie quasi nécessaire vers la reconnaissance personnelle du Dieu véritable, vers l'approfondissement de l'innocence du Juste. Déliée du bonheur qui ne l'accompagne plus nécessairement, cette innocence apparaît dans la pureté nue d'une relation avec Dieu qui dépasse non seulement l'équilibre harmonieux de la santé, de la richesse et de la considération, mais encore celui que crée la fidélité aux commandements de Dieu, voire la fidélité de Dieu à sa propre promesse. Le Mystère recule ; il est au-delà de la Sagesse et de la Loi comme des rapports que celles-ci déterminent entre Dieu et les hommes.

Dans cette perspective, la restitution de Job dans sa situation antérieure, la bénédiction de sa condition dernière plus encore que l'ancienne, telles qu'elles sont décrites dans l'épilogue en prose en strict parallèle avec le prologue, ne doivent pas induire en erreur. On ne revient pas purement et simplement, même en mieux, à la description du chap. 1, vv. 1 à 3. Entre-temps, Job (et nous qui le lisons) a « vu » Dieu : il sait de qui lui viennent les nouveaux bienfaits et à qui ils s'adressent. La restauration est réelle, mais la nouvelle condition a changé de sens ; il y a de nouveau bénédiction, l'éthique de l'alliance demeure, mais tout cela part de plus loin : Job peut y voir un *sacrement* du Mystère, et lui-même accueille autrement ce qui lui est donné, il déploie autrement la même justice. Rien n'est perdu de ce qui était, mais tout est transfiguré et renvoie autrement à Dieu et aux hommes.

La méditation de ces deux grandes figures bibliques, Job et Adam, menée à la lumière de la croix de Jésus et destinée en retour à projeter davantage d'intelligence spirituelle de la croix, nous manifeste en définitive deux choses. Tout d'abord, le chemin de la connaissance de Dieu n'est pas rectiligne et régulièrement progressif. Dieu se fait connaître et assimile l'homme à soi-même moyennant un jeu de présence et de retrait, de don et d'interdit, d'alliance et d'oubli, jeu qui est en réalité une *pédagogie de la communion*. Au travers de cette éducation, Dieu renvoie toujours de nouveau l'homme à une quête plus profonde qui lui permette une rencontre à la fois véridique, c'est-à-dire située au niveau de la réalité ultime de Dieu et de l'homme, et dynamique, c'est-à-dire faite d'un échange des libertés au long d'une histoire de la parole. Le second enseignement ici dispensé est que, au niveau tout au moins des deux figures étudiées, Dieu n'a pas encore découvert tout son mystère. L'alliance dont n'avait pas voulu Adam, Job l'a accueillie et lui a été fidèle ; c'est qu'il y a une dimension de Dieu, comme aussi de l'homme, qui est au-delà de la création et de l'alliance : celle que Job pressent, au moment même où il adore Dieu qui vient de se manifester dans une ultime théophanie, mais sans en avoir le secret. *Ce secret, c'est Jésus qui le délivre par la croix en prononçant le nom de Père et en étant reconnu comme fils.* Toutefois, même si les deux figures étudiées ne dévoilent pas ce que pourtant elles annoncent, du moins indiquent-elles clairement le processus concret, à la fois mortifiant et transfigurant, de la révélation divine. C'est sur ce processus que je voudrais revenir en conclusion de ce chapitre, adoptant une démarche résolument plus spéculative et moins liée (sans s'en séparer pourtant) à la lettre des récits.

4. Un jeu de mort et de vie entre l'image et le symbole

Une image positive de Dieu

Qu'il s'agisse d'Adam, de Job ou de Jésus, l'aventure commence toujours avec une image positive de Dieu, dont il nous faut essayer de dégager les composantes. Cette image se fonde sur une certaine expérience de l'action de Dieu, liée à une parole de don et de promesse. Dieu forme l'homme, plante le jardin, crée les animaux, construit la femme en vis-à-vis de l'homme, et donne toutes choses au premier couple : image d'un Dieu *bon*, la bonté signifiant ce qui, en Dieu, fonde ce don gratuit et inconditionnel. Dieu rétribue, selon la promesse qu'il en a faite, les hommes qui obéissent à sa Loi juste et en accomplissent les préceptes : image d'un Dieu *fidèle*, la fidélité signifiant la persévérance inébranlable de Dieu à maintenir son alliance. Dieu accomplit le dessein de salut qu'il avait annoncé par Moïse et les prophètes, en envoyant Jésus établir son Royaume : image, que Jésus expérimente et qu'il proclame aux yeux de tous, de Dieu *père* et *roi*.

Les *noms* (que j'ai soulignés) qui correspondent à ces images ont une connotation éthique et ils impliquent une affirmation ontologique. Parler de connotation éthique veut dire que Dieu est en quelque sorte évalué, à partir d'une certaine expérience et idée que l'homme a du bonheur : la paisible vie paradisiaque, la prospérité du juste, la domination du peuple élu ; à partir de là peuvent s'apprécier l'initiative gratuite, la justice de la loi, la positivité de l'histoire ; des jugements sont ainsi posés sur Dieu, dont l'action rencontre le désir de l'homme et un réel amour de complaisance se déploie pour un Dieu ainsi bon, fidèle, roi et père. On pourrait dire aussi que les noms de Dieu ainsi portés ont une connotation doxologique : en même temps qu'ils le disent, ils le louent. Et il y a, implicitement, une ontologie : celui dont on parle ainsi était avant toutes choses, et il demeure dans la permanence de sa bénédiction. L'ontologie ne fait pas problème dans un contexte positif ; elle n'est ni affirmée, ni niée, ni, par conséquent, élaborée ; elle soutient simplement le langage.

On remarquera pourtant qu'il y a une dialectique entre ces

images : pour arriver au Dieu fidèle et juste, il aura fallu surmonter le doute insinué par le fait que Dieu interdit ; pour arriver au Dieu roi et père, il aura fallu surmonter les doutes répétés sur la fidélité de Dieu, soit à l'alliance avec son peuple, soit à la sagesse qui définit la vie individuelle. Tout se passe comme si l'image, paisiblement adoptée à un stade de l'expérience, avait dû être conquise, moyennant une lutte difficile, à l'étape précédente. Nous allons donc être amenés à vérifier le sens d'un élément négatif survenant pour apparemment voiler la positivité de l'image première. Toutefois, il était capital de souligner cette positivité, car elle est toujours là d'abord, et d'en dire brièvement les caractéristiques.

La mise à l'épreuve de l'image

Il faut essayer de distinguer, autant que faire se peut, l'épreuve de la tentation. Si dur qu'il soit de l'admettre, l'épreuve vient de Dieu, dont le comportement fait rupture avec ce qui précède et met donc en cause l'image qu'on s'était faite de lui sur la base de son action bienfaisante. Le Dieu bon interdit, révélant ainsi à l'homme et l'infinité de son désir (quoi de plus ample que de connaître le bien et le mal ?) et la réserve qu'il est invité à y mettre ; le Dieu fidèle laisse advenir une situation de malheur qui est, de sa part, une véritable rupture de contrat, de sorte que l'homme, objectivement, ne reçoit pas son dû et, personnellement, ne reconnaît plus son Dieu ; le Dieu roi et père abandonne le Messie qu'il a chargé d'établir le royaume et semble se désintéresser par là définitivement de son dessein de salut pour les hommes et pour l'histoire. Inversement, la tentation ne vient pas de Dieu (c'est là le sens minimal qu'on puisse donner à la présence, dans les trois cas qui nous occupent, d'un adversaire) ; elle consiste à proposer sur Dieu un jugement éthique négatif, rigoureusement contradictoire du précédent : Dieu est jaloux, lui qui était bon, injuste, lui qui était fidèle, indifférent, lui qui était sauveur. Ce jugement sur Dieu enveloppe, sans l'expliciter, une négation ontologique : s'il n'est pas vraiment bon, il n'est pas, et entraîne une auto-affirmation de l'homme, seul dieu sur la terre, ainsi qu'il ressort de la parole du serpent en Éden, et des propos du tentateur à Jésus dans le désert.

Dans tous les cas de figure de l'épreuve, Dieu *s'absente* de l'image qu'on s'était *à juste titre* fait de lui ; or cette absence relève du jugement éthique, car elle déplace le bonheur de l'homme ; il ne peut plus prétendre jouir indéfiniment de biens mis sans limites à sa disposition, puisqu'il y a justement une limite et que celle-ci est bien placée ; il ne peut pas se féliciter d'un bonheur domestique sans accroc vécu dans une conscience religieuse sans reproches, puisque la disparition du premier met douloureusement la seconde en question ; il ne peut pas se réjouir de mener à bien la mission qui lui est confiée, puisque les oppositions se révèlent les plus fortes. Le bonheur n'est donc ni dans la naïve félicité de l'enfant au désir infini, ni dans le sentiment, même modeste, que l'homme fidèle a de sa propre justice, ni dans la réussite, même obéissante, de la mission confiée au Messie.

Le point que je voudrais mettre ici en relief est que le jugement éthique entraîne en même temps une démarche théologique : au terme les noms divins auront pris un tour mystérieux ou au contraire blasphématoire — une décision anthropologique : la vérité de l'homme est dans une obéissance à Dieu dont on ne voit pas le terme ou dans une auto-divinisation —, une affirmation ou une négation ontologique : Dieu, jusque dans son mystère, est le fondement et la mesure de toutes choses, ou bien, en définitive, il n'y a pas de Dieu.

La résolution de l'épreuve

La résolution de l'épreuve dans un sens positif est persévérance dans la doxologie, pressentiment de la vérité de l'homme et attente de la révélation de Dieu ; elle se produit comme comportement symbolique ; on peut légitimement la désigner par l'expression biblique « sacrifice de communion ».

1. Du seul fait qu'elle bouleverse un équilibre acquis dans la représentation de Dieu et de l'homme, voire du monde, l'épreuve présente un aspect tragique certain. Mais elle n'est pas inhumaine et ne se résout pas dans le non-sens. Même s'il le fait en détournant l'affirmation de son sens vrai, le serpent n'a pas tort de dire au couple mis à l'épreuve : « vous serez comme des dieux » ; il dévie un désir mais en même temps il le révèle. Ce désir, l'auteur de l'autre récit de la création dans la Genèse en révèle positivement le fondement lorsqu'il dit que Dieu a créé l'homme « à son image

et à sa ressemblance ». La seule question, laissée au pouvoir de l'homme, est de savoir si, pour accomplir ce désir, il faut tuer Celui qui l'a mis en nous. Sinon, la résolution de l'épreuve joue comme espérance et comme attente : si le désir de l'homme est d'être « comme Dieu », la meilleure manière de le combler, « naturelle » en quelque sorte à l'homme qui se refuse au trouble de la tentation, est de laisser l'amour de Dieu jouer en lui, et de prêter une tranquille attention à sa parole, car le processus de la divinisation, de la participation, de la communion, ne peut venir que de celui qui en a pris l'initiative : Dieu. Les déplacements du bonheur, auxquels j'ai fait allusion dans le paragraphe précédent, jalonnent en fait un cheminement vers une perception active du bonheur vrai, dont la mesure réelle apparaît au fur et à mesure qu'on en suit librement le chemin indiqué.

L'absence de Dieu (laquelle encore une fois n'est pas première, mais vient toujours après la manifestation d'une certaine présence) peut alors être pressentie comme une étape vers la révélation plénière, qui ne peut advenir que dans un processus effectif de relation consentie. Ne peut-on comprendre que, parce qu'il s'absente, Dieu s'implique ? Il s'était tout d'abord manifesté comme source de bénédiction et révélé comme interlocuteur, ouvrant par sa parole une histoire orientée vers une communion en mystère. Son absence et son silence peuvent alors être interprétés comme les espaces laissés ouverts à l'homme pour la réponse. N'a-t-on pas, dans les échanges humains eux-mêmes, ces moments de présence et d'absence, de parole et de silence, ordonnés à une semblable construction de la communion ? Il en est ici de même, mais à la mesure de l'établissement d'un dialogue entre Dieu et l'homme. L'idée d'un événement qui se produit entre eux suppose une parole qui propose et qui attend, de sorte que tout silence de Dieu puisse être interprété comme un appel à la vigilance : il reviendra. Et à ce point, le jugement éthique confirme l'ontologie : s'il est bon, il est, mais il est meilleur et plus être qu'on ne l'aurait imaginé puisque sa bonté et son être recouvrent aussi bien les dimensions d'interdit et d'absence que la dimension de don et de présence. Quant à l'homme lui-même, auditeur de la parole ou victime du silence, il se découvre aussi dans une dimension toujours plus profonde, appelé à une attitude toujours plus radicale : se tenir sous l'appel de la parole qui vient, de l'acte qui sauve, même s'il faut longtemps attendre. Le consentement à l'interdit ou à la souffrance ne peut pas, en effet, ne pas comporter ce qu'on pourrait appeler la *mémoire de l'avenir*. Se conformant à la parole entendue, c'est-à-dire maintenant vives l'alliance et les images vécues de Dieu et de soi qu'elles impliquent, l'homme se tient sous l'appel d'une parole prochaine, qui serait dévoilement du sens et résolution imprévisible de l'épreuve. L'écoute, pour le présent fidèle, espère pour l'avenir, sans rien anticiper.

2. L'épreuve introduit une rupture dans l'image heureuse de Dieu et de soi dont on était parti ; elle brouille en quelque sorte une représentation univoque, et c'est pourquoi la résolution de l'épreuve est d'abord éthique. Mais elle se produit comme comportement symbolique : la femme aurait pu ne pas étendre la main, Job s'est prosterné, Jésus est mort — autant d'attitudes qui établissent la communion, au-delà d'une représentation simple devenue impossible.

Pour préciser ce thème du comportement symbolique, comme geste de communion qui va au-delà de la représentation, on peut proposer ceci : qu'il se forme une *image* de Dieu, à partir de son action, considérée à un niveau donné, est un fait non seulement normal, mais nécessaire, et des noms divins peuvent venir expliciter cette image au niveau du discours ; la représentation n'est pas en soi mauvaise et, en vérité, nous ne pouvons nous en passer. Mais, quand il apparaît que l'image est partielle et surtout qu'une autre, apparemment incompatible, vient se greffer sur elle (Dieu injuste sur Dieu fidèle, par exemple), il faut savoir dépasser la représentation pour maintenir la communion ; c'est là ce qu'on peut appeler le *comportement symbolique*, au travers duquel est visée mais sans plus pouvoir, au moins immédiatement, être dite la réalité de Dieu que l'on continue de louer. Paradoxalement, ce comportement symbolique peut ensuite libérer la possibilité de nouvelles images, qui se forment sur la base de ce comportement renouvelé, et le processus est sans fin, sinon par l'invocation du nom de Père dans la mort. Parfois cependant, le comportement symbolique est refusé ; le désir de l'homme se referme sur lui-même, et se met alors au travail ce que certaines sciences humaines appellent aujourd'hui, de manière péjorative, l'*imaginaire* : le désir clos produit des images et des idées qui tentent de le satisfaire ou tout au moins de le justifier dans son refus de dépassement ; ces productions de l'imaginaire, qui rationalisent le refus de la communion, n'ont pas de consistance existentielle ; si on se réfère à elles pour la conduite de la vie, on tombe dans les impasses, individuelles et collectives, dont la première partie de ce livre a donné un large échantillon. Mais il ne faudrait pas pour autant opposer à l'imaginaire le seul symbolique, comme si toute image ou toute représentation était en soi mauvaise. Êtres incarnés et limités, nous avons besoin des images, et elles sont susceptibles de servir le chemin vers Dieu ; elles n'ont rien de coupable et sont bénéfiques lorsqu'elles amènent au seuil du symbole ou en découlent, et si on demeure vigilant dans leur usage.

Il y a, en somme, une fonction positive de l'imagination qui, même en ce qui concerne Dieu, recueille et organise les données fournies par une certaine expérience immédiate et permet une première nomination. Confrontées, dans leur éventuel conflit, aux vicissitudes du désir, les images et les noms peuvent faire l'objet d'un processus de sélection et de rejet gouverné par le désir de la possession immédiate plutôt que par l'amour de la communion ; ce processus aboutit aux figures de l'imaginaire et à la production de toutes les idéologies. Valorisées au contraire jusque dans leur conflit par l'amour qui se manifeste dans le comportement symbolique, les images peuvent trouver une nouvelle pertinence et la nomination divine peut atteindre une profondeur inouïe jusqu'alors : ni l'imagination, ni l'esprit en effet ne deviennent aveugles ; dans la lumière du jugement éthique et du comportement symbolique, ils sont en mesure de laisser jouer le principe d'analogie dont j'ai parlé dans un chapitre précédent : l'interprétation symbolique par où on choisit de persévérer dans l'invocation ouvre l'intelligence à l'analogie. Peut-être est-ce là une manière d'entendre la formule si prisée de Paul Ricœur : le symbole donne à penser.

3. C'est ici que, malgré toutes ses ambiguïtés, on peut faire intervenir la notion de « sacrifice » et dire que la déclaration du jugement éthique ou la performance du comportement symbolique revêt pour l'homme la force d'un *sacrifice de communion avec Dieu*.

Nous avons vu, au début de ce livre, que certains penseurs du moment attribuent à l'occultation d'une « forme de mort », en réalité essentielle au devenir humain dans sa vérité, le trouble incommensurable de notre civilisation finissante et sans après. Il y a sans doute lieu de préciser le plus exactement possible ce concept de « forme de mort » et d'en définir au plus près le point d'application, mais tout ce que nous avons vu dans un contexte biblique confirme la vérité de cette revendication d'une « forme de mort » comme élément authentique de l'histoire humaine. L'originalité de la Bible, si je ne me trompe, est d'interpréter cette « forme de mort » comme l'élément (au moins) du procès authentique de la communication avec Dieu ; elle est liée à l'irruption de la Parole de Dieu, dont l'originalité est de se présenter comme rupture et de mettre en cause un certain équilibre de la condition humaine ; la Parole de Dieu invite à un *déplacement* ; elle crée un événement qui n'a pas son intelligibilité en lui-même, car il apparaît d'abord sous son angle négatif, mais qui détermine d'une part une histoire de Dieu avec les hommes et de l'autre un renouvellement, à la mesure du comportement symbolique consenti, de la connaissance tant de Dieu que de soi-même et finalement du monde. Si on interprète la Parole de Dieu ou (ce qui dans le cas qui nous occupe revient au même) son silence et son absence, à la fois comme son implication dans l'histoire et la proposition de son Mystère, cela entraîne (ou suppose) qu'on s'engage soi-même et qu'on résolve en faveur de Dieu le *conflit des désirs* ou, plus exactement qu'on gère en faveur et en fonction de Dieu le désir unique qui nous habite et qui est bien celui de devenir comme Dieu. Toute la question, en effet, est de savoir si ce désir nous amènera à une prise de possession immédiate dès que, sur un point ou sur un autre, la tentation nous fait comprendre que nous en avons la possibilité, ou s'il nous éveillera à l'attente amoureuse propre à ceux qui ont pressenti que seule la patience de l'amour obtient de l'aimé la ressemblance désirée.

Or cette gérance du désir se dit dans l'Écriture et se donne à interpréter en termes de *mort*. Le récit de l'Éden fait entrevoir une menace de mort, que la parole du serpent s'efforce de réduire : « vous ne mourrez pas », mais qu'elle ne réussit en fait qu'à déplacer : si les hommes, en transgressant le commandement, ne meurent pas, Dieu, lui, mourra, puisque tous deviendront « comme des dieux » ; et si l'homme ne transgresse pas, c'est qu'il aura accepté de mourir à une forme trop immédiate d'un désir qui, en soi, était fondé. La « mort » est donc, d'emblée et avant tout péché, susceptible d'au moins trois significations : la mort dont Dieu menace l'homme, s'il transgresse ; la mort de Dieu, au moins dans l'intention de l'homme, si la transgression prend les dimensions d'un refus de l'autonomie et de la transcendance de Dieu ; la mort de l'homme, au moins en ce qui concerne un penchant fondamental de son désir, s'il ne transgresse pas et se met

en position d'attente. On pourrait en dire de même pour Job.
Quand sa femme lui jette : « Maudis Dieu et meurs », elle l'invite
à un assassinat suivi d'un suicide : puisque rien ne peut empêcher
le chemin de la ruine et de la maladie de suivre son cours, qu'il
en soit ainsi, mais que Dieu soit entraîné dans la ruine : que la
mort de Job porte témoignage à la perversité et au néant de Dieu.
Inversement la persévérance dans la doxologie est le témoignage
volontairement rendu à Dieu en son mystère, au sein de l'obscurité
et de la douleur.

Ces analyses tendant à montrer que la « forme de mort » est le
lieu et le moyen d'une communion avec Dieu, il est, je crois,
légitime (et la suite nous montrera qu'il est fructueux) de qualifier
cette forme de mort par l'expression biblique de *sacrifice de
communion*, contre-distinguée de celle, ici inopérante, de
« sacrifice pour le péché » ; on désigne alors la « mort » que
l'homme accepte de s'infliger à soi-même, lorsque, au sein de
l'épreuve ou de la tentation, il persévère dans la doxologie et
renonce à la satisfaction immédiate et possessive de son désir. Le
terme de sacrifice me semble ici légitime, car il y a effectivement
ici un processus de « mort » en vue d'une *relation*, rendue plus
profonde, avec Dieu et avec soi-même. Le sacrifice défini dans le
cadre des catégories de « violence » et de « sacré », s'il est celui
qui apparaît davantage dans le monde rituel et cultuel des religions,
n'est peut-être pas le plus essentiel ; il y a sans doute quelque
attitude plus fondamentale, celle même que j'essaie de retrouver
et de décrire dans ce chapitre et qui parle de « trépas » et de
« Dieu ». Le consentement à ce trépas, dont j'ai dit la valeur
symbolique, est d'autre part la seule alternative en face d'une mise
à mort de Dieu, à la fois effet et cause de la violence et du sacré,
« assassinat primitif » qui fonderait l'histoire et la civilisation. Ici,
au contraire, il s'agit de préférer le commandement, obéi dans
l'attente et l'espérance, à la satisfaction immédiate d'un désir, fût-il
en lui-même légitime, comme l'est celui de connaître le bien et le
mal ou de sortir au plus tôt d'une souffrance aiguë et imméritée :
mais cette préférence pour le commandement est dictée par
l'amour, c'est-à-dire la profondeur ultime du désir de l'homme ;
elle vise à créer une relation avec celui dont on accueille et dont
on honore la parole. Sacrifice, donc, mais de *communion* : il
détruit moins qu'il ne diffère, et par cet acte de différer, il accepte
que soit défini un espace d'alliance où Dieu et l'homme peuvent
se rencontrer en vérité. Par ce sacrifice de communion, l'homme

n'expie rien, ne répare rien, ne compense rien ; il obéit simplement à son désir le plus profond, dont il découvre d'ailleurs la dimension concrète dans l'acte même du consentement, qui est d'entrer en relation avec le Dieu vivant : mais cela ne se peut faire qu'au moyen d'un choix par où l'homme signifie et rend effectif ce désir de fond, dans la pléiade des mouvements qui par ailleurs le traversent. En faisant dominer la vigilance et la fidélité, il rejoint le lieu où sa personne profonde se découvre « pour Dieu » et se veut ainsi.

Il y a certainement un paradoxe à chercher dans l'œuvre de René Girard quelque appui et quelque lumière pour mieux comprendre cette notion de *sacrifice de communion*. C'est en effet une notion dont Girard ne fait pas état, tandis que, dans la partie plus récente de son œuvre, il fait coïncider le christianisme avec la délivrance, enfin, du sacrifice expliqué par la *mimèsis*, la violence et le sacré. Sans me référer pour l'instant à cette partie de l'œuvre, je voudrais mettre en valeur certains points qui ressortent assez fortement du livre en quelque sorte fondateur qu'est *Mensonge romantique et vérité romanesque* [27]. Si je ne me trompe, Girard discerne dans le « désir métaphysique » l'élément dynamique qui animerait, selon des techniques différentes et dans des contextes variés, les péripéties du roman, et constituerait la racine profonde de leurs attitudes et de leurs comportements. Ce désir pourrait être défini comme l'aspiration toujours déçue à une métamorphose de l'être. Cette métamorphose n'est pas autrement définie, puisque justement le désir qui y porte n'est jamais comblé. Il ne l'est pas, car il vit, sans nécessairement le savoir, d'une promesse non tenue, celle de l'autonomie : ce serait par lui-même, moyennant des procédures à trouver, que le désir provoquerait cette métamorphose. Or ces procédures n'aboutissent pas, parce qu'elles prennent toujours de nouveau la forme d'un désir de l'Autre : ne sachant où il va, le désir considère comme modèles ou médiateurs les autres qui l'entourent et les objets que ceux-ci lui désignent. Ces objets s'avèrent décevants et la relation même avec le médiateur trompeuse : elle ne s'équilibre pas, se résolvant soit dans la violence faite à l'autre, soit dans la haine et le mépris de soi : ni dans l'un ni dans l'autre cas ne se produit la transfiguration escomptée, et il s'avère que, contrairement à la promesse faite, « les hommes ne sont pas des dieux les uns pour les autres » [28] et

---

27. *Op. cit. supra*, 1ʳᵉ Partie, chap. IV, note 64.
28. Cette formule est le titre du chap. II de l'ouvrage.

que leur imitation ne mène à rien. Le roman pourtant arrivera à une conclusion « vraie » *(vérité romanesque)* lorsque le héros (mais derrière lui, l'auteur du roman) renonce au désir métaphysique, à la médiation de l'autre — ce qui est une conversion, souvent une agonie et parfois une mort. Mais cette mort, ou bien est racontée dans l'espérance d'une résurrection, ou bien est suivie d'une autre période de l'existence du héros, définie par une descente en soi-même, un nouveau rapport à autrui, un équilibre vrai de la solitude et de la communion, dans un temps retrouvé, sans plus de recours au désir métaphysique, à la transcendance déviée, au mal ontologique.

La vérité ultime du roman, sa « vérité romanesque » n'arrive que dans la conclusion, car le roman, en tant que développement littéraire, est animé de part en part par le désir métaphysique. Mais que serait une existence convertie, réconciliée, ou, si on la considère théoriquement avant la chute dans le désir métaphysique, innocente ? Ce serait une existence relative au *vrai* Dieu : ceci apparaît parfois dans le travail de Girard [29], mais il manque un traitement formel de la question, et ce manque rejaillira de manière, je crois, dommageable sur la suite de l'œuvre. Quoi qu'il en soit, à la transcendance déviée, il faut opposer la transcendance vraie, à la trinité du mal, la bienheureuse Trinité, à la promesse non tenue par des hommes qui ne sont pas des dieux les uns pour les autres, la promesse tenue par le Dieu vivant. A cheminer dans cette perspective, on voit tout d'abord que le désir d'une métamorphose est un désir vrai : il est vrai que, créé à l'image et ressemblance de Dieu, l'homme tend à la communion parfaite avec lui, à la participation aussi grande que possible à son être, à la connaissance pleine et béatifiante de Dieu, à une divinisation qui ne soit pas autodivinisation. Mais, l'homme n'étant pas Dieu, ne connaît pas par lui-même le chemin de cette divinisation et, en ayant le désir, il n'en a pas le pouvoir. S'il avait le pouvoir, il serait Dieu. L'homme doit donc se mettre en état d'attendre et de recevoir de Dieu une indication du chemin, et se mettre en route, sans faire intervenir d'autre modèle et sans vouloir conquérir ou produire par lui-même ce qui ne peut qu'être donné. Ce consentement à l'attente et cette fidélité au chemin indiqué transforment en quelque sorte le désir général de la métamorphose en amour de Dieu. Mais cet amour englobe un élément de renoncement à tout autre chemin que celui indiqué par Dieu et à

---

29. P. ex. p. 73-75, 96-99, 309 s., 316...

tout effort pour ravir ce qui ne peut être que reçu. C'est ce renoncement de base que j'appelle *sacrifice de communion*. On peut d'ailleurs considérer celui-ci de deux manières : ou bien comme renoncement à des valeurs ou à des pouvoirs, réels ou supposés, qui peuvent être tentants mais se révéleront à l'expérience décevants ; ou bien comme le mouvement même de l'amour, que nous ne pouvons exprimer que comme déprise de soi pour l'autre et en vue de lui, selon les paroles mêmes de l'Évangile.

Le recours au thème du *sacrifice de communion* est donc légitime, dans les perspectives ici proposées. Il présente d'ailleurs un double avantage théologique. D'une part, il rend possible le discernement, dans une situation humaine de souffrance concrète, et au premier chef de la croix de Jésus-Christ, d'un élément de dépassement de soi-même sous l'impulsion de l'amour qui pousse à l'union, et d'un élément plus négatif de poids du péché, de l'histoire, du mal ; cette distinction se révélera importante pour affiner le concept de rédemption. D'autre part, comme nous l'a montré l'exemple du Christ invoquant son Père dans l'acte même de la mort, il faut distinguer, dans le sacrifice de communion lui-même le *mouvement* de dépassement et l'*état* ou l'*acte* du don, en d'autres termes, l'entrée en alliance, qui suppose un certain renoncement par où on accède à la vérité de son désir, et l'alliance elle-même qui est un acte permanent de donner et de recevoir, dont nous sommes invités à reconnaître l'icône en Jésus ressuscité, qui entend l'invocation paternelle et répond par l'invocation filiale, dans la joie réciproque d'un don mutuel sans réserves.

Interprétation et analogie

L'ensemble des considérations qui précèdent manifeste donc assez clairement que l'interprétation n'est pas une démarche purement intellectuelle ; elle intervient au travers d'un choix qui, quel qu'il soit, est traversé de part en part par la « forme de mort » et prend la forme du comportement symbolique.

L'interprétation sacrificielle et symbolique n'est pourtant pas un *sacrificium intellectus*. J'arrive ici à un point délicat : y a-t-il lieu ou non de situer l'une par rapport à l'autre la doxologie qu'on pourrait dire « immédiate », fondée sur l'expérience de la bénédiction, et la doxologie qu'on pourrait appeler « symbolique », fondée sur le sacrifice consenti qui est réponse à la parole de Dieu et ouvre l'histoire ? Y a-t-il saut absolu de l'une à l'autre, de sorte que la première, immédiate, s'abolisse totalement et sans reste dans l'autre, symbolique ? Inversement, le refus de l'interprétation sacrificielle laisse-t-il intactes la connaissance et la doxologie du Dieu qui bénit ? La réponse à cette question est grosse de conséquences ; au cours de l'histoire de la théologie, posée dans d'autres contextes, elle a pris de multiples formes, divergentes. Mais peut-être le récit de la Genèse, à cause de sa forme simple, peut-il nous donner une orientation sur ce point fondamental du rapport entre l'immédiat et le symbolique. L'interprétation la plus simple du récit est que, de toutes manières, l'homme devait prendre position *par rapport au Dieu dont il avait l'expérience.* La question posée n'était pas de gommer les noms positifs et l'image immédiate, puisque c'est à partir d'eux et d'elle que s'était fait entendre la parole : au même moment et dans un même discours, le même Dieu avait dit une parole de don universel, puis proféré un interdit spécifique. La question était de savoir si l'homme acceptait de juxtaposer les noms positifs et le nom négatif, et de perdre ainsi l'harmonie immédiate du sens. Or, accepter cette perte aurait-il été possible sans la forte perception du Dieu de bénédiction ? En réalité, il a fallu que le serpent tente d'effacer cette image et de la remplacer par celle du dieu jaloux pour que se dessine la tentation ; inversement, dans le livre de Job, il a fallu que Dieu se manifeste dans sa transcendance de créateur pour que l'homme accepte de persévérer dans l'alliance. L'attitude du cœur simple n'est-elle pas alors celle-ci : parce que Dieu est le Seigneur des bénédictions, on peut lui faire confiance, accepter qu'il soit aussi le Dieu de l'interdit, et *attendre* de lui, non pas nécessairement la résolution de cette convergence divergente, mais de nouvelles paroles qui, au prix d'une fidélité soutenue (et donc, de façon permanente, sacrificielle), révéleraient le sens ultime ?

On admettra plus facilement cette relative fondation de l'interprétation dans l'expérience antécédente du Dieu de bénédiction, si on prend garde au cadre *doxologique* dont j'ai suggéré la présence implicite dans notre texte. La doxologie est essentielle à la démarche. Et elle permet de comprendre comment les noms divins positifs, même s'ils ne sont pas encore parvenus à une élaboration fine, jouent un rôle dans l'interprétation du nom divin négatif. Si celui que je loue comme bon à partir de l'expérience multiple de ses dons, dit une parole surprenante qui provoque à sacrifice, je n'en ferai pas pour autant un dieu pervers ; de même que, inversement, je ne substituerai pas purement et simplement à l'image du Dieu bon la non-image du Dieu qui prohibe, à la doxologie pour la création la doxologie dans le Mystère, à l'image le symbole. Ainsi l'interprétation symbolique ne réduit-elle pas à néant la doxologie immédiate ; il reste vrai cependant qu'elle la déplace : c'est désormais à l'intérieur du mystère de l'alliance et de son histoire, de sa mémoire, de son espérance, que peut prendre sens définitif le mystère de la création.

Nous arrivons là à ce qu'on pourrait appeler le lieu biblique du principe d'analogie, qui a été énoncé plus haut et sur lequel je reviendrai longuement dans la troisième partie de ce livre. Si, ayant consenti à la « forme de mort », on veut continuer cependant à invoquer le Dieu qui a créé et donné la terre, il faut *penser* ce Dieu créateur de telle manière qu'il soit aussi celui qui interdit et qui se communique. Cela revient à dire que, dans la ligne ouverte par l'expérience de la bénédiction, en prenant appui sur elle, il faut parvenir à un Nom divin qui ne se limite pas à cette bénédiction, un nom qui, au travers de la causalité spécifique de Dieu, suggère une identité qui, à la fois, fonde cette bénédiction mais rend possible également l'interdit et l'alliance. Inversement, si on invoque Dieu dans l'acte et l'histoire de l'alliance, à partir de la parole d'interdit, il faut le penser de telle manière qu'il soit aussi le Dieu qui crée et qui bénit ; cela revient à dire que, dans la ligne ouverte par l'acceptation de l'alliance, il faut parvenir à un ou à des Noms divins qui, au travers de l'histoire de cette alliance, la fondent sans y être contraints et respectent le type de transcendance défini à partir de la bénédiction.

Il est évidemment anachronique de parler, au niveau du récit de la Genèse, d'*analogie de l'être* et d'*analogie de la foi ;* il faudra donc revenir ultérieurement sur ces notions et les soumettre à une élaboration critique. Pourtant, je trouve la mention de ces processus théologiques de nomination divine éclairante pour manifester les arrière-plans ultimes de nos textes. Essayant de faire abstraction pour le moment des controverses sur l'« être », je prends ce mot pour le terme qui tente de dire l'identité de Dieu, dans la ligne mais au-delà de l'expérience de la création ; et je suggère que, quelle que soit la signification qu'on pourra ultérieurement lui reconnaître, celle-ci devra comporter ce qu'on pourrait appeler une « réserve symbolique » : cet « être » doit pouvoir communiquer. Réciproquement, tous les noms d'alliance, dans leur unité et leur diversité, doivent être employés, quand il s'agit du partenaire divin dans l'histoire, compte tenu d'une

« réserve ontologique » : le législateur, l'ami, l'époux, le père...
est vraiment Dieu.

Complexité du temps

Pour conclure cet ensemble, peut-être trop long, de réflexions,
on peut tenter de revenir sur la question du temps, qui nous occupe
essentiellement dans cette partie. On peut dire que l'homme de la
Bible, à quelque moment de son périple qu'on l'envisage, doit se
prononcer sur l'identité de Dieu et sur la sienne propre (qu'il
s'agisse de lui personnellement ou de la société humaine). Ce
prononcé n'est pas simple et, sauf dans le cas de Jésus mourant
et ressuscité, il n'est jamais définitif ; surtout, il est un engagement
et l'« intervalle », qui est peut-être l'unité de base du temps, est
fait *du passage d'un prononcé au suivant*, jusqu'au jour où le nom
de Dieu et le nom correspondant de l'homme auront été
pleinement dits dans ce qui ne pourra être qu'invocation
réciproque.

Réduit à son épure, ce prononcé joue selon une alternative
exclusive : ou bien Dieu n'est que dieu, comme peut aussi l'être
l'homme, et tout le reste relève du mensonge et de la jalousie (mais
alors « dieu » peut comporter mensonge et jalousie ? et si l'homme
est, lui aussi, dieu ?). Ou bien Dieu est vraiment Dieu, dans la
création et l'alliance, mais aussi au-delà d'elles ; l'homme alors
correspond, dans la différence, à cette identité divine ; mais ceci
ne peut se reconnaître et vivre en dehors de la « forme de mort »,
sous l'appel d'une parole prochaine.

Considérée concrètement, la figure du temps se prend d'abord
de Dieu, car c'est lui qui instaure le jeu de paroles qui appellent
sans cesse à un déplacement (mais non à une destruction) des
images et des affirmations, en vue d'amener la parfaite relation
interpersonnelle. Mais la figure du temps se prend aussi de
l'homme, car les réponses temporellement engagées qu'il donne à
la parole qui survient s'inscrivent aussi dans son corps et dans son
monde. A l'épreuve qui vient de Dieu et définit idéalement le temps
s'ajoutent les pesanteurs qui viennent des replis de l'homme. C'est
pourquoi aussi il importe que, dans le *récit fondateur* qui nous
annonce en Jésus-Christ la figure parfaite du temps, soit proclamée
aussi la « rémission des péchés », c'est-à-dire restituée la *possibilité
du temps véritable*.

CHAPITRE III

MORT POUR NOS PÉCHÉS

Notre recherche nous a conduit à mettre en valeur deux principaux points. Le premier concerne le sens ultime de l'histoire et sa modalité ; le second se réfère aux processus de la connaissance, de Dieu d'abord, mais, simultanément, de l'homme et du monde.

1. L'histoire peut se dire comme *aventure de la filiation*. Ce à quoi l'homme est appelé, c'est à devenir fils de Dieu, moins au sens d'une détermination substantielle ou qualitative qu'au sens d'une invocation dynamique : est fils celui qui, en toute occasion et du fond de lui-même, dit « mon Père ». Or la croix de Jésus, éclairée par les figures à la fois innocentes et éprouvées d'Adam et de Job, nous manifeste que cette invocation totale et pure ne se profère qu'au terme d'un long processus, où toutes les images et tous les noms, même authentiques, de Dieu reculent et où, corrélativement, toutes les images de l'homme et du monde, même légitimes, sont contestées ; la Parole de Dieu, dans son économie historique, est l'auteur ultime de ces déplacements douloureux, mais la douleur n'est ici que l'envers d'une pédagogie positive par où Dieu attire l'homme consentant à une attitude toujours plus libre, qui se donne ultimement à comprendre comme filiale.

La modalité de cette aventure est ce que j'ai appelé, de diverses manières, persévérance dans la doxologie, comportement symbolique, sacrifice de communion, c'est-à-dire, en tous les cas, un processus de dépassement de tout équilibre, même juste, dans l'appréciation vécue du rapport Dieu/homme/monde, jusqu'au moment où l'homme sera en quelque sorte dynamiquement installé dans la filiation, c'est-à-dire dans une audition *actuelle* de la parole d'engendrement par Dieu à laquelle répond une action de grâces et une invocation *totales*. Et c'est à la lumière de cette active invocation réciproque que tous les équilibres antérieurs retrouvent leur sens et leur réalité, mais transfigurés après avoir été apparemment défigurés.

2. Dans la perspective de cette aventure de la filiation, la *connaissance* de Dieu subit un certain nombre de transformations et, tant que l'homme n'est pas arrivé au bout du chemin (ce qui est notre cas à tous), relève de différents principes qu'il est important de distinguer et dont il faut s'efforcer de voir le jeu.

Il y a d'abord les noms divins *positifs*, qui procèdent de la considération d'une action divine dont on prend simplement acte : ainsi, Dieu créateur ou Dieu fidèle. Lorsque le contenu de ces noms se voit contesté par des actions ou paroles divines à première vue négatives, il est cependant *sauvé et transposé* moyennant un jugement *éthique*, inclus dans la persévérance dans la doxologie : se laissant guider par l'élan de l'amour, l'homme continue d'invoquer Dieu avec les noms positifs ; il ne substitue pas un concept moral à un concept indicatif, mais le détour obligé par la doxologie induit à une finesse, une réserve et une profondeur du concept indicatif que l'on n'aurait pu atteindre sans l'intervention de la parole qui a contesté une nomination trop immédiate ou trop superficielle. Autrement dit, le jugement éthique s'exprimant en doxologie ne substitue pas un nom divin à un autre : il libère l'intelligence pour une connaissance approfondie. On pourrait dire aussi que la doxologie *accompagne* l'analogie.

D'autre part, il y a les noms divins qui correspondent aux irruptions successives de la parole. Même si celles-ci prennent un tour négatif, elles conduisent à une autre voie de reconnaissance de Dieu : Dieu qui parle, qui appelle, qui risque, qui se compromet... Ces noms aussi sont accompagnés par la doxologie, car c'est par celle-ci que l'esprit purifié peut discerner l'engagement de Dieu là où une attitude de refus ne voit que des contenus mortifiants. Ces noms divins « historiques » (dont on sait, depuis Jésus, qu'ils culminent dans le nom de Père), si on ne veut pas qu'ils retombent rapidement dans une certaine immédiateté de l'appréciation du rapport Dieu/hommes, sont à leur tour secourus par l'analogie, par où seule, ils peuvent rester noms *divins*.

Sacrifice pour le péché

Il nous faut faire maintenant un pas de plus : jusqu'à présent, dans l'analyse du Mystère pascal de Jésus et des figures innocentes qui l'annoncent, nous sommes restés en dehors du péché ; celui-ci n'a été évoqué que latéralement, dans la mesure où cette évocation permettait de mieux comprendre, par contraste, le lieu exact de cette histoire que j'ai appelée aventure de la filiation. Car il y a histoire et aventure avant tout péché et, au point de vue de l'homme sollicité par la parole de Dieu, le ressort de cette histoire est ce consentement qu'on peut appeler sacrifice de communion. On pourrait dire aussi, se référant à saint Paul (Rm 12) : « sacrifice spirituel ». Quand saint Paul parle de « s'offrir soi-même en sacrifice vivant, saint et agréable à Dieu », il entend le modelage de l'existence selon la Parole de Dieu et en réponse à elle, et non pas l'offrande après coup d'une existence déjà entièrement définie avant l'irruption de cette parole. Le culte spirituel n'est pas un culte à bon marché qui ne se définirait qu'en termes de vie et ignorerait la mort ; il inclut au contraire cet aspect de la mort à soi-même pour Dieu (et aussi, en dépendance de Dieu, pour autrui) qui fait de l'homme en permanence un fils. Dans un tel sacrifice, « le corps, l'âme et l'esprit » (pour reprendre une trilogie utilisée ailleurs par saint Paul) sont également impliqués, et ceci s'applique au premier chef à Jésus.

Cependant, cette analyse du sacrifice spirituel ou de communion comme champ de la filiation a laissé quelque peu en dehors de ses prises un point extrêmement important, sur lequel insiste l'Écriture ; la mort de Jésus comme don filial *à* son Père a été aussi une mort *pour* nous, pour les hommes. Si l'innocence éprouvée de Jésus se donne quelque peu à comprendre grâce à une méditation sur les figures innocentes et tentées d'Adam et de Job, elle doit aussi être appréciée en référence à une autre figure, également innocente, celle du Serviteur, dont la passion n'est pas, du moins principalement, expliquée à partir d'une relation à Dieu, mais plutôt à partir d'une relation aux hommes, pour lesquels cette passion est soufferte. De plus ce « pour les hommes » s'exprime immédiatement en termes de *péché* : « pour nos péchés ». Comment comprendre ce passage d'une relation *à* Dieu à un agir *pour* les hommes, et (seconde question qui ne s'identifie pas complètement à la précédente) ce passage d'un sacrifice spirituel, partie intégrante de la filiation, à un sacrifice qui rachèterait, réconcilierait, referait la paix, expierait le péché, etc. ?

Ces questions se posent d'autant plus que, à vrai dire, il faut bien constater que le Nouveau Testament ne « passe » pas en réalité, en ce qui concerne Jésus, d'un sacrifice spirituel à un sacrifice pour le péché : chaque fois qu'il y est parlé théologiquement de la mort du Christ, c'est bien en relation avec le péché, en particulier, mais non exclusivement, lorsque les auteurs utilisent un vocabulaire liturgique. Que vaut alors notre présentation ?

Pour répondre à cette question, nous commencerons par une brève investigation dans le monde du péché : comment le refus de la parole de Dieu s'inscrit-il en fait dans le corps, la terre et la société des hommes ? Jésus est en effet venu dans un monde profondément marqué par l'inscription de la faute ; comment a-t-il fait alors de sa vie et de sa mort le temps de la rédemption ? Ce sera notre deuxième question, à laquelle nous chercherons à répondre en montrant que le sacrifice de communion de Jésus a pris des formes et des caractéristiques concrètes et douloureuses, parce qu'il a été justement présenté dans ce monde du péché. Il nous restera enfin à dire quelques mots du rapport entre Jésus et *tous* les hommes : comment se fait-il que cette aventure apparemment individuelle de Jésus de Nazareth ait été et demeure rédemption universelle ?

1. *Le monde du péché*

Le monde dans lequel Jésus se tourne vers Dieu est marqué par le péché. Si un comportement doxologique, symbolique, réalise l'entrée en alliance et ouvre ainsi les chemins de la connaissance de Dieu, le refus de croire, dans l'espérance de devenir par soi-même, « comme des dieux » ou la révolte devant la souffrance, qui inclut un procès fait à Dieu, ont l'effet inverse ; l'homme se clôt sur lui-même et est jeté sur les chemins de l'oubli. Une brève analyse de ces chemins est ici nécessaire, afin de voir comment Jésus les a parcourus et nous en a sortis. Nécessaire, cette analyse n'est pourtant pas facile car les chemins de l'oubli sont divers et sinueux, et on ne peut les reconnaître uniquement par déduction négative à partir de ce qui aurait été... si l'homme n'avait pas péché. La Bible pourtant donne ici quelques indications assez constantes, dont la figure d'Adam pécheur est une illustration assez vivante ; quant à la réflexion philosophique, elle n'a jamais pu se dispenser d'une réflexion sur la réalité et les origines du mal et, même si cette réflexion prend le plus souvent un tour gnostique, elle mérite considération et évaluation.

Le désir d'être « comme des dieux » ne disparaît pas avec l'échec de toute tentative de le réaliser par soi-même ; il continue, surtout si, comme j'ai essayé de le montrer, il est une forme déviée du désir de Dieu sans lequel l'homme ne peut être. La condamnation, d'autre part, ne supprime ni n'annule la destination de l'homme à l'alliance et à la connaissance divine : et par conséquent l'homme tente toujours d'aménager la vie, ses espaces et les pensées auxquelles elle donne lieu, de manière à ménager une espérance pour son désir fondamental.

Je voudrais suggérer quatre directions de pensée ou d'action selon lesquelles tenter de comprendre les vicissitudes de l'existence humaine en rupture de doxologie et d'alliance : un processus d'occultation théologique : le vrai Dieu est oublié ; et donc, parallèlement, diverses tentatives pour le remplacer, au niveau de la connaissance comme aussi de la relation ; corrélativement, l'oubli joue aussi au niveau de la vraie réalité de l'homme : le travail et la sexualité, dons maintenus par Dieu au moment même où il se séparait de l'homme, vont être vécus sous le signe de la violence : les « dieux égaux » cherchent en fait le pouvoir et se découvrent menteurs et jaloux ; enfin, la mémoire historique, au lieu d'être principalement orientée vers l'avenir de la divine parole prochaine, se retourne obsessionnellement sur le passé, pour tenter de comprendre, mais sans y réussir, car l'origine est toujours déjà occultée.

Disparition de l'invocation

Ce qui disparaît avec le péché, c'est la fonction invocative et doxologique : Dieu, refusé, se retire et l'homme ne peut plus louer un Dieu auquel il n'a pas cru. Entre Dieu et l'homme, la parole n'est plus adressée, de sorte que progressivement l'oubli s'installe : là où il n'y a plus de parole, il n'y a plus ni nom ni image. Là où les mots ne soutiennent plus une communication, ils s'abolissent, *hors d'usage*. L'analogie ne fonctionne que dans un comportement d'alliance, et le Dieu de l'alliance n'est connu que moyennant l'acte effectif de la communication, qui devait être obéissance et attente. Le mystère, si difficile à penser, de Dieu à la fois créateur et s'impliquant dans une histoire, est perdu pour la connaissance lorsque la relation vive est rompue ; en effet, la pensée, lorsqu'il s'agit de Dieu, est à la limite de ses possibilités ; les concepts et les jugements qu'elle forme ne se soutiennent que de l'expérience fidèle de l'alliance, et, dans leur ductilité même, contribuent à maintenir celle-ci en vérité. Mais si l'alliance est rompue, on ne peut que passer de la reconnaissance à la méconnaissance, et la forme première de celle-ci est l'oubli. S'il y avait quelque souvenir, il serait lointain et sans portée effective : *Deus otiosus* [30].

Angoisse et culte

J'ai souligné que le précepte divin suggérait non seulement la dimension divine du Mystère, mais aussi la profondeur de l'homme, fait pour la communication avec Dieu. Qu'il la refuse ne change rien à ce qu'il est en réalité : le désir et la capacité de l'alliance demeurent, mais désormais impuissants. N'aurions-nous pas là la racine ultime de l'*angoisse* ? En tout cas, l'histoire montre que l'homme ne supporte pas la rupture d'alliance, même s'il a profondément oublié l'origine de son mal. Et il essaie de suppléer. Cette suppléance joue peut-être dans deux directions, celle du « culte » et celle de la « sagesse ».

L'Éden connaissait un espace qu'on peut appeler « cultuel », pour le sacrifice de communion symbolique de l'alliance, espace en réciprocité avec le reste du jardin pour la vie et le travail de l'homme. Chassé de cet espace, l'homme tente constamment d'en refaire d'autres ; ayant manqué d'offrir en temps opportun le sacrifice de communion, il s'évertue à proposer d'autres sacrifices, moins peut-être pour réintroduire la « forme de mort » dans sa vie que pour conjurer l'autre mort, celle à laquelle il a été condamné et qui le menace tout au long de sa vie pour avoir finalement raison de celle-ci. Ayant oublié le vrai Dieu et n'étant plus relié à lui par un échange de parole, il cherchera à se concilier les êtres qu'il imagine pouvoir le garder en vie ou donner quelque sens à sa mort : le ciel d'où vient la pluie, le soleil qui donne chaleur, les astres maîtres des éléments, mais aussi les ancêtres (ceux qui, là où ils sont, ont en quelque sorte vaincu la mort) avec lesquels il

---

30. Cf. M. ÉLIADE, *Traité d'histoire des religions*, Paris, 1949, § 14 et M. AUGÉ, *Génie du paganisme*, Paris, 1982, p. 133.

importe de maintenir le contact, à la tradition desquels il faut rester fidèle : à la fois pour se les concilier et pour pouvoir les rejoindre. Par là se comprend la nécessité de l'initiation, qui naturalise l'homme dans ces mondes de l'au-delà et de ceux qui nous ont précédés.

Dans les lieux cultuels, à des temps sacrés (définis par le temps cosmique et les légendes des morts), on offre des sacrifices : on « essaie » en quelque sorte tout ce qui serait susceptible de plaire aux dieux et aux ancêtres : toute offrande possible, depuis l'homme jusqu'au végétal. Une tradition de rites se forme ainsi tandis que, simultanément, se racontent les récits fantastiques qui expliquent aux hommes l'origine : tant du genre humain que de la « faute » ou du mal. Ce qui, enfin, caractérise ces lieux, est leur séparation d'avec le monde et l'histoire : ambiances sacrées, où les actes sont répétitifs, les initiatives téméraires, et où se définissent, par voie de traditions infrangibles ou d'oracles, ce qui est à faire dans le monde extérieur. Le thème de la Loi intervient ici, non plus considéré sous l'angle de vue d'un Précepte venant de Dieu comme proposition d'alliance à laquelle répond un comportement symbolique d'obéissance, mais plutôt comme une ordonnance sacrée, dont l'origine est imprécise et immémoriale et dont l'observance maintient l'homme de façon assurée sur le chemin d'un certain salut.

Naturellement, je ne prétends pas, avec ces quelques indications sommaires, épuiser ce que peut donner une phénoménologie des formes du culte ou une histoire des idées religieuses ! Il s'agit simplement de relever la cohérence entre le développement d'un culte et la perte de la « forme de mort » et de l'interprétation sacrificielle de la parole de Dieu. Formellement, le processus consiste à remplir autant que possible les espaces laissés vides par la rupture de l'alliance et l'oubli consécutif, tant de Dieu que de l'identité ultime de l'homme. Cette tentative de remplissement vise à rétablir une situation dont l'homme se sent déchu : quête de salut. Les formes en sont évidemment innombrables au long de l'histoire. Faut-il ajouter qu'on les repère aussi malheureusement, parfois sinon souvent, dans certains comportements cultuels ou légaux de la communauté chrétienne ?

Sagesse trop courte, sagesse trop longue

Il est cependant une autre voie de salut, davantage marquée par la réflexion et la méditation : voie de « sagesse », au long de laquelle l'homme cherche de nouveau à penser Dieu, soi-même, le monde et le mal. Ici encore, je me bornerai à quelques indications synthétiques, proposant que l'homme en rupture d'alliance oscille sans cesse entre ce qu'on pourrait appeler une « sagesse trop courte » et une « sagesse trop longue ».

La sagesse trop courte rapproche trop Dieu de l'homme, de son monde, de son histoire. Elle caractérise tous les modes de pensée dans lesquels Dieu « fait système » avec le reste, même si on lui reconnaît une place spécifique, une certaine « transcendance ». Pour employer une formule de Lévinas qui dit brièvement ce dont il est ici question (encore que Lévinas ne l'applique pas à Dieu), le Dieu de la sagesse trop courte n'est pas « absous de la relation » qui existe entre le monde et lui ; il y est impliqué d'une manière finalement univoque, comme cause créatrice, comme Dieu de l'histoire, etc. Il serait intéressant de suivre ici dans l'histoire biblique la purification progressive des éléments de sagesse trop courte qui s'y trouvent indubitablement. A fortiori, pourrait-on entreprendre, à partir de cette hypothèse de la sagesse trop courte, un discernement parmi les pensées philosophiques et les sagesses des diverses cultures. Dans cette perspective, d'autre part, l'impact du mal tend à être réduit le plus possible. Il est assimilé à la finitude, ou au « non-être », ou aux inévitables bavures de l'histoire. Les secousses qu'il imprime à la marche du monde ou à la vie de l'homme ne sont pas « tragiques » et on cherche à en rendre compte de telle manière qu'elles ne brisent pas l'harmonie entre Dieu, l'homme, le monde et le temps. Les percées qu'il tente ne peuvent pas rompre durablement cette plénitude exacte ou, si elles le font, il importe de penser les voies d'une remise en ordre pour un ensemble originel et permanent. Certainement l'onto-théologie dont nous entretient Heidegger (mais pas seulement elle) relèverait de cette sagesse trop courte.

A l'inverse de cette sagesse « trop courte », selon laquelle Dieu est un peu trop bien inséré en ce monde et où son concept tend à l'univocité, il y a la sagesse « trop longue » : celle qui repousse toujours plus *Dieu au-delà*, de sorte qu'il ne puisse y avoir de lui absolument ni pensée ni langage. On parle beaucoup de lui dans cette sagesse, mais toujours pour souligner qu'en réalité on n'en peut rien dire. Si nous nous référons à l'Éden, on pourrait dire que cette perspective repousse à l'extrême le thème de Dieu qui interdit, et dont l'esprit humain ne peut donc en aucune manière rendre compte. Mais c'est un interdit qui ne crée pas d'alliance. Ce Dieu peut être indéfiniment cherché, jamais rejoint. Il n'y a rien de commun entre le monde et lui et du coup, à l'inverse de la tendance précédente, la finitude elle-même prend les couleurs du mal : *omne corpus fugiendum*, et l'âme inquiète, s'ignorant soi-même, ira toujours recherchant au plus profond de soi une source indicible en laquelle finalement elle s'abolirait. En d'autres termes, le langage théologique serait totalement équivoque, autant dire qu'il n'y en aurait pas. Nous sommes à l'opposé de l'ontothéologie, on pourrait parler ici d'une perspective « méontologique », dont l'inspiration s'étend à tous les champs du langage.

En d'autres termes, et sans vouloir pour l'instant presser ces termes en toute rigueur, on pourrait dire que la sagesse « trop courte » est sans cesse guettée par la *tentation de l'imaginaire clos*, au sens où ce mot désignerait toutes les productions de l'esprit humain tendant à remplir les vides de la connaissance, à boucher les fissures de l'histoire, personnelle ou totale, à réduire le tragique, à assurer la pleine et immédiate portée du langage, etc. Inversement, la sagesse « trop longue » serait tentée par l'*exclusivisme de la métaphore*, en conservant à ce mot sa valeur étymologique essentiellement transitive : l'homme ne pourrait qu'opérer des transferts, mais qui ne partent de nulle part et n'ont pas vraiment de direction. La sagesse trop courte transpose sur tous les plans une vision rayonnante de l'espace, dans la nostalgie d'un centre d'où on pourrait apercevoir tout le tracé de la clôture, la sagesse trop longue est celle d'une perception itinérante, mais d'un voyage dont on ne sait où et quand il a commencé, ni s'il finira.

Le corps, l'envie et la violence

A partir du seul texte de la Genèse, l'analyse de l'avènement de la violence dans le jeu des relations humaines est difficile, car rien ne nous a été dit sur ces relations avant le péché. Nous voyons simplement que la rupture par rapport à Dieu entraîne immédiatement une peur réciproque entre l'homme et la femme, ainsi que l'établissement d'une hiérarchie dont le lieu immédiat est la sexualité. Peut-être cependant peut-on approfondir la réflexion.

On pourrait suggérer que la toute première expérience que font l'homme et la femme après le péché est qu'*ils ont un corps*. Jusque-là, il n'y avait pas de perception proprement dite d'un corps : l'homme nu était en exacte relation, selon tout son être, avec le sol, avec la femme, avec Dieu ; l'homme mis en demeure par l'interdit se découvrait tout entier relatif à cette parole nouvelle et, éventuellement, se savait dans l'attente d'une parole prochaine qui le révélerait à lui-même en totalité, selon cette dimension à la fois *autre* et *plus intime* à soi-même que la première parole de Dieu laissait entrevoir. Le refus de l'alliance est comme une révélation du corps, en son individualité *séparée*, en sa faiblesse (la nudité devient dépouillement), en sa mortalité. Ce corps n'est plus sous la parole ; il n'est plus pris dans la dynamique de la nomination réciproque : de Dieu à l'homme, de l'homme à Dieu, de l'homme à la femme et de la femme à l'homme. On va vite s'apercevoir que ce corps est le premier « avoir » à sauvegarder. Ce corps n'est plus relié à l'autre de lui-même que seul révélait la proposition d'alliance ; il devient valeur en soi et s'oppose à tout autre corps. Son désir de survie s'autonomise et donne naissance aux mécanismes de défense et d'agressivité, enracinés dans la peur radicale de mourir ; l'amour de l'autre, du « vis-à-vis semblable », devient concupiscence d'un plaisir pour soi : ce sont là, finalement, des comportements animaux, à cela près que l'homme est privé des régulations de la vie animale puisqu'il était doté d'un autre système de régulations, entièrement commandé par l'alliance. La découverte du corps comme entité objective, fragile, exposée, est sans doute à la racine de la peur réciproque, laquelle engendre tous les comportements d'« assurance » de soi contre l'autre, contre la nature, voire contre Dieu, qui prennent la forme d'une quête pour le pouvoir, de violences dans les relations (et tout d'abord dans les relations sexuelles), du non-échange des avoirs, etc. L'homme, privé de son identité profonde, de l'*autre de soi-même* dont la révélation s'esquissait dans la parole de Dieu, ne sait plus se situer par rapport *aux autres*. Le travail et la sexualité ne sont en aucune manière les « fleurs du mal » ; mais le caractère pénible du travail, le jeu de concupiscence et de violence de la sexualité (et, par voie de conséquence, l'instauration de relations de pouvoir à caractère oppressif) le sont totalement. Et que faudra-t-il à l'homme pour qu'il puisse retrouver en leur vérité travail et sexualité, sinon une nouvelle proposition d'alliance qui lui permettra le sacrifice de communion devenu désormais impossible ?

A côté de cette expérience douloureuse du corps séparé et opposé, on peut introduire ici, pour expliquer la violence entre les hommes, le thème de l'indétermination du désir où René Girard voit l'origine des comportements mimétiques et, par suite, des rivalités qui s'achèvent en violence, à moins qu'elles ne soient canalisées par le « sacré ». Je ne pense pas que le désir humain soit en lui-même essentiellement indéterminé : radicalement il est désir de Dieu et ouverture à recevoir de Dieu, moyennant renoncement à l'auto-suffisance, cette communion avec Lui en laquelle s'accomplit l'homme. Mais l'oubli du Dieu vivant qui définit le monde culturel marqué par le péché est aussi oubli du désir de l'homme en sa vérité et perte des repères qui permettraient de discerner et d'organiser les désirs plus particuliers. Ne sachant plus qu'il est « à l'image et à la ressemblance » de Dieu, ayant voulu de lui-même être « comme des dieux », il a perdu le repère essentiel pour organiser sa vie, de sorte que la voie est ouverte à un processus sans fin et sans fruit de *mimèsis*. Prise à ce niveau l'explication de René Girard est suggestive et offre de nombreuses ressources pour l'analyse des comportements, aussi bien religieux que culturels. Malheureusement, comme je l'ai déjà noté, Girard ne met pas en lumière dans ses œuvres les plus récentes le fait décisif que la *mimèsis* a d'abord joué contre le vrai Dieu et sa Parole, et contre le comportement de communion que cette Parole invitait ; c'est pourquoi je pense que ses conclusions sur la violence et le sacré, mais aussi sur l'interprétation du fait chrétien, doivent être reprises et nuancées par leur insertion dans le climat *théocentrique* de la foi [31].

L'histoire perdue

Enfin, il est clair que la mémoire de l'homme perdu se retourne

---

31. R. SCHWAGER, qui a écrit sur Girard avant *Des choses cachées depuis le commencement du monde*, et tenté une application systématique de *La Violence et le Sacré* aux textes bibliques, ne mentionne pas l'histoire d'Éden comme premier type de *mimèsis* coupable, mais commence, lui aussi, avec Caïn et Abel. Il avait cependant bien noté, à la suite de Westerman, que l'histoire de Caïn et d'Abel est présentée dans la Bible comme une conséquence et une reproduction, au niveau des relations humaines, de ce qui s'était passé entre l'homme et Dieu, cf. *Brauchen wir einen Sündenbock*, Munich, 1978, p. 78-81. On trouvera p. 57 une excellente description en cinq points des thèses de Girard et de leur articulation.

vers le passé d'une double manière. Plus superficiellement, cette
« recherche historique » a un caractère étiologique : comment en
est-on arrivé là ? Les explications du mythe tendent toujours à
répondre à la grande question : d'où vient le mal ? (et, en un
certain sens, le récit de la Genèse est lui aussi une explication
étiologique du mal). Mais, plus essentiellement, la mémoire est
espérance du passé d'avant la faute ; son langage exprime un désir
de remonter le courant du mal jusqu'à l'en-deçà du drame initial,
quelle que soit la manière dont on se le représente : le seul futur
dont on ait image et désir est le « Paradis perdu », encore que son
imagination soit difficile et ce mouvement de retour impossible,
sinon peut-être dans l'espace clos et sacré du culte ou, pour
quelques privilégiés de la sagesse, dans une expérience ineffable et
impartageable avec un au-delà innommé.

Si on combine ce mouvement compulsif et répétitif vers un passé
perdu avec la peur et l'envie qu'inspire d'emblée tout autre homme
dont le corps est perçu comme écran et menace, au lieu d'être
proximité et médiation, on comprend qu'il n'y ait pas d'*histoire*
possible, qu'aucun *risque du futur* ne puisse être pris, que l'unité
des divers groupes se fasse essentiellement sur la base des *peurs
partagées* et des *défenses d'intérêt contre* tout agresseur éventuel.
Oublier Dieu, perdre le temps, diviser les hommes : trois
mouvements d'une même attitude [32].

2. Le Temps de la Rédemption [33]

Le monde du péché, tel que je viens de tenter de le décrire,
n'existe pas et n'a jamais existé comme tel. J'ai seulement voulu
mettre en lumière un certain nombre de constantes, qui découlent
de tout refus de Dieu et s'inscrivent profondément non seulement
dans le cœur, mais aussi dans le corps et dans la terre des hommes.
Selon les périodes de l'histoire et les espaces de civilisation, tel ou
tel aspect peut être plus marquant ; la grille que j'ai proposée peut
cependant servir d'une manière générale à repérer les lieux où la

---

32. Cf. J. MOINGT, *op. cit.*, p. 136-137.

33. Je renvoie, en général, aux deux ouvrages de HENGEL et de SCHUERMANN,
cités chapitre I, note 19. Il me semble que, non seulement par la qualité de leur
documentation, mais par les principes de méthode qu'ils énoncent et suivent, ils
fournissent au théologien la référence exégétique dont il a besoin.

rupture de la foi et de la doxologie se marque davantage et s'inscrit dans les réalités. Cependant, comme je l'ai souligné en glosant le récit de l'Éden, le monde du péché est toujours déjà traversé par les gestes de rédemption, au point d'ailleurs que le péché lui-même et ses conséquences ne sont repérables que moyennant la révélation du Pardon. Dès la Genèse, les modalités de la rédemption se laissent discerner : Dieu *reprend la parole* et ne laisse donc pas l'homme à sa perte ; il prend acte cependant de la situation créée par la faute et n'en gomme pas les aspérités ; il fait de cette situation un tremplin pour la vie. Ainsi se dessine le cadre, à la fois douloureux et ouvert à l'espérance, où de nouvelles paroles de Dieu se dessineront en vue de réaliser la communion en vue dès le principe. Toutefois, la figure de Job, entre beaucoup d'autres de l'Ancien Testament, est là pour nous montrer que la reprise de parole, fruit du pardon de Dieu, continue de provoquer l'homme à un dépassement : qu'on parte d'une situation heureuse ou désolée, Dieu entraîne toujours au-delà, et le paradoxe de la « forme de mort » ne s'efface jamais : ou bien la « forme de mort » qui peut s'identifier au risque de la foi, du peuple ou de l'individu, ou bien la perte : « si vous ne croyez pas, vous ne subsisterez pas » (Is 7, 9). Et l'enjeu de ce dépassement est une *nouvelle et plus profonde connaissance de Dieu.*

Le dernier péché

Après les prophètes et les sages, Jésus est envoyé comme l'ultime messager de Dieu, le Fils après les serviteurs comme le dit la parabole (Mt 21, 33-46). Il annonce le Royaume imminent et révèle le Nom du Père. Or, il faut bien voir que sa parole messianique présentait, comme toute autre parole de Dieu dans l'histoire antérieure, un paradoxe de séduction et de répulsion : quel qu'ait pu être le rayonnement de la figure de Jésus ou sa puissance de thaumaturge, qui accréditaient son message, celui-ci n'en était pas moins extrêmement onéreux et à la limite du supportable ; Jésus en effet prenait par rapport au Temple et au Sabbat, donc par rapport à la Loi de Moïse, une position à la fois de liberté et de respect dont l'interprétation était rien moins qu'évidente ; il aurait fallu discerner que l'*accomplissement* de la Loi de Moïse dans le Royaume passait par une transformation dont seule la parole de Jésus garantissait l'autorité. Comme leurs pères en Israël (et comme tous les hommes après Pâques), les auditeurs de Jésus étaient invités à courir le risque d'un comportement symbolique ; concrètement, cela revenait à dire : courir le risque que leur *image de Dieu*, toute juste et sainte qu'elle ait pu être jusque-là, fût modifiée, c'est-à-dire désormais interprétée non seulement par la Loi et le Temple (et les comportements concrets, eux aussi justes et saints, que cela entraînait) mais par l'enseignement du Galiléen qui parcourait leurs routes ; mais cela signifiait aussi courir le risque d'*une autre cohésion politique* du peuple fortement uni sur la base de la Loi ; or il était rien moins qu'évident que ce risque fût jouable, et bien probable au contraire que toute modification dans le sens indiqué par Jésus aurait plus que fragilisé la situation d'Israël comme peuple en face des puissances du jour, les Romains en particulier. Pourtant un regard sur le passé d'Israël, que ce soit au temps des patriarches, des tribus ou de la royauté, mettait bien en évidence que l'image de Dieu et une certaine organisation politique étaient liées, et que pour progresser dans la première il fallait risquer l'autre, et réciproquement. Et ce qui était vrai au niveau du peuple l'était aussi au niveau de l'individu, comme l'aventure de Job en portait le message. Tout est toujours risqué ensemble : l'image de Dieu, l'image de soi, l'image de ses appartenances.

Il aurait donc fallu que les auditeurs de Jésus laissent jouer, dans leur discernement sur le Galiléen, ce qu'il y avait de plus pur dans l'annonce prophétique d'Israël et dans la réflexion sapientielle, c'est-à-dire, en définitive, l'Esprit de Dieu à l'œuvre depuis l'origine. Alors, ils auraient pu courir le risque de la « destruction du Temple », sachant à coup sûr qu'il serait rebâti, et confiants qu'ils comprendraient la profondeur de la révélation du Nom de Père, manifestant un Dieu plus que bon dans sa création et plus que fidèle dans son alliance. Mais nous voyons aussi l'immensité du risque : ne plus défendre l'acquis d'une religion, même sainte ; ne plus nourrir l'espoir d'une restauration politique, même légitime ; attendre, au contraire, le Royaume en réinterprétant tout le détail de la Loi à la lumière des deux premiers commandements, et d'eux seuls.

Le sacrifice de communion demandé par le message de Jésus a été refusé, et ce refus opposé à la manifestation ultime et plénière de la parole de Dieu récapitule toutes les autres fins de non-recevoir, aussi bien des barbares que des Juifs, des hommes qui sont venus avant Jésus et de ceux qui sont venus après, à la manière dont un refus global portant sur une proposition définitive peut englober toutes les dénégations partielles. Le refus du Nom du Père, comme aussi du messager qui est venu l'annoncer, prend une valeur totalisante : c'est le « péché du monde » opposé au sacrifice de communion ; il se renouvelle jusqu'aujourd'hui, chaque fois qu'un dépassement, quel qu'il soit, de l'image de Dieu, de soi et des appartenances, est refusé, chaque fois que le souffle de l'Esprit est interrompu ; ce renouvellement, pourtant, n'ajoute rien, en un certain sens à la crucifixion de Jésus, il la confirme et la ratifie, mais tout a été joué alors.

Le pardon de Jésus

C'est en son corps que Jésus a subi ce refus ; le « non » que les hommes ont opposé à la parole de Dieu, c'est la Croix, écriture tragique qui inscrit la violence humaine en son fondement ultime : si on fait violence à Jésus, c'est que Dieu, en lui, est refusé. Or Jésus intercède pour le pardon, même de cette offense dernière et, en ce qui le concerne, pardonne. Alors que, par la violence dont il est victime, les hommes ont en quelque sorte clos définitivement l'aventure de la filiation, Jésus suspend cette conclusion tragique en appelant le pardon de Dieu sur tous : nouveau Moïse, il demande que la grâce s'ouvre là même où il ne devrait plus y avoir possibilité de grâce. Jésus demande à son Père de ne pas regarder la Croix pour ce qu'elle est, l'écriture sanglante d'un refus, et il l'invite de ce fait à la voir pour ce qu'elle n'était pas et qu'il l'a fait devenir : le symbole de l'amour pour les frères. La Croix est, de la part des hommes, un symbole de haine fondamentale de Dieu, du rejet de son Nom de Père, mais, en intercédant pour ceux qui le crucifient et en leur pardonnant pour sa part, Jésus transforme ce symbole de la haine en symbole de l'amour ; la Croix signifiera désormais que tous les hommes sont à tout moment sous le pardon de Dieu, puisque celui sur qui s'est acharné le péché a choisi le « pardon » (c'est-à-dire étymologiquement la surabondance du don).

Pour être compris en toute exactitude, le comportement du Christ doit être relié à tout son enseignement sur le pardon et la miséricorde, comme actes dans et par lesquels l'homme peut devenir parfait comme le Père céleste est parfait, achever en soi l'image de Dieu et lui rendre pleinement gloire. Demandant le pardon au moment même où il meurt, Jésus pousse à l'extrême limite le second commandement égal au premier et offre ainsi à Dieu le sacrifice spirituel d'une fidélité absolue à l'essence de la Loi. Le pardon demandé et accordé par Jésus est dépassement de toute violence, de tout amour de soi ; il est accomplissement de la paix. « C'est Lui qui est notre paix... en sa personne, il a tué la haine » ; ces deux formules de saint Paul (Ep 2, 14 et 16) s'appliquent à la réconciliation des juifs et des païens entre eux et avec Dieu, mais il est permis de les entendre d'une manière générale de la réconciliation universelle grâce à la transformation de la Croix d'instrument de la haine en symbole de l'amour.

Le silence de Dieu

On pourrait résumer ce qui précède sur le pardon en disant que, si la Croix est « sacrifice pour le péché », c'est et ce n'est que dans la mesure où la plénitude de l'amour fraternel de Jésus pour les hommes en a complètement retourné la signification : c'est la surabondante intention de communion du Christ qui ouvre une voie là où il n'y en avait plus. Cette perspective pourtant n'est pas exclusive d'une autre. Quand on met en avant le thème du pardon, on situe Jésus en position de médiateur, ce que d'ailleurs il est ; messie souffrant, il est entre Dieu et les hommes ; juste jamais séparé de Dieu, il intervient pour que les pécheurs lui soient toujours de nouveau reliés. L'Écriture va cependant plus loin encore ; elle ne décrit pas seulement en termes de médiation et d'intercession la relation de Jésus aux pécheurs qui, en lui, s'efforcent une fois de plus, et la dernière, de tuer Dieu. Elle ne situe pas seulement Jésus en vis-à-vis des hommes. Quand elle dit que Jésus est mort « pour nous » ou « pour nos péchés », le terme *pour* prend aussi parfois une valeur substitutive : Jésus est mort en quelque sorte à notre place ; nous sommes sauvés parce qu'il a pris sur lui nos péchés ; ou encore, comme le dit fortement saint Paul : « Dieu l'a fait péché pour nous, afin que nous devenions par lui justice de Dieu. » Il y a eu comme un transfert, une commutation — et ceci s'exprime parfois en termes rituels comme « expiation », « propitiation », etc. Comment pouvons-nous entendre cela ?

Si la place du pardon dans le récit de la Passion selon saint Luc nous a aidés à situer le sens théologique de ce pardon, c'est le thème de l'abandon, dans le récit de la Passion selon saint Marc, qui va nous guider maintenant. Jusqu'au dernier moment, Dieu n'intervient pas pour secourir celui qui s'est finalement présenté comme Christ et Fils, et qui, tout au long de sa vie, a rendu témoignage à la proximité du Royaume et révélé le Nom du Père. Si, comparée aux hommes qui la lui infligent, la mort de Jésus est le fruit d'une violence en quelque sorte absolue, comparée à Dieu qui demeure dans le silence, elle est *épreuve dans un cadre de péché*. En analysant le monde du péché, j'ai noté la place de l'oubli de Dieu, dont la mort corporelle est en quelque sorte le symbole ; en relevant l'attitude de Dieu dans l'histoire d'Éden, j'ai noté que Dieu n'annule pas purement et simplement les conséquences du péché de l'homme, mais, tout en les laissant jouer, transforme ces conséquences en possibilités nouvelles. Il y a là une dialectique de ce que l'Écriture appelle la *Colère*, c'est-à-dire l'inscription effective dans le monde, des signes de l'absence d'un Dieu repoussé, et de ce qu'elle appelle la *Miséricorde*, c'est-à-dire l'appel toujours de nouveau adressé à celui qui est perdu. Or, en ne venant pas en aide à Jésus, fût-ce au tout dernier moment, Dieu a laissé jouer les signes extérieurs de la Colère : la mort corporelle et le silence de Dieu ; mais cela même n'était que le cadre de ce qui, fondamentalement, était l'*épreuve* de la persévérance de Jésus ; révélateur du Nom du Père et prophète du Royaume imminent, Jésus n'en a pas moins été traité comme s'il appartenait à la famille de ceux qui ont choisi l'oubli fondamental ; aucune assurance ne lui a été donnée quant au futur ou, s'il en avait, elle lui a été ôtée, à lui qui pourtant n'avait jamais été que la mémoire vive du Père. Mais ce qui lui était demandé, au travers de cet abandon, c'était précisément ce qui est demandé à tout homme : persévérer dans la doxologie, croire à la promesse de Dieu, capable d'ouvrir l'histoire au-delà même de la mort, considérer sa propre mort comme un mystérieux chemin de salut universel. Ainsi, la mort de Jésus, considérée dans son rapport personnel à Dieu, réalise-t-elle le *sacrifice de communion* avec une intensité sans mesure : non seulement à cause de la perfection de la charité qui pardonne, mais à cause de la perfection de la charité qui obéit : c'est des profondeurs du silence de Dieu, sorte de réplique immanente à l'oubli de l'homme, que Jésus a, dans l'acte même de mourir, reconnu le Nom du Père, et de ce fait, il en est devenu Mémoire vive pour tous les hommes.

C'est la conjonction de la mort sur la Croix et du silence de Dieu ne parlant ni n'agissant pour venir à son secours, qui fait de Jésus comme l'incarnation du péché, et pas seulement le médiateur entre Dieu et les pécheurs. Ce n'est pas que Dieu se soit « acharné » contre Jésus : l'abandon dont se plaint le crucifié est l'absence de Dieu qui ne se représente pas, qui laisse mourir, c'est-à-dire : qui laisse le péché agir totalement sur Jésus. C'est donc contre toute espérance que le Christ en croix doit espérer cet « exaucement » dont parle la lettre aux Hébreux, en réponse à son cri éperdu ; ce n'est pas en effet avant la mort de Jésus, mais après, non comme salut de la mort en dernière minute, mais comme résurrection, que Jésus a été exaucé ; auparavant le crucifié a dû endurer la mort dans sa dimension qu'on pourrait appeler « a-théologale » : la passion, dans le corps de l'homme, de la séparation d'avec Dieu. Or Jésus a persévéré dans l'attitude filiale : il a transformé la mort seconde en sacrifice de communion, de sorte que le péché a disparu et, avec lui, toute colère de Dieu.

En somme, Jésus sur la Croix a vécu la séparation *d'avec les hommes* et l'a surmontée par le pardon ; il a vécu la séparation *d'avec Dieu* et l'a surmontée par l'invocation. Ces deux séparations, vécues jusqu'au bout *dans la mort*, ont formé le contexte de son sacrifice de communion, et c'est pourquoi celui-ci est « sacrifice pour le péché ».

Quand on y réfléchit, il y a là quelque chose d'admirable : les auditeurs de Jésus, ici représentants de toute l'humanité, étaient invités à l'ultime *sacrifice de communion*, qui aurait pleinement purifié et affiné leur image de Dieu et leur espérance d'homme : ils l'auraient fait en écoutant Jésus qui leur apportait la parole de Dieu. Or, ils ne l'ont pas fait. Jésus alors se tourne vers Dieu, non seulement en intercédant pour eux, mais en persévérant lui-même, au cœur de son destin d'autant plus ravagé qu'il était plus grand, dans la doxologie et l'invocation. Paradoxalement alors, la parole que Dieu attendait des hommes depuis l'origine lui est enfin adressée et renverse un refus ultime en invocation définitive.

L'Agneau sans tache

Si Jésus est mort pour nos péchés, c'est donc en tant qu'il était lui-même *sans péché*. S'il a été offert, c'est comme Agneau *sans tache*. Le thème de l'innocence éprouvée, soumise à la « forme de mort », s'applique entièrement à lui. Une dimension de sa relation à Dieu est bien celle de l'innocent soumis à un sort douloureux et qui, refusant jusqu'au bout de faire le procès de Dieu, demeure fidèle et, par l'épreuve, s'égale à sa condition de fils. Si quelque chose en Jésus ouvre la rédemption, c'est et ce ne peut être que son comportement d'obéissance à Dieu jusque dans la mort, c'est-à-dire la perfection du sacrifice de communion dont sa mort est le symbole. Quelque douloureux qu'ils puissent être, les événements de la passion n'ont de sens que comme épreuve de l'obéissance, de la doxologie, de la communion ; et c'est là justement que Jésus a été trouvé fidèle. Entrant avec fermeté dans le « trépas » par où s'accomplit toute filiation, il a le premier rendu parfaitement gloire à Dieu, en comprenant le dessein de Celui-ci, et c'est à ce titre qu'il a frayé pour tous le chemin du salut.

Le thème de l'innocence éprouvée et victorieuse, dans un cadre de péché, devrait pouvoir servir de principe herméneutique pour évaluer et mettre en perspective les images et les concepts qui véhiculent, dans l'Écriture comme dans la tradition patristique et médiévale, le thème de la rédemption ; on pourrait distribuer ces images et ces concepts en trois directions fondamentales : celle de la *victoire* : sur le démon, le péché, la mort ; celle du *culte* : expiation, propitiation, sacrifice pour le péché ; celle du *droit* : mérite, satisfaction, rachat. Cette liste n'est pas exhaustive, ni non plus cette distribution en trois orientations ; du moins ces thèmes existent-ils, et je pense qu'ils peuvent être réinterprétés dans la perspective proposée. Je voudrais prendre un exemple dans le domaine du culte et de son vocabulaire. Celui-ci est souvent devenu inacceptable parce qu'on l'a pris littéralement et conceptuellement ; on a cherché à vérifier dans la passion et la mort du Christ des définitions prises dans l'Ancien Testament ou dans le fonds commun des religions, et appliquées de manière univoque au mystère chrétien, alors qu'il aurait fallu prendre tout ce donné dans une perspective d'accomplissement objectif et d'exégèse spirituelle. C'est cette perspective, en effet, qui est celle des auteurs sacrés. On a beaucoup discuté naguère, par exemple, sur la chronologie de la passion de Jésus et sur la date de la dernière Cène [34]. Quel que soit l'intérêt de ces discussions, je me

---

34. Cf. par ex. A. JAUBERT, *La Date de la Cène. Calendrier biblique et liturgie chrétienne*, Paris, 1957. J. JEREMIAS, *La Date de la Cène. Les paroles de Jésus*, trad. fr. Paris, 1972.

demande si elles n'ont pas trop laissé de côté ce qui semble en réalité l'intention convergente des évangiles synoptiques et de saint Jean. Puisqu'ils ne s'accordent pas sur la présentation du dernier repas de Jésus, cela signifie que la question de savoir si ce dernier repas a été effectivement et littéralement un repas pascal juif ne les intéresse pas. Ce qu'ils veulent dire, au contraire, et qu'ils disent très bien, chacun à sa manière, est que la mort de Jésus célébrée dans l'Eucharistie de l'Église est la *Pâque véritable*. C'est à partir de là qu'il faut comprendre l'usage du vocabulaire *pascal* de la rédemption ; il faut faire jouer dans les deux sens type et antitype : si la théologie juive de la Pâque, au temps de Jésus, peut expliquer le sens de la passion et de la mort du Seigneur, inversement, c'est la passion et la mort qui accomplissent le sens de la Pâque ancienne, de sorte qu'on ne peut comprendre le sens total de celle-ci qu'en considérant celles-là. Et, s'il faut parler, par exemple, de « sacrifice pascal » à propos de Jésus, ce n'est pas en ramenant sa passion et sa mort à une « variante » du thème pascal, mais en les lisant comme transfiguration et accomplissement de ce thème. On en dirait autant de tout ce qui relève de l'*expiation*[35]. En contexte juif, le mot désigne le point culminant du culte du Temple. Après la mort et la résurrection de Jésus, les disciples ont eu rapidement à se décider par rapport à la vie culturelle du Temple, et ils y ont renoncé ; s'ils expriment la mort de Jésus en termes de sacrifice expiatoire, cela veut dire que tout ce que la religion juive cherchait au travers de la liturgie d'expiation a été donné dans la mort et la résurrection du Christ ; il ne faut pas ramener la passion et la mort de Jésus aux sacrifices de bétail pratiqués durant la fête des expiations, mais plutôt transfigurer et accomplir le thème à partir de la passion et de la mort de Jésus ; l'aspect rituellement expiatoire s'annule et disparaît en étant assumé dans l'aspect communionnel, signifié et réalisé par la croix.

On pourrait dire aussi qu'il y a dans la Bible tout un processus de « sacramentalisation » des sacrifices et de la Loi, qui les fait passer peu à peu du sacrifice rituel et de la Loi positive au sacrifice de communion et à la Loi d'amour. Jésus accomplit le pas ultime et signifie la vérité dernière de cette sacramentalisation. Les mots cultuels d'expiation, de propitiation, de rachat et autres sont ainsi à comprendre à la lumière d'une symbolique globale : celle de l'accès à la dimension de communion filiale, qui est la vocation

---

35. Cf. HENGEL, *op. cit.*, p. 168-171.

propre de l'homme, et qui requiert un « trépas » ; ce trépas lui-même n'est pas, de la part de Dieu, une exigence absurde et cruelle : c'est la sollicitation de l'amour à l'amour, et la réponse s'inscrit symboliquement sur le corps de l'homme qui répond. Si une telle sollicitation s'inscrit dans un cadre marqué par la mort, la violence, l'oubli de Dieu, alors le « trépas » sera marqué profondément par ce cadre et, s'il est victorieux, il l'annulera. C'est en ce sens qu'on peut réinterpréter les catégories cultuelles.

Si on ne met pas en valeur, dans l'appréciation de la passion et de la mort de Jésus, la primauté du sacrifice de communion et sa présence nécessaire dans le chemin qui conduit à l'accomplissement de la filiation ou, en d'autres termes, si on ne considère le sacrifice que dans sa modalité prétendue d'expiation, il devient impossible de justifier Dieu de sa cruauté. Qu'on retourne la question dans tous les sens, ce dieu-là exige un sacrifice « sanglant », si on veut recevoir son pardon ! Et alors la Croix du Christ s'interprète moyennant recours aux catégories cultuelles des religions en général, alors que c'est l'inverse qu'il faut faire : comprendre ces catégories et ces pratiques comme recevant leur sens ultime de la Croix du Christ et étant annulées dans le moment même où elles reçoivent cette signification [36].

Pour conclure cet ensemble de réflexions sur le temps de la rédemption, il peut être suggestif de simplement évoquer ici la vieille et toujours neuve question du « motif de l'Incarnation » : le Verbe se serait-il incarné si l'homme n'avait pas péché ? Si on lui donne une réponse affirmative, il faut bien maintenir que le

---

36. Qu'il soit permis de dire ici que nous ne sommes pas les premiers à donner aux formules cultuelles, importées de l'Ancien Testament dans le Nouveau, une valeur *spirituelle* et *sacramentelle*. Depuis les origines de l'Église, y compris le Nouveau Testament, on ne fait pas autre chose, et la grande scolastique, sur ce point comme sur beaucoup d'autres, a continué sur la lancée des Pères. La théologie des Mystères du Christ, dans la *Somme* de saint Thomas, est pure de tout relent « sacrificiel » (au sens de Girard) ; tout récemment, le P. Sesboué a cité des textes d'Anselme qui peuvent engager à nuancer le jugement négatif qu'on porte habituellement sur lui. Je pense que le P. Moingt met le doigt sur la plaie lorsqu'il incrimine la scolastique baroque et les invraisemblables théories du sacrifice eucharistique développées au XVIIe/XVIIIe siècles. Tout ceci ne fait pas vraiment partie de la Tradition de l'Église, mais a donné corps à une certaine mentalité, voire à une certaine spiritualité, jusque bien avant dans le XIXe siècle, et qu'il faudra encore quelques générations pour déraciner. (MOINGT, *op. cit.*, p. 169 et B. SESBOUÉ, « Esquisse critique d'une théologie de la Rédemption », dans *Nouvelle Revue théologique*, 106 [1984], p. 801-816.)

Verbe incarné dans un monde d'innocence aurait encore eu à faire, dans son humanité, un geste filial appartenant au niveau du « sacrifice de communion ». Et tous les autres gestes de ce type, posés dans l'humanité innocente, auraient trouvé leur sens dernier dans le sacrifice de communion présenté par le Christ. Venu dans un monde de péché, le Christ présente le même et fondamental sacrifice de communion, mais à partir d'une situation profondément perturbée : sa persévérance prend alors un aspect non seulement de récapitulation, mais de réconciliation.

3. Vivre pour les hommes et mourir pour leurs péchés

Ce qui précède était une tentative de réponse à l'une des questions posées au début de ce chapitre : comment « passer », en ce qui concerne l'histoire de Jésus, d'un sacrifice de communion à un sacrifice pour le péché ? La réponse aura été qu'il n'y a pas, à proprement parler, de passage, que, pour Jésus aussi, l'essentiel est le comportement symbolique qui l'égale à sa condition de fils, tandis que les aspects tragiques de la passion et de la croix sont la modalité par où nécessairement se parfait la communion, à partir d'un monde du péché. En proposant cette solution, j'ai aussi touché assez largement à l'autre question posée : comment « passer » d'un sacrifice de communion, c'est-à-dire d'une relation *à* Dieu, à une vie et une mort *pour* les hommes ? En quoi est-on autorisé à dire que ce qu'a fait Jésus l'a été « en notre nom », ou « pour nous », ou bien encore que c'est « en lui » que nous sommes sauvés ? On peut cependant apporter quelques compléments à ce sujet.

Jésus, homme pour les autres

Peut-être d'ailleurs cette question du passage d'une relation *à* Dieu vers une relation *aux* hommes est-elle une fausse question ? En effet, la démarche de Jésus vers son Père est inséparable de sa mission pour les hommes : ce sont les deux faces d'une même réalité ; c'est pour les hommes que Jésus est prophète du Royaume de Dieu, c'est à eux qu'il est venu révéler le nom de Père. De ce point de vue, le sacrifice spirituel de Jésus s'identifie à la fidélité à sa mission. Et s'il fallait un paroxysme de souffrance pour que fût manifestée l'intensité de la filiation de Jésus, ce paroxysme révélerait aussi et sans qu'on lui ajoute rien, sa fraternité universelle. Jamais la vie de Jésus n'a été une vie pour soi-même, c'est évident, mais jamais non plus une vie pour « Dieu seul », en ce sens qu'elle aurait laissé les hommes en dehors de sa visée effective et de son déroulement concret. Jésus n'a vécu que pour préparer ses contemporains, par sa parole et par son action, à l'irruption imminente du Royaume. Sa manière de vivre était d'emblée essentiellement désappropriée d'elle-même et au service des autres.

Cette vie « pour » les hommes a été vie « à » Dieu, simplement parce qu'elle était obéissance à une mission reçue de Dieu, animée par la conviction qu'avait Jésus de dire les paroles de Dieu, non les siennes. Quelles qu'aient pu être les hésitations concrètes éprouvées à certains moments par Jésus sur la manière de conduire sa mission, ou les étonnements et les souffrances qu'il a pu ressentir devant les échecs de celle-ci, cela n'a rien changé ni à sa conviction d'être envoyé, ni à sa décision d'obéissance. On pourrait dire : avant de *mourir pour* nous, Jésus *a vécu pour* nous, dans son effort à préparer la venue du Royaume parmi les hommes. Ces remarques simples rejoignent un thème traditionnel de la théologie de la rédemption : Jésus sauve par son office de prophète et de docteur : il dit les paroles de Dieu pour susciter la conversion des hommes.

La mort de Jésus ne change rien à l'orientation de sa vie « pour » les hommes, elle ne fait que la continuer. Jésus meurt plutôt que de renoncer à ce qu'il était venu annoncer : ne pouvant plus rien faire pour son message de salut, il meurt, et, par sa mort, en témoigne encore. On peut dire qu'il a continué à aimer les hommes en quelque sorte malgré eux, en mourant plutôt que de transiger sur le message qui devait les sauver ; par le fait même, il a continué à aimer Dieu, puisqu'il est mort plutôt que de changer quoi que ce soit à la parole qui lui avait été confiée. En ce sens, Jésus est mort pour la vérité de Dieu (sacrifice *à*), et pour les hommes dont il servait le bonheur en étant irréductiblement fidèle à cette parole de salut (sacrifice *pour*). De plus, le pardon que, de sa croix, Jésus demande pour les hommes ou qu'il étend de lui-même aux hommes peut être considéré comme une ultime affirmation de cette solidarité ; même dans la mort, Jésus ne se sépare pas de ceux à qui il a été envoyé. Le martyr ne rejette pas ceux qui le tuent et espère, par-delà la mort, en la force de son témoignage.

Si ces remarques sont exactes, la question d'un « passage » en Jésus, de la relation *à* Dieu vers un agir *pour* les hommes ne se pose guère : la mission reçue de Dieu, à laquelle Jésus reste fidèle, même au moment de l'abandon apparent de Dieu, est tout entière pour les hommes. Jésus n'est jamais davantage frère qu'au moment où il se manifeste parfaitement fils : la croix est un moment fraternel autant que filial ; l'un ne peut aller sans l'autre ; et on peut comprendre aussi par là ce qui a été dit plus haut sur le pardon demandé par Jésus à son Père pour les hommes.

Jésus, le « représentant » [37]

Tout ce qui vient d'être rappelé indique aussi en quel sens Jésus peut être dit notre « représentant » : dans la mesure où la vie d'un homme s'identifie *totalement* à sa mission, comme en témoigne d'ailleurs le nom même de Jésus, dont l'évangéliste souligne lui-même le sens salvifique (Mt 1, 21), il devient quasi évident que tout acte posé par cet homme l'est *au nom de* ceux pour qui il est posé ; si Jésus est l'homme *pour* les autres, alors les autres peuvent se retrouver en lui.

On peut essayer d'approfondir le thème en faisant état de la distinction établie par Dorothée Sölle entre « représentation » et « remplaçabilité » ; je le reprends ici, tout en lui donnant une interprétation quelque peu différente. Qu'est-ce qui autorise un homme à parler ou à agir au nom des autres, et qu'est-ce qui donne à cette parole une valeur qui dépasse la personne de celui qui la porte ? Soulignons d'abord que, quel que soit le fondement à donner au fait de la représentation, le représentant ne remplace pas ceux qu'il représente, car les sujets personnels sont irremplaçables : eux aussi ont à porter la parole et à poser des actes responsables. On pourrait conclure de cette remarque qu'un représentant s'acquitte de sa tâche avec justesse lorsque, d'une manière qui serait à préciser, il libère en quelque sorte les autres pour leur parole et pour leur tâche. Mais d'autre part, le fait que tout homme soit irremplaçable, considéré individuellement ou dans ses appartenances communautaires, n'empêche pas qu'il ait à être représenté. En dehors du péché, dont je ne m'occupe pas précisément pour l'instant, cela s'explique d'une part par la finitude du sujet humain et de l'autre par son existence-en-relation.

---

37. Cf. D. SOELLE, *La Représentation*, trad. fr. Paris, 1969, surtout p. 17 ss.

Fini, l'homme ne peut faire face par lui-même immédiatement à toutes les paroles et à tous les actes qui, dans une conjoncture donnée, seraient à poser ; son insertion spatio-temporelle, à elle seule, l'en empêcherait ; il est inévitable qu'il y ait des suppléances et des procurations, mais dans lesquelles l'homme absent se reconnaît, au point de se savoir lié par les paroles ou les actes qui auront été posés « en son nom », aux termes du contrat de représentation. Plus profondément peut-être, la représentation se fonde dans l'existence relationnelle de l'homme : son individualité n'est pas séparée et distante des nœuds de relation par lesquels il est reconnu et situé dans des espaces humains variés. En ce sens, les êtres en relation peuvent parler les uns pour les autres dans la perspective propre qui unifie leurs communautés, et les communautés elles-mêmes ont besoin de porte-parole qui incarnent cette unité et, par conséquent, l'engagent dans une direction ou l'autre — de telle sorte que, ici aussi, chaque membre soit tenu par l'engagement pris ou bénéficiaire de l'avantage obtenu.

A partir de ces remarques élémentaires, mais qui montrent, j'espère, que la représentation est un organe nécessaire de la vie humaine, sans pourtant effacer l'irremplaçabilité de la personne, on peut préciser sur quoi va concrètement se fonder la représentation. Il y a, en gros, trois fondements : celui, génétique, de la primogéniture ; celui, contractuel, de l'élection ; celui, éthique, de la qualité.

On admet facilement, en effet, que le premier-né puisse parler au nom de tous ceux qui viennent après lui : ayant, le premier, fait de tel homme et de telle femme des parents, il parlera, voire il agira au nom de ceux qui, après lui, ont répété pour eux le processus de la génération. Il ne les remplace pas, il les représente, et eux acceptent de se reconnaître dans les paroles qu'il dit et les gestes qu'il pose. Représentant encore, non remplaçant, celui qui, par sa fidélité à une communauté, son intelligence des besoins ou des capacités de celle-ci, peut parler, du consentement de tous, ou agir en son nom : ici encore, tous acceptent de s'impliquer librement en ce que dit ou fait celui qui les représente. Enfin, on peut concevoir qu'il y ait, dans un groupe, un être tellement plénier, tellement unique qu'il puisse récapituler, sans les détruire, les personnes susceptibles de s'exprimer ou d'agir : représentation par le meilleur ; il en est dans tous les groupes, même si tous n'ont pas la générosité de le reconnaître et de lui donner de parler ou d'agir en leur nom. Mais, s'il est reconnu comme tel, alors en sa parole ou en son action, tout membre du groupe se reconnaît, tout en se sachant dépassé par une qualité à laquelle il n'atteint pas. Primogéniture, sens excellent de la communauté, perfection personnelle, tels seraient les titres de la représentation.

Il est clair, pour la foi chrétienne, que le Christ peut prétendre à ces divers titres de représentation, voire même que son être et sa mission n'auraient aucun sens s'il ne pouvait y prétendre. En un sens, tout le développement de la théologie de la rédemption dans le Nouveau Testament consiste en une découverte de plus en plus large des *titres* ou des *noms* du Christ qui fondent de plus en plus largement la réalité du salut : Premier-Né avant toute créature, Premier-Né d'entre les morts, Tête du Corps qui est l'Église, Fils de Dieu en puissance, mais aussi Parole puissante et Verbe tourné vers le Père... tous ces noms christiques fondent la « représentation » christique et dévoilent de mieux en mieux ce qui était déjà dans la mission filiale et messianique de Jésus avant Pâques.

Ces titres, cependant, ne font pas des hommes que Jésus représente des individus sans consistance personnelle : Jésus représente, il ne remplace pas. Même posé en notre nom, l'acte rédempteur ne peut être, pour la communauté de Jésus, que le principe de paroles et d'actes par où cette action est personnellement ratifiée. Disons, dans le vocabulaire ici retenu, que, si Jésus pose pour nous un sacrifice pour le péché, il nous rend par là la possibilité de poser notre sacrifice de communion ; cette « possibilité » a un nom propre, le même pour Jésus et pour nous : l'Esprit Saint. Inversement, l'analyse de l'acte rédempteur du Christ, séparé de la mention de son fruit spirituel en nous, ferait du Christ un remplaçant, non un représentant.

Finitude et souffrance

Dans la trajectoire de ces réflexions sur la représentation, il est possible de commencer à entrevoir un principe de solution au problème de base, dont nous avons vu dans la première partie qu'il sous-tend toute gnose : finitude et/ou culpabilité.

D'une part, notre analyse des figures d'Adam et de Job nous a clairement manifesté que la finitude de l'homme était appelée à se transcender pour répondre à la parole de Dieu invitant à la communion. Dépassement, qui ne va pas sans renonciation à la propre autonomie et consentement à un comportement symbolique qui a « forme de mort » et implique donc quelque souffrance. D'autre part, le début de ce chapitre a pu analyser les éléments marqués de culpabilité d'un monde et d'une société qui se refusent à ce dynamisme symbolique : on meurt, de façon coupable, de ne vouloir pas mourir de manière aimante. Mais si Jésus, du sein d'un monde profondément marqué par la culpabilité, a vécu et est mort de manière parfaitement symbolique, alors jusque dans les inscriptions que le mal a laissées sur le corps, dans le psychisme, dans les peurs sociales et les destructions de la terre, le sacrifice de communion redevient possible : il n'y a plus rien de formellement coupable et tout, sous la motion de l'Esprit, peut servir à rétablir la paix : avec Dieu, en soi, avec autrui, avec le monde... On a là le principe d'un renouvellement et d'une qualification de l'éthique sur lesquels j'espère revenir de façon succincte dans la conclusion de ce livre : entre les révolutions décevantes et les attentes de l'innommable, il y a sans doute une histoire à construire, à condition du moins d'*écouter le récit fondateur* dans ses deux phases de résurrection et de mort, et de se conformer à la norme qu'il nous donne.

ÉPILOGUE

L'INVOCATION PATERNELLE

Le nom de Fils

Au début de cette seconde partie, j'ai montré pourquoi il convenait d'aborder le *récit fondateur* par la résurrection, puisque, au niveau de celle-ci, nous trouvions présentes les conditions d'une *écoute totale*, recevant le témoignage à la fois du fait et de son interprétation. J'ai souligné aussi que la résurrection se présentait comme un *acte total* de Dieu, ouvrant sur la trace et dans la mouvance de Jésus-Christ une histoire pour tous les hommes, libérée du péché passé et libérant un chemin d'avenir. La résurrection enfin dévoilait un *nom* fondamental de Dieu : « Celui qui a ressuscité Jésus d'entre les morts. »

Projetée sur la *mort de Jésus* et sur les figures qui l'annonçaient, la lumière reçue de la résurrection manifestait en Jésus la *modalité de fond* et le *sens* de l'*histoire* : il s'agit d'une *pédagogie totale de la filiation* : du côté de Dieu, il s'agit d'un *retrait* toujours plus marqué, d'une paradoxale rupture des images, mystérieusement donnée à entendre comme invitation à une *autre* relation de communion : rupture entre celui qui crée et qui bénit dans le jardin d'Éden et le même qui interdit la connaissance du bien et du mal ; rupture entre le Dieu fidèle qui rétribue en terre de Hus, et le même qui se montre ensuite indifférent sinon cruel en se détournant du juste ; rupture enfin entre celui qui envoie son fils comme ultime prophète d'un royaume de grâce, et le même qui le laisse mourir, victime de sa mission, sans esquisser le moindre geste de salut en sa faveur.

Mais si Dieu se retire ainsi, c'est afin que l'homme soit amené à entrer librement dans les profondeurs toujours plus larges de sa *relation avec lui*, au-delà de tous les dons qu'il a pu recevoir, de sorte que, persévérant dans l'invocation et l'obéissance, il parvienne à la pure relation de fils, selon laquelle on peut enfin « connaître » Dieu et se découvrir soi-même en sa vérité. Ce serait ici le lieu d'articuler une réflexion sur l'*Esprit Saint* comme lumière pour le discernement et force pour le risque, comme *amour* par où le sacrifice de communion apparaît non seulement comme possible, mais encore comme désirable, et fait entrer avec fidélité dans le retrait de Dieu.

Pour tenter de comprendre un peu cette pédagogie et ne pas s'en scandaliser, il nous faut répéter une fois de plus que la filiation par rapport à Dieu n'est pas une qualité statique de l'homme, une richesse de plus, homogène à tant d'autres, même si elle leur est supérieure. La filiation est une dynamique infinie : elle est le rassemblement de tout l'être dans l'invocation du nom de Père. Ainsi, ce Nom, Dieu ne pouvait le révéler que de manière active, en *faisant* de l'homme son fils et, comme il s'agit d'une relation au plus haut degré interpersonnelle, cette instauration filiale ne pouvait être, de la part de l'homme, qu'œuvre d'Esprit et de liberté. Ainsi les incompréhensibles reculs de Dieu par rapport à ses paroles de bénédiction étaient-ils déjà la Révélation du nom de Père, l'invitation à le nommer Père d'une nomination totale qui reprenne, recouvre et récapitule le tout de l'homme dans l'invocation. Telle était l'attente anxieuse de Dieu lorsqu'il avait risqué sa parole, et la réponse à cette attente ne pouvait se produire que comme comportement symbolique, sacrifice de communion, « forme de mort ».

Mais quand l'œuvre de sollicitation paternelle et de réponse filiale est parvenue à sa perfection dans le moment même de la mort de Jésus, les ruptures douloureuses n'ont plus de raison d'être ; leur sens était de mettre en quelque sorte l'homme sur l'orbite de la filiation ; une fois que celui-ci y est, tout en lui peut et doit être recréé et transfiguré. Il est exclu que celui qui s'est manifesté pleinement fils dans la mort puisse vivre autrement que pour son Père ; s'il retrouvait ce qu'il avait auparavant librement laissé en signe d'« échange symbolique », ce ne pourrait être que pour l'inclure, d'une manière nouvelle, dans cette invocation parfaite et définitive. Mais il est exclu aussi que le Père ne dise pas *pleinement* à celui qu'il a amené à la perfection de l'invocation, le mot qui n'avait jamais quitté ses lèvres, même quand il provoquait tant de souffrance : « mon Fils ». Cette invocation de Jésus par Dieu, dont le Psaume 2 donnait par avance le texte (cf. Ac 13, 13), persévère elle aussi au-delà du temps de l'épreuve. Or, invoquer Jésus comme Fils, c'est lui donner, dans cet engendrement, les richesses transfigurées de la création, la plénitude glorieuse de l'être d'homme enfin parvenu à sa dimension vraie. C'est « exalter » le Christ, le « ressusciter », non d'un acte unique et bientôt oublié, mais d'un acte permanent, puisqu'il est, lui aussi, invocation. Dieu ne retient plus rien de ce que sa bonté de créateur et sa fidélité de partenaire de l'alliance avait donné, puis retenu, afin d'ouvrir le champ de la relation filiale : la transfiguration est la manifestation, dans le corps et dans la terre, de cette relation proposée dès le commencement, désormais établie et toujours vive. A partir de l'invocation réciproque et en elle, Jésus peut être constitué Seigneur, être le Nouveau Temple et les prémices d'un cosmos transfiguré. En lui, toutes les puissances de l'être, maintenant réconciliées, s'unissent pour recevoir l'invocation du Père et y répondre, dans l'« échange symbolique » sans fin.

C'est pourquoi, on pourrait dire que, de même que la croix est apparue espace de la filiation, de même la résurrection se manifeste comme *champ de la paternité*, ou que, si la croix est le lieu de la révélation du nom de « Père », la résurrection nous fait entrer dans l'intelligence du nom de « Fils », pour Jésus d'abord, mais, à sa suite et en lui, pour tout homme.

Pour entrer un peu plus avant dans la méditation de ce thème de l'*invocation paternelle*, une remarque de méthode est importante, concernant les textes du Nouveau Testament. Par ce qui est sans doute une erreur de perspective et sûrement un anachronisme, on a parfois cherché, en effet, à interpréter ces textes selon une progression chronologiquement et intellectuellement rigoureuse allant de ce qui aurait été une christologie plus ou moins d'« en-bas » — christologie du « Serviteur » — à une christologie plus ou moins d'« en-haut » — christologie du « Verbe auprès de Dieu ». En réalité, les choses n'ont pas dû se passer d'une manière aussi nette. Dès que, par le don de l'Esprit Saint, les disciples ont compris comment la résurrection surmontait le scandale inouï de la croix, ils n'étaient pas tellement démunis pour exprimer la messianité et la filiation de Jésus et pour rendre compte théologiquement de sa crucifixion. Il ne faut pas oublier en effet que, par leur orientation, la théologie juive tardive et la théologie rabbinique au travers desquelles se lisait et se comprenait l'Écriture n'étaient pas étrangères à des représentations comme celles d'un Messie céleste, d'une Parole divine tendant à l'hypostase, d'une Sagesse de Dieu créatrice, d'un Fils de l'homme participant à la transcendance : ces représentations étaient là à point nommé pour interpréter la figure de Jésus de Nazareth ressuscité. Celle-ci réciproquement leur donnait une réalité et une incarnation qui leur manquaient encore [38]. Le travail de réinterprétation, dans le Nouveau Testament, mais aussi plus tard, semble avoir surtout consisté à établir la suprématie totale du Christ, ainsi identifié à ces figures, par rapport à tout ange et à toute créature intermédiaire entre la terre et le ciel, et à dire, de toutes les manières possibles, le niveau divin de la filiation de Jésus. En réalité, à considérer les premiers siècles du christianisme, il semble qu'il a fallu plus de temps pour arriver à dire la parfaite humanité de Jésus (cf. encore la querelle monothéliste à la fin du VIIᵉ siècle !) que pour confesser sa parfaite divinité.

Cette remarque de méthode me semble libérer la recherche exégétique en vue de permettre une pondération des témoignages scripturaires, délivrée aussi bien d'un préjugé évolutionniste un peu trop simple que du souci inverse de retrouver en chaque passage de l'Écriture un appui immédiat pour le Concile de Nicée. On peut dire, sans doute, que, à partir de l'expérience de la résurrection, moyennant la méditation de la mort, de la vie et des paroles de Jésus à la lumière des figures scripturaires, les auteurs du Nouveau Testament ont été amenés à *pousser au-delà de la métaphore* la signification des langages dont ils pouvaient disposer. Cela a été fait avec plus ou moins de rigueur selon les cas ; certains langages étaient peut-être plus aptes que d'autres à engendrer des significations à la limite des possibilités du langage. Mais l'intention générale de la réinterprétation est à chercher de ce côté.

En tenant compte de cette remarque de méthode, on pourrait proposer de ramener à trois principaux les langages par lesquels on a tenté de dire la *paternité de Dieu* par rapport à Jésus manifestée dans la résurrection : historique, typologique, théologique. Par langage *historique*, il faudrait entendre celui qui, à divers niveaux de signification, utilise le registre

---

38. Cf. M. HENGEL, *Jésus, Fils de Dieu*, trad. fr. Paris, 1977. L'arrière-fond judaïque et rabbinique se vérifie en particulier pour l'hymne citée en Ph 2, 6-8, par laquelle Hengel commence ses investigations. Aux références données p. 14, n. 1, on peut ajouter celle-ci : F. MANNS, « Un hymne judéo-chrétien : Phil. 2, 6-11 », dans *Essais sur le judéo-christianisme*, Jérusalem, 1977, p. 11-42.

intronisation/génération/nomination/mission. Il y a là tout un vocabulaire messianique et royal, qui peut fournir une interprétation métaphorique de la résurrection, comme dans certains passages des discours de Pierre rédigés par saint Luc dans les Actes. Mais inversement la résurrection peut apparaître comme la *métaphore vive* par où les réalités célestes désignées par ces termes arrivent à notre connaissance : c'est ici, je crois, le sens du « principe rétroactif », parfois contesté, selon lequel les récits de l'Enfance, par exemple, auraient été construits à partir de la matrice et sur le modèle des récits de la résurrection ; il ne s'agit pas en effet de subtiles déductions logiques ou de pures imaginations créatrices, mais du principe que *ce que Dieu avait fait pour Jésus à la résurrection, il l'avait déjà fait pour lui à l'origine ; et ce que Dieu était pour Jésus après la résurrection, il l'était aussi avant en quelque sorte l'origine* ; une telle lumière ne pouvait que donner son éclairage juste aux traditions, quelles qu'elles aient pu être, sur l'enfance de Jésus [39].

Le second langage disponible était *typologique* : on vise par là des figures humaines, déjà affectées d'une certaine perception théologique, comme Adam/le Serviteur/le Fils de l'homme. Il s'agissait alors de les reporter, elles aussi, à l'origine, et de manifester que ce qui était apparu dans le Ressuscité existait d'une certaine manière avant tous les siècles : « Premier-Né avant toute créature », « Premier-Né d'entre les morts » [40]...

Enfin, j'appelle *théologique* le langage qui désigne des « hypostases » célestes, comme la Parole ou la Sagesse : procédant de Dieu ou créées par lui ou encore proférées — identifiées, quoi qu'il en soit, au ressuscité qui, à ce niveau encore, avait connu une relation préexistante à Dieu [41].

---

39. Concernant ce type de langage « historique » (je ne presse pas ici la signification du terme), la bibliographie est immense. Mais on trouve tout le matériel nécessaire dans R. BROWN, *The Birth of the Messiah*, Garden City, 1977, spécialement dans les sections concernant les traditions préévangéliques aux récits de l'Enfance.

40. Ce langage typologique serait plutôt celui de saint Paul : peut-être spécialement lorsqu'il parle du Christ en antithèse avec Adam : 1 Co 15, 21-22, Rm 5, 12-21, ou dans les hymnes des Épîtres de la captivité, spécialement Col 1, 15-20.

41. Je pense ici aux prologues de l'Épître aux Hébreux et de l'Évangile selon saint Jean, mais aussi aux textes de saint Paul où le Christ est manifesté comme Sagesse, comme 1 Co 1,17 - 2,16 et 8,6.

Ce n'est pas ici le lieu de développer ces considérations ni d'entrer dans l'exégèse détaillée de tous et chacun des passages pertinents. Je voudrais surtout mettre en valeur ici l'enjeu de la question : si le langage ne transcende pas la métaphore, alors le nom de « Père », lui aussi, est métaphorique, c'est-à-dire que *Dieu est constitué Père par le langage de l'homme* ; autant dire qu'il ne l'est pas vraiment. Ou encore, que Dieu se constitue Père *comme en réponse* au geste de mort par où l'homme s'est voulu fils. Dans les deux interprétations, nous revenons au primat de la production de sens sur l'écoute, ce qui nous paraît depuis le début comme le péril à éviter absolument.

Si les langages du Nouveau Testament disant l'origine du ressuscité ne transcendaient pas la métaphore, ils n'expliqueraient d'ailleurs pas pourquoi, dès avant sa mort et avec insistance, Jésus de Nazareth donnait à Dieu le nom de « Père » : il ne le lui donnait pas en effet comme un nom espéré, que Dieu s'acquerrait ultérieurement, moyennant une performance sans précédent en faveur de celui qui s'apprêtait à tout donner ; il le lui donnait vraiment comme son *nom propre*. En d'autres termes, si Jésus a manifesté la filiation dans la mort, ce n'est pas pour, envers et contre tout, *constituer* Dieu comme Père, mais bien parce que Dieu, depuis toujours, *était* Père et lui, Jésus, Fils. A la mort, Jésus s'égale au nom qu'il porte et rend ainsi témoignage à Dieu Père ; à la résurrection, Dieu aussi, s'égale à son nom propre et rend ainsi témoignage à Dieu Fils.

Si ce qui précède est exact, nous sommes amenés à conclure que le *récit fondateur* nous livre aussi les *noms* des protagonistes qu'il met en scène, de telle manière que les termes métaphoriques renvoient à un nom propre, véritablement inclus et dévoilé dans le récit, tandis que le nom propre reçoit, tant des métaphores que des épisodes de l'histoire narrée, des indications multiples pour en suggérer la signification indicible. Au commencement était l'« échange symbolique » du *Père* et du *Fils* dans l'*Esprit* ; par le *nom* et le *mystère pascal* de *Jésus*, cet « échange admirable » *(o admirabile commercium !)* a été proposé à notre terre. Et chaque fois que, de nouveau, la terre reçoit et médite le nom et le mystère de Jésus, elle est renvoyée à l'échange divin qui fonde tout.

On comprend, dans cette perspective, ce qu'on pourrait appeler les « jeux » de la théologie : tantôt celle-ci part, comme j'ai essayé de le faire ici, de l'homme historique en mal d'hétéronomie c'est-à-dire en quête de salut ; tantôt, elle part de l'homme, situé dans la création, et en mal d'achèvement ; tantôt, forte de sa foi et de sa tradition, elle part de Dieu, dont elle a reçu la révélation trinitaire. La pluralité de ces « jeux » est inévitable, et les figures qu'ils provoquent se renouvellent toujours : elles sont liées à l'économie même de la révélation et à la complexité de l'histoire humaine. L'essentiel est de veiller à ce que les figures développées dans une perspective ne brouillent ni n'oublient celles qui se développent dans une autre et que, comme il y a en christologie, communication des idiomes, qu'il y ait aussi communication des théologies.

*
* *

Cette seconde partie s'intitulait « le temps retrouvé en Jésus-Christ ». Le développement qui a été présenté justifie-t-il ce titre ? C'est ce que j'aimerais dire en conclusion.

L'écoute et la communauté

Une chose est sûre : si on prend une vue d'ensemble de ce qui a été proposé, on perçoit immédiatement combien est dérisoire, eu égard à la complexité de la réalité, une pensée et une pratique du temps comme pure présence à soi-même dans la transparence de la conscience. En réalité, la figure du temps ne se révèle qu'à l'*écoute d'un récit fondateur*, moyennant par conséquent une démission de la conscience par rapport à toute prétention fondatrice. Et l'écoute elle-même ne doit pas être conçue abstraitement comme une forme ou un devoir de cette même conscience : elle suppose absolument un *lieu humain* où est porté le *témoignage* et où il est effectivement répondu à celui-ci ; l'écoute en effet ne se parfait que moyennant la réponse qui scelle le consentement au témoignage reçu. Ce lieu humain est une *communauté* où est entendu, célébré, répondu le témoignage fondateur et où la figure du temps humain à vivre est définie et orientée. Cette figure, quelle qu'elle soit dans le concret des circonstances, ne peut se dessiner qu'à partir de ce que j'ai appelé la *surimposition des temps* sur les composantes de laquelle il faut revenir maintenant.

Figure, défiguration, transfiguration / création, retrait, paternité

Le double sous-titre de ce paragraphe indique ce dont il est question, selon qu'on le considère sur la face de Jésus-Christ ou qu'on le pressent du comportement de Dieu par rapport à son Christ. Le témoignage reçu et répondu dans la communauté est en effet rendu à Dieu et à Jésus-Christ. Au chemin temporel de ce dernier correspond un certain « chemin » de Dieu, et celui-ci rend compte de celui-là. La figure de Jésus est *concrète* : il s'agit d'un homme dans un temps et dans un espace auxquels nous sommes naturellement reliés ; à elle seule, cette insertion valide en quelque sorte nos dimensions humaines : si Jésus y appartient ou y a appartenu, elles ne sont pas perdues, ou du moins elles peuvent être sauvées ; et, s'il en est ainsi, Dieu lui-même doit pouvoir, au moins de quelque manière, se dire ou être dit en relation avec elles.

Cependant, la mission de Jésus le *déplace* de ces coordonnées humaines et laisse entrevoir une dimension *transfigurée* de l'existence et donc de l'ensemble temps/espace, pourvu qu'il y ait reconnaissance vive de sa *parole* : que ce soit pour Jésus, appelé à une autre manière, prophétique et messianique, de vivre, que ce soit pour ses auditeurs, invités à une nouvelle et paradoxale relation à Dieu, ce déplacement ne va pas sans risque : le chemin de la figure à la transfiguration n'est pas uni : il passe par l'épreuve d'une *défiguration* ; ce terme doit s'entendre par rapport à la figure, qui ne peut plus se développer selon ses seules coordonnées de temps et d'espace, et par rapport à la transfiguration attendue, qui n'est pas un couronnement homogène, mais la réponse de Dieu au risque couru par l'homme. Ou, en d'autres termes, la défiguration est le nom, au niveau de l'homme, de ce que nous pouvons appeler *retrait* au niveau de Dieu. Le retrait/défiguration définit l'espace où devient possible un *échange symbolique* : en se retirant, Dieu se propose, en se renonçant, l'homme se donne. L'aventure de Jésus nous dévoile enfin le sens ultime de tout le processus : que le rapport entre Dieu et sa création transfigurée soit une relation de *Père* à *Fils*.

Une défiguration stérile ?

Ce qui vient d'être rappelé montre que la figure *créée* du temps (je préfère, on voit maintenant pourquoi, dire « créée » plutôt que, avec Derrida, « vulgaire ») s'inscrit dans une figure qu'on peut appeler *symbolique*, qui est celle d'un chemin réciproque entre Dieu et l'homme, dont notre temps/espace est en quelque sorte le sol.

Mais il faut aussi compter, dans l'appréciation du temps, avec les défigurations qu'on pourrait penser purement négatives, et qui viennent du refus, inscrit sur la Face humiliée du Christ, de la dimension symbolique, de la défiguration nécessaire, de la « forme de mort ». Le Christ nous révèle aussi que l'homme meurt de n'avoir pas voulu mourir ; cette mort « seconde » est le repli sur soi, l'obsession de la présence pure, l'auto-divinisation, qui conduisent à la dissolution des communautés humaines et à la mise en coupe réglée du temps/espace créé ; de tout cela, le fruit comme la cause est l'*oubli* de Dieu, auquel il faut peut-être attribuer non seulement la perte du temps, mais aussi l'oubli de l'*être véritable*. Pourtant — et c'est là la Rédemption —, le chemin du Christ transforme cette situation négative elle-même en point de départ possible de l'échange symbolique : s'il n'est pas matériellement aboli, l'aspect redoublé et négatif de la défiguration redevient chemin de transfiguration et de filiation ; ainsi peut se profiler à l'horizon une redécouverte du temps et de l'être, jusque dans leur dimension créée. L'*abandon par* Dieu peut devenir *abandon à* Dieu.

La surimposition des temps et la clef trinitaire

Ainsi pourrait-on dire que chaque moment du temps résulte, en sa structure intime, de cinq niveaux différents : ce que nous appelons temps/espace, dimensions qui, d'une certaine manière, s'identifient à nous et à notre monde et que nous prenons comme constitutifs avant aucun acte de liberté de notre part ; en second lieu, le temps déterminé par l'*histoire des paroles de Dieu*, créant successivement des « intervalles » de réponse active par où chaque homme et l'humanité prend progressivement figure d'alliance ; puis le temps de la *faute*, c'est-à-dire des refus opposés à la parole, qui s'inscrivent dans le corps de l'homme et pervertissent l'ensemble de ses relations : avec Dieu, avec soi-même, avec autrui (en notant toutefois que, depuis la venue de Jésus, ce temps peut ne subsister qu'à l'état de stigmate d'un passé vraiment révolu) ; le temps de *Jésus de Nazareth*, marqué par la perfection de la parole offerte par Dieu et de la réponse rendue par l'homme : d'où la *transfiguration* où débouche ce temps, pour Jésus et pour tout homme à qui Jésus a été envoyé ; le temps de *Dieu*, enfin, si on peut s'exprimer ainsi, qui est celui de l'*échange symbolique en plénitude*, fait de la relation réciproque entre le Père et le Fils d'où jaillit l'Esprit, dont j'ai suggéré qu'il est envoyé, avec la parole, pour préparer la transfiguration de l'homme.

En réalité, d'ailleurs, il faudrait inverser l'ordre (mais cela ne se peut faire avant de l'avoir élaboré) : au Principe, il y a la Trinité de Dieu, dans une relationnalité qui n'existe qu'à l'état de don parfait, échangeant sans cesse la plénitude de l'être ; il y a le temps de Jésus, qui est à la fois espace/temps, mission, parole et réponse ; il y a le temps de l'homme, figure/défiguration/transfiguration... C'est ce que j'appelle la « clef trinitaire » : car la fin est dans le principe : que, même fini, l'homme soit emporté, autant qu'il lui est possible, dans l'échange symbolique de la Trinité.

Salut du temps et vérité de l'être

Le lecteur aura sans doute remarqué que, tout au long de cette seconde partie, nous avons été amenés à jouer sur trois niveaux au moins de la nomination divine et trois niveaux correspondants de la condition humaine. Jésus nous a révélé le nom de *Père*, mais celui-ci ne prenait toute sa portée que relié aux noms de *Dieu créateur* et de *Dieu d'alliance*, qui jouent de manière réciproque, bien que pas dans le même sens, pour faire comprendre les figures d'Adam et de Job. Dans l'homme, de même, il y a une dimension filiale, une dimension d'alliance, une dimension de création.

Or, pour que le temps et l'histoire, définis par le jeu réciproque de ces noms divins et humains, prennent toute leur intelligibilité, ne faut-il pas que chacun de ces noms, même s'ils sont appelés à entrer en communication créatrice, puissent justifier d'une certaine consistance ? Sous diverses influences, où peuvent converger une certaine lecture de Hegel, le principe saussurien de la différence, le principe structuraliste d'opposition et bien d'autres facteurs, on en est venu parfois, même en théologie catholique, à affirmer de manière assez absolue, la primauté des relations sur les termes et l'inconnaissance totale des termes en dehors de leurs relations. Ceci est sans doute vrai pour Dieu ou, tout au moins, il est légitime de considérer Dieu dans cette perspective. Mais, en rigueur, cela n'est vrai que de Dieu ; s'il y a antériorité des relations sur les termes, comment comprendre le *temps* et l'*histoire*, en tant justement qu'ils sont *passages* et *intervalles* offerts à la liberté, afin que, précisément, elle accepte une *modification des relations* ? Et si, vraiment, les termes ne *sont* que dans la relation, comment penser *Dieu lui-même*, en tant qu'il est précisément « absous de la relation » (et n'avons-nous pas vu que c'est là une requête absolue du principe d'hétéronomie, tel que nous avons commencé à l'apercevoir à la fin de notre première partie ?) Que signifie enfin, toujours dans cette éventuelle perspective d'antériorité des termes sur la relation, la *résurrection* elle-même ? Car, même si, comme je l'ai dit, le ressuscité vit *pour* le Père, il a bien reçu du Père une trans*figura*tion, et de son corps et du monde, et le mot « figure » n'est pas, de soi, un mot relatif. Or, nous ne pouvons pas récuser ou dévaloriser en quoi que ce soit la résurrection, puisqu'elle est au cœur d'un *récit fondateur* dont notre hypothèse est qu'on l'*écoute* avant de se livrer à une quelconque production de sens.

Toute l'approche proposée dans ce livre est celle d'une articulation dynamique de noms divins et humains, qui est la clef du *salut du temps*. Mais, dans la manière dont elle a été établie, cette articulation requiert une certaine consistance de chacun des moments, une valeur des *images* (et pas seulement des symboles), une vérité des *mots*. C'est cela que, du moins en partie, il nous reste à dire : le salut du temps ne va pas sans la *vérité de l'être*. Il y va de la divinité de Dieu, mais aussi de l'humanité de l'homme : non seulement pour rendre possible une histoire du salut, mais aussi, et plus fondamentalement peut-être, pour fonder une *éthique* qui corresponde, autant que possible, à toutes les dimensions de l'homme : si la communication est la règle suprême de l'éthique, c'est tout de même communication de l'homme avec Dieu, avec son prochain et avec soi-même, avec le monde enfin. Si on ne peut rien penser, ni de Dieu, ni de l'homme, ni du monde, est-on sûr de mettre en place une authentique communication ?

La marche même de ce livre, autant que les motifs que je viens d'énumérer brièvement, appelle donc ces « anciennes et nouvelles révélations de l'être », sans lesquelles serait tronquée l'authenticité de la démarche.

TROISIÈME PARTIE

ANCIENNES ET NOUVELLES RÉVÉLATIONS DE L'ÊTRE

Au début de la seconde partie de ce livre, je proposais que le *principe d'hétéronomie*, appelé par l'investigation menée dans la première partie, se manifeste comme principe d'*analogie* et principe de *narrativité*. Or ces deux valences ne sont pas extérieures l'une à l'autre ; la mise en œuvre du thème de la narrativité appelle l'analogie et fait déjà quelque peu ressortir où et comment celle-ci devrait jouer : le récit fondateur ne s'est pas en effet révélé homogène en toutes ses parties, et les noms divins auxquels il a donné lieu non seulement ne sont pas synonymes, mais encore correspondent à divers niveaux et diverses valences du temps, dont il faut bien chercher à rendre compte.

Si par exemple, comme cela se fait volontiers de nos jours, on parle de la Trinité de Dieu en termes narratifs, ainsi en la qualifiant d'« événement »[1], il faut bien se livrer à un minimum de critique de ce langage théologique afin de n'être pas dupe d'une apparente évidence du concept (car qu'est-ce donc au juste qu'un « événement » ?) ni victime d'une certaine naïveté dans l'attribution de ce nouveau « nom divin ». C'est en effet à partir d'une chaîne d'événements, dont la foi organise la tradition à la lumière du Mystère pascal de Jésus et où elle reconnaît la manifestation progressive de Dieu aux hommes, qu'on en est venu à reconnaître en Dieu lui-même un processus intérieur qu'on appelle aussi « événement ». Mais quelles sont les nuances que doit prendre le mot, lorsque nous l'appliquons successivement ou simultanément : à des conjonctures situées dans le temps, comme l'avènement de David ou la mort de Jésus de Nazareth ; à d'autres qui semblent à la fois dans le temps et en dehors, comme le passage de la mer Rouge et la résurrection de Jésus ; à l'action proprement dite de « Dieu » qui intervient (comment et de quelles diverses manières ?) pour faire advenir ces événements ; à la vie même de

---

1. Ainsi, J. MOLTMANN, *Le Dieu crucifié,* trad. fr. Paris, 1974, p. 282-284 ; E. JÜNGEL, *Dieu Mystère du monde, op. cit., infra* note 13, trad. fr. II, p. 162 et 230 ; B. FORTE, *Trinità come Storia,* Turin, 1985, p. 139-144 (le mot employé est « storia »).

Dieu enfin, s'il est possible de parler, en et pour lui-même, du sujet transcendant des actes de salut ?

A la lecture de ces questions, aussi inévitables que simples, il apparaît que le mot « événement » est un mot *analogique*. La chaîne d'événements que nous appelons « histoire du salut » est continue dans son orientation, mais discontinue dans la densité de chacun de ses moments, diverse dans les modalités de l'action de Dieu, lesquelles donnent lieu à des noms divins qui ne sont pas synonymes ; et si, délaissant, moyennant une prise de distance même seulement provisoire et méthodique, ces noms divins en tant qu'ils sont tournés vers le salut, pour tenter de les orienter vers Dieu en lui-même et rassembler, sous le même mot « événement », les nouvelles désignations ainsi obtenues, alors « événement » prend une nouvelle valeur, et il faudrait pouvoir dire laquelle. Si on néglige, lorsqu'on parle d'événement, de reconnaître l'*analogie* du mot, alors ne fait-on pas des confusions qui *mettent en péril le processus narratif lui-même* ? Telle est en tout cas l'hypothèse selon laquelle je voudrais continuer ce travail : *la prise en compte de l'analogie est nécessaire à la vérité de la narration.*

De l'être en théologie

D'où pourrait venir une contestation de cette hypothèse ? Sans doute du fait que, pour clarifier l'analogie de l'événement, nous nous trouverons rapidement renvoyés à l'analogie de l'*être* : s'il s'agit en effet d'essayer de distinguer des *niveaux* d'événements qui, bien qu'ouverts les uns aux autres, ne sont pas dans une continuité totalement homogène, on ne voit pas très bien quel mot pourrait être employé pour établir ces distinctions, sinon justement le mot *être*, utilisé non de manière simple et univoque, mais *selon l'analogie*. De la sorte, le mot *être* pourrait servir de catégorie herméneutique pour interpréter l'histoire du salut et son déroulement, en tenant compte des niveaux qu'il aurait aidé à distinguer et de leurs connexions. Cependant, même si une telle perspective semble intéressante, il faut reconnaître que chercher à introduire la question de l'être en théologie est aujourd'hui une entreprise délicate, suspecte, presque désespérée. Notre culture, on l'a assez vu dans la première partie, n'est plus sous le signe de la métaphysique ; le discours scientifique, qui l'habite presque entièrement et dont la justification vient de l'expérimentation et de la pratique, s'interdit axiomatiquement toute spéculation qui transgresserait son niveau propre de langage ; les penseurs qui réfléchissent à la « mort de Dieu » dans le monde contemporain soulignent volontiers que ce Dieu mort est précisément celui de la métaphysique : si Dieu devait « revivre », ce ne serait certes pas dans les marges de l'ontologie. Quant aux théologiens, ils soupçonnent très profondément l'être, dans la mesure ou celui-ci apparaît comme le symbole même de ces « pensées du compact » dont je parlais dans la première partie : l'être serait un concept qui favoriserait les systèmes ; il engendrerait une totalité définie, englobante, et ne pourrait par suite indiquer l'altérité indicible et imprévisible de Dieu ; ce serait encore un concept uniquement positif, ignorant les ruptures et les distances, incapable par conséquent de retenir ni de soutenir le scandale de la croix et l'irruption de l'histoire, en eux-mêmes et pour ce qu'ils disent de Dieu ; ce serait aussi un concept statique, inapte à rendre compte de l'échange, de la circulation, des relations plus importantes en réalité que les termes : il conduirait à exprimer en constructions spéculatives inamovibles la dynamique du salut et du Royaume. Ces caractéristiques et d'autres semblables seraient par ailleurs loin d'être innocentes, et contribueraient à maintenir, dans la société politique ou dans l'Église, un « ordre » total, sinon totalitaire, organisant l'avoir, le savoir et le pouvoir, ignorant les failles, la sexualité, la mort, plus soucieux de préserver les répétitions stériles de l'orthodoxie que de promouvoir, à la suite du Christ, les libérations humaines et spirituelles. Stérile au plan de l'histoire, la pensée de l'être, liée au voir et au savoir plutôt qu'à l'amour et à l'extase, découragerait aussi la vie mystique et annulerait, par sa lourdeur, le mouvement ascendant de l'Esprit.

Si la pensée de l'être est seulement ce que je viens de brièvement décrire, on comprend qu'il faille la laisser de côté, en s'efforçant plutôt de réparer les ravages dont elle s'est rendue effectivement coupable. Cependant, la description faite ici n'épuise peut-être pas ce qui peut être dit de l'être ; peut-être même passe-t-elle à côté de ce qu'il y aurait *vraiment* à dire. Un indice de la possibilité de parler autrement peut être recueilli de la problématique même qui est la nôtre ici : je pose la question de l'*être* afin de rendre compte avec plus de vérité de l'*événement*. En d'autres termes, je cherche si on ne pourrait pas parler de l'*être de l'événement*, comme si, même au niveau de l'*histoire*, il y avait à parler de *différences ontologiques* (au sens où en parlait Heidegger) ; dans cette hypothèse, à partir de la différence ontologique de l'événement et de son être, il deviendrait possible de discerner et de coordonner des *niveaux* d'événement — ce qui répondrait à la question posée en ce début de chapitre. Naturellement, le mot *être* n'aurait plus alors les mêmes caractéristiques que celles données plus haut : il aurait un autre *sens*.

Pour trouver ce nouveau sens de l'être, il sera utile de revenir à Heidegger : à sa critique de l'ontothéologie, à sa recherche de l'« être oublié », à sa démarche vers l'« impensé de la métaphysique ». Nous y trouverons des suggestions précieuses. Cependant, nous n'y trouverons pas finalement de chemin vers l'analogie : il nous faudra essayer de voir pourquoi. Et, pour mieux éclairer ce chemin de pensée heideggérien qui marque profondément, qu'on en soit ou non conscient, le style théologique récent, il nous sera utile d'étudier deux œuvres contrastées, fort différentes par l'origine, les préoccupations, les solutions, mais qui l'une comme l'autre rejettent l'analogie, au profit soit de la parabole et du récit, soit de l'expérience intérieure la plus profonde. Nous serons mieux en mesure alors de voir s'il reste un chemin ouvert à notre hypothèse.

CHAPITRE PREMIER

DIEU SANS ANALOGIE

1. De nouveau Heidegger [2]

Si, dans la conjoncture culturelle présente, il n'est guère possible de soulever la « question de l'être » sans rencontrer Heidegger, encore faut-il que cette rencontre soit autant que possible complète et concerne les deux volets de sa pensée : tout d'abord le thème de la constitution ontothéologique de la métaphysique et sa répudiation, mais aussi celui de l'« impensé de la métaphysique » avec sa désignation provisoire moyennant la triade Être/Temps/*Ereignis*, peut-être moins d'ailleurs novatrice que Heidegger lui-même ne semble le croire.

La constitution ontothéologique de la métaphysique et son extension

On a rappelé dans la première partie de cet ouvrage [3] que Heidegger a, de l'histoire de la civilisation occidentale, une certaine vision (où le christianisme, d'ailleurs, n'apparaît nulle part comme un facteur déterminant) : cette histoire est celle de l'*oubli de l'être* au profit de l'étant, oubli qui a engendré une sorte de

---

2. Il n'est pas possible de donner ici toute son ampleur à la question « Heidegger et la théologie ». Je renvoie, en général, à l'ouvrage collectif *Heidegger et la question de Dieu*, Paris, 1980, à mon étude « Écouter Heidegger en théologien », dans *Rev. Sc. phil. theol.*, 67, 1983, p. 371-398, et à l'article consacré par P. CODA à Heidegger dans une série de travaux sur « Jésus crucifié et la Trinité » : « Dono et abbandono : sulle tracce dell'essere heidegeriano », dans *Nuova Umanità*, n° 34-35 (1984) p. 17-57 (abondante bibliographie).

3. *Supra*, Iʳᵉ partie, chap. III, § 1.

désagrégation continue dont le totalitarisme technique semble l'étape ultime, catastrophique, au sens étymologique du terme.

Le point important à retenir de ce thème de l'histoire de l'oubli de l'être, de Platon à nos jours, est que le « on » de la philosophie ancienne, la conscience cartésienne, l'esprit hégélien, la volonté de puissance nietzschéenne et la technique moderne sont autant de *métamorphoses* de l'étant oublieux de l'être ; c'est cette forme unique de l'étant qui va se trans*form*ant, persévérant sur une trajectoire fatale qui ne change pas de sens, sous-tendue qu'elle est par l'étant.

Or au long de cette histoire, les penseurs ont rencontré la question de Dieu et ils l'ont envisagée de telle sorte que « Dieu » fasse corps avec l'étant comme ils le percevaient, d'où l'expression « constitution ontothéologique de la métaphysique » qu'on peut aussi donner à l'histoire de l'oubli de l'être comme à chacune de ses étapes [4]. Ce « Dieu » peut être défini comme Étant suprême *causa sui* et fondement en raison de l'étant. Il est comme la personnification du « principe de raison » ; il ne vaut, pourrait-on dire, que ce que vaut la pensée humaine, engloutie dans l'étant, qui le pose, c'est-à-dire pas grand-chose. Mais il est important de relever que, en fait, ce « Dieu » connaît des métamorphoses qui suivent celles de l'étant. Il est tout aussi bien le dieu de la philosophie grecque, sous toutes ses formes, que celui de Descartes ou de Hegel, et on pourrait sans trop de mal chercher à l'identifier au « non-dieu » dont parlerait un athéisme moderne lié à l'autosuffisance de la technique. Les concepts théoriques et les attitudes pratiques peuvent bien former au cours des âges des arrangements divers : ceux-ci ne seront jamais que des variantes de la *permanente constitution ontothéologique de la métaphysique*, où le couple étant/dieu se transforme d'un seul mouvement.

Il importe, me semble-t-il, de garder présente à l'esprit cette extension de la constitution ontothéologique de la métaphysique lorsqu'on s'appuie sur elle pour faire le procès de certains thèmes ou de certaines formes de la théologie chrétienne. Ce n'est pas à

---

4. On peut renvoyer ici à *Identität und Differenz*, Pfüllingen, 1978, p. 50 s. et 60 s. ; trad. fr. dans *Questions I*, Paris, 1968, p. 294 et 303. Je me réfère à ce texte parce qu'il est souvent allégué ; en réalité, il est difficile et je n'en ai pas trouvé de commentaire vraiment satisfaisant. J'ai essayé une interprétation dans « Écouter Heidegger... », art. cit., p. 376 ss. Voir aussi dans D. JANICAUD et J.-F. MATTEI, *La Métaphysique à la limite*, Paris, 1983, p. 28-32 (Janicaud) et 74-76 (Mattei).

propos de la philosophie/théologie ancienne ou médiévale, sous-tendue de pensée hellénique, mais à propos de Hegel que, dans *Identité et Différence*, Heidegger instruit le procès de la constitution ontothéologique de la métaphysique et récuse le dieu *causa sui* : à propos donc d'une philosophie où l'être/étant est traité de façon dialectique et où la figure chrétienne de la *croix* est assumée dans un processus spéculatif. On ne peut donc pas, par exemple, en se référant à Heidegger, récuser une théologie de la *création* pour promouvoir une théologie de la *croix*. Certes Heidegger considère cette dernière avec faveur, mais quand, avec Luther, elle est folie pour le langage et transcende les sécurités de l'étant, et non pas quand, avec Hegel, elle fait partie de la dialectique de l'être et de la conscience dans un système complet : dans ce dernier cas, en effet, on demeure dans l'oubli de l'être véritable et dans la constitution ontothéologique de la métaphysique. Certes encore Heidegger soulève de sérieuses objections à propos de la création, mais c'est parce qu'il ne voit pas de possibilité d'aborder ce thème en gardant à la pensée l'être comme « question » ; pour lui, la théologie de la création relève nécessairement de l'oubli de l'être. Mais si on pouvait montrer qu'il n'en est pas ainsi, l'objection ne tomberait-elle pas ?

En d'autres termes : lorsqu'on réfléchit à la constitution ontothéologique de la métaphysique, fruit de l'oubli de l'être, il faut distinguer entre ce qu'on pourrait appeler le *modèle* et les *matrices* ; le *modèle* est cette organisation spéculative sans faille, animée par le principe de raison [5], qui recherche le « compact », la « présence pleine » ; les *matrices* sont les notions qui sont organisées selon ce modèle (mais pourraient l'être selon d'autres) : non seulement l'« être » des Grecs mais toutes les « valeurs » qui ont été successivement retenues au cours de l'histoire de la philosophie. Ainsi, dans le mot « ontothéologie », la composante *onto* se diversifie en matrices diverses. Ceci revient à dire qu'il ne suffit pas, en théologie proprement dite, de rejeter des mots et des concepts empruntés à la pensée hellénique pour échapper à l'« ontothéologie » : il faut aussi, et peut-être surtout, prendre du

---

5. Outre les références données dans la première partie aux textes de Heidegger sur le « principe de raison », voir aussi la discussion de JÜNGEL, *op. cit.*, I, p. 42 ss et celle de É. GILSON, dans *Constantes philosophiques de l'être*, Paris, 1983, p. 74 ss. Tous ces auteurs s'accordent à s'interroger sur la valeur de ce principe, fortement affirmé, sinon introduit par Leibniz.

recul par rapport au *modèle* spéculatif : si on n'y prend garde, en effet, la matrice « croix » pourrait donner lieu à *staurothéologie*, la matrice « souffrance » à *pathothéologie*, et de même pour l'« histoire », l'« amour », etc. Au contraire, quelle que soit la *matrice*, il importe, pour échapper à l'ontothéologie, de la traiter dans une pensée qui conserve toujours un élément de jaillissement, d'imprévu, d'illumination, dont la « logique » (dans la mesure où elle serait possible) ne se développerait que dans la mouvance d'un *accueil* toujours *ouvert*.

Cette distinction entre modèle et matrices n'est évidemment pas rigoureuse, en ce sens que telle matrice peut avoir avec le modèle plus d'affinité qu'une autre. Elle demeure cependant éclairante : on peut chercher à sortir de l'ontothéologie, en répudiant modèle et matrices ; c'est la solution la plus radicale, la plus difficile aussi quand il s'agit de trouver une solution de remplacement. Mais on pourrait ne répudier que le modèle, et se demander si telle ou telle matrice ne pourraient pas jouer autrement : c'est ce que je suggérais plus haut en distinguant théologie de la croix selon Luther et théologie de la croix selon Hegel.

Vers l'impensé de la métaphysique

Se maintenir « dans l'ouvert » n'est en tout cas pas chose facile et, pour m'en tenir au vocabulaire proposé, je dirais que Heidegger tente de le faire en répudiant modèle *et* matrices : d'une part, il attaque le « principe de raison », responsable de la structure compacte ; de l'autre, il attend une manifestation de l'*être oublié* à part et en dehors de toute référence à quelque variante que ce soit de la matrice « étant » : ce dont il s'agit, c'est d'un retour à l'*impensé*. Or pour « penser l'être sans égard à une fondation de l'être à partir de l'étant », Heidegger s'oriente vers une formule très simple qu'il prend pour ainsi dire à la lettre : « *es gibt sein*, il y a (ou mieux : *cela donne*) être [6]. » Le langage familier est ici révélateur, car il situe l'être dans une ambiance de *don*. Qu'est-ce que l'être ? La question n'est pas pertinente car l'être véritable est

---

6. Le thème « es gibt » est déjà présent dans *Sein und Zeit* (1927) en particulier au § 44 où il est essentiellement question de *vérité*, mais je me réfère plus spécialement ici à la dernière conférence : « Zeit und Sein » (dans *Zur Sache des Denkens*, Tübingen, 1976 ; trad. fr. dans *Questions IV*, Paris, 1976, p. 12-97).

ce sur quoi on ne met pas la main [7], mais dont on accueille la donation en demeurant attentif à la modalité de celle-ci. Cette attention perçoit alors le *temps*, non au niveau superficiel de la séquence passé/présent/avenir, mais comme le milieu où l'*être* advient ou plutôt comme la force qui en déploie la présence, de sorte que l'homme puisse être dit « celui qui entend l'être durant qu'il insiste au cœur du temps véritable » [8]. L'ouverture de la méditation peut s'amplifier encore, jusqu'au point mystérieux d'où jaillissent à la fois, appropriés l'un à l'autre, temps et être. Ce « point », cette « instance » (comment parler ?) où temps et être se nouent, donnés qu'ils sont l'un à l'autre, s'appelle chez Heidegger *Ereignis*, mot non seulement intraduisible mais sans contenu propre puisqu'il ne dit la donation que par rapport à ses termes, sans que soit d'aucune manière précisé *qui* donne.

A la sécurité fallacieuse de celui qui croit posséder ce qu'il pense, Heidegger oppose la fragilité bienheureuse de celui qui demeure sous le don sans rien s'approprier : sans jeu de mot facile, on pourrait dire que le véritable philosophe « demeure dans l'abandon », d'où l'économie et l'incertitude de ses paroles spéculatives, d'où aussi son recours attentif aux symboles.

Il est difficile, dans le contexte assez désespéré de notre civilisation malade de ses réussites, de se soustraire à l'attrait d'une « pensée de l'être », telle que la propose Heidegger et selon laquelle sont constamment préservés l'imprévu et la nouveauté de l'être, à partir d'une donation qui invite à toujours rester ouvert, éventuellement même à une manifestation de Dieu ; nous sommes plus sensibles à une telle attitude qu'à un « système de l'étant » où tout, Dieu y compris, est soumis à l'empire de la raison et de la représentation [9].

---

7. *Vorhanden*. Sur ce mot et son importance chez Heidegger, particulièrement dans sa confrontation avec la pensée grecque, cf. Rémi BRAGUE, « La phénoménologie comme voie d'accès au monde grec », dans *Phénoménologie et Métaphysique*, Paris, 1984, p. 247-273.

8. *Zeit und Sein*, trad. fr. p. 46.

9. Si l'origine de la catégorie de *don* chez Heidegger est plus chrétienne qu'il ne semblerait à la seule lecture des textes, l'élaboration qui en est faite sur le plan philosophique peut à son tour vivifier la réflexion théologique. Le théologien du *Don* de Dieu, manifesté dans la Pâque de Jésus-Christ peut certainement se souvenir, pour « comprendre sa foi » du chemin de « donation » où a pu l'entraîner Heidegger. La réciprocité de l'appropriation et de la désappropriation *(Ereignis/Enteignis)*, qui apparaît comme un des derniers mots du philosophe, peut être considérée par le théologien comme une ouverture vers la connaissance du Don

Avant pourtant de céder à un tel attrait, le théologien chrétien doit se demander jusqu'à quel point une telle pensée de l'être peut éclairer son propos — ici, par exemple, jeter quelque lumière sur le jeu, à la fois réciproque et autonome, des *événements de salut*. Or il est difficile, à ce point, de ne pas être sensible à certaines fragilités de l'orientation proposée par Heidegger : l'une concerne la vérité d'une présentation de l'histoire de la philosophie seulement sous l'angle de l'oubli de l'être ; l'autre vise ce qu'on pourrait appeler la malédiction de l'étant.

A propos de l'histoire de l'être

Il y a en effet quelque chose de surprenant dans la manière dont Heidegger présente les choses : tout semble se passer comme si le déroulement de l'histoire culturelle n'avait été pénétré que des vicissitudes successives des systèmes de l'étant, tandis que poindrait aujourd'hui seulement l'aurore de ce qu'on pourrait appeler le « *kairos de l'Ereignis* », dont Heidegger lui-même serait en quelque sorte le prophète, invitant à une conversion de la rationalité à l'attente. Il faut pourtant reconnaître qu'il n'en a pas été ainsi : l'opposition a été en réalité constante entre pensées du compact et de la présence pleine d'une part, et pensées de l'inconnaissable, de la quête, spirituelle plus encore qu'intellectuelle, de l'être pur ou de l'unité sans mélange. A côté de la tradition réputée délétère que décrit Heidegger, il en est une autre qui a sans cesse cherché à compenser les limites de la première.

---

qui était à l'origine et qui se dévoile sans se perdre dans la croix et la résurrection de Jésus-Christ. Parfois aussi, on se demande ce qu'un Augustin, toujours si ardent à tester la portée trinitaire des triades disponibles dans son environnement culturel, aurait fait de celle-ci : *Ereignis*/Temps/Être ! Ces remarques et d'autres semblables qu'on pourrait faire expliquent la faveur que les théologiens réservent à Heidegger. Cf. en particulier sur l'*Ereignis* et la *Gelassenheit*, les observations de P. CODA, art. cit., p. 29-46. Deux choses cependant ne doivent pas être perdues de vue : le caractère non théologique de la pensée de Heidegger en elle-même, manifesté en particulier par la finitude de l'*Ereignis* (bien réaffirmée par J. GREISCH dans son admirable étude « La contrée de la sérénité et l'horizon de l'espérance », dans *Heidegger et la question de Dieu, op. cit.*, p. 168-193) et d'autre part, comme je vais le souligner bientôt, l'échec de Heidegger en ce qui concerne une pensée proprement dite de l'*être* qui puisse d'une manière ou de l'autre intervenir en théologie.

En « théologie », dès les origines, le « dieu cosmique » s'est vu opposer un « dieu inconnu » ; les apories du *Parménide* de Platon sont devenues dans la pensée néoplatonicienne les degrés d'une aventure d'inconnaissance, dont un Proclus a été le guide le plus précis et le plus consciencieux ; la pensée chrétienne s'est sans mal approprié cette orientation, qui n'était d'ailleurs pas sans appuis bibliques : avec des variantes infinies et des reprises constantes, une ligne peut être reconstituée qui irait du pseudo-Denys, disciple chrétien de Proclus, à Kierkegaard, en passant par Scot Érigène, Maître Eckhard, Luther, les côtés « abstraits » de la mystique du Grand Siècle, et aussi peut-être certains aspects de la pensée de Fichte et de Schelling. Cette énumération n'est certes pas exhaustive, elle suffit du moins à indiquer la réalité (et il faudrait ajouter l'influence effective sur la réalité culturelle et humaine) d'un courant de pensée qui n'est pas ontothéologique. L'*Ereignis* trouverait sa place dans cette lignée, comme une variante ultime (pour l'instant) et sécularisée de ce qui s'est depuis toujours donné à penser sous des mots comme Un, Être, Croix, Foi, etc.

Il est étrange que Heidegger, à qui les auteurs que je viens de citer et d'autres ne sont évidemment pas étrangers, n'ait pas tenu compte de leur recherche dans son interprétation de l'histoire de la culture. Celle-ci n'est-elle pas faite du *conflit* constant entre deux tendances ennemies ? Et ne pourrait-on dire que la situation culturelle et humaine dans laquelle nous nous trouvons ne vient pas du fait que ces pensées se sont tour à tour disputé l'hégémonie, avec des effets concrets finalement très semblables ? Ne serions-nous pas là dans l'impasse de ce que j'ai appelé dans un chapitre précédent la sagesse trop courte (pensées du compact et des variantes d'un dieu *causa sui*) et la sagesse trop longue (méditations de l'impensé et dieu inconnu) [10] ? Et s'il en était ainsi, ne faudrait-il pas chercher à sortir de l'impasse en rééquilibrant concept et représentation, d'une part, sens de l'être et du mystère, de l'autre ? On pourrait tout au moins essayer cette « sortie » qui est urgente [11].

---

10. Cf. IIe Partie, chap. III, n° 1.

11. Peut-être l'histoire tout entière de la philosophie serait-elle à considérer comme l'histoire des variantes de ces deux tendances « ennemies », ainsi que d'une éventuelle tendance intermédiaire et de leurs présupposés. Et s'il en était ainsi, on n'échapperait jamais au primat de Platon et des premières prises de position par rapport à Platon, chez Aristote et dans la philosophie hellénistique. M'inspirant de Pierre AUBENQUE, « Plotin et le dépassement de l'ontologie grecque classique »,

Un retour vers l'étant ?

Une autre interrogation (non dénuée de parenté avec la précédente) peut se formuler, même chez qui fait sienne l'intuition fondamentale de Heidegger et accepte de participer à la démarche proposée de retour au fondement de la métaphysique, à son « impensé ». Cette interrogation est la suivante : qu'advient-il de l'étant si on se met à « penser l'être sans l'étant » [12] et si « on abandonne l'être comme fond de l'étant en faveur du donner qui joue en retrait dans la libération du retrait, c'est-à-dire en faveur du Cela donne » ? On n'a pas tellement l'impression que Heidegger se soit vraiment préoccupé de cette question ; sa démarche vers l'« être » a quelque chose de nihiliste. L'échec humain d'une pensée centrée sur l'étant dans l'oubli de l'être ouvre la « question de l'être », mais, semble-t-il, dans l'oubli de l'étant. Le mot et la réalité de l'*étant* ne reviennent jamais, purifiés et transfigurés qu'ils seraient dans la lumière de l'être et la donation de l'*Ereignis*. Paradoxalement, cependant, on ne se débarrasse jamais d'eux : jusque dans les dernières œuvres de Heidegger, l'étant revient, mais toujours comme repoussoir, comme ce qui

dans *Le Néoplatonisme*, Paris, 1971, p. 101-108, j'ai analysé brièvement ces modèles, tels que les manifeste la pensée grecque (« Le "Parménide" de Platon et saint Thomas d'Aquin », dans *Analogie et dialectique*, Genève, 1982, p. 57-62). L'opposition entre le « Dieu cosmique » et le « Dieu inconnu », sur laquelle le P. FESTUGIÈRE a construit son grand ouvrage sur *La Révélation d'Hermès Trismégiste*, Paris, 1942-1949, est ici suggestive. Le Dieu cosmique connaissable, « parent » de ce monde, relève peut-être de ce que Heidegger appelle l'ontothéologie, tandis que le Dieu hypercosmique, au-delà de tout être et de tout connaître, relèverait de ce qu'on pourrait appeler « méontologie » (terme affectionné par le P. Stanislas Breton) ; entre les deux cependant, n'y aurait-il pas place pour un Dieu à la fois au-delà du monde et susceptible cependant d'être rejoint, même par l'intelligence, dans cette perspective « intermédiaire » qu'on pourrait appeler « métaphysique » ? Je ne pense pas, en tout cas, que Heidegger lui-même échappe à ce cadre : s'il refuse l'ontothéologie, sa « manière » d'inviter à demeurer dans l'impensé de la métaphysique (ontothéologique) rejoint la « méontologie », ce qui pourrait se vérifier par exemple en analysant le tour néoplatonicien de l'ultime triade qu'il nous a laissée : être/temps/*Ereignis*. La parenté profonde entre la quête de Heidegger et certains aspects de la pensée de Platon apparaît avec force dans les recherches de J.-F. MATTEI, *L'Étranger et le Simulacre*, Paris, 1983, et surtout « Le chiasme heideggérien », dans *La Métaphysique à la limite, op. cit.*, p. 49-162. Pour neuves qu'elles soient dans le moment culturel qui est le leur, les suggestions de Heidegger ne sauraient aller au-delà des moments majeurs de la philosophie grecque : qui d'ailleurs est jamais allé au-delà ?

12. *Zeit und Sein*, trad. fr. p. 13.

doit être quitté, de sorte qu'il est à la fois ce que l'on quitte absolument et ce dont on ne peut se défaire totalement !

Cette situation de l'étant comme ce qui ne parvient jamais à disparaître définitivement tout en n'étant jamais non plus admis à revenir pleinement n'est ni saine si satisfaisante. Elle empêche toute qualification positive des étants, soit comme sujets de l'être, soit comme diversité quasi infinie de tout ce qui a nom et réalité sur cette terre (et pas seulement comme poétique adjuration de ce qui doit venir), soit comme éléments qui se transforment dans le jeu de l'histoire. Peut-être cette incapacité à penser à nouveau l'étant, dans la nouvelle lumière de l'être et de l'*Ereignis* ressortit-elle à ce que j'appelais, dans la première partie, l'« attitude gnostique », qui se détourne de toute finitude car elle ne peut se résoudre à distinguer la limite et le mal. Il est vrai qu'il faut sans doute accepter le récit fondateur et confesser le Dieu créateur pour avoir les moyens d'opérer et de vivre cette distinction.

Les deux questions ainsi posées marquent les limites de l'allégeance à Heidegger en théologie. De son immense effort de réflexion, il faut retenir la réserve absolue par rapport à une « pensée du compact » sans mort ni faille (en se souvenant que le « compact » peut revêtir bien des déguisements), et la redécouverte d'une mystérieuse et toujours présente donation au cœur de tout ; mais les interrogations qui demeurent invitent à penser ce qui a nom d'« être » autrement que dans un conflit jamais apaisé entre l'ontothéologie et le pur impensé : peut-être la solution de cette aporie (solution essentielle dès lors que nous voulons penser Dieu en lien avec une histoire du salut) serait-elle, au plan philosophique, un essai de *réhabilitation qualifiée de l'étant* : les figures (matrices) rejetées par Heidegger sont peut-être des figures déformées et corrompues, mais ne pourraient-elles retrouver quelque authenticité, ce qui permettrait un certain retour des « valeurs », de leur corporéité, de leur histoire et, par suite, une prospective moins pessimiste ou moins attentiste que celle de Heidegger ? C'est ici qu'un modèle non pas ontothéologique, mais *analogique*, pourrait venir à notre secours, dans la mesure où il permettrait une réconciliation réciproque de l'être et de l'étant. Théologiquement, une telle perspective serait aussi d'un grand secours pour établir cette analogie de l'événement, que nous cherchons ici.

Toutefois, avant de présenter un essai dans ce sens, il sera utile de considérer des propositions théologiques qui écartent l'une et l'autre le recours à l'analogie, bien qu'elles le fassent pour des raisons opposées : dans le cas d'E. Jüngel, il s'agira de mettre en relief l'histoire de Dieu en elle-même et dans sa parole vers le monde ; dans le cas de H. Le Saux, tout est ramené à l'unité indicible d'une expérience spirituelle, que briserait toute parole analogique. Une confrontation attentive et respectueuse avec ces auteurs aidera à situer notre propre chemin théologique.

2. Raconter Dieu sans analogie. E. Jüngel : Dieu Mystère du monde [13]

La problématique de Jüngel ne semble pas très éloignée de celle de Heidegger [14]. Si Jüngel, dans le sillage théologique ouvert par Bonhoeffer, qualifie le moment culturel dans lequel nous nous trouvons comme celui de la « mort de Dieu », l'interprétation de ce moment fait appel à une vision d'ensemble de l'histoire de la culture où se retrouvent les scansions soulignées par Heidegger. On peut s'en rendre compte d'une part en soulignant le contexte d'autonomie humaine où se développe le thème de la « mort de Dieu », et d'autre part en reliant cette expérience d'autonomie à l'histoire de la métaphysique.

Un contexte d'autonomie

L'expérience de la modernité est celle d'un « moi humain [qui] donne un poids de plus en plus lourd au monde et [qui] par contre devient de plus en plus incapable de lui trouver un sens » [15]. La référence est ici à la compétence technique de plus en plus grande,

---

13. *Gott als Geheimnis der Welt*, Tübingen, 1977. Je me référerai à la traduction française : *Dieu Mystère du monde*, Paris, 1983, 2 vol. Du fait que j'introduis l'examen de ce livre dans la perspective des *différents types* d'ontothéologie, je cours le risque de ne pas rendre pleine justice à tant de vues profondes et perspicaces qui y sont présentées. J'espère avoir évité cet écueil en étant aussi honnête que je l'ai pu dans la présentation de cet ouvrage écrit avec autant de modestie que de sûreté. A ma décharge, je crois que certaines des options de ce livre, pour la méthode et pour le fond, justifiaient qu'il en soit parlé précisément *ici*.

14. « Le lecteur le remarquera : la conduite de mon argumentation est assez proche de la pensée de Martin Heidegger » (Préface à l'édition française, I, p. XII).

15. I, p. 78. Cf. Introduction, I, p. 20 s. Il est également question d'autonomie de l'homme dans l'exposé sur Bonhoeffer, I, p. 88 s.

qui permet à l'homme de passer « de la simple *exploitation* renouvelée du monde créé à une espèce de *production* d'un monde » ; un tel homme, qui expérimente de plus en plus son autonomie, n'a évidemment que faire d'un Dieu nécessaire, fondement et garantie de l'ordre du monde et de la correspondance entre la pensée et l'être. Il sent bien par ailleurs ce qu'il y aurait de dérisoire à recourir à un Dieu providence, qui se manifesterait uniquement pour parer à point nommé aux conséquences désastreuses de cette production de moins en moins maîtrisée. En ce sens, on ne voit pas bien *où* pourrait être un dieu [16]. Chassé ou évanoui de l'espace qui était traditionnellement le sien, impossible par suite à penser, Dieu est, en ce sens, *mort*.

La mort du Dieu de la métaphysique

Pour Jüngel, cette « mort de Dieu » est liée à une histoire de la métaphysique, dont les flexions sont sensiblement celles qu'identifiait Heidegger : l'étape de la métaphysique classique est définie par la question de la *vérité*, à laquelle répond un dieu nécessaire et absolu, tandis que, avec Descartes et ensuite, la question est celle de la *certitude* [17], à laquelle répond un dieu circonscrit comme garantie de cette certitude ; comme Heidegger encore, et même si les auteurs retenus ne sont pas tous les mêmes, Jüngel montre comment ce dieu-garantie s'évanouit, en particulier grâce à la philosophie allemande, de Fichte à Nietzsche. Nous allons suivre brièvement Jüngel dans sa réinterprétation personnelle de l'histoire heideggérienne de la métaphysique, avant de voir, en un second temps de cette présentation, comment, dans une conjoncture évaluée de la même manière, Jüngel adopte une attitude théologique quasi diamétralement opposée à celle de Heidegger.

1. Le Dieu de la métaphysique classique est caractérisé comme l'être nécessaire [18], en l'absence duquel l'ordre contingent n'aurait

---

16. Cf. chap. I, § III « Où est Dieu ? » Cette métaphore spatiale revient constamment dans l'ouvrage. Cf. Index des matières *(IM)* à : DIEU — au-dessus de nous.

17. I, p. 172.

18. Sur Dieu *nécessaire*, cf. la présentation de l'Introduction, § II : « Dieu est-il nécessaire ? » et *IM* à : DIEU — *ens necessarium*, Nécessité de Dieu, non-nécessité mondaine de Dieu. Cf. N64, n. 85.

pas sa raison d'être ; il est absolu et, puisqu'il fonde sans cesse la multiplicité ordonnée des étants, omniprésent : les catégories d'absence ou de retrait n'ont pas de sens, appliquées à lui. Si on en parle selon la métaphore spatiale, on dira qu'il est « au-dessus » du monde et de l'homme, la figure globale du réel étant perçue selon la figure du haut/bas.

Il n'y a pas de paradoxe à dire que cet être radicalement nécessaire est aussi inconnaissable et indicible : s'il est « au-dessus » ou « en-haut », ceux qui sont d'« en-bas » ne peuvent s'égaler intellectuellement à lui. Ainsi, de même que la vérité en général se produit moyennant une correspondance entre *signa* et *res* [19], de même Dieu sera « signalé », mais jamais compris, tandis que le langage susceptible de le dire, la classique analogie, soulignera sans cesse la « dissemblance toujours plus grande » au sein de quelque ressemblance que ce soit.

La double reconnaissance de la nécessité et de l'absoluité de Dieu, d'une part, et de son indicibilité [20] et incompréhensibilité de l'autre, entraîne la position, pour nous inévitable, d'une distinction entre son existence (requise par sa nécessité) et son essence (inaccessible au connaître). Le métaphysicien classique, pourtant, attribue cette distinction à la faiblesse de la raison humaine discourant sur Dieu : il s'agit d'une « distinction de raison », mais non d'une distinction réelle en Dieu [21].

2. Un tournant de la modernité est pris, lorsque l'homme n'éprouve plus le besoin d'un être nécessaire pour fonder son cosmos, mais se fonde en quelque sorte lui-même et le monde avec lui, moyennant l'évidence de sa propre pensée : c'est la démarche cartésienne. Dieu pourtant ne disparaît pas, ou du moins pas immédiatement, de la figure, dans la mesure où il est appelé, sinon pour fonder la validité, du moins pour garantir la permanence du *Cogito*, lequel en effet s'expérimente dans l'instant et non dans la durée. Dieu sera l'être plus parfait, dont l'essence supérieure garantit la fondation opérée dans le *Cogito* [22].

---

19. I, p. 3-10.
20. Sur l'indicibilité de Dieu, cf. chap. III, § II ; « La thèse classique : le divin est indicible et inconcevable » ; présentation et rejet de l'analogie au § IV du même chapitre : le problème du discours analogique sur Dieu.
21. I, p. 163-165.
22. Sur la théodicée de Descartes, cf. I., p. 176-186.

Le point à souligner ici est que ce type de démarche introduit une rupture entre l'essence de Dieu, supérieure à celle de l'homme puisqu'elle garantit l'expérience fondatrice de celui-ci, et son existence, dont l'affirmation est entièrement dépendante de l'existence de l'homme fondée dans le *Cogito* : il n'y a pas en effet de perception d'existence en dehors de celui-ci, de sorte que le *Cogito* prend en charge (charge trop lourde pour lui !) l'existence même de Dieu : il se situe « entre Dieu et Dieu » [23]. L'essence de Dieu, d'autre part, loin d'être incompréhensible comme dans la métaphysique ancienne, tend à être pénétrée de part en part par l'homme, puisqu'elle peut être définie à partir de la fonction de garantie qui lui est attribuée.

Que cette position « théologique » soit en réalité intenable, la preuve en est faite si on étudie la postérité de Descartes : judicieusement, Jüngel choisit Fichte, qui retourne à une affirmation d'incompréhensibilité de Dieu, Feuerbach, qui humanise totalement Dieu, Nietzsche, qui proclame avec force et raison, la mort de Dieu. Le Dieu garant de la certitude humaine se désagrège comme naturellement [24].

On pourrait conclure ces réflexions en disant que l'athéisme contemporain résulte d'un double et irréversible échec du théisme : l'être « nécessaire » ne l'est pas en réalité, si l'homme est producteur autonome d'un monde ; quant à l'être « divin » qui ne serait qu'une garantie de permanence pour cette autonomie, il n'a pas de consistance et se désagrège de lui-même. Ce n'est donc pas en cherchant à restaurer ce théisme qu'on surmontera l'athéisme ; bien au contraire, « on ne peut éliminer l'athéisme que si l'on surmonte le présupposé de la métaphysique moderne et sa contestation » [25]. Cette liberté à l'égard des démarches de la métaphysique laisse d'ailleurs ouverte la possibilité de « faire un usage critique des traditions métaphysiques » [26].

---

23. I, p. 191 et 232.

24. « Il faut relever que c'est précisément dans ce processus fondamental pour les temps modernes, qui tient à *s'assurer définitivement de l'ego cogito grâce à l'être de Dieu*, qu'il faut percevoir la condition de possibilité d'une contestation radicale et toute nouvelle de la nécessité de Dieu pour l'homme. Cette preuve de la nécessité de Dieu est l'accoucheuse de l'athéisme moderne » (I, p. 27). Sur la « désagrégation », cf. chap. II § II, B. : « Garantir Dieu : principe de désagrégation de la certitude de Dieu ».

25. I, p. 66.

26. I, p. 74.

L'être de Dieu dans le venir

Si on a pu discerner, jusqu'à présent, une réelle parenté de pensée entre Jüngel et Heidegger, il n'en va plus de même lorsqu'il s'agit d'interpréter le présent et le futur de notre modernité [27]. Pour faire bref, on pourrait dire qu'à l'attitude philosophique d'attente et de patience dessinée par Heidegger se substitue, chez le théologien Jüngel, la *foi en la Parole de Dieu*. Celle-ci cependant est présentée, comme chez Heidegger, en opposition aux épistémologies de la vérité et de la certitude. Il y a un déplacement épistémologique : à un savoir défini par le thème *res/signa*, où la parole n'intervient que comme expression extérieure d'une pensée autonome, il oppose la *primauté de la parole* [28], avec son aspect relationnel d'interpellation ; c'est à l'intérieur de la parole écoutée et entendue, et de la relation ainsi créée entre celui qui parle et celui qui entend, que se peut développer la pensée. Ceci, qui veut être une épistémologie générale, se vérifie très spécialement en ce qui concerne Dieu : Dieu est « celui qui parle à partir de lui-même », qui prend l'initiative d'une parole, et l'homme est celui qui accueille cette parole, s'abandonne à elle et se laisse emmener là où elle l'invite [29].

---

27. C'est l'inspiration *hégélienne* qui va prendre ici le relais. Cf. chap. I, § IV B : « La médiation de Hegel entre le sentiment athée moderne et la vérité christologique de la mort de Dieu » (I, p. 97-152). Voir le jugement d'ensemble porté p. 144 : « Restant sauve toute critique théologique à faire valoir, nous avons certainement affaire à une puissante performance théologique, c'est-à-dire à une théologie du crucifié, profondément pensée philosophiquement, *en tant que* Dieu un et trine. » Ce recours critique à Hegel se justifie pleinement dès lors que, en théologie chrétienne, nous ne pouvons nous satisfaire de procédés ou d'attitudes apophatiques : si Dieu se communique, on doit pouvoir le *penser*. Dans cette perspective, Jüngel est réservé devant le thème d'un *Deus absconditus*, même s'il le trouve chez Luther (cf. entre autres, II, p. 194-197). Cette réserve n'aurait pas beaucoup de sens chez Heidegger, pour qui la « christianité » et la « croix » sont, comme j'ai essayé de le montrer dans « Écouter Heidegger... » art. cit., p. 372-374, proches de l'« impensé ».

28. I, p. 14-16 et le très important § IV du chap. II : « La parole, lieu de la possibilité de penser Dieu ».

29. « Si l'homme est interpellé par la parole de Dieu, donc capable d'adresser la parole à Dieu et, en conséquence, un être ontologiquement constitué par la faculté de parler, alors l'exigence de s'abandonner à la parole de Dieu est l'exigence correspondant à l'être de l'homme » (I, p. 251) ; « être homme veut dire : pouvoir s'abandonner » (I, p. 279), ce qui ne va d'ailleurs pas sans renoncement, voire « annihilation » (cf. I, p. 272). Sur le thème « être emmené par Dieu , cf. *IM, s.v.*

D'emblée, on voit comment ce thème du primat de la parole modifie l'approche tant de l'homme que de Dieu. Loin d'être quelqu'un qui se fonde par soi-même ou qui pense à partir de soi-même, *a fortiori* loin d'être celui qui porte la charge de l'existence du Dieu dont l'essence garantit son auto-fondation, l'homme est celui qui s'abandonne. Loin d'être « au-dessus », inaccessible, inconnaissable et indicible, Dieu est Celui qui vient, et son être est dans le venir, qui, ici, se produit dans la parole. Cette parole a en particulier pour effet d'« interrompre la garantie » que l'homme cartésien cherchait en Dieu : Dieu ne garantit plus rien [30], il adresse une parole qui requiert la foi, et c'est dans ce rapport parole/foi, dépourvu de toute garantie, que se joue la connaissance de Dieu et l'humanité de l'homme.

Ce primat de la parole, seul compatible avec le thème même d'une révélation, modifie la *métaphore spatiale* : s'il parle à l'homme à partir de lui-même, Dieu n'est pas « au-dessus », mais « parmi, avec » ; en d'autres termes, il appartient à son être de se faire un avec ce-qui-passe, l'éphémère et, finalement, le péché [31] : c'est ce qui est rendu manifeste avec l'identification de Dieu et de Jésus crucifié. Dieu existe (ek-siste) en tant qu'il vient dans le néant ; il est, mais dans le débordement de son être vers ce qui n'est pas, dans sa victoire sur le néant, obtenue non par œuvre de puissance au-dessus du néant, mais par venue de soi-même dans le néant [32].

En définitive, on dit là en termes spéculatifs ce qui est le cœur de l'Évangile, à savoir la justification de l'homme pécheur moyennant l'identification de Dieu avec le crucifié — identification dont Hegel, plus que tout autre, a montré le

---

30. Cf. chap. II § v : « La certitude de foi, interruption de garantie. » Il y a un paradoxe : le couple Parole de Dieu/foi interrompt la garantie que l'homme cherchait auprès de Dieu pour son *ego cogito*, mais elle instaure la vérité de l'homme dans un rapport d'engagement par rapport à Dieu qui lui-même sort de soi dans la parole. On est dans un autre monde théologique.

31. Cf. chap. II § vi : « L'unité de Dieu avec ce qui passe, fondement de la possibilité de penser Dieu. »

32. Ainsi, à distance, soit de l'existence de l'être nécessaire non réellement distincte de son essence, soit de l'existence de l'être garantissant, portée par le *Cogito*, l'existence du Dieu qui parle est-elle le mouvement par où il vainc le néant en y venant ; cf. I, p. 348. Cette existence est « débordement » (*ibid.* et II, p. 233), ce qu'on peut rapprocher du thème souvent évoqué par Jüngel de Dieu « plus que nécessaire ».

caractère effectif (même si d'ailleurs il l'a englobée dans une visée philosophique totalisante vis-à-vis de laquelle on peut garder quelque distance) [33].

A partir de là, on peut comprendre que le langage propre à la théologie sera celui qui insiste non pas sur la distance toujours plus grande, mais au contraire sur la ressemblance toujours plus grande (au sein d'une différence qu'il n'est pas question de nier). Ce ne sera pas le langage de l'analogie, mais celui de la *parabole* [34], qui suggère les correspondances par des jeux d'images. Ce sera aussi celui du récit, puisque, l'être de Dieu étant dans le venir, c'est *en racontant* [35] ce venir qu'on répondra aux questions de toujours : qui est Dieu, et surtout : où est-il ?

Dieu, événement de l'amour

Les considérations qui précèdent demeuraient sur un plan relativement formel ; elles précisaient la condition théorique d'un langage de Dieu qui soit pertinent ; en définitive, elles créaient la possibilité de confesser concrètement : Dieu est amour. Elles ouvraient le chemin nécessaire à penser le centre théologique de la foi chrétienne : Dieu se révèle en ceci qu'il s'identifie au crucifié [36].

Cette identification de Dieu au crucifié, attestée par la résurrection de Jésus, nous permet seule d'avoir une pensée *concrète* sur Dieu. Elle nous fait pressentir l'être de Dieu comme s'accomplissant, comme *existant* dans cette venue vers le « néant », dont la mort de Jésus est au sens fort le symbole. Par suite, s'il veut dire Dieu, le langage théologique doit se situer quelque part entre les catégories du « nécessaire » (Dieu

---

33. Cf. *supra* note 27.

34. Cf. chap. III § V : « L'Évangile comme discours analogique sur Dieu. »

35. Cf. chap. IV § I : « L'humanité de Dieu, une histoire à raconter. Réflexion herméneutique préalable. »

36. « Dieu a défini sa divinité dans l'événement que nous avons compris comme identification de Dieu avec Jésus mort... Ainsi le sens précis du discours théologique sur la mort de Dieu se dévoile-t-il comme l'annonce de la plus originaire autodétermination de Dieu à l'amour et cette autodétermination de Dieu lui-même appartient déjà à l'amour : sur la croix de Jésus, Dieu s'est défini comme amour. Dieu *est* amour. » (I, p. 342). Cf. de nombreux textes qui disent la même chose, *IM* à : IDENTIFICATION de Dieu avec Jésus crucifié.

« en-haut » fondement du monde) et de l'« arbitraire » (Dieu pure indétermination et ténèbre sacrée) [37] ; la notion retenue sera celle de l'*autodétermination* [38] exprimée dans une proposition du type : « Dieu vient de Dieu » (et non d'aucune nécessité ou d'aucun arbitraire). La théologie narrative est le récit de cette autodétermination divine : elle raconte l'événement de *liberté* par où Dieu se détermine à la fois vers soi-même et vers l'homme. Vers soi-même : c'est le moment trinitaire de l'autodétermination ; vers les hommes : c'est le moment christologique. Ou encore : Dieu est celui qui vient (et qui parle) à partir de soi, librement (le Père), celui vers qui il vient (le Fils crucifié), celui qui vient comme Dieu jusque dans la mort même (l'Esprit) ; et cette dynamique divine se réalise *pour nous*, c'est-à-dire qu'il est impossible de penser Dieu sans un « débordement » de son être vers le néant et le péché [39]. Mais, en tout ceci, c'est la *même* autodétermination, la même *liberté* qui agit ; c'est d'ailleurs pourquoi un même récit peut être fait [40]. Moyennant ce thème de la liberté qui s'autodétermine, on évite le double écueil d'un dieu dépendant de l'homme et d'un dieu nécessaire à l'homme. Dieu n'est pas dépendant de l'homme (ni l'homme achèvement de Dieu), puisque c'est librement que Dieu s'autodétermine vers l'homme ; Dieu n'est pas nécessaire à

---

37. I, p. 52-53.

38. Le vocabulaire de l'*autodétermination*, de la *liberté*, de la *décision* revient sans cesse sous la plume de Jüngel. Par exemple : « Dieu se détermine *soi-même*. Et Dieu se *détermine*. En ce double sens, Dieu est l'événement de la détermination de soi, il est détermination de soi qui se réalise. La catégorie de cet état de choses ontologique s'appelle la *liberté*. » (I, p. 53) ; « Sur le chemin de la vie, Dieu se fait être ce qu'il est. Cet état de choses s'exprime dans la formule l'être de Dieu est dans le "venir"... » (I, p. 276.)

39. Je résume ici ce que « racontent », à divers points de vue, les §§ v à vii du chap. iv.

40. Quelques expressions, entre beaucoup d'autres : « L'acte de Dieu venant vers soi-même doit être compris comme un acte de liberté par lequel Dieu se donne un avenir tel, qu'il décide de cet avenir et donc de soi-même. Le fait que Dieu ne veuille pas venir vers soi-même sans l'homme est à comprendre en ce sens qu'il a décidé définitivement de son avenir » (I, p. 56) ; « Il faut penser l'être même de Dieu comme donnant part à soi, donc comme un être qui *tourne* vers l'extérieur ce qu'il est en *soi-même* » (I, p. 276) ; « L'être de Dieu à comprendre ainsi est déjà conçu à partir de l'unité avec ce-qui-passe » (I, p. 236). « Dieu a défini sa divinité dans l'événement que nous avons compris comme identification de Dieu avec Jésus mort... » (I, p. 342.) Inversement : « L'histoire du christianisme occidental... a cru pouvoir penser Dieu dans son être divin sans le penser en même temps comme le crucifié » (I, p. 58), etc.

l'homme, puisque, posant librement l'homme créé, il attend de lui une réponse également libre : si la relation Dieu/homme n'est pas marquée de liberté, elle n'est pas. La non-nécessité de Dieu pour l'homme ou de l'homme pour Dieu ne vient pas de ce que Dieu aurait pu « venir vers soi-même » sans venir vers l'homme et le monde ou, en termes plus classiques, que la Trinité pourrait être pensée en elle-même, sans que soit pris en compte son mouvement vers le monde : une telle proposition serait « impie » dans la mesure où elle établirait Dieu dans l'arbitraire et la suffisance dénoncés plus haut [41]. La non-nécessité vient de ce que le rapport de Dieu, tant à soi-même qu'à l'homme et au monde est *libre*. Et si la parole de la croix *dit* ce venir de Dieu vers l'homme, on ne peut prétendre « penser Dieu dans son être divin sans le penser en même temps comme crucifié ». Or c'est bien cette parole de la croix qui dit le venir de Dieu vers l'homme : elle dit en effet la *démesure de l'amour*, puisqu'elle dit Dieu qui s'unit à ce qui passe, Dieu qui se sacrifie, Dieu qui ne préserve pas jalousement sa relation à soi-même, mais se perd pour l'homme, Dieu qui ne veut pas trouver son être sinon dans la victoire sur le néant [42].

L'essence de Dieu : Mystère du monde

Quand il avait constaté l'échec du théisme, Jüngel n'en avait pas moins maintenu l'exigence de *penser* Dieu ; la question demeurait bien celle de l'essence de Dieu [43] : qui est Dieu (et où est-il ?) s'il n'est ni *ens necessarium* au-dessus de nous, ni garantie permanente de notre suffisante certitude ? La réponse est dans la dialectique entre le venir de Dieu, qui s'est manifesté dans son identification avec le crucifié et s'est révélé ainsi comme Trinité de l'amour, et l'invisibilité de ce même Dieu. Dieu est *présence dans le retrait,* au cœur du monde : présence, puisqu'il vient, retrait, puisqu'il laisse toujours libre l'espace de la reconnaissance.

Dieu est Mystère, non pas au sens d'une plénitude à la fois

---

41. Cf. I, p. 56, l'importante note 80 sur laquelle je reviendrai plus loin.

42. Sur l'unité de Dieu avec ce-qui-passe, et sur la victoire sur le néant, cf. chap. II, § VI. Sur l'opposition relation à soi/perte de soi et sur Dieu qui *est* sacrifice, cf. II, p. 233.

43. Cf. chap. I § IV C : « Le sens du discours sur la mort de Dieu : la problématisation de l'essence de Dieu. »

inaccessible et omniprésente, ou comme énigme insoluble. Il vient
au cœur du monde comme agissant en lui, s'identifiant sans cesse
au crucifié et opérant une histoire sans cesse ouverte à la foi de
l'homme qui vit dans le monde. Et l'homme, de son côté, perçoit
Dieu comme Mystère du monde et y correspond dans la mesure,
non où il chercherait en Dieu le remède à ses limites ou
l'accomplissement de ses désirs, mais au contraire lorsque, se
dépossédant de soi par une attitude de foi, de charité et
d'espérance, il s'ouvre à une autonomie vraie et demeure tourné
vers l'avenir.

Dieu est-il mort ? Non : il est caché au cœur du monde comme
s'identifiant à celui-ci dans un « venir plus que nécessaire » par où
le néant de ce monde est surmonté et celui de l'homme pécheur
justifié. La *Parole* aimante qui dit ce « venir » de Dieu fonde tout
à la fois théologie et anthropologie : l'amour, seul mouvement qui
permette à quelqu'un d'adresser la parole à autrui (surtout si cet
autrui est plongé dans le néant), va se révéler comme l'*essence
ultime de Dieu*, qui le porte à la fois vers soi-même et vers ce qui
n'est pas, tension constitutive qui apparaît et se réalise dans le
crucifié. Quant à *l'homme*, bannissant tout orgueil et toute auto-
suffisance, toute prétention aussi à la divinisation [44], il se
reconnaît soi-même dans le mouvement de foi où il s'abandonne
à la *Parole* de liberté qui le justifie : ainsi, sans vouloir restaurer
un dieu, nécessaire à sa logique ou garantie de son auto-
affirmation, l'homme rejoint-il le Dieu caché qui ne cesse, dans
le crucifié, d'adresser la Parole. Le dieu mort de la métaphysique
et du subjectivisme ne ressuscite pas, mais le *Dieu vivant qui
toujours vient* se laisse sans cesse reconnaître à l'homme de foi.

Pour une réflexion critique

Avec beaucoup de respect et d'honnêteté, Jüngel s'efforce, tout
au long de son ouvrage, de distinguer la *particula veritatis* présente

---

44. Jüngel s'oppose avec détermination au thème de la divinisation. Cf. I, p. 146,
149, 296. On peut se demander pourtant s'il ne s'agit pas d'une question de
vocabulaire, puisque à propos de l'espérance eschatologique, il parle de
« *transformation* de l'existence terrestre », d'une « vie de communion indépassable
avec Dieu » (II, p. 274).

dans les points de vue que finalement il n'admet pas. Suivant son exemple, je voudrais d'abord souligner la fécondité, en ce qui concerne tant la connaissance de Dieu que celle de l'homme, du couple *parole/foi* et des développements qui lui sont consacrés, spécialement en termes d'*amour*. Il s'agit là de bien davantage que d'une « parcelle de vérité » ! Toute la seconde partie du présent livre a été construite sur le thème de l'antériorité du *récit fondateur*, sur l'opposition entre *écoute* et *production de sens*, au profit de la première (au moins dans un temps initial), sur la foi concrète à la parole comme *sacrifice de communion*, toutes ces catégories permettant un *intellectus fidei* du Mystère pascal de Jésus et de son enracinement trinitaire : il me semble donc que, avec des mots différents et dans une autre problématique, le souci théologique est le même ici que chez Jüngel. Ce n'est donc pas à ce niveau que peut porter la réflexion critique.

La critique porterait plutôt sur le fait que, prenant ses distances par rapport à un Dieu « être nécessaire » et cherchant donc à le penser dans le cadre conceptuel du « plus que nécessaire », rejetant d'autre part le Dieu « garantie du *Cogito* » et cherchant donc à le poser au-delà de toute garantie, dans le risque réciproque de la parole adressée et de la foi consentie, Jüngel ne semble pas disposer d'instruments intellectuels qui lui permettent de fonder théologiquement la *distance*, qu'il confesse cependant entre Dieu et le monde et qui est absolument requise pour que les mots d'*amour* et de *liberté*, fondamentaux dans sa problématique, aient un sens *intelligible* et ne soient pas seulement le contraire, posé mais non vraiment pensé, de ce qu'on veut exclure. Cette remarque vise les nombreux textes dans lesquels Jüngel emploie le *même* vocabulaire de décision et de liberté pour la venue de Dieu vers soi et vers ce-qui-passe. De plus, non seulement le vocabulaire est identique, mais la conjonction entre les deux moments du venir de Dieu est « incontournable », de sorte que le penser Dieu implique toujours ce double et, en un sens, unique venir. De même, si Jüngel s'exprime en termes de « débordement », il semble qu'il ne pense d'aucune manière l'être de Dieu sans ce débordement. Ma question est alors : cette *décision* à double et unique portée, cet être simultanément vers soi et débordant ne sont-ils pas, en termes d'événement et de croix, l'*exacte contrepartie* de ce qu'est, en termes d'étant et d'être, le dieu *causa sui et nostri* rejeté par Heidegger ?

Autrement dit, ne sommes-nous pas ici exactement en ce que j'ai appelé plus haut la « staurothéologie » ? L'ontothéologie, qui se développe dans le registre métaphysique, cherche dans un dieu *causa sui* le fondement ultime de l'être : il s'agit d'un dieu qui, dans le même mouvement, se pose soi-même et le monde et ne présente pas ainsi la *distance* qui permettrait de le reconnaître comme Dieu. La « staurothéologie » serait le discours, qui, se développant dans le registre du récit, cherche à raconter Dieu dans sa détermination *à la fois* à être en soi et pour nous : son récit, quelles que soient les nuances qu'on s'efforce d'y mettre, est *fondamentalement d'un seul tenant*, et de ce point de vue tombe sous les mêmes critiques dont est justiciable l'ontothéologie [45].

Quand on parle en effet de « venue de Dieu vers soi-même *et* vers l'homme », comment faut-il entendre ce *et* ? Et si « on ne peut penser Dieu dans son être divin *sans* le penser en même temps comme crucifié », comment comprendre ce *sans* ? On peut interpréter ces conjonctions, soit comme signifiant une distinction (fût-elle « de raison ») entre deux *niveaux* de la liberté divine, soit comme indiquant une distinction de *moments* dans l'existence même de Dieu. Dans le premier cas, la liberté de Dieu venant vers soi-même concerne son *identité* et la liberté de Dieu venant vers les hommes, son *identification* ; l'élaboration de ce rapport identité/identification, avec tout ce qu'elle ne peut pas ne pas comporter comme analyses spéculatives, n'est pas entreprise par Jüngel. Sa problématique semble davantage en effet celle du second cas, selon lequel il n'y a pas lieu d'élaborer une distinction, puisqu'on est dans un unique mouvement d'existence ; mais dans ce cas l'*identité* de Dieu *est* tout aussi bien son *identification*, de sorte qu'on ne voit plus très bien le sens de la conjonction *et*. Cet effacement du *sens* se vérifie au fait qu'on peut renverser purement et simplement la proposition et dire : l'*identification* de Dieu à l'homme *est* son *identité* et *vice-versa* [46] ? Quoi qu'il en soit des

---

45. L'*autodétermination*, comme décision et liberté, n'est-elle pas exactement la *causa sui* ? Et le fait que cette autodétermination vise en même temps le venir de Dieu vers soi et vers nous n'est-il pas l'effacement de la distance ? Je ne pense pas que le fait que la *causa* s'appelle ici « amour » change quoi que ce soit à la *forme* ontothéologique du discours.

46. On retrouve ici ce qui me semble être la fragilité du fameux axiome de Karl Rahner sur l'identité *réciproque* de la Trinité immanente et de la Trinité économique. Il ne m'est pas possible de renoncer à la critique que j'ai faite de cette réciprocité, dans le sens immanence-économie, présentée dans *PCDJ*, p. 213-225, et qui s'appliquerait à la reprise de l'axiome par Jüngel, ici II, p. 234 ss. La théologie transcendantale de Rahner tomberait-elle, elle aussi, dans la catégorie des théologies de modèle ontothéologique ?

intentions, le discours n'est-il pas de tendance « moniste », c'est-à-dire ne traite-t-il pas les *matrices* « venue », « croix », etc. selon un *modèle* de discours uniforme et uniformément positif [47] ? Le fait de se mettre à l'enseigne de la « liberté » ne peut alors changer quoi que ce soit à la *nécessité narrative*, guère moins pesante que la *nécessité métaphysique*.

A cette remarque critique, qui vise plus directement le penser de Dieu, on peut en ajouter une autre, corrélative, qui vise l'histoire et l'événement. Jüngel, en effet, ne donne nulle part les principes qui permettraient d'élaborer les différences de vocabulaire, mais aussi de réalité entre les objets de la venue de Dieu : le *néant, ce-qui passe*, l'*homme*, le *pécheur*, le *crucifié* ; ces mots ne sont pas synonymes et les modalités qu'ils désignent ne sont pas identiques, ni en elles-mêmes, ni dans leur rapport à Dieu et entre elles [48]. Il aurait fallu poser et justifier leur distinction et montrer comment leur jeu (et donc leur distance mutuelle qui, à la fois, demeure et est surmontée) constitue précisément l'événement, les événements, l'histoire. Partant de ces analyses, ici cruellement manquantes, on aurait aussi eu une meilleure base pour parler de Dieu lui-même en tant que « venir » et qu'« événement ». Pour dire une parole sensée tant sur le « Dieu qui vient » que sur l'homme vers qui Dieu vient et qui va lui-même à Dieu, nous aurions besoin d'analyses très fines que la « définition » de Dieu comme se déterminant à la fois à soi-même et à ce qui passe, ainsi que l'absence de précision sur le jeu des termes désignant le côté humain de venir de Dieu, ne semblent malheureusement pas permettre.

Nous aurons sans doute l'occasion de préciser cette critique de fond un peu plus loin, lorsque nous évoquerons des thèmes comme celui de « Dieu nécessaire » ou celui de l'« interruption de garantie ». Mais ce qui vient d'être dit devrait suffire pour manifester ce qui est en cause dans ce chapitre : l'ontothéologie est en réalité une *forme de discours* qui peut garder son caractère si elle change de « matrice » : comme elle fonctionne avec la

---

47. Il est bien évident que je prends ici quelque distance par rapport à la *théologie* de Jüngel, non par rapport à sa *confession de foi*, en particulier quant à la distinction entre *génération* du Fils et *création* du monde (cf. II, p. 257). Cependant les explications, d'ailleurs bien difficiles, données au sujet de cette distinction à la fin du livre (II, p. 250-265) ne m'apparaissent pas comme pleinement cohérentes avec le thème central du livre sur l'autodétermination vers soi *et* vers ce qui passe.

48. « Néant » et « ce-qui-passe » ne sont pas des termes formellement identiques avec « pécheur » et « crucifié ». La note sur le péché (I, p. 350, note 282), si développée soit-elle, est insuffisante, eu égard à l'ampleur du propos de ce livre.

matrice *être*, elle peut aussi fonctionner avec les matrices *histoire, croix, amour...* Le passage à l'historicité ne suffit pas à conjurer le péril de manquer (au niveau de l'élaboration théologique) le vrai Dieu, c'est-à-dire un Dieu, comme on l'a dit plus haut, relativement « absous » de cela même qu'il crée et en quoi, mystérieusement, il s'engage.

3. *L'expérience et le discours : les orientations de H. Le Saux dans* « *Intériorité et Révélation* » [49]

Faut-il donc nous retourner vers l'« impensé de la métaphysique », l'*Ereignis* et l'attitude d'attente méditative, pour chercher dans cette direction une parole, réservée mais véritable, sur Dieu et l'homme, tels que les confesse la foi ?

J'aimerais étudier cette question sur un nouvel exemple. Je ne sais pas si Henri Le Saux, un moine bénédictin devenu swami indien qui a cherché d'éventuels points de contact entre son expérience spirituelle en Inde et sa foi catholique, a jamais connu Heidegger. Pourtant, au début de la collection d'essais qui forme la seconde et plus significative partie de son livre posthume *Intériorité et Révélation*, se trouve un passage que je voudrais citer ici, qui rejoint assez exactement la critique heideggérienne de l'ontothéologie.

---

49. LE SAUX (Henri) o.s.b. (Swami Abhishiktananda), *Intériorité et Révélation, Essais théologiques*, Sisteron, 1982. L'ouvrage est précédé d'une très importante introduction du P. J. DUPUIS, s. j. Je me limiterai ici à une présentation critique de la seconde partie, qui contient certains écrits ultimes de l'auteur : études fragmentaires, parfois inachevées, fort délicates à apprécier si on se place au point de vue d'une dogmatique traditionnelle. Du fait que j'essaie de saisir et de présenter d'une manière cohérente certaines lignes de force, je peux encourir le reproche de « durcir » ce qui était recherche, investigation, ouverture. Mais, d'autre part, il faut reconnaître que Le Saux était dramatiquement conscient des problèmes soulevés par la confrontation existentielle de son expérience intérieure et de sa foi chrétienne. Je ne pense pas qu'il serait jamais arrivé à une « synthèse harmonieuse », qu'il savait bien impossible, au moins au niveau du discours. Ce n'est pas être injuste ou incompréhensif par rapport à lui que de mettre en lumière les éléments en conflit. Cette approche, limitée par la problématique même du présent livre, laisse d'ailleurs entière la possibilité d'autres confrontations, en particulier au niveau de la rencontre et de la fécondation mutuelles des expériences monastiques, mais aussi avec d'autres courants de la pensée chrétienne, plus accueillants peut-être à une recherche comme celle de Le Saux que celui que j'essaie ici de définir.

L'être est essentiellement PAROUSIE *(parousia)*, avec le double sens du mot : présence et avènement, arrivée ; sens double et réciproque que le caractère *maturant* de la créature accentue encore davantage, car la créature, « germe d'être », ne s'atteint que dans son développement. La monade divine, la monade de l'être ne fut jamais qu'invention ou spéculation des philosophes qui, remontant de la créature au Créateur, de l'être contingent à l'être en soi, l'imaginèrent à partir de ce que leurs sens percevaient et leur esprit concevait ; bon gré, mal gré ils ne purent que lui appliquer la *mesure*, la norme de leur intellect, et n'eurent plus devant eux que leur propre mesure — conçu, pensé, l'Être avait fui devant eux [50].

On retrouve ici, avec une approche de l'être comme « parousie » (ce qui est aussi le mot de Heidegger), le constat d'une « fuite » de l'être, chassé par l'effort de spéculation métaphysique, qui semble bien identique à l'« oubli » lié à la constitution ontothéologique de la métaphysique. La critique s'affirme dans les pages suivantes où Le Saux met fortement en question *analogie* et *participation* qui sont, de fait, les colonnes, logique et métaphysique, d'un certain type de théologie occidentale [51]. Dans quelle direction s'oriente-t-il alors et quelles sont ses propositions théologiques ?

Un primat de l'expérience comme éveil

La réflexion de Le Saux se veut étroitement reliée à l'*expérience* fondamentale appelée dans l'hindouisme « advaita », en réalité indescriptible et inqualifiable avec des mots, mais que peut-être la parole « éveil » [52] dit au moins mal : au niveau des sens et de

---

50. P. 139-140. Cf. aussi le passage suivant, qui fait penser à la critique heideggérienne du Dieu *causa sui* : « L'existence de créatures — de ce à quoi Dieu est autre — est un mystère que nulle philosophie ne put jamais percer. Ou bien l'on se contente pour expliquer le monde d'un dieu *sur-homme*, d'un dieu qui possédât de façon éminente toutes les énergies et les perfections que l'homme peut déceler, ou même déduire en soi et la nature : ce dieu par le fait même est à l'image et à la mesure de l'homme. Cette conception que l'homme se fit de Dieu se trouva finalement vide de Dieu. Vide de ce qui fait précisément que Dieu est Dieu — et l'homme ne trouva pas Dieu » (p. 148).

51. P. 141. Le grief fait à l'analogie, c'est qu'elle conduit à considérer Dieu d'un côté et la créature de l'autre ; autrement dit, elle donne un consentement de principe à la dualité, ce qui est contraire à l'essentiel de l'expérience de l'*advaita*, qui est celle de « l'Un qui n'a pas de second ».

52. L'image de l'*éveil* est constante dans l'ouvrage. On la trouve cependant plus spécialement développée dans les essais « Appels à l'intériorité », p. 153-175 et « Expérience sprituelle *(anubhava)* et dogmes », p. 209-216.

l'intellect, notre vie pourrait être comparée à un rêve, lequel n'est ni sans valeur symbolique (sens) ni sans signification (intellect), mais dont on n'est pas moins appelé à « se réveiller », précisément pour découvrir en la profondeur du cœur ce que le rêve indiquait avec les moyens qui sont les siens : *l'unité, en la profondeur du soi, avec Dieu en son « Je suis » ineffable.* Cette expérience n'est d'aucune manière sensible, mais c'est pour cela même qu'elle est irrécusable ; elle est le véritable *salut* [53] que cherche l'homme, et le don de ce « réveil » (illustré par une allusion au mythe platonicien de la caverne) [54] est en quelque sorte l'« acte salvifique ». L'homme intérieur, qui naît de ce salut, qui s'éveille à cette expérience du soi, est simultanément en communion avec Dieu (et le thème théologique de la *divinisation* est ici mentionné) et avec l'univers.

Cet éveil transformant est en quelque sorte « donné » : l'homme ne s'éveille pas de lui-même, mais par le son de la cloche ou la lumière du soleil : ainsi l'illumination essentielle de l'*advaita* n'est pas en continuité logique ni pratique avec ce qui peut la précéder et la préparer, tandis que, réciproquement, aucun mot, aucune forme, aucune idée ne peuvent la rendre adéquatement [55]. De la sorte, les inévitables tentatives d'*objectivation*, auxquelles aucune tradition culturelle ou religieuse n'échappe (même pas les traditions hindoues elles-mêmes) [56], doivent-elles sans cesse être corrigées : en effet, elles ont toujours plus ou moins comme résultat de mettre Dieu et l'homme « en face à face » et d'instaurer ainsi un *dualisme* absolument inadéquat à l'expérience de l'*advaita*, qui est par excellence *non-dualité*. Les pratiques et les formulations garderont donc toujours un caractère provisoire et inadéquat ; elles amènent

---

53. P. 212-213. P. ex. : « L'acte salvifique est nécessairement au-delà de toute forme particulière. J'appelle acte salvifique l'acte par lequel l'homme parvient à son entièreté, ou bien à son centre. » Voir aussi p. 275-280 la discussion sur le *theologoumenon* de la Rédemption. P. ex. : « Cependant la démarche fondamentale du salut ou de la conversion se fait au niveau du cœur humain, c'est-à-dire au centre le plus profond de l'être que nul n'atteint — à la fois en soi et dans les autres — qu'au plus profond de soi-même dans la révélation du Soi, de l'*ātman*. Et ici il est absolument impossible de regarder Dieu comme un partenaire, et encore moins de se regarder soi-même comme un partenaire de Dieu. »

54. Allusion au mythe de la caverne, p. 211.

55. P. 163-164 et 212.

56. Sur l'insuffisance des spéculations indiennes elles-mêmes, voir p. ex. p. 164, 169 (avec l'importante note 33 sur l'inadéquation du langage à l'expérience), 218, etc. Même les « formules advaitines » ne sont pas l'*advaita* !

au seuil de l'expérience et sont jugées par elle ; rejoindrait-on la pensée exacte de Le Saux en disant qu'elles ont davantage valeur de pédagogie que de vérité [57] ?

Pratiques et formules

Les approches selon lesquelles Le Saux s'efforce de situer les pédagogies de l'expérience ne sont pas systématiques ; divers registres se recoupent, sans que leur cohérence mutuelle soit pleinement assurée. La présentation qui suit sera donc inadéquate, mais cela n'est peut-être pas très important, s'il est vrai que tout doit s'évaluer en fonction de l'expérience ineffable de soi en Dieu et de Dieu en soi.

Un cadre revient assez fréquemment, traité de façon synchronique et diachronique : symboles *(archétypes, mythes)*/concepts *(eidos, logos)*/esprit *(expérience, unité)* [58]. Synchroniquement, cela permet de définir succinctement les *voies* d'accès à l'expérience : la connaissance, chemin plus logique et plus conceptuel, qui opère une certaine purification mais est en elle-même impuissante à produire l'expérience ; la dévotion, au niveau des symboles et des rites, mais aussi de la fidélité à des lois ; l'action désintéressée enfin, c'est-à-dire le service du prochain. Ces *voies* [59] ont ceci de commun qu'elles extravertissent et/ou intériorisent l'homme (tout dépend de quel niveau de l'homme on parle), et l'acheminent au seuil d'une expérience qu'elles peuvent tout au plus signaler, mais non produire. Le *guru* est là pour diriger l'homme selon ces diverses voies, quitte à s'effacer au moment où il n'y a plus de voie et où l'homme est enfin éveillé en son cœur à l'« Un qui n'a pas de second ».

Diachroniquement, ce cadre détermine une sorte de trilogie des âges du monde : un âge *mythique*, dominé par les archétypes et les symboles, un âge *logique*, prégnant de concepts et de

---

57. « Tout cela est uniquement tremplin... » (p. 169).

58. Cf. spécialement les trois premiers §§ de l'étude « Archétypes religieux, expérience du soi et théologie chrétienne », p. 178-183. Voir aussi p. 213 : « Pour une pensée qui a dépassé le stade mythique et qui de plus est parvenue au stade d'autocritique par rapport à la notion même de concept et au processus de raisonnement, il est clair... »

59. Sur ces *voies*, qui *ne* sont *pas* l'expérience elle-même, cf. p. 169-170 et 288-289. Sur le *guru*, p. 171-172, 240-241, etc.

raisonnements, un âge enfin qu'on pourrait dire *spirituel*, qui serait
habité par l'expérience fondamentale ; et s'il fallait encore à ce
moment symboles et discours, ceux-ci procéderaient, d'une
manière que nous ne savons pas encore, de l'expérience
primordiale d'unité [60].

Concrètement, l'âge ou le stade mythique est représenté par les
religions primitives, qui, sans le savoir peut-être, tendent vers
l'expérience centrale par leurs symboles, leurs rites et leurs lois ;
puis viennent les grandes *religions monothéistes*, judaïsme,
christianisme, islam, dont le sens de Dieu a été éveillé par les
prophètes, attentifs à combattre le danger d'idolâtrie toujours
présent dans le culte et à dégager la signification profonde des
symboles ; historiquement, ce stade ou cet âge correspond à celui
de l'expansion gréco-romaine et à ses prolongements ; le temps de
l'*Esprit* et sans doute des religions spirituelles s'approcherait
maintenant, paradoxalement préparé par deux émergences
contraires ; celle de la *pureté de l'expérience du soi dans l'unité*,
en ce que les spiritualités extrême-orientales offrent de plus pur,
celle de l'*humanisme*, dont l'attachement aux valeurs temporelles
et le scepticisme religieux témoignent à leur manière de l'*au-delà*
d'une expérience que les plus exactes expressions du symbole et du
logos ne savent dire [61].

---

60. Sur ces trois étapes, cf. le dernier § de l'étude citée note 58 : « IX. Mythe,
Logos, Esprit », p. 203-207.

61. Cf. les références données aux notes précédentes et, dans l'étude « Révélation
cosmique et révélation chrétienne », le § II, « La convergence chrétienne »,
p. 260-263. Les trois grandes religions monothéistes et les religions extrême-
orientales [que j'ai appelées ici « spirituelles » mais qu'il vaudrait mieux dire, avec
Le Saux, « cosmiques »] constituent les « deux pôles opposés en lesquels
l'expérience intérieure s'est exprimée : 1. le pôle abrahamique et ses trois
descendants ; 2. le pôle védantin avec son complément bouddhique » (p. 302). Et
l'auteur ajoute : « On se rend compte alors de la valeur essentiellement
nāmarūpa de toutes formulations/structures, qu'elles soient upanishadiques,
bouddhiques, islamiques ou chrétiennes » (*nāmarūpa* désigne l'ensemble des
noms et des formes qui s'essaient à traduire l'expérience primordiale et/ou à y
disposer.)

Du Christ et de la Trinité

Pour situer le christianisme et se confesser chrétien dans cette perspective de l'expérience spirituelle fondamentale à laquelle tendent toute religion et toute spiritualité, il ne faut partir ni des mots, ni des dogmes, ni des *theologoumena*, mais de la *perfection de l'expérience spirituelle de Jésus* [62]. De lui, en effet, on peut dire qu'il a fait en perfection, sans purification préalable ni préparation, l'expérience de l'*advaita*, de sorte qu'il en est comme le modèle et que toute intériorisation de l'homme se fait à l'image de celle de Jésus. Réciproquement, on peut dire que, plus un homme se rapproche de l'expérience de l'*advaita*, mieux il peut comprendre le mystère de Jésus. Et c'est à partir de cette identification ou participation à l'expérience de Jésus que peuvent se comprendre les *mots* qui ont dit son Mystère. Le Saux est ici très attentif à la pluralité des langages : dans le milieu judéo-chrétien, l'expérience de Jésus communiquée par la prédication apostolique a été exprimée moyennant les *noms* donnés au Christ dans le cadre de l'histoire et de l'attente d'Israël — ainsi « Fils de l'homme » ou « Messie » ; la rencontre avec l'hellénisme a déterminé, dès le Nouveau Testament, l'usage de *noms* plus reliés à la culture grecque, comme « Logos » et « Kyrios » ; on ne doit pas donner valeur exclusive à ces noms et aux langages qu'ils ont conduit à définir, et on ne doit pas se clore sur eux comme si d'autres noms et d'autres propositions ne pouvaient venir [63]. L'hindouisme pourrait, à son tour, permettre une réinterprétation de l'expérience de Jésus, mais à condition toutefois que l'on se

---

62. Cf. l'étude « Archétypes religieux... » (*supra*, note 58), § v « Le message et l'expérience de Jésus » (p. 188-191). Formules très fortes dans les « Notes de théologie trinitaire » (p. 235-247) ; p. ex. : « La théologie chrétienne est essentiellement basée sur l'expérience que Jésus eut de lui-même, telle qu'elle fut partagée par les Apôtres... Fondamentalement, le christianisme est la transmission au travers des âges et à tous les hommes qu'atteint la prédication apostolique de cette expérience primordiale que Jésus eut en l'Esprit de lui-même, du Père et des hommes ses frères » (p. 238-239).

63. Cf. dans l'étude « Archétypes religieux... » » le § IV « Théologie chrétienne » dans lequel, de manière plus ou moins parallèle avec le thème des divers stades ou âges de la pensée, Le Saux distingue la théologie judéo-chrétienne, puis la théologie helléno-chrétienne, tandis qu'il voit poindre une théologie vraiment « catholique... libérée de toute sujétion de temps et de lieu » (p. 182-187). Mêmes réflexions p. 245-246.

réfère bien à celle-ci, et qu'on ne se contente pas de trouver, sur le plan des catégories, des équivalents hindous aux termes grecs ou juifs [64]. Tout renouvellement ne peut venir que de la référence à l'expérience de Jésus et à celle que, guidée par elle, nous faisons ou espérons faire nous-mêmes [65].

Les *theologoumena*, voire les « dogmes » de la foi chrétienne ont, eux aussi, à être compris dans la ligne de cette expérience. Par exemple, on ne peut confesser et dire la *résurrection* de Jésus si on la sépare de l'expérience de vie qu'elle signifie pour nous. C'est cette expérience, déjà inchoativement faite à l'intime de la conscience, qui permet de percevoir le sens de l'archétype de résurrection qui en dit la perfection et la plénitude [66]. Là comme ailleurs, les formules doivent aider à « passer sur l'autre rive du cœur » [67], celle de l'expérience spirituelle, faute de quoi elles empêcheraient ce qu'elles doivent servir. Dans une discrète et interrogative allusion eschatologique, qui n'est pas sans faire penser à une ligne de réflexion marquée par Origène et Évagre le Pontique, Le Saux s'interroge sur le sens de la remise du Royaume par le Christ à son Père, au temps de la fin : à ce moment-là, Dieu sera tout en tous, c'est-à-dire que l'expérience d'unité aura atteint pour tous sa perfection. En quel sens pourrait-on continuer à parler de médiation du Christ ? Le Saux laisse la question ouverte, mais on comprend qu'il l'ait du moins posée [68].

S'agissant de la Sainte Trinité, l'orientation de la réflexion est

---

64. Sur l'insuffisance d'une théologie indo-chrétienne qui se baserait exclusivement sur des analyses et comparaisons de notions, cf. p. 236-238 et 299-300. Un tel type de théologie en resterait au niveau insuffisant des *nāmarūpa*.

65. La requête est précise. A quoi exactement aboutit-elle, quand il s'agit de *dire* le Mystère du Christ ? Il n'est pas très facile de le distinguer dans le texte de Le Saux. En méditant sur les trois derniers textes du livre, on pourrait dire que Jésus, ayant fait lui-même en perfection l'expérience de l'*advaita*, au point de dire *Ego eimi*, c'est-à-dire de laisser éveiller en soi la pure conscience de Dieu, est pour nous éveil à cette même expérience, à laquelle nous dirige son *yoga*, sa *voie* de charité et de communion. Et tout homme qui se laisse mener vers l'expérience par Jésus (qui peut être dit à cause de cela Parole ou Présence de Dieu) devient, lui aussi, éveilleur pour ses frères.

66. P. 182 : les valeurs diverses, présentes dans les différents archétypes, leur complémentarité, leur ouverture réciproque se fondent sur une « intuition originelle et fondamentale, pré-archétypale, dont chaque archétype ou symbole reçoit sa valeur propre ». Sur la résurrection et sa valeur archétypale d'éveil à la vie en soi, cf. p. 212, 219, 224, etc.

67. Formule des Upanishad, citée p. 182.

68. Cf. p. 227 et 231.

la même : avant de la « penser » avec des mots, il faut en saisir la réalité et nous saisir en elle, déjà dans notre expérience inchoative de Dieu, puis dans l'expérience de Jésus que nous transmet la prédication apostolique. Les mots les plus abstraits et les moins capables de signifier, ainsi qu'Augustin et Grégoire de Nysse le remarquaient déjà à propos des termes grecs rendus nécessaires par l'exposition dogmatique, ne sont pas ceux auxquels il faut s'arrêter. Il importe de s'en tenir au plus près de la révélation biblique, où le mot *Dieu (ho theos)* désigne le Père (en qui se trouve la plénitude de la divinité), Dieu en soi-même en quelque sorte, tandis que le même mot *Dieu* (*theos* — sans l'article), qui qualifie le Fils et l'Esprit, renvoie plutôt à Dieu en sa double manifestation, dans les champs complémentaires du *Logos* et du *Pneuma*. Nous reportons d'une certaine manière sur Dieu les caractéristiques de l'expérience unifiante que nous avons de Lui, de sorte que, à un certain niveau, eschatologique lui aussi peut-être, on pourrait s'interroger sur la possibilité d'une expérience pure de Dieu, le Père-en-soi, *ho Theos*, Déité pure, au-delà des médiations du Verbe et de l'Esprit. Cette interrogation n'est pas un « doute » ni un problème intellectuel ; elle est plutôt l'œuvre d'une attention éveillée qui laisse ouvert le champ dont l'horizon infini ne se découvrira que lorsque la spiritualité hindoue aura porté ses fruits d'expérience spirituelle [69].

Dès son origine, l'homme est habité par une sorte d'intuition spirituelle de soi, au niveau de la plus grande profondeur, là où il est en unité avec Dieu et avec tout. Mais, pour réelle qu'elle soit, cette intuition est enfouie dans la conscience et doit être éveillée : on pourrait dire que tout ce qui a valeur dans l'existence est lié à une capacité d'éveil et doit être pris, non en-soi, mais dans la dynamique de l'éveil. Les types de langage (mythes, symboles, concepts...), les voies de purification (cultes, lois, service...), les stades de civilisation et les formes doctrinales, tout prend sens à partir de l'*éveil* qui amène l'intuition primitive à sa perfection

---

69. Ce paragraphe sur la Trinité résume plus particulièrement l'étude *Theologoumenon Upasana : méditation sur la Trinité, op. cit.*, p. 217-233. Je suis conscient que ce résumé durcit un exposé tout en nuances, en reprises, pas nécessairement cohérent en toutes ses affirmations. Or priver la présentation de cet exposé de ses hésitations est un peu le trahir. Le lecteur restituera les nuances que j'ai accepté de ne pas rendre, afin de faire ressortir ce qui me semble une ligne de fond de l'exposé.

d'expérience totale — celle-ci défiant toute nomination, sinon peut-être le « Je suis » où se retrouvent, comme en leur cœur commun, les traditions religieuses, spécialement biblique et hindoue. Le *guru* est l'indispensable guide qui, ayant lui-même fait l'expérience de l'*advaita*, est capable d'y éveiller et d'y conduire son disciple. Par l'immédiateté et la perfection de son expérience, Jésus est l'Incarnation du « Je suis », et c'est à ce niveau de profondeur que le rejoint la foi qui, se déployant dans le *yoga* de l'amour, est acheminée à l'expérience. C'est à partir de cette dynamique spirituelle et cosmique tout à la fois, qu'il faut entendre et interpréter les paroles et les formes *(nāmarūpa)* de la doctrine. Celles-ci trouvent leur signification dans leur dépassement, jusqu'au moment où DIEU (la déité pure de Celui que nous appelons Père, dans une désignation limite qui ne peut être pensée directement mais se dévoile au cœur) sera « tous en tous ».

Pour une réflexion critique

Il n'est naturellement pas question de contester l'authenticité de l'expérience spirituelle d'Henri Le Saux, ni la note de *simplicité absolue* de cette expérience, faite d'une entrée si pleine dans le « Je suis » de Dieu qu'il devient très difficile de ressentir ou d'exprimer une *distance* entre Dieu et soi. Nous avons bien des témoignages d'un tel type d'expérience dans l'histoire de la mystique chrétienne, et il y a là davantage matière à action de grâces et à émerveillement qu'à critique théologique.

Le problème vient de ce que l'expérience dont témoigne Le Saux, comme d'ailleurs les expériences similaires dans d'autres religions, a été *préparée* par des *voies* qui ne sont pas seulement d'ascèse mais aussi d'enseignement, et qu'elles ont été suivies d'*expression*. Même si on se taisait absolument, dans le recueillement qui entoure et suit l'expérience, il n'est pourtant pas possible de ne pas l'interpréter, fût-ce pour soi-même et à seule fin de lui être fidèle, à l'aide des *mots* que le *guru*, lui-même nourri à une tradition de paroles, a employés lorsqu'il s'efforçait d'éveiller son disciple. Il n'y a pas en fait de totale solution de continuité entre les mots et l'expérience ; même si les mots apparaissent inadéquats, ils sont cependant là, choisis avec soin ; qu'on les prenne dans un registre symbolique ou spéculatif, ils orientent le disciple dans une certaine direction intérieure, de sorte que, lorsque l'expérience se produira, elle sera d'abord vécue, puis interprétée dans la ligne dessinée non seulement par les pratiques ascétiques suggérées, *mais par les mots employés*. Ainsi, l'aboutissement d'un chemin spirituel dirigé sur une expérience indicible avec l'« Un qui n'a pas de second » ne sera pas vécu de la même manière, ne sera même probablement pas le même qu'un chemin dessiné avec l'aide d'une tradition mystique issue du Cantique des Cantiques, s'exprimant dans un vocabulaire sponsal visant le Verbe, voire le Verbe incarné [70]. Il y a, par suite, un *problème théorique de la relation entre les mots et l'expérience*, problème qu'on peut aborder dans les deux sens : dans quelle mesure les mots sont-ils aptes à dire l'expérience ? Dans quelle mesure l'expérience engendre-t-elle des mots pour la dire ?

Or, ce problème, Le Saux ne l'aborde pas réellement. Il sait bien certes que l'expérience fondamentale se dit avec des mots ; il insiste, comme je l'ai dit, sur la pluralité des registres culturels utilisés, et en particulier sur les possibilités qui seront peut-être ouvertes grâce à la rencontre de l'Inde profonde et du christianisme. Cependant son affirmation sans cesse répétée, sans être d'ailleurs jamais *philosophiquement qualifiée*, porte sur l'inadéquation absolue des mots à l'expérience, à cause de la pure simplicité de celle-ci. Cette affirmation le conduit ainsi toujours de nouveau à retourner comme en deçà des langages pour retrouver l'expérience dans son jaillissement ou, ce qui pour le présent revient au même, à espérer une nouvelle et meilleure efflorescence de langage [71]. Or il faut ici souligner qu'une telle

---

70. S. Jean de la Croix parle de la « divine conjonction et union de l'âme avec la substance divine » (*Montée du Carmel*, II, 24), mais il parle aussi (*Cantique spirituel*, str. 37) de la pénétration « en les cavernes très hautes de la pierre » qui sont « les mystères hauts et relevés, profonds en Sagesse de Dieu, qui se trouvent dans le Christ : sur l'union hypostatique de la nature humaine avec le Verbe divin et la correspondance qu'il y a de l'union des hommes en Dieu à l'union hypostatique... » ; il semble que ces vérités, exprimées ici dans leur sécheresse scolastique, sont objet d'intelligence spirituelle quand on est au plus haut niveau de l'union mystique. Sainte Thérèse écrit que « l'âme est tellement hors d'elle-même qu'elle ne voit plus la distance qui la sépare de Dieu » (*Vie par elle-même*, chap. 34), ce qui n'empêche pas le Christ d'être et de rester au centre de sa démarche spirituelle. On pourrait faire un volume de citations témoignant de la présence, *au cœur* de l'expérience spirituelle la plus haute, des réalités essentielles de la foi chrétienne, dont la grâce mystique dévoile la réalité vraie.

71. Outre le texte cité *supra* note 66, cf. d'autres formules sur le primat de l'« éveil initial », de la révélation « directe », « supramentale », p. 151, 230, 254, 268, 280...

affirmation ne traduit pas, malgré les apparences, une *évidence* mais qu'elle représente déjà une *prise de position théorique* extérieure à l'expérience elle-même et reliée à une tradition interprétative de type « apophatique » qui peut être soumise à discussion, car elle n'est pas la seule option possible en ce qui concerne le rapport de l'expérience et de son langage.

Une telle tradition présente l'avantage de mettre fortement en valeur la transcendance de l'expérience spirituelle à la parole humaine et de Dieu à ce que nous pouvons en dire ; en ce sens, elle constitue un antidote précieux au rationalisme théologique, où qu'il se trouve. Sa faiblesse réside en ceci qu'elle est incapable de justifier les mots que, pourtant, elle emploie ; elle les dévalue puis finalement les annule — un peu comme on repousse une échelle du pied, une fois atteinte la plate-forme.

Comme je l'ai rappelé au début de ce chapitre, à propos de l'*Ereignis*, la théologie mystique chrétienne comporte un très fort courant qui s'apparente à cette tradition. Le Saux ne manque pas de faire allusion à ce courant où l'influence néoplatonicienne est fondamentale[72]. Le revers de la médaille est celui de toute tradition apophatique : si les « noms divins » ne disent pas *vraiment* Dieu, ou bien la Révélation évangélique est provisoire, tout autant que ce dont elle parle (de sorte que théologie trinitaire et christologie seront eschatologiquement abolies), ou bien elle ne l'est pas, mais il est alors extrêmement difficile d'articuler le non-langage mystique, le langage de l'*itinerarium mentis* et celui du fondement christologique et trinitaire tant de l'expérience que de l'itinéraire[73]. Les auteurs chrétiens relevant de cette tradition apophatique se sont presque toujours efforcés, avec plus ou moins de succès, d'éviter ces écueils : la tâche était impérieuse si on voulait ne pas couper l'expérience théologale de l'histoire du salut et d'une éthique humaine.

Quelles que soient ses hésitations et ses reprises, dont j'ai dit en commençant toute l'importance, Le Saux me semble plutôt s'orienter vers un effacement eschatologique de tout ce qui pourrait

---

72. P. 154.

73. M. Corbin vient tout récemment d'insister sur la nécessité de mettre en lumière la fondation christologique de la voie mystique chez le Ps. Denys, faute de quoi on l'interpréterait dans le cadre d'une mystique plutôt philosophique et cosmique que vraiment chrétienne. Cf. « Négation et transcendance dans l'œuvre de Denys », dans *Rev. Sc. phil. théol.* 69 (1985), p. 65-66. Je ne sais pas si la tentative est vraiment convaincante, mais il fallait la faire.

ressembler à quelque dualité, distinction ou distance. Il pose au départ la *non-altérité essentielle* [74] de Dieu, par rapport à l'homme et au cosmos, à laquelle fait pendant la non-altérité *des hommes entre eux*, si on saisit la *koinônia* [75] évangélique à son vrai niveau. Le *salut* est l'éveil à cette Présence qui n'est pas altérité ; la *création* est « ordonnée à l'éveil du cœur de l'homme à Dieu et à lui-même » [76], éveil à ne pas entendre, par exemple, comme « habitation de la Trinité dans l'âme » [77], formule qui laisse subsister un dualisme, mais comme réveil du soi en Dieu. L'*Incarnation* est le parfait et immédiat éveil du Christ au « mystère intime, qui est sans extérieur et intérieur » et, comme je l'ai indiqué plus haut, on peut parler de même pour la *rédemption* et la *résurrection*. Ce sur quoi insiste Le Saux, c'est moins la réalité *effective* dans le Christ de ce que désigne chacun de ces mots, que l'expérience essentielle que, *symboliquement*, ils suggèrent et à leur place, suscitent. A la limite, l'expérience du Christ peut se manifester sans la confession de ces symboles. Réciproquement, parce que, justement, il s'agit d'archétypes, voire d'organisations conceptuelles qui évoquent une expérience unifiée et totale, il n'y aurait pas de sens à parler du Christ sans impliquer les hommes qu'il éveille, de la Trinité « en-soi », indépendamment de nous ou encore de Dieu en dehors de la création : *l'expérience de l'éveil nous montre que, au niveau essentiel, dehors et dedans n'ont pas de sens*. Ainsi, selon une logique paradoxale mais compréhensible, les archétypes, les *theologoumena* et ce que superficiellement ils distinguent, pourraient s'abolir, tandis qu'il n'y a pas de sens à penser le « Je suis » divin qu'ils désignent à part et en dehors d'eux.

Sommes-nous autorisés à conclure que E. Jüngel d'une part, H. Le Saux de l'autre nous présentent comme deux positions extrêmes du *spectrum* théologique ? Chez Jüngel, l'*ek-sistence de Dieu* est

---

74. Cf. p. 141, 228... Je ne sais pas si Le Saux voit correctement que non-altérité de Dieu à l'homme et non-altérité de l'homme à Dieu ne sont pas expressions interchangeables. Assez souvent, pour le dire en passant, Le Saux utilise ou critique une théologie néothomiste vulgarisée, qui n'est pourtant ni *la* théologie occidentale, ni même nécessairement la pensée de saint Thomas.

75. Sur la *koinônia*, cf. surtout l'essai « Jésus le Sauveur », p. 275-293 et plus spécialement p. 279-281 et 288 ss.

76. P. 254.

77. Critique de cette formule p. 243.

comme le déferlement d'une liberté qui jaillit de la source paternelle et se répand jusqu'à la limite ultime du néant, l'homme s'abandonnant à cette liberté lorsqu'elle le rejoint dans la parole et en *racontant* dans la foi les merveilles ; l'analogie, dans la mesure où elle souligne une « distance toujours plus grande » [78] entre Dieu et l'homme, accentuant ainsi à l'extrême le schéma spatial haut/bas, brise le mouvement de l'Amour et l'adresse de la Parole, tandis qu'elle ne provoque guère, du côté de l'homme, l'abandon de la foi ; elle ne serait donc pas en place dans la théologie chrétienne. Chez H. Le Saux, le « Je suis » divin investit mystérieusement tout ce qui est « création » sans être réellement altérité, jusqu'à ce que l'« éveil » à ce « Je suis », dont le Christ peut être considéré comme le paradigme, ramène tout à Dieu. Les paroles humaines les plus vraies ont valeur propédeutique ou initiatique. Leur contenu importe moins que leur valeur paradigmatique ; aussi bien, dans la mesure où elle stabiliserait spéculativement une « distance » entre Dieu et l'homme, l'analogie serait un obstacle sur le chemin d'unité avec Dieu que parcourt l'homme. C'est bien pourquoi elle ne saurait avoir lieu.

Ainsi, dans les deux cas, l'analogie est récusée en théologie, mais pour des raisons en quelque sorte inversées : ici, elle serait un obstacle concret sur le chemin spirituel par où *l'homme va en Dieu* ; là, elle empêcherait de raconter *Dieu qui vient vers l'homme*. Il serait sans doute trop simple de dire que ces raisons se confortent l'une l'autre en vue d'un rejet déterminé de l'analogie, ou, au contraire, qu'elles s'annulent l'une l'autre et laissent donc le chemin ouvert à cette même analogie. Je note simplement ici que, chez ces deux théologiens, la distinction entre Dieu et le monde, entre la Trinité et l'histoire, est difficile à *dire*, la « raison » de l'histoire, difficile à préciser, l'impact du « péché » difficile à déterminer [79] : c'est à cause de ces incertitudes que l'ensemble du problème me semble pouvoir être repris.

---

78. Cf. la discussion du principe énoncé par le IVᵉ Concile de Latran sur la *major dissimilitudo* dans Jüngel, II, p. 95 ss.

79. Évaluation du péché et critique de la théorie classique de la Rédemption, dans Le Saux, p. 275-280, à comparer avec l'unique note dans laquelle Jüngel parle du péché, I, p. 350.

CHAPITRE II

DIEU
L'ÊTRE ET LA CRÉATION

La tâche qui s'offre à nous peut être assez clairement délimitée à partir de la confrontation entre les auteurs dont on vient de parler. Il s'agit de trouver la *juste distance*, qui permette de dire Dieu en lui-même, sans le séparer de l'histoire des hommes mais sans l'y assigner non plus, d'honorer la plénitude de son être mais sans tendre pour autant à annuler, même eschatologiquement, la consistance de l'être et de l'histoire des hommes, être et histoire dont le Ressuscité atteste le sens et la valeur.

Le chemin vers ce point de la juste distance passe par ce qu'on pourrait appeler les *retrouvailles avec l'étant*. Celles-ci sont en effet nécessaires : d'un point de vue philosophique tout d'abord, si les remarques que j'ai faites plus haut à propos de Heidegger sont justes, il faut tenter de sortir de la situation ambiguë faite à l'étant ; d'un point de vue théologique ensuite, puisqu'il nous faut penser et dire l'événement de Dieu en lui-même et avec les hommes, sans discontinuité certes mais en respectant des « seuils » que la théologie narrative à elle seule ne peut situer, et en maintenant d'autre part la pérennité eschatologique de la médiation chrétienne : le Christ ressuscité ne meurt plus, mais ne disparaît pas non plus dans la divinité, de sorte qu'il ressortit bien de quelque manière (et nous avec lui) à ce que, très généralement, on peut appeler l'*étant*.

Paradoxalement, le retour vers l'étant libère une *notion de l'être*, à partir de laquelle il pourra devenir possible de tenter *une nomination divine*, qui évite les pièges de l'Étant suprême *causa sui*, du « Nécessaire », mais aussi d'un « Je suis » qui ne laisserait finalement rien subsister en dehors de Soi. Nous verrons aussi que ce Nom divin ontologique peut servir de « clef herméneutique » pour apprécier et dire le complexe rapport Dieu en soi/Dieu vers nous, auquel correspond, du côté de l'étant, le rapport création/histoire du salut.

1. Retrouvailles avec l'étant

Mais qu'est-ce donc que l'étant ? Il n'y a pas à chercher bien loin : ce sont ces fleurs sur ma table, ce bruit dans la rue, ce visage tendu et souffrant que j'ai eu en face de moi il y a quelques instants, cette pensée qui m'habite, tout et n'importe quoi, en somme, choses, gens, rencontres, *événements*, mais saisis très précisément *en tant qu'ils sont*. La difficulté à penser l'étant se ramène peut-être uniquement à celle d'opérer cette saisie d'une réalité en tant qu'elle *est*. Aucune démonstration n'y peut forcer l'esprit, aucun argument n'y conduit, et tout le discours fait à propos de l'étant ne peut prétendre à rien, sinon peut-être à provoquer ce type de « regard », cette « rencontre », ce « jugement d'existence ». Qu'un accord définitif entre philosophes n'ait jamais pu se faire sur l'étant et l'être de l'étant montre bien, plus que notre faiblesse d'hommes, le caractère en quelque sorte « initiatique » de tout discours sur ce sujet. On ne peut guère faire davantage qu'indiquer sa propre route, dire vers quel terme semble conduire celle-ci, et inviter qui le veut bien à faire un bout de chemin avec soi.

La saisie de l'étant, quel qu'il soit et où qu'il se trouve, *en tant qu'il est* se laisse reconnaître à son effet, qui est l'émerveillement, au sens où Socrate disait à Théétète (155d) : « Cet état qui consiste à s'émerveiller, est le propre du philosophe » ; émerveillement, étonnement sont les réflexes premiers devant l'être des étants : non pas la question « pourquoi y a-t-il quelque chose plutôt que rien ? », ni la comparaison qui souligne les limites : « comment se fait-il que des choses soient et d'autres pas ? », mais l'étonnement devant un « il y a », qui n'est *pas encore* un « cela donne ». Le pourquoi et le comment viendront certes, mais si on les pose avant de s'être étonné qu'*il y ait*, le processus rationaliste est engagé et on est déjà dans l'ontothéologie ; le « cela donne » viendra de même, mais si on y pense avant de s'être émerveillé de l'être de l'étant, on oubliera vite l'étant pour se lancer dans la quête du « cela » qui donne ou dans l'analyse du don : on est alors « au-delà de la métaphysique » sans avoir jamais été dedans, en

« méontologie » sans s'être jamais émerveillé de l'ontologique. En réalité, il n'y a peut-être à *s'étonner* de rien, sinon justement de ce qu'un étant (une fleur, un visage ou moi-même) soit ; la raison et le désir viendront à bout de tous les émerveillements, mais pas de celui-ci.

Du langage, pour l'étant et pour l'être

Plus qu'ailleurs peut-être, la question du langage est ici capitale. Si l'expérience de l'étant en tant qu'il est est si fondamentale, c'est sans doute elle qui engendre le langage et non l'inverse : tous les mots supposent l'*être*, car tout ce qui est susceptible d'être communiqué et échangé dans la parole, *est* ; l'être est le mot indéfinissable qui sous-tend toute définition comme tout jugement, et les recherches d'équivalence demeurent approximatives. Mais, à cause de cela même, elles sont importantes, car certaines images ou certaines notions peuvent induire en erreur. De ce point de vue, même si elle n'est pas toujours parfaitement claire d'une œuvre à l'autre, la critique heideggérienne de l'être comme « présence » est pertinente [80]. Outre le fait que ce qu'on vise avec ce mot n'est pas toujours clair (l'être de l'étant dans la différence ontologique, l'être en dehors de l'étant, ou même l'étant ?) ce mot lui-même a des connotations spatio-temporelles qui ne sont sans doute pas les meilleures pour dire l'étant en tant qu'il est ou l'être de l'étant. La connotation spatiale pose là l'étant, sans laisser d'ouverture sur ce qui serait une possibilité de retrait ou une référence à un ailleurs, tandis qu'elle circonscrit l'être sur l'étant qu'elle abrite ; la connotation temporelle dévalue ce qui n'est pas présence pure et ne laisse guère de perspective sur l'éventuelle complexité des niveaux de l'histoire, mais surtout ni l'une ni l'autre ne cernent réellement l'être en tant qu'être.

La langue elle-même nous met en garde contre le primat de la présence : un mot composé rendrait-il compte de sa racine et non pas l'inverse ? *Parousia* renvoie à *ousia*, *An-wesen* à *Wesen*. Si on accepte ce verdict du langage, on voit que la présence ne peut prétendre dévoiler le fond ni de l'étant qui la supporte, ni de l'être qui la fait advenir. Il faut donc chercher ailleurs : non au niveau

---

80. Que *être* soit interprété et parfois critiqué comme *présence* est constant chez Heidegger et fondamental aussi chez Derrida.

des *prépositions*, qui ne trouvent leur sens qu'à partir de ce qui est posé, mais à celui de la dialectique entre les *noms* (*ousia, wesen*) et les *verbes (einai, sein)* qui préservent mutuellement leur autonomie et leur originalité jusque dans leur rapport. C'est en effet la juste appréciation de cette dialectique qui permet de comprendre la différence ontologique en conservant à l'étant et à l'être leur identité à la fois propre et réciproque. Attentif comme il l'était aux étymologies, Heidegger avait réfléchi sur la parenté entre les mots indo-européens désignant l'être et le souffle : être comme *spiraculum* absolument originaire, comme jaillissement tout à fait premier [81]. C'est sans doute là qu'il faudrait revenir pour *réexpérimenter* la primauté du sens *verbal* de « être » sans déprécier le sens *nominal* de « étant ». L'équivalent linguistique le plus adapté serait sans doute ici le vocabulaire aristotélicien de l'*acte*. Heidegger interprète « énergie » et « entéléchie » de la « présence » [82] ; cela ne me semble pas fondé au niveau des textes d'Aristote, ni éclairant à celui de la pensée elle-même. Le vocabulaire de l'*acte*, avec sa double connotation de *actuel* et *action*, se situe en effet autrement que *présence* : *action* dynamise ce que *actuel* peut avoir de trop statique (justement dans une pure connotation de présence ici et maintenant), tandis que *actuel* évite de disperser trop vite l'être dans l'action et facilite ainsi une visée de l'*acte d'être*.

Appelons donc *acte d'être* cette réalité stupéfiante qui jaillit au cœur de tout et de n'importe quoi et suscite l'émerveillement qu'*il y ait*... Mais, on le voit, c'est *dans l'étant lui-même* que la pensée discerne ce qui transcende toute définition d'essence, toute appréciation de qualité, toute évaluation de chose et même toute insertion historique dans le temps, pour saisir *l'actualité pure de l'être par lequel l'étant véritablement est*. Heidegger a sans doute eu raison de penser que, dans bien des cas sinon tous, la métaphysique a en quelque sorte englouti l'être dans l'étant afin que la raison puisse se réjouir de tout ramener au concept. Pourtant, lorsqu'elle a cédé à cette tentation, la métaphysique a manqué non seulement l'être mais l'étant tandis que, inversement, lorsqu'elle a su lire l'être comme actualité pure de l'étant, elle a non seulement posé l'étant, mais triomphé de l'oubli de l'être.

---

81. *Einführung, op. cit.*, p. 54 s., trad. fr. p. 80 ss.

82. P. ex. dans *Nietzsche*, Pfüllingen, 1961, t. II, p. 404 s., trad. fr. Paris, 1971, t. II, p. 325.

Multiplicité, analogie, donation

A ce point se manifeste ce qu'on peut très réellement appeler le *mystère de l'être*. En effet, lorsque l'attention devient capable de lire l'*être comme acte* dans l'étant, elle le trouve à la fois exactement mesuré par l'étant, lequel sans cette mesure ne *serait* pas et ne serait pas *ce qu*'il est, et « ouvert » sur tout autre étant qui, lui aussi, *est*, mais selon une autre mesure. Très probablement (mais il y a là tout un champ d'investigation qui peut demeurer en dehors de la présente recherche), cette perception d'une communication dans l'être et d'une diversité dans la mesure est liée à la perception de *mon* propre acte d'être, en lui-même et dans sa relation précisément multiple avec tant d'autres étants ; il y aurait sans doute là une possibilité de reprendre toute la tradition de l'Ego, en la dépouillant de son idéalisme transcendantal. Quoi qu'il en soit du processus mis en œuvre, l'*être* apparaît comme à la fois totalement approprié à chaque étant et d'une certaine manière commun à tous, puisque c'est bien le fait d'être qui rend possibles les multiples communications, connexions, relations entre étants divers. L'être à la fois fonde la multiplicité, puisqu'il est acte propre de tout étant, à commencer par moi, et est source de l'unité puisque tout étant sans exception *est*.

L'*analogie* n'est pas autre chose que le *statut* du langage de l'être, lorsqu'on considère ce dernier comme acte de l'étant, à la fois approprié à ce dernier et le débordant de toutes parts. Le mot être (et, avec lui, le mot étant) dit à la fois propriété et diversité d'une part, généralité et unité de l'autre. C'est pourquoi son maniement est délicat : son sens immédiat jaillit de l'évidence de l'étant, mais il pointe aussi dans la direction de tout ce qui a ou peut avoir nom d'être ou d'étant, de sorte qu'il n'est pas évident que l'étant sur et dans lequel est saisi l'être soit celui qui vérifie le plus la réalité de ce mot.

On comprendra mieux cette exactitude de la mesure de l'être, parfaitement appropriée à chaque étant, et la démesure qui relie ces appropriations multiples, si on réfléchit au fait que, paradoxalement et du fait même qu'il est, l'étant *à la fois est et n'est pas*. Il est, c'est un fait, comme une position qui rassemble et unifie tout ce qui le constitue, y compris l'acte d'être ; il n'est pas, dans la mesure où ce n'est pas de soi-même qu'il est : l'acte d'être dont on parle ici est antérieur à toute liberté, vie, finalité qu'on puisse s'attribuer ou à quoi on puisse consentir. Cet en deçà de soi-même, sans quoi rien ne serait et par qui seulement l'étant est, demeure et vit, d'où vient-il donc à l'étant ?

Il apparaît ici que, de l'être de l'étant et dans l'étant, on peut dire ce que disait Heidegger de l'être considéré en dehors de l'étant : « cela donne — être ». Si, tout en étant de l'étant et en lui, l'être n'est pas l'étant et ne prend pas sa source en lui mais le fait au contraire plutôt surgir comme étant, alors « cela donne — être » ; mais, par voie de conséquence ou de concomitance, « cela donne aussi — étant ». L'extériorité relative de l'être est bien un appel à poursuivre la méditation dans la direction indiquée par Heidegger, celle de la *donation*, et à se poser aussi avec lui la question du « cela » qui donne. Mais — et on se sépare ici de Heidegger — rien ne s'oppose à ce que l'on poursuive cette méditation sans quitter l'étant.

On le voit : pour toute première qu'elle soit, la notion d'étant est extrêmement délicate à saisir. En elle-même, elle échappe à toute détermination de chose (elle n'est réifiée dans aucune direction particulière) ou de temps (même la présence n'entre pas dans son concept). Elle ne dit que *ce qui est* et en tant précisément qu'il *est :* et cette reconnaissance d'être est elle-même paradoxale, à cause du caractère totalement approprié, entièrement ouvert et absolument donné de l'être. On pourrait dire que, comme l'être, l'étant aussi est objet de méditation patiente et sans cesse à reprendre. Il ne faudrait pas croire trop vite qu'on l'a saisi, compris, et donc qu'on puisse le rejeter pour se livrer à des intellections plus subtiles. Avec lui, on est toujours au commencement [83].

---

83. Il est sans doute évident pour le lecteur que la visée sur l'étant et l'être ici présentée doit beaucoup, sinon tout, à l'interprétation renouvelée de saint Thomas due à É. Gilson, C. Fabro, L. Geiger et d'autres à leur suite. J'ai été frappé de voir comment dans son livre posthume *Constantes philosophiques de l'être*, Paris, 1978, É. Gilson ne considère comme interlocuteur valable que M. Heidegger (p. 126, 141, 150, 179, 200, etc.), tandis que, réciproquement, la référence à É. Gilson est fréquente dans la contribution de Jean Beaufret au colloque *Heidegger et la question de Dieu*, Paris, 1980 (voir : « Heidegger et la théologie », p. 20-36). Cf. aussi P. CODA, *art. cit.*, p. 51-56.

2. « *Je suis* », *nom propre de Dieu*

Mais comment penser la donation lorsqu'on se situe, comme j'essaie de le faire ici au niveau de l'être comme *acte* plutôt que comme présence ? La donation de l'être comme acte ne peut être référée au Temps ; cette instance de donation, qui avait quelque raison d'être dans le registre de la présence, n'en a plus ici et nous sommes nécessairement sur un autre chemin que celui indiqué dans la triade Être/Temps/*Ereignis*, même si la préoccupation de vérité est finalement la même : en effet, nous essayons, par hypothèse, de ne pas quitter l'étant et de contempler l'être dans l'étant. Il nous faut donc à la fois méditer *l'appropriation du don à l'étant sans que pour autant cesse la donation* et tenter une *nomination de « cela » qui donne.*

« Cela » doit être pensé et nommé simultanément comme *auteur de la donation* et *en dehors* de celle-ci. D'une part, « cela » ne peut être nommé que comme auteur de la donation : nous n'avons pas d'autre accès à lui, sinon la méditation sur la donation ; si nous pouvons le penser, ce n'est qu'en réfléchissant au don comme geste jamais arrêté par où il y a l'être de l'étant, ce n'est qu'en rejoignant l'essence cachée de ce que la tradition philosophique appelle « cause » : ce mot est devenu ambigu [84] ; dévalué et critiqué dans la mesure où il ne traduisait guère plus qu'un schème artisanal pour exprimer des connexions entre des réalités fort terrestres et concrètes, ou encore dans la mesure où on l'identifiait à un principe rationnel de raison suffisante, il a suscité la méfiance. Il est cependant permis de penser que la dévaluation de la *cause* est liée à l'*oubli* tant de l'être que de l'étant. En effet, lorsqu'on s'efforce de sortir de l'oubli pour rejoindre étant et être dans leur vérité, on est conduit, nous l'avons vu, à la reconnaissance d'un *don* par où l'être advient à l'étant : ce thème du don, avec ses deux connotations de *gratuité* et d'*efficience réelle*, semble pouvoir restituer au mot « cause » toute sa densité : la « cause » n'est pas ici autre chose que le don par où l'être advient à l'étant tandis que, inversement, au niveau de l'être, la causalité ne peut être que donation. On pourrait donc dire que « cela » est la *cause* de l'être dans l'étant et, par conséquent, de l'étant lui-même, s'il est vrai que rien dans l'étant n'est que par son être.

---

84. C'est pourquoi je parlerai habituellement de « donation-cause », espérant que, par cette apposition, les deux mots se conforteront l'un l'autre.

D'autre part, cependant, il ne suffit pas de dire que « cela » est « cause » pour le *nommer* véritablement : « cause » demeure une désignation fonctionnelle, comme l'était d'ailleurs *Ereignis* : ni l'un ni l'autre de ces mots ne dit *en propre* « cela », et donc ne le *nomme* pas véritablement, car, en matière de nomination, il n'y pas place pour le plus ou le moins. Si on veut nommer « cela » (et c'est bien d'ailleurs ce que cherchait à faire Heidegger), il faut parvenir à un mot qui dise non seulement l'*activité* extravertie, mais l'*actualité* intime : c'est en ce sens que « cela » doit être nommé « en dehors de la donation ».

Or le mot « être » vient ici à notre secours. D'une part, il nous vient de la méditation de l'étant en son principe intime, fruit de la donation : avec lui, nous ne quittons donc pas la réalité où nous sommes ancrés pour viser un innommable au-delà. Mais d'autre part, « être » désigne précisément l'acte ultime et rien d'autre : ni la présence, ni même la donation, *a fortiori* aucune détermination spécifique et limitante ; et pourtant, il ne désigne pas un vide, mais au contraire une plénitude, puisque c'est de lui que l'étant a d'être, et donc aussi d'être ce qu'il est. Pris absolument, le mot « être » peut convenir pour désigner « Cela qui donne » sans impliquer immédiatement la donation, sans l'exclure non plus. En tant qu'« acte pur d'être », « Cela » (que nous appelons habituellement Dieu) est délié de toute relation nécessaire à l'étant, mais aussi capable de donation, et ce qu'il donne est ce par quoi il y a effectivement l'étant qui est et l'être de l'étant.

L'acte pur d'être, le nécessaire et l'absolu

Pour essayer de clarifier la portée du nom « être » pour « cela qui donne » et que, en théologie, nous appelons Dieu, il peut être utile de comparer le thème de l'*acte pur d'être* avec ceux, rencontrés et critiqués par Jüngel, de *nécessaire* et d'*absolu*[85]. Ces deux adjectifs substantifiés qualifient contradictoirement Dieu et le monde dans leur relation. *Nécessaire* relie le monde à Dieu ; pour produire ce mot, on renverse en quelque sorte une expérience, confuse mais incontestable, de contingence : quel que soit l'angle sous lequel on considère ce qui nous entoure, il ne peut produire

---

85. E. JÜNGEL, *op. cit.*, I, p. 22-29 et 60-62. Cf. aussi *IM s.v.* « absoluité de Dieu », « nécessité de Dieu », « non-nécessité mondaine de Dieu »...

de titre qu'à une cohérence *possible* : il y a là quelque chose de spontanément insuffisant voire insupportable qu'on neutralise par l'affirmation d'un « Nécessaire » grâce à quoi le contingent acquiert un certain droit à exister. *Absolu* souligne au contraire l'indépendance de Dieu par rapport au monde ; il éloigne Dieu de la contingence, ce que le contingent peut interpréter de deux manières : ou bien comme lui retirant tout droit à son existence ici et maintenant, ce qui l'entraîne à une démarche indéfinie pour rejoindre Celui qui est très loin, « en-haut », au-delà de toute finitude, corporéité, culpabilité ; ou bien comme lui conférant une certaine affinité, mais dont l'accomplissement ne peut venir que de cet « en-haut », avec l'*absolu* lui-même ; mais cette seconde interprétation entraîne que le mot négatif *ab-solu* soit entendu d'un infini positif [86], notion en elle-même proche de la contradiction, à moins qu'on ne la relie à une autre perception, négligée jusqu'ici dans la perspective : celle justement de l'*être*.

Ce qui frappe, à considérer l'usage de ces notions, est qu'elles ne satisfont en définitive ni à Dieu ni à l'homme. Prise en elle-même, la catégorie de *nécessaire* subordonne en quelque sorte Dieu à l'homme et au monde : il est celui par qui le contingent s'assure de sa réalité ; si on lui rend un culte, ce sera pour *garantir* l'assurance, mais non pour exprimer une adoration aimante. Inversement la catégorie d'*absolu*, elle aussi prise en elle-même, éloigne Dieu de l'homme et du monde au point que le contingent se trouve dépourvu de quelque valeur que ce soit. On comprend que Jüngel ait souligné l'impertinence de ces catégories pour penser et dire Dieu.

Que dire alors ? Jüngel essaie une sortie en proposant une

---

86. Comme je l'ai dit plus haut, en parlant de Derrida, la critique du thème de l'« infini positif » est menée par J. Derrida à propos de E. Lévinas, dans « Violence et Métaphysique », dans *L'Écriture et la Différence*, Paris, 1967, p. 119-226. On trouvera plusieurs fois dans cet essai des propos extrêmement éclairants sur l'*être*, qui pointeraient beaucoup plus en direction de saint Thomas que de Heidegger, en particulier les premières pages du § *De la violence ontologique* (196-211). P. 210 Derrida écrit : « A travers plus d'une médiation nous sommes ainsi renvoyés à la problématique scolastique de l'analogie. Nous n'avons pas l'intention d'y entrer ici. » C'est bien dommage, bien que compréhensible, vu l'orientation propre de Derrida. Voir aussi la longue note 2 de la p. 216. Sur le fond de la question, je pense que, si on se place au point de vue de l'être comme acte, « infini » devient un *adjectif* qui dit négativement l'indicible positivité de Dieu ; on peut alors, de manière limite, parler d'« infini positif », ce qui ne serait pas le cas si « infini » était un substantif.

catégorie qui fait déborder le déterminisme du nécessaire, et il suggère que Dieu soit « plus-que-nécessaire » tandis que, afin d'éviter la catégorie contraire de l'« arbitraire », il interprète ce « plus-que-nécessaire » de la « liberté ». De même, il propose de renverser les priorités classiques, en ce qui concerne l'homme et le monde, et affirme le primat ontologique du possible sur le réel. Ce faisant, pourtant, Jüngel *ne change pas de registre épistémologique :* il joue *autrement* des *mêmes* catégories ; à un usage plus statique des catégories de possible et de nécessaire, il en oppose un autre, qui semble plus dynamique et ouvert, faisant ressortir l'*eksistance*. J'ai dit plus haut en quoi la pensée de Dieu qui résulte de ce jeu nouveau des mêmes catégories me semblait déficiente, mais c'est peut-être maintenant que nous saisissons le fond du problème : qu'il s'agisse de Dieu, du monde ou de l'homme, l'*être* n'est jamais saisi et dit ici que par certaines qualifications dont il est revêtu ; pour sensés et utiles qu'ils soient à un certain niveau de la réflexion, ces *adjectifs* voilent en réalité la signification pure du Nom que l'on recherche. La pensée va vers les réalités moins en tant qu'elles *sont* qu'en tant qu'elles sont *telles* ; je pense qu'on demeure ici malgré tout dans l'*oubli*, tant de l'être que de l'étant. C'est de cet oubli-là qu'il fallait sortir. L'étant vivifié de l'intérieur par l'acte d'être, Dieu comme acte pur d'être sont fondamentalement affranchis de tout adjectif, et c'est à un niveau verbal et nominal tout à la fois qu'il faut les rencontrer.

Si on parvient à une nomination divine au niveau de l'*être*, alors, mais alors seulement, il redevient possible de parler de *nécessaire* et d'*absolu*, mais comme attributs descriptifs de l'être et non pas comme termes premiers, ce qui change sensiblement la portée de ces adjectifs. Les termes premiers, ce sont l'*étant*, pénétré par l'*acte d'être* qu'il mesure mais aussi qu'il reçoit de la *donation* que lui en fait constamment l'*Être pur*, Dieu. Dieu est alors nécessaire de l'impossibilité qu'a l'Être de ne pas être [87] ; l'étant, bien qu'il soit réellement, n'est pas nécessaire, puisqu'il naît sans cesse d'une donation-cause ; pourtant, pour gracieuse qu'elle soit, cette donation lui a été faite, de sorte que l'étant se trouve nécessairement relié à Dieu qui lui donne et est pour lui nécessaire ;

---

87. « Dieu existe, non parce qu'il est *parfait*, mais parce qu'il *est* parfait. L'être nécessaire est Dieu, non parce qu'il *est* *nécessaire*, mais parce qu'il *est* nécessaire. » (X. TILLIETTE, « Sur la preuve ontologique », dans *Rech. Sc. Rel.* 50, 1962, p. 213.)

on peut donc s'éviter de dire Dieu « non-nécessaire »[88], mais le niveau d'*être* et de *donation* auquel on se place évite tout déterminisme. A partir de là, il y aura un *autre* niveau de liberté et de possibilité, dont nous nous occuperons ultérieurement, celui de la Parole, adressée et entendue.

Acte pur d'être et expérience d'unité

En un sens, l'orientation de H. Le Saux, telle qu'on l'a résumée plus haut, parce qu'elle pointe vers une expérience parfaitement unifiée du « Je suis » divin, nous aide à admettre la possibilité de parler de Dieu en termes d'« acte pur d'être » et nous donne la mesure, en réalité démesurée et à la limite de nos langages humains, de ces mêmes termes. Il faut pourtant prendre garde que le mot *être* n'a sans doute pas le même sens ici et là : pour Le Saux, le « Je suis » divin est essentiellement le terme indicible d'une expérience, elle-même préparée par une pédagogie d'éveil. En termes ontologiques, cette expérience se dit avec le verbe *être* ; mais elle peut aussi être exprimée avec un vocabulaire réflexif (conscience pure du *Soi*) ou dans la terminologie de l'*Un* (qui n'a pas de second)[89] ; et, dans tous les cas, d'une part le vocabulaire reste loin derrière l'expérience, et de l'autre, l'expérience annule finalement tout ce qui n'est pas elle, réalités, médiations, mots. Il n'en est pas de même ici où la perception de l'*étant* pénétré par son *acte d'être* demeure fondamentale, en sorte que l'on ne parvienne au « Je suis » de Dieu, que moyennant considération de la donation-cause, qui permet elle-même une nomination de Dieu comme Être, *selon l'analogie*. Naturellement, une telle approche spéculative ne constitue pas un refus de l'expérience spirituelle ; elle ne signifie pas non plus le rejet *a priori* de la transcendance de l'expérience au langage qui s'efforcerait de l'interpréter ; elle dit simplement que, s'il y a interprétation de l'expérience, celle-ci, pour être conforme en vérité à cela même qui est expérimenté, doit

88. E. JÜNGEL, *op. cit.*, I, p. 34 et 43.

89. Ici, la terminologie de Le Saux me semble rejoindre, pour le sens, celle de Porphyre, s'efforçant à dire l'Un néoplatonicien avec le verbe *être*, pris à l'infinitif, à l'exclusion de toute acception substantive. Voir les références (en particulier aux recherches de P. Hadot) et la discussion dans mon article « Le "Parménide" » de Platon et saint Thomas d'Aquin », dans *Analogie et Dialectique*, Genève, 1982, p. 60 s.

être menée de telle manière que, d'une part, elle respecte médiations et analogie, et que, de l'autre, elle ne rende pas extrêmement difficile, sinon impossible de penser l'éventualité d'une Parole de Dieu, de l'histoire que celle-ci détermine et des noms cachés de Dieu que, finalement, elle dévoile.

L'acte d'être, clef herméneutique

Les comparaisons qui viennent d'être faites permettent sans doute de mieux situer la démarche suivie ici : laissant de côté, au moins dans un premier temps, les adjectifs de l'étant mais prenant, inversement, quelque distance par rapport à la quête immédiatement mystique, elle consiste à porter attention à l'étant, en tant précisément qu'il est, puis à la donation-cause qui simultanément pose l'étant dans son être propre et le tient ouvert à tout étant et à tout être, à Dieu enfin, auteur de cette donation et que l'on peut légitimement nommer Être, « acte pur d'être » ou encore, sans qualification ultérieure, « Je suis »[90]. Cette démarche présente l'avantage de reconnaître positivement la réalité et la valeur de tout étant et de tous les étants, et de parvenir à une nomination divine qui à la fois indique une réelle communication entre les étants et Dieu (puisque le mot utilisé, *être*, est le même) et signifie Dieu dans sa différence, « absoute » des étants (puisque le mot *être* ne dit pas, de soi, la donation-cause, mais seulement l'auteur de celle-ci en sa réalité propre).

Il faut ajouter que le sens et l'intérêt de cette démarche, l'adhésion aussi qu'on peut lui donner, découlent aussi du *moment* où elle apparaît sur un chemin théologique global. Ici, elle intervient comme élément nécessaire d'*interprétation* d'un salut et d'une histoire, ainsi que des noms divins qu'ils révèlent. Dans l'investigation du chemin de Dieu avec les hommes, on se donne le moyen de *penser Dieu en Dieu*, c'est-à-dire d'évaluer les noms divins au niveau qui est le leur, celui de l'Être en son actualité totale et sa pureté absolue ; mais il doit être bien clair qu'une telle évaluation, loin d'annuler l'historicité des noms divins ou d'énerver la réalité de « Dieu avec nous », les fonde au contraire *en vérité*.

Deux remarques seront ici utiles, pour préciser le propos :

---

90. Cf. *PCDJ*, p. 263-265 : « Nom et Verbe. Affirmation et négation en ''Théologie'' ».

1. Afin de mettre en valeur l'engagement de Dieu dans l'histoire, tel qu'il ressort de toute la Bible, on a très largement mis en discussion, dans une littérature théologique récente, le thème de l'*immutabilité* de Dieu, réputé « grec » ou « métaphysique », pour mieux mettre en valeur la passibilité, la souffrance, l'humilité, voire la temporalité de Dieu, en un mot, pour opposer à cette immutabilité spéculative une *mutabilité* révélée et seule authentique, finalement. Que penser de cette orientation, dans la perspective qui nous occupe ici ?

a) Il n'est sans doute pas contestable que, dans la philosophie grecque et hellénistique, l'immutabilité du Premier Moteur, du Bien au-dessus de tout, etc., implique une séparation radicale d'avec le monde du mouvement et du temps et ne laisse donc pas place à un « commerce admirable » entre Dieu et les hommes.

b) Il est sans doute vrai que les premières théologies chrétiennes, davantage peut-être après le Concile de Nicée, ont fait leur ce thème de l'immutabilité et ont interprété de manière à le respecter la théologie de l'Incarnation et de la Rédemption. A cet égard, elles n'ont certainement pas été portées, par exemple, à voir dans la croix du Christ le lieu d'une révélation de Dieu, non seulement en sa bienveillance et en sa compassion, mais en sa réalité même.

c) Il serait cependant périlleux de se contenter de plus ou moins renverser les termes et de poser Dieu comme Mutant ou comme Souffrant suprême en série avec les mutants et souffrants que nous sommes. Outre qu'une telle « pathothéologie » ne respecte peut-être pas la spécificité de Dieu, on ne voit pas bien non plus en quoi elle aiderait à résoudre pour nous le « problème du mal et de la souffrance » [91].

d) C'est ici que la médiation du nom de Dieu comme Acte pur d'être manifeste sa valeur : parler d'immutabilité signifie nier de Dieu les mouvements qui affectent l'étant en tant que limité à une forme, à un espace, à un temps, ces limitations n'ayant pas de sens au niveau de l'acte pur d'être. Mais si, de diverses manières, la

---

91. Je renvoie à ce sujet à mes réflexions à propos de l'ouvrage de Y. LABBÉ, *Le Sens et le Mal*, Paris, 1980, dans *Rev. théol. de Louvain* 14 (1983), p. 369-371.

Révélation (voire, en certains domaines, l'intelligence humaine) nous parle des mouvements de Dieu en direction des hommes, ou du mouvement intérieur de la vie divine elle-même, la théologie saura employer des termes impliquant la mobilité, sachant simplement qu'il faut les *interpréter* en tenant compte de la simplicité et de la perfection de Dieu, « Je suis ». C'est ici que *ne peut pas ne pas jouer le principe d'analogie* (de l'être et/ou de la foi). Ce faisant, on confesse par le fait même que nos mots voient leur sens vérifié en plénitude quand ils *visent*, en Dieu, ce qu'ils ne peuvent pas dire univoquement, formés qu'ils sont par des étants (nous) pour dire des étants (ces fleurs sur mon bureau, ce bruit dans la rue, cette souffrance sur le visage de mon frère...). Pour être honnêtes vis-à-vis de nos devanciers en théologie, ne faut-il pas reconnaître qu'ils ont amassé sur cette question de la nomination divine, des trésors de réflexion dont nous aurions bien tort de nous priver, même si nous voulons les continuer et les transposer [92] ?

2. Une certaine réticence vis-à-vis des procédures analogiques vient aussi peut-être de ce qu'elles sont plus ou moins liées, historiquement, à une théorie de la *théologie comme science* (« subalternée » à la science divine). Dans ce cadre de « science », le thème de Dieu acte pur d'être intervient en quelque sorte comme « première vérité », au double sens chronologique et logique du mot *premier :* on affirme d'abord de Dieu qu'il *est* (et on scrute tous les tenants et aboutissants de cette affirmation) et c'est sur ce *de Deo uno*, objet initial d'une science théologique, qu'on articule, tant bien que mal, le reste de la matière à traiter. Les procédures analogiques jouent un rôle considérable dans ce type de « science » ; il s'ensuit que si on récuse la théologie comme science, on a vite fait de récuser ainsi l'instrument intellectuel qui l'a rendue possible : il n'aurait plus sa place dans une *théologie comme histoire*.

A cela, il faut remarquer, comme l'avait fait naguère le Père Chenu à propos de saint Thomas, que la rigueur logique d'une science est assouplie par l'intervention de catégories et de thèmes

---

92. Cf. *PCDJ passim*, spécialement p. 89-91 (saint Augustin), 126-139 (saint Thomas) et, pour le présent, 184-187 (Rahner) et 271-286 (mes suggestions). Tout cela devrait être repris, augmenté, critiqué dans une théorie générale du langage théologique, qui ne peut être faite ici.

bibliques, de sorte que des pans entiers de la construction d'une telle « science théologique » relèvent non seulement du donné révélé, mais de l'expression biblique [93]. Ce n'est qu'au niveau des manuels que l'articulation souple des vocabulaires et des perspectives se transforme en scolastique rigide. Je dirais volontiers que la *théologie comme science* requiert *absolument*, pour sa vérité même, le recours au *vocabulaire de l'histoire,* qui joue dans ce cas un *rôle herméneutique* : il oriente, voire corrige une interprétation du donné de foi où les termes et les structures intellectuelles jouent un rôle formateur. Mais l'inverse me semble tout aussi vrai et tout aussi requis : la *théologie comme histoire* appelle le *vocabulaire de l'être* pour l'interprétation correcte d'une présentation où le texte et le récit ont le primat.

Être et liberté dans l'action créatrice

Ces remarques peuvent être illustrées sur un exemple : comment penser l'*action créatrice* de Dieu par rapport à l'*actualité pure de son être* ? Nous devons ici retourner à la genèse de la foi trinitaire à partir du Mystère pascal, telle que nous avons cherché à la comprendre à la fin de la seconde partie de ce livre. D'un côté, la mort de Jésus nous est apparue comme le chemin par où l'homme peut accéder à un mouvement de don total, à une attitude filiale, à l'invocation pure de Dieu, tandis que la résurrection le stabilise dans cette dynamique qui ne cesse plus et consacre la parfaite extraversion de l'homme vers et en Dieu. De l'autre, la résurrection de Jésus, prise du côté de Dieu qui ressuscite, s'est manifestée comme l'invocation paternelle par où le Père, à son tour, se communique totalement. Le Mystère pascal se dévoile ainsi dans sa réalité ultime de *communion vive,* pure absolument de tout égoïsme. Si, comme nous l'avons également noté, cette communion vive est *icône de la réalité propre de Dieu,* alors la Trinité est cet « Admirable Échange » où la plénitude de Dieu est sans cesse entièrement communiquée entre Père, Fils et Esprit dans cette dynamique de communion que la Tradition a appelée « circumincession ». La reconnaissance de Dieu comme Acte pur d'être nous permet de penser et de dire, selon l'analogie, le niveau proprement divin de l'Échange trinitaire alors que,

---

93. *Introduction à l'étude de saint Thomas d'Aquin*, Paris, 1950, p. 271.

réciproquement, la contemplation évangélique de cet Échange nous permet de comprendre que l'unicité pure de Dieu et la perfection totale de son Être ne signifient aucun « égoïsme » divin, puisque le jeu de Don/Réponse est ici aussi éternel que l'Être lui-même.

En d'autres termes, mais que les précédents illustrent, « Dieu *est* AMOUR » : il ne se détermine pas à l'Amour, il l'*est*. Mais l'intuition de la foi pressent, sans être d'ailleurs capable de pleinement l'expliquer, que cet Amour total et pur de tout égoïsme puisse *se déterminer* à un « débordement », que les « processions » divines intratrinitaires se veuillent source vive de « missions » divines vers ce qui n'est pas, et que la pureté de l'Être divin, sans cesse échangé entre le Père, le Fils et le Saint-Esprit, se constitue « Bonté » pour une création à penser, à produire et à diriger vers sa fin de transfiguration et de communion.

Tombe-t-on dans l'impiété, lorsqu'on distingue ainsi en Dieu entre l'Amour qui *est* et l'Amour qui *se détermine* ? Je ne le pense pas : d'une part, parce que Dieu est toujours reconnu comme Don et Communion en même temps que comme Être, et, de l'autre, parce que cette distinction me semble au contraire permettre l'*adoration* de Dieu dans le Mystère transcendant de l'Amour qu'il *est* en même temps que dans le Mystère bienveillant de l'Amour qui *se communique* [94].

Je ne poursuivrai pas davantage ici l'investigation des noms divins, trinitaires et essentiels, ni de leur articulation dans une théologie de l'Incarnation, non plus que des aspects techniques de la procédure analogique. L'essentiel était de dire que l'interprétation proprement *thé*ologique des données qui nous viennent de l'histoire du salut et, très spécialement, du Mystère pascal implique l'usage de la *clef ontologique*. Cela une fois admis, il apparaît clair que les très soigneuses analyses des noms divins, que nous fournit inlassablement la tradition ancienne et

---

94. J'essaie de répondre ici à l'accusation d'*impiété* lancée par Jüngel à l'encontre de la position selon laquelle « Dieu pourrait aussi venir vers soi-même sans venir vers l'homme » ; la raison donnée est que, alors, « la liberté de Dieu y est pensée comme simple possession de soi » ; je ne le pense pas : dans une visée trinitaire intimement liée au Mystère pascal, il apparaît que Dieu ne se « possède » pas mais « s'échange ». Et si on pense « Dieu » au niveau de l'unité de son essence, alors il convient d'imiter saint Thomas qui considère la Bonté de Dieu comme faisant mystérieusement partie de sa Perfection, sans pourtant que la création en soit rendue nécessaire (cf. mon livre *Structures et Méthode dans la Somme théologique de saint Thomas d'Aquin*, Paris, 1961, p. 46-55) et *PCDJ*, p. 292-296. Cf. *supra*, p. 290 n. 41.

médiévale de l'Église, gardent toute leur valeur pour une visée des grands « mystères » : Trinité, Incarnation, Création, et d'autre part nous indiquent une méthode, lorsque nous voulons, pour dire Dieu, introduire d'autres notions que les Pères, en nous tenant plus proches peut-être de ce qui nous vient de l'histoire du salut [95] : ce serait ici le moment de revenir au point de départ de ce chapitre, lui-même relié à l'analyse de la « surimposition des temps », à la fin de la seconde partie. Il apparaît plus clairement maintenant que l'*événement* est une notion analogique qui répond à diverses flexions du temps et à divers niveaux de l'être. Si nous utilisons ce mot pour dire la vie intime de Dieu, que nous l'exprimions plus classiquement en termes de génération, procession, spiration, ou en termes plus proches de la réalité pascale comme amour, don de soi, sacrifice, résurrection, de toute manière nous parlons selon l'analogie de la foi, elle-même reliée à l'analogie de l'être : tout ce que nous disons de Dieu en ces termes est vrai, à condition de les entendre *au niveau de l'acte pur d'être* dont ils nous dévoilent la réalité cachée. Sans doute l'événement intérieur de la vie divine est-il étroitement relié à l'engagement de Dieu vers ce-qui-passe, dans la création, l'incarnation, la croix, mais là aussi il y a des seuils d'être et d'intelligibilité, soit entre ce que Dieu *est* et ce à quoi il *se détermine*, soit entre les diverses modalités de la détermination de Dieu, qui distinguent objectivement création, incarnation et rédemption. C'est sur quelques remarques à propos de ces niveaux de la détermination de Dieu, création et salut, que je voudrais clore ce chapitre.

3. *Création et salut : une mise en perspective*

Si le discernement, dans l'*étant*, d'un *acte d'être* à la fois approprié et dépendant d'une *donation-cause*, nous permet de remonter jusqu'à Dieu, *acte pur d'être*, et nous donne ainsi une clef pour la critique des noms divins, il va nous permettre aussi

---

95. Dans cette perspective, le jeu complexe des « nominations », « attributions », « appropriations », quand il s'agit de parler de Dieu en lui-même ou dans les missions trinitaires, apparaît bien comme une tentative sans cesse reprise et affinée pour dire, *en évitant toute forme d'idolâtrie*, le Dieu vivant et vrai tel qu'il *est* et tel qu'il *s'est révélé*. Des processus analogues seront toujours nécessaires, non seulement d'ailleurs, pour *penser Dieu*, mais aussi pour nous *engager* de manière responsable dans l'*histoire du salut* qui nous est proposée.

une mise en place plus rigoureuse de la notion et de la réalité de
la *création*, en elle-même et dans sa relation au salut.

Liturgie, prophétie et sagesse dans l'annonce de la création

On a souvent fait remarquer que, dans la généalogie des thèmes
bibliques, celui de *création* n'est pas premier. La précédence serait
à l'expérience des *faits de salut* dont Israël, en son début comme
peuple et au cours de son histoire, a été bénéficiaire, et de la
proposition divine d'alliance que ces faits signifiaient [96]. Le thème
de la création, ainsi que celui, connexe, de la fin de ce monde,
viendrait d'un report à l'origine de ce qui fut expérimenté au cours
de l'histoire d'Israël : ce que Dieu a fait *dans* cette histoire, il l'a
fait aussi « au commencement » : ainsi la création est le « temps
un » de l'histoire ; elle correspond au début de la « prophétie » ;
elle aussi est objet de *récit*. On peut conclure de ces observations
que l'histoire du salut est la clef d'interprétation appropriée du
récit de la création et non l'inverse, et on peut, à cette occasion,
émettre quelques doutes sur la pertinence d'une spéculation
théorique, disons métaphysique, sur la création.

Il n'y a certes pas lieu de contester le lien entre la présentation
biblique de la création et la méditation des faits de salut. Encore
faut-il donner à cette observation toute l'ampleur qui lui revient.
Le climat du premier récit de la création, au début de la Genèse,
est liturgique : dans la perspective de l'auteur sacerdotal, il y a une
correspondance entre la description de la Tente et des objets de
culte, ainsi que du récit de la consécration d'Aaron, et la création
progressive du ciel et de la terre, achevée par celle de l'homme,
« créé homme et femme ». Cette correspondance donne, comme
je l'ai dit, un caractère liturgique à la création ; inversement, elle
donne une portée cosmique au culte israélite ; elle anticipe le sens
du culte du Temple et vise, au loin, l'accomplissement du Monde
et du Temple dans le Corps du Christ. Dans le second récit, la
perspective n'est plus liturgique, mais historico-messianique : elle
repère, dès l'origine, un jeu de création, de parole, de péché et de
miséricorde qui peut servir de grille de lecture à ceux que préoccupe
le destin de la royauté en Israël, tandis que, réciproquement, elle
souligne la finalité éthique et historique de la création de l'homme

---

96. Références et discussion dans P. GISEL, *La Création*, Genève, 1980,
p. 19-25.

et de la femme. Dans les textes de la deuxième partie d'Isaïe, la correspondance est établie et développée entre diverses étapes du salut : le retour d'exil renvoie au passage de la mer Rouge, et l'un et l'autre renvoient à la victoire initiale de Dieu sur le chaos primitif : ici encore, si la puissance de salut expérimentée dans la délivrance d'Israël est reportée sur la création pour la faire apparaître comme œuvre inouïe de cette puissance, la création, inversement, donne portée cosmique et universelle au salut expérimenté ; elle en garantit la pérennité, l'alliance historique acquérant la sécurité liée à la stabilité de la terre et au retour régulier des rythmes cosmiques ; elle anticipe, pour l'eschatologie, la convergence de la création et du salut. Dans le livre des Proverbes, la création du monde par la Sagesse de Dieu vient témoigner en faveur de cette sagesse, quand c'est l'homme qui en recueille les préceptes au long de son expérience de la vie ; et, réciproquement, c'est cet engagement dans une sagesse de vie qui aide à discerner le visage de Dieu comme sagesse.

Ces trop brefs rappels manifestent, au plan même de la Bible, une pluralité d'approches de la création : en perspective prophétique, certes, mais aussi messianique, liturgique, sapientielle. Ils indiquent aussi que l'herméneutique est en quelque sorte « réciproque » : si l'insertion d'une considération de la création dans un champ de pensée qui ne l'appelle pas immédiatement peut conduire à penser la création dans la ligne ouverte par ce champ, réciproquement cette insertion donne à ce champ une ampleur cosmique, une extension temporelle et une universalité humaine qu'il n'aurait pas eues sans elle. Si donc il est fructueux d'interpréter la création en clef de lecture prophétique, liturgique, etc., il ne l'est pas moins d'interpréter la prophétie, la liturgie, etc., en clef de lecture créationnelle.

Aussi bien, le problème demeure de l'*originalité* de ce thème créationnel : que représente ce « temps un » de l'histoire, de la liturgie, de la sagesse, du salut, si on a éprouvé le besoin d'y recourir [97] ? Quelle est sa spécificité ? Comment peut-on le dire ?

---

97. Interrogeant des chrétiens de Tanzanie sur leur foi, J. TREIBEL s'est attiré cette réponse spontanée : « Je crois que Dieu m'a créé, qu'il prend soin de moi, qu'il me guide et me conduit. » Et il commente : « Ces réponses appartiennent exclusivement au domaine du 1er article de foi. La foi au Dieu créateur a une signification particulière dans un milieu où l'ancienne religion tribale est encore présente, et sa valeur ne doit pas être minimisée comme si elle n'avait pas de portée » (« Strukturen des Bekennens », dans *Kirche un Dogma*, 1980, p. 323 et note 41).

Ces questions restent entières, même lorsqu'on a montré que la « généalogie » du thème de la création passe par la multiforme expérience qu'Israël a de son rapport avec Dieu [98].

Niveaux de liberté et niveaux de parole

A partir de ces réflexions, on peut sans doute discerner un double mouvement dans la liberté de Dieu qui s'extériorise vers ce qui n'est pas : un mouvement de *création* par où Dieu crée le Ciel, la terre et tout ce qui s'y trouve, et un mouvement de *salut* par où Dieu s'adresse à celles de ses créatures qui sont capables d'entendre une parole et d'y répondre. Que le premier de ces mouvements soit ordonné au second est incontestable, mais cela ne doit pas conduire à négliger sa spécificité. On pourrait également et à bon droit, distinguer la *parole de création* et la *parole d'alliance*. La première *ne* s'adresse *pas*, elle *constitue* : parole efficace qui *fait* tant le monde que l'homme, en dehors de toute autre liberté que celle de Dieu créateur ; parole toujours actuelle, car, du moment qu'elle cesserait, il n'y aurait plus ni monde ni homme pour le salut ; parole qui soutient une « histoire naturelle » (au sens de Buffon) dans la mesure où les choses et les corps passent par des processus de développement ou de régression, auxquels d'ailleurs l'activité de l'homme n'est pas étrangère.

Inversement, la parole d'alliance suppose un monde déjà constitué ainsi qu'un homme debout sur ce monde et y agissant,

---

98. Dans une note importante, P. Gisel, après avoir noté « l'irréductible liaison, en théologie biblique et chrétienne, entre être et temps, origine et dramatique humaine, réel et acte », souligne : « Tout l'enjeu d'une théologie de la création tient à la double nécessité de comprendre l'être sur fond d'affirmation active, *et* de ne pas pour autant l'assimiler directement et sans autre au salut, à l'histoire, etc. » (*Op. cit.*, p. 153, note 38.) Il faut d'ailleurs éviter aussi le danger inverse de réduire l'histoire, le salut, etc., à des péripéties accidentelles de la création. C'est la raison pour laquelle je pense qu'une théologie de l'histoire doit faire droit à un langage de la création qui ne lui est pas totalement homogène, et *vice versa*. C'est ce que j'essaie de faire dans ce chapitre, et plus spécialement dans ce paragraphe. Reconnaissant que l'Écriture connaît la création *ex nihilo*, E. Jüngel écrit : « Nous ne commentons pas la parole de la croix à partir des affirmations bibliques visant le Dieu créateur et son être impérissable, mais à l'inverse nous apprenons à comprendre qui est le Dieu créateur à partir des affirmations bibliques visant le crucifié » (*op. cit.*, I, p. 340). Pour ma part, je pense que les *deux* démarches et pas seulement une des deux, sont absolument nécessaires.

en vertu d'une liberté et d'un corps qui lui sont donnés par la parole créatrice. A cet homme, Dieu peut alors *s'adresser* en face à face, dans un jeu d'élection et d'alliance où l'homme est partenaire ; créée par Dieu, sa liberté peut s'affronter à Dieu et choisir le sacrifice de communion ou le refus d'alliance ; à son tour, le choix ainsi fait s'inscrira dans son corps et sur sa terre de sorte que l'« histoire naturelle » sera pénétrée, sans être anéantie, par l'« histoire de la grâce et du péché ».

Il y aurait donc une distinction, bibliquement fondée, entre deux champs, spécifiquement divers mais intimement coordonnés, de la liberté divine ou encore entre deux modalités, distinctes mais dont la première est finalisée à la seconde, de la parole de Dieu. A cette distinction, prise du côté de Dieu, correspondraient, en l'homme, le champ de son être *créé* (corps et liberté) reçu de Dieu et celui de son être *invoqué* (dans son corps et sa liberté) par Dieu. Bien loin de nuire à l'histoire du salut, ces distinctions en rendent possible une vision équilibrée.

Or c'est ici que la réflexion métaphysique vient à notre secours. La réhabilitation de l'étant sous la lumière de l'être comme acte et dans la perspective de la donation-cause nous donne en effet un moyen d'expression pour la création et pour la créature. D'une part, le mot « créature » dit, de manière théologique, le paradoxe, dans l'étant, d'un don pleinement approprié et d'une donation qui ne cesse pas ; il dit un étant qui peut être pensé dans la lumière de l'être, en dehors de tout soupçon d'obscurcir celle-ci. D'autre part, dès lors que l'étant n'est plus ce qu'on devrait quitter parce que, à s'appesantir sur lui, on tomberait nécessairement dans l'oubli de l'être véritable, il devient possible de le considérer paisiblement dans tous ses aspects : non seulement la différence ontologique de l'étant et de l'être ainsi que sa véritable signification, mais la différence des étants entre eux, mesurés qu'ils sont par des formes et des dynamismes différents, la différence aussi, en chaque étant, de divers niveaux qualitatifs, peuvent être pris en considération : en somme, c'est ce que la Tradition chrétienne appelle *opus distinctionis* par opposition à l'*opus conditionis* lequel vise plus exclusivement la position absolue dans l'être.

Dans cette perspective, la parole de Dieu *créatrice* constituerait l'étant dans son acte d'être, sa spécificité, sa dynamique, mais aussi, dans le cas de l'étant libre, son ouverture infinie ; la parole de Dieu *adressée* proposerait une *rupture symbolique* dans la dynamique liée à la création, à seule fin de permettre à l'ouverture de s'élargir jusqu'à la communion divine et par suite à la transfiguration d'un monde.

Cette présentation me semble capable d'accorder au *péché* (mais aussi bien et même d'abord au *sacrifice de communion*, au consentement à l'épreuve, dont nous avons vu, de Jésus à Adam, qu'il est l'enjeu ultime de l'existence) une place et une signification organiques que des perspectives plus unitaires ne parviennent pas à lui reconnaître : le péché est le refus de la rupture symbolique, la surdité consentie de l'homme invoqué à la Parole qui s'adresse à lui ; et ce refus s'inscrit dans sa chair, son monde, sa liberté. Mais pour qu'il soit possible, ne faut-il pas que l'homme et la femme déjà *soient*, en vis-à-vis et dans un monde, et face à un certain projet ? Dans un tel milieu *créé*, la Parole *adressée* peut alors introduire son fer de lance : une défiguration pour la transfiguration. Que va faire l'homme ? Et quel va être l'impact de son comportement sur lui-même, corps et esprit, sur son vis-à-vis et ses proches, sur les choses et le monde ?

Mais si on bloque les perspectives, en unifiant tellement la Parole que celle-ci soit d'emblée et d'un même mouvement dirigée vers Dieu lui-même, vers le néant ou le non-être, vers ce-qui-passe et vers la faute, où peut-on trouver place pour une épreuve et pour un salut ? Ou bien si la Parole est déjà au plus profond du cœur, de telle manière qu'il n'y ait qu'à s'y laisser éveiller, y a-t-il vraiment histoire du salut ou seulement succession répétée d'essais plus ou moins fructueux en vue de l'éveil, jusqu'au moment où l'homme se retrouvera « tel qu'en lui-même enfin », c'est-à-dire absous « en Dieu » de sa création, de son corps et de sa liberté ?

Si les observations présentées ici sont justes et les questions posées non dénuées d'un certain fondement, l'enjeu de notre hypothèse de départ apparaît mieux : le principe de narrativité ne peut aller sans un principe d'analogie, car l'histoire du salut suppose et une *ontologie* de la création et l'*aventure* d'un choc de libertés sous la mouvance de la Parole ; et le second élément n'apparaît pas possible sans le premier. Essayons, pour conclure ce chapitre, une ultime confirmation au niveau épistémologique.

L'histoire, interruption de vérité ?

Toute critique de l'ontologie, au profit d'une pensée de l'histoire, d'une démarche poétique ou d'une expérience mystique, implique ou entraîne une critique de l'épistémologie. Au niveau philosophique, on remarque que l'oubli de l'être est tout aussi bien oubli de la vérité : si la pensée métaphysique se centre sur l'étant sans plus percevoir la différence ontologique, elle cherchera une adéquation sans faille (« compacte ») entre ses concepts et les étants : *adaequatio rei et intellectus*. Cette définition « grecque » de la vérité est ainsi toujours de nouveau objet des attaques ou des critiques des philosophes qui recherchent la vérité, quelle qu'elle soit, au-delà d'une rupture avec l'étant. En théologie, la devise de l'épistémologie augustinienne, *res et signa*, est soumise aux feux croisés d'une critique très proche de celles émises par les philosophes, dans la mesure où cette devise signifie aussi la recherche de correspondances statiques et finalement dépourvues de sens, alors qu'il s'agirait d'engager la pensée sur un chemin d'histoire, de croix et d'expérience [99].

Une première remarque s'impose peut-être ici : la critique des épistémologies anciennes me semble parfois bien légère dans ses procédés. Il est sans doute trop simple de ramener à une formule de scolastique latine, concernant la seule connaissance spéculative, l'effort immense des Grecs pour répondre de manière nuancée à la question : qu'est-ce que la vérité ? — sans prêter attention, par exemple, à toute la discussion menée à propos du couple *alètheia/doxa* dans le cadre de la polémique contre les sophistes, ou encore en ignorant la distinction entre vérité spéculative et vérité pratique, correspondant aux deux fonctions distinctes de la connaissance et de l'action, etc. Les Grecs et leur successeurs arabes puis latins ont été très loin dans la recherche sur le fonctionnement du connaître et de la formation de la vérité. A vouloir les réduire à une formule simple, que l'on rejette aussitôt, on perd le bénéfice d'un long effort de construction de la vérité, qu'il s'agirait plutôt de rectifier et de prolonger. Ainsi, au seul plan philosophique, on est justifié à prendre quelque distance par rapport à la critique de la vérité « grecque », et on se prend parfois à regretter que les théologiens s'emparent si vite d'une critique si légère.

Quoi qu'il en soit de cette observation en ce qui concerne l'épistémologie philosophique, la restitution en théologie d'une considération spécifique de la *création*, soutenue par une

---

99. Sur ce point chez Jüngel, cf. *supra* note 28. De façon plus générale, cf. mon étude « La pertinence théologique de l'histoire », art. cit. p. 189 s.

réhabilitation de l'*étant* sous la lumière de l'*être* devrait permettre
de réconcilier une épistémologie gouvernée par la devise *res et signa*
avec un type de connaissance théologique marqué par l'audition
de la Parole de la croix et de la résurrection et par l'abandon à
cette parole. En effet, si ce qui a été développé plus haut est exact,
la Parole de création, ordonnée certes à la Parole de salut mais
distincte d'elle, *constitue* un monde et une humanité *avant* toute
décision de la liberté créée ; or il doit être possible à l'homme créé
de *reconnaître et de dire* et ce monde où il est placé et cet homme
en relation qu'il est. Il y aurait donc un certain niveau de vérité
où tout serait à « recueillir » et rien à « faire », au moins en un
premier temps. Pour établir ce niveau, les ressources de la
philosophie grecque ou de toute autre recherche épistémologique
seraient précieuses.

Mais si la Parole de salut se fait entendre, elle ne peut que
provoquer une *interruption*, non de certitude mais de *vérité*. Elle
introduit en effet, sous forme d'*invocation* et de *loi*, ce à quoi
l'homme était ouvert, certes, mais qui, une fois expressément dit,
requiert une reconsidération et une refonte des critères de la vérité :
ici, le libre abandon à la vérité de la Parole de salut est en effet
déterminant et met en perspective nouvelle le donné déjà reconnu
grâce à la Parole de création. Si les commentaires proposés dans
la seconde partie de ce livre, concernant l'épreuve des
« innocents », de Jésus à Adam, sont justes, c'est maintenant que
s'en dévoile mieux le fondement épistémologique : celui-ci réside
tout entier dans un jeu sans cesse repris entre les données qui sont
accessibles à l'homme moyennant un regard sur le monde et
l'humanité créés, tels qu'ils sortent de la main créatrice de Dieu,
et une écoute obéissante de la Parole de salut qui sort de la bouche
de Dieu. Ce jeu est d'ailleurs en va-et-vient, sans trève : dans le
cas d'Adam, c'est la vérité d'un certain état de la création qui est
« interrompue » en vue de l'écoute du Précepte, tandis que, dans
celui de Job, c'est la vérité d'une conception vraie mais limitée de
l'Alliance qui est « interrompue », pour signifier prophétiquement
une filiation, à laquelle la majesté du Créateur vient donner sa
caution. Certes, les connexions entre vérité de la création et vérité
du salut sont telles qu'une série de correspondances et d'analogies
se mettent en place, de sorte que la devise *res et signa*, par exemple,
en vient à recouvrir tout un jeu de symboles et de figures que seule
l'histoire du salut a pu rendre possible ; je ne prétends certes pas
résoudre la question de la vérité théologique au moyen de la seule

distinction entre les deux domaines distincts et coordonnés de la création et du salut, mais je pense que cette distinction élémentaire et nécessaire permet et de s'orienter dans l'analyse théologique et de donner réalité à une *histoire* du salut où l'invocation à la fois gracieuse et onéreuse de Dieu et la réponse fidèle ou pécheresse de l'homme s'échangent sur le fondement d'un monde et le changent.

Il s'agit donc d'*interruption de vérité*, et pas seulement de *certitude*. Comme Jüngel le marquait, en étudiant Descartes, la certitude que celui-ci demandait à l'affirmation de Dieu comme *garantie* ultime du *Cogito* est fallacieuse, et il fallait interrompre cette pseudo-garantie par l'abandon à la Parole de salut. Mais cet abandon n'est pas seulement renoncement à une *apparence*, la soi-disant garantie ; il est abandon *d'*un niveau légitimement acquis de *vérité*, pour accéder, moyennant la foi *à* la Parole de salut, à *plus de vérité*.

Note conjointe sur l'amour

A propos de la *vérité*, je viens de distinguer deux niveaux ou deux champs : celui qui correspond à la dimension de *création*, et peut s'exprimer sur des registres du type *res et signa*, et celui qui correspond à la dimension d'*historicité*, où la décision de la liberté face à la parole et les espaces de l'interprétation jouent dans l'élaboration du vrai. Dans le processus de décision, la vérité *créée* est en quelque sorte « interrompue » pour que puisse se faire la vérité *historique*, moyennant laquelle d'ailleurs le niveau créé parviendra à transfiguration.

Ces distinctions — je le dis ici en passant — seraient pertinentes également pour mettre en juste perspective le problème image/symbole, auquel j'ai fait allusion plus haut [100]. L'*image* correspond à un niveau créé de perception et d'organisation du réel ; le *symbole* introduit ce réel dans l'échange, ce qui ne va pas sans une certaine mortification de l'image, qui retrouvera ensuite sa splendeur. L'*imaginaire*, au sens péjoratif du terme, est le travail de fabrication d'images, non seulement distinctes du symbole, mais se refusant à la démarche symbolique. L'imaginaire est la fonction imaginative qui refuse d'être « interrompue » ; au contraire, image

---

100. Cf. *supra* IIe partie, chap. II, n° 4.

et symbole sont en jeu dialectique de valeur, d'interruption, de transfiguration.

Mais ceci vaut sans doute de même pour l'*amour*. Dans un bref ouvrage dont le tranchant n'est pas émoussé et qui donne toujours à penser aujourd'hui, le P. Rousselot avait remarqué la dualité, au Moyen Age, des conceptions de l'amour [101] ; on pourrait dire : à une conception harmonieuse, « raisonnable », de l'amour comme « appétit intelligible du bien » s'opposait une conception de l'amour qu'on pourrait dire « fou », dont la perte de soi pour l'autre, la « mort », seraient les lieux. Ne pourrait-on avancer que ces deux conceptions correspondent respectivement à une pensée de la *création*, où les natures vont vers leur fin, les facultés vers leur objet, les vertus vers leur milieu, et à une pensée de l'*histoire* comme *réponse* à une *Parole* dont l'imprévu mortifie et dont la correspondance avec l'ordre de la création se comprend seulement *après-coup*, dans la transfiguration filiale de l'amour du bien ?

Mon propos n'est pas d'approfondir ici cette hypothèse ; je voulais la signaler, car elle me semble fournir un principe de réconciliation entre deux orientations ; si, à l'examen plus précis, cette hypothèse se vérifiait, il deviendrait clair que le couple création/salut, vérité/interprétation, analogie/récit (ou tout autre nom qu'on voudrait lui donner) est vraiment décisif pour l'équilibre de toute démarche théologique.

CONCLUSION

Le salut que nous espérons ne nous viendra pas sans l'acceptation d'un principe d'hétéronomie, lequel nous fournira aussi d'ailleurs les normes et les chemins d'une action vraiment humaine dans notre monde. Ce principe d'hétéronomie se concrétise d'abord dans le récit fondateur, qui nous est annoncé, que nous écoutons, auquel nous ajoutons foi parce qu'il nous dit ce qu'aucun homme ne peut savoir par lui-même et sans quoi pourtant il ne peut vivre : où nous allons, d'où nous venons.

La foi chrétienne reconnaît ce récit fondateur dans la narration et la célébration du Mystère pascal de Jésus de Nazareth, illuminé

---

101. *Pour l'histoire du problème de l'amour au Moyen Age*, Münster, 1933.

par les figures et l'histoire de l'Ancien Testament et inlassablement médité par la Tradition de l'Église. En cette aventure unique de Jésus, elle découvre à la fois l'épure de toute existence humaine et le sens même de l'histoire de la création : l'accès, proposé par Dieu et librement consenti par l'homme, à la vie filiale dans l'Esprit, c'est-à-dire à l'« admirable échange » où tout ce qui est donné dans la joie est rendu dans l'action de grâces ; cet accès prend forme de mort et de résurrection, parce qu'il est chemin de liberté, mais plus profondément encore, la mort et la résurrection sont l'« icône » de l'« admirable échange » en ce qu'il a de définitif et qui est communion à la circularité intime de la vie de Dieu.

Aussi bien, si nous nous plaçons au point de vue de la connaissance, il y a une réelle réciprocité : l'histoire pascale de Jésus nous introduit au Mystère intime de Dieu, mais réciproquement le Mystère de Dieu est clef d'intelligence de l'histoire de Jésus (et de la nôtre en lui). C'est la raison pour laquelle le principe d'hétéronomie n'est pas seulement principe de narrativité, mais aussi principe d'analogie, au point qu'il ne peut pas être l'un sans l'autre.

En effet, que nous la regardions dans un sens ou dans l'autre, la correspondance entre l'histoire pascale de Jésus et le Mystère de Dieu requiert qu'il existe entre eux une *distance* : si l'histoire de Jésus (et la nôtre en lui) est *accès* puis *communion* au Mystère de Dieu, elle ne saurait jamais *s'identifier* à lui, même eschatologiquement : aussi bien l'histoire que la communion supposent une *tension*, sans laquelle elles n'auraient ni existence ni sens, entre le niveau incréé et le niveau créé de l'Échange. Inversement, pour offrir sa communion à une humanité vivant dans un monde, il faut que Dieu *pose* ce monde, distinct de lui, puis *s'ouvre* à lui : ces gestes supposent que Dieu retient son originalité incommunicable dans le moment même où il se communique : nous le disons sans difficulté quand il s'agit de relations inter-humaines qui, pour être vraies, doivent absolument respecter l'incommunicabilité et la distance ; pourquoi ne le dirait-on pas de Dieu ? Mais si on le dit, n'est-ce pas que notre langage en est capable et qu'il peut s'exprimer sur Dieu sans impliquer immédiatement les hommes que nous sommes et le monde où nous vivons ? L'analogie serait alors l'instrument de ce « dire Dieu », et c'est pourquoi ce chapitre s'est efforcé d'établir l'authenticité de cette procédure, si limités que puissent être d'ailleurs ses résultats, si délicat que doive demeurer son usage pour ne pas tomber dans le reproche d'idolâtrie. Le présent chapitre n'est donc en aucune manière un « excursus » facultatif dans un développement de théologie d'inspiration plus narrative qui tiendrait sans lui : je pense au contraire que le développement narratif perd toute cohérence interne solide, si une parole n'est pas dite pour suggérer le niveau ontologique transcendant de Dieu en lui-même.

Il faut cependant reconnaître une sorte de circularité dans la démarche qui conduit à dire Dieu en lui-même et à le reconnaître comme créateur : cette démarche, en effet, s'appuie sur une reconnaissance et sur une appréciation positive de l'*étant*, celui que nous rencontrons autour de nous (... ces fleurs sur mon bureau) et qui se laisse un jour percevoir au niveau de son *acte d'être*. Or une telle reconnaissance et une telle appréciation ne sont peut-être pas *effectivement* possibles, sinon à celui qui demeure *déjà* dans le monde du *salut de Dieu*, lequel comporte la rédemption de l'étant. En effet, la foi au salut déjà donné à ce monde-ci est peut-être la condition nécessaire (sinon suffisante) pour être libéré de l'attitude gnostique à laquelle j'ai fait plusieurs fois allusion : cette foi implique en effet qu'il y a une ligne de démarcation, sinon visible du moins réelle, entre la finitude et ses légitimes contraintes, qui ressortissent au statut même de l'étant comme étant, et la culpabilité avec ses séquelles qui s'étendent sur l'histoire. On ne serait donc pratiquement en état de *retrouver l'analogie* que lorsqu'on aurait *écouté et entendu le récit fondateur*. Si cette remarque est exacte, nous retrouvons ici ce que j'ai eu l'occasion de dire plus haut : *la doxologie libère l'analogie*. La louange fidèle du Dieu qui nous sauve nous met en état d'*intellectus fidei*. Doxologie et analogie ne s'opposent pas, n'ont pas à être substituées l'une à l'autre : la première libère la seconde, et l'œuvre de sagesse de la seconde anime de nouveau la première. Cette remarque rejoint aussi ce qui a été dit à propos de la *théologie comme histoire* et de la *théologie comme science*. C'est en réalité la première qui gouverne l'ensemble du mouvement théologique, car le récit du salut vient d'abord, avec la foi au Dieu qui sauve : mais la seconde fournit la clef d'interprétation ontologique sans laquelle la première risque d'une part de ne pas établir la juste *distance* entre Dieu et le monde, et d'autre part de ne pas savoir ménager, dans l'histoire elle-même, les *seuls* et les *niveaux* indispensables à l'intelligence des *événements* de salut. Le principe d'hétéronomie est double : narrativité et analogie, mais l'ordre de ces deux termes n'est pas indifférent.

FINAL

OUVERTURE VERS L'ÉTHIQUE
ET L'ESCHATOLOGIE

Une des principales critiques que j'ai formulées à propos du champ culturel dont j'ai dessiné les traits dans la première partie visait l'impossibilité d'y reconnaître la présence de fondements éthiques pour une gérance concrète de notre temps et de notre histoire. En retournant à ce champ culturel à la lumière des développements ultérieurs du livre, on peut nuancer cette critique et en préciser le lieu exact, sans d'ailleurs en rien retirer pour l'essentiel : d'une certaine manière en effet, que ce soit directement ou par la vigueur d'un contraste, les tendances examinées mises ensemble mettent en lumière les pôles de l'éthique évangélique : DIEU et les PAUVRES, mais elles ne semblent pas avoir les moyens d'aller au-delà : dans une pratique effective.

Le souci qui anime les pratiques et les idéologies de la révolution est finalement trahi par elles, puisqu'une expérience sans cesse répétée et toujours tragique les manifeste en réalité incapables d'instaurer les conditions socio-politiques favorables à l'accès des pauvres au statut de justice et de dignité que pourtant on voulait, avec eux et pour eux, en déclenchant l'insurrection [1]. Cependant, si la révolution n'est pas la solution, le souci demeure fondamental pour l'éthique. On pourrait dire qu'il faudrait le gérer *autrement* et que cet *autrement* serait justement suggéré par l'Évangile. Et on pourrait penser que les théologies de la croix viendraient ici à point nommé prendre le relais. Je ne suis pas sûr qu'elles suffisent à la tâche : si on dit qu'il est de l'essence de Dieu d'être « vers les pauvres » ou « vers ce qui n'est pas », se donne-t-on *les moyens d'un discernement effectif* de ce qui, dans une situation donnée,

---

1. C'est pourtant ce qui ressort, de manière poignante, du récent livre de Jean ZIEGLER, *Contre l'ordre du monde. Les rebelles,* Paris, 1983. Quelles que puissent être la légitimité des insurrections racontées et analysées et la générosité des combattants, la victoire militaire ne semble jamais suivie d'une instauration politique capable d'effectuer les fins auxquelles le combat avait été entrepris, et la situation des populations n'est pas — c'est le moins qu'on puisse dire — améliorée. Même si on fait la part belle aux influences et aux pressions extérieures, cette constance dans l'échec (largement confirmée à l'examen des révolutions marxistes antérieures) permet de mettre en doute la validité de l'idéologie. Elle invite aussi avec urgence à chercher et à mettre en œuvre une autre vision et d'autres procédés.

répond à l'exigence évangélique ? Pour m'en tenir ici à deux figures incontestées, la pratique et le discours de Mère Teresa ne sont pas de tous points identiques à ceux de dom Helder Camara — pour des raisons qui tiennent sûrement à la diversité de leur champ d'action initial : Inde et Brésil, mais peut-être aussi à une certaine différence théorique d'approche. A côté d'eux, en tout cas, on pourrait citer d'autres figures ou d'autres tendances plus discutées, ce qui donne à penser que des *critères d'analyse* sont nécessaires pour préciser concrètement le « vers les pauvres » du Dieu de l'Évangile dans des contextes divers. Mais où les chercher ? et comment éviter, lorsqu'on identifie « Dieu vers soi » et « Dieu vers les autres », d'absolutiser *une* forme de cette orientation, subrepticement chargée de l'autorité incontestable attachée à « Dieu » ?

On pourrait faire des réflexions analogues à propos de l'autre pôle de l'éthique chrétienne. DIEU est indiqué comme « en creux » dans un si grand nombre de courants culturels : l'attente, imprécise et en elle-même nullement théiste, à laquelle aboutissent diversement des chemins comme ceux de Heidegger et de Derrida reçoit de l'ampleur des analyses qui y ont conduit une telle intensité que le théologien chrétien, imitant en cela ses lointains prédécesseurs séduits par le néoplatonisme, peut être tenté de prendre le relais et, moyennant quelques correctifs indispensables, de transformer cette attente en théologie négative. De son côté, l'échec de la ritualité néopaïenne comme du désir mimétique en acte dans la littérature peut conduire à sa manière à un pressentiment de Dieu. La question demeure toutefois : comment passer d'une « affirmation négative » ou d'un « pressentiment de réalité » à des conduites effectives ? Si Dieu est absolument au-delà de tout mot, on n'a guère le choix qu'entre la « désinsertion cosmique » de ces moines dont parlait Leroi-Gourhan, l'anarchie éthique ou l'autorité, au totalitarisme voilé, de l'inspiré sur ses disciples ou du prêtre sur ses fidèles, le poids d'une parole sans fondement ni critère humains remplaçant l'analyse éthique devenue impossible.

Dans ce livre, j'ai présenté une perspective théologique qui, articulant le récit et l'analogie, s'efforce de surmonter les apories du discours théologique, insolubles à mon avis lorsqu'on se concentre sur les extrêmes (apparemment opposés mais qui en fait se touchent) de la kénose et de l'apophase. Une vérification ultime de la validité de cette perspective devrait être fournie par sa capacité à fonder une *éthique* : peut-elle fournir des éléments de discernement pour une analyse et un engagement qui soient *de* et *dans* notre temps, non répudié ni au contraire survalorisé, et en vue d'une *eschatologie* dont l'idée soit recevable ? Il faudrait indiquer un espace éthique où la Béatitude de la pauvreté reste ce qu'elle est : le premier (et donc le dernier) mot de l'enseignement de Jésus, où les moines conservent leur titre à une prise de distance qui soit à sa manière communion, mais aussi où on dispose, sur tous les problèmes de la bio-éthique, de l'économie, du pouvoir et de la paix, de *repères* qui permettent une *action* ou une convergence d'actions, dont la figure d'ensemble, pour insuffisante et boiteuse qu'elle demeure, soit fidèle à Dieu et construise la vérité de l'homme et de l'histoire.

En réalité, je n'ai pas les moyens de fournir avec quelque détail cette vérification éthique, et j'attends plutôt des théologiens qui se penchent sur les problèmes de l'homme et de la société qu'ils disent si cette présentation du Mystère de Dieu, salut du temps et vérité de l'être, leur est de quelque secours ou utilité. Je me bornerai ici à ce qui m'est possible : l'indication ou la proposition de quelques catégories tout à fait générales, sans pouvoir vérifier, dans le détail des domaines humains indiqués ci-dessus, si et comment elles sont opérantes.

1. Vers des catégories éthiques fondamentales

Un climat d'écoute et de doxologie

Qu'il soit permis de souligner d'abord que, dans ce domaine éthique aussi, le primat est à l'écoute et à la doxologie. Ne s'agit-il pas en effet de prolonger, en ce qui concerne les conduites humaines, ce que nous révèle le *récit fondateur* ? Très concrètement, ce serait ici le lieu où pourrait s'articuler une *théologie de l'Église*, sans cesse constituée par les deux grands *dons* du Seigneur : le mémorial eucharistique de son Mystère pascal, par où le récit fondateur est toujours de nouveau communiqué et célébré, et l'Esprit, qui inspire les conduites conformes à ce Mystère. Cette constance de la répétition et de la réaudition, cette permanence dans l'écoute obéissante de l'Esprit ne sont pas étrangères à l'*éthique* : elles en fournissent non seulement les normes fondamentales (qui se ramènent aux deux commandements du Seigneur) mais surtout l'*origine vive*. Ce sont elles qui contestent le principe « pélagien » contre lequel Heidegger s'élevait avec raison : « tout dépend de nous »[2]. Non : tout dépend du Christ et de l'Esprit, sans qui les normes les plus justes restent lettre morte. L'écoute, liturgique et spirituelle, et la doxologie qui lui répond demeurent au principe d'une éthique concrète qui suit les chemins de Dieu.

Mais qu'il soit permis d'insister ici sur le fait qu'il s'agit d'une écoute et d'une doxologie *maintenues vivantes*. Ce n'est pas une fois pour toutes qu'on a entendu le récit fondateur et qu'on en a rendu grâces : il faut prendre garde de laisser l'intelligence dériver vers des *contenus* qui ne seraient plus sous la *mouvance* actuelle de l'*attention* spirituelle. Détachées de l'écoute et de la doxologie, les catégories ou les analyses, même bonnes au départ, se transforment peu à peu en *répétitions intégrisantes* assorties de déductions logiques. Qu'il soit catholique, musulman, marxiste ou autre, l'intégrisme est la ruine de toute éthique vivante. Inversement, là où il y a attention et écoute, un certain dialogue peut se poursuivre entre gens de traditions religieuses et humaines différentes, mais également soucieux du salut des hommes et du progrès de l'histoire. Saint Paul ne nous assure-t-il pas que la Loi est inscrite au *cœur* des hommes, même s'ils n'en connaissent pas la lettre (Rm 2, 14-16) ? A qui est soucieux de *demeurer* dans l'écoute et la doxologie, il devient possible d'entendre Dieu qui parle dans la parole d'autrui, d'élaborer éventuellement avec lui une production de sens, commune même si elle est limitée, de discerner aussi quand le dialogue n'est plus possible, parce que l'écoute de Dieu, tel qu'on croit l'entendre, ne permet pas d'aller au-delà des limites d'une parole dont nous ne sommes pas l'origine.

Invocatus, creatus, vulneratus

Dans un climat d'écoute, selon le récit et selon l'analogie, de la parole de salut et de création, il devient possible de définir des catégories d'*anthropologie fondamentale* qui puissent servir de critères à une éthique échappant à la confusion entre finitude et

---

2. Cf. 1re partie, chap. III, n° 1, note 10.

culpabilité que j'ai mise en lumière dans la première partie. Quelle alternative proposer à une vision de déchirures à la fois tragiques et nécessaires, qui inclut un retour en arrière, fût-ce sous des couleurs utopiques ? A cette sorte de fatalité dans l'évolution, telle que la décrit Leroi-Gourhan, où amour et agressivité débouchent sur une aliénation de l'homme et de la matière ? A cette sorte de coefficient négatif, apporté par les idéologies de l'évolution à l'activité humaine, tant de production que de consommation, où toute intervention qui *différencie* est immédiatement confondue avec l'exploitation de l'homme par l'homme et traduite en termes de classes antagonistes ? A cette sorte de « chute originelle » qui serait immédiatement liée à l'évaluation du réel en termes d'être ?

On peut proposer une vision de l'homme en laquelle convergent, selon des figures qui évoluent sans cesse au gré de l'histoire et de la liberté, les trois caractéristiques qui figurent au titre de ce paragraphe. Interprétant l'état actuel de la documentation, les savants distinguent aujourd'hui entre *homo erectus, homo habilis, homo sapiens, homo sapiens sapiens*, mais sans qu'il leur soit possible de déterminer auquel de ces stades il y a eu, purement et simplement, *homo* [3]. Où et quand est apparue la réalité que *nous* désignons aujourd'hui par ce mot ? Où et quand *homo* a-t-il atteint sa signification univoque, les adjectifs distinguant des *états* et non plus des *espèces* ? Ne pourrait-on suggérer que l'homme est advenu au moment où le développement, tant des formes physiologiques que de l'environnement, a mis *homo* en mesure *d'entendre une parole de Dieu* [4] ? Il n'y a pas besoin pour cela

---

3. Cf. *Les Processus de l'hominisation,* Paris, 1981, spécialement la seconde partie : « Les stades évolutifs du genre *homo* et l'apparition de l'*homo sapiens sapiens* ».

4. Cette suggestion n'est évidemment pas susceptible de vérification scientifique. Elle est dans la ligne de la conviction de C. Lévi-Strauss selon laquelle la faculté de symboliser ne peut être apparue que d'un seul coup (cf. 1re partie, chap. I, note 11). Elle ajoute que cette faculté de symboliser devait, dès le début, pouvoir s'orienter sur le triple rapport homme/monde, homme/homme, homme/Dieu. Même si on laisse de côté ici toute la question du « péché originel » dans laquelle je ne veux pas entrer, ce qui est en cause, c'est la valeur du concept même d'*homme* : si on admet un « progrès » dans l'apparition de la faculté de symboliser, comment se le représenter ? Quand peut-on dire qu'il y a eu « homme » et finalement en quoi consiste « homme » ? A lire la présentation de René Girard, par exemple, on évite difficilement l'impression que la constellation sociale définie autour du thème du « bouc émissaire » est un prolongement quasi « naturel » du comportement des sociétés animales ; en ce sens, le premier homme à mériter ce

d'un développement culturel intensif, mais d'un *seuil de capacité symbolique* permettant l'écoute et le discernement d'une Parole venue d'ailleurs que de l'horizontalité des rapports entre semblables comme d'une première gérance de la nature. Quoi qu'il en soit d'ailleurs de l'avènement de l'*invocatus*, il reste, en termes d'éthique générale, que tout homme *aujourd'hui* est sous l'appel de la Parole (quel que soit le mode symbolique sous lequel celle-ci se fait entendre), c'est-à-dire invité à un dépassement qui, simultanément, mortifie et transfigure sa condition, jusqu'à la perfection de l'alliance.

L'homme appelé est aussi homme *créé*, selon ce que j'ai tenté d'exprimer plus haut en distinguant la parole créatrice de la parole adressée : situé dans le monde des choses et des hommes, il est capable de développement technique et d'organisation sociale, toutes activités à développer soit dans l'attente, soit dans la mouvement de la Parole à laquelle l'ouvre sa création. La gérance ordonnée et dynamique de ces trois registres homme/nature, homme/homme, homme/Dieu définit un programme éthique où action et retrait sont objet d'une harmonisation toujours reprise.

On pourrait tenter d'exprimer cette relation vocation/création en risquant quelques propos prudents sur un autre et difficile rapport : nature/culture. Ces deux termes ne s'opposent ni essentiellement ni chronologiquement, mais il est difficile de dire leur articulation vive. La « nature » correspondrait à la dimension de « création » ; elle engloberait toute la réalité de l'homme en « intention d'écoute » : depuis les besoins animaux de son corps, sa capacité de travail, son aspiration à la société, jusqu'à l'essence de son désir foncier, dont les scolastiques ne craignaient pas de dire qu'il est d'« aimer Dieu plus que soi-même ». La « culture » correspondrait à la dimension de « vocation ». Elle comprendrait tout le registre des symboles qui permettent aux potentialités créées de s'articuler pour la vie, mais au prix de la « règle » et de l'« interdit ». Mais, dans cette perspective, la symbolique première et dernière serait celle provoquée par l'irruption de la Parole de Dieu et de la réponse qui lui est faite. L'intention religieuse de la culture serait fondamentale et c'est ce qui expliquerait que, là où elle est perdue, les autres niveaux de la vie humaine, s'ils peuvent se développer selon une dynamique propre, ne parviennent pas à

---

nom serait le Christ (cf. *Des choses cachées depuis le commencement du monde*, Paris, 1978, p. 93-113) puisque c'est lui, le premier, à être sorti de cette constellation.

leur juste mesure et sont plus ou moins vécus sur le mode de la culpabilité.

On pourrait dire les mêmes choses en faisant appel à de subtiles mais profondes distinctions de la scolastique entre ce qui est « de la nature » *(a natura)*, « contre la nature » *(contra naturam)*, « selon la nature » *(secundum naturam)* [5]. Tant les relations de l'homme au monde des choses et à ses semblables que son attente de Dieu sont « de la nature ». Dans un premier temps, la culture, qui vient « régler » par un processus sans cesse renouvelé d'interdits et de permissions, ce qui est « de la nature », peut sembler « contre nature », puisqu'elle impose des limites au développement. Mais, à qui se soumet à ces règles, il apparaît vite que, sans elles, le développement apparent serait en réalité anarchique, et donc que les interdits de la culture, par ce qu'ils rendent possible, sont en réalité pleinement « selon la nature ». Mais un tel discernement suppose le consentement, pas toujours donné, de la liberté. Et ce serait alors le lieu de la troisième dimension considérée : la *blessure, homo vulneratus*.

On veut dire par là que les refus adressés par l'homme à la Parole de Dieu et, par voie de conséquence, aux paroles de ses frères, se sont inscrits effectivement dans son corps et son psychisme, ainsi que dans le tissu même du monde, de sorte qu'au jeu d'interdit et de mort duquel procède la vie s'adjoint, inscrit dans l'histoire, un « mal », celui dont j'ai essayé de retracer les traits en parlant plus haut du « monde du péché ». De cette blessure, qui n'est pas supprimée, mais dont le sens a été transformé par le Mystère du Christ, il faudra tenir compte dans le discernement éthique.

L'hypothèse que je présente ici (conforme, le lecteur l'aura remarqué, à l'analyse offerte plus haut du récit pascal) est que ces catégories d'*appel*, de *nature* et de *blessure* peuvent servir de grille, efficace parce que vraie, dans l'analyse d'une situation, aussi bien collective qu'individuelle, et dans le discernement des décisions à prendre. La décision juste est celle qui, en toute conjoncture, entreprend de répondre à un appel, mais en tenant compte des

---

5. Sur l'usage de ces catégories par saint Thomas dans le problème nature/surnaturel, cf. *Structures et méthode... op. cit.*, p. 272. Je ne pense pas qu'une référence à la scolastique soit déplacée ici car, si je ne me trompe, c'est bien du même problème qu'il s'agit : qu'est-ce qu'une « nature » et comment un élément non naturel (venant donc d'une liberté extérieure) peut-il la rencontrer sans la détruire ?

structures et des désirs d'une nature, ainsi que des limites que peuvent imposer une blessure. Et si ces catégories d'éthique générale demeurent encore assez formelles, elles peuvent se remplir de contenu à l'écoute effective de la Parole de Dieu et à l'analyse de la nature humaine. En tout cas, il est essentiel de maintenir leur articulation : privé d'une référence à la *nature*, l'agir risque de s'inscrire dans la contradiction pure d'un état de *blessure* en quelque sorte congénital auquel il faudrait substituer un échange, lui aussi réputé pur : l'échange subversif de Baudrillard, une société matriarcale, fusionnelle et totalitaire : celle que pressent Engels, mais aussi, si on n'y prend garde, une pratique désincarnée de la « charité » tenue à l'écart de toute réforme institutionnelle... Privé, inversement, de son attention à l'*appel* de la Parole qui vient et du difficile « travail de deuil » qu'elle impose, l'agir peut se transformer en expansion sauvage des potentialités humaines, en exploitation désordonnée du corps et de la terre, en mépris de l'Autre comme des autres, sous prétexte de laisser à la *nature* et à la créativité des droits que rien ne vient canaliser. En réalité, la gérance concrète d'une vie qui soit de sacrifice sans être de suicide, qui ne soit pas seulement « de la nature », mais « selon la nature » parce qu'elle accepte les interdits de la foi et de la culture, qui soit un engagement décidé dans le temps et dans le monde, mais dans la conscience des limites qui proviennent de la blessure, une telle gérance n'est pas chose aisée ni donnée d'avance : elle s'invente au fur et à mesure des circonstances, dans le jeu des rencontres et des oppositions. Mais, par sa « patience », elle fait progresser effectivement l'histoire par le moyen de la croix.

2. *Que nous est-il permis d'espérer ?*

Si le Mystère chrétien, traité selon le récit et l'analogie, peut laisser entrevoir ce « triangle éthique » qui serait comme une clef de lecture pour se décider de façon réaliste et créative dans la conjoncture de l'histoire, il nous ouvre aussi la région de l'espérance. Interprété « en amont » en termes de *création*, il vise « en aval » une *eschatologie*. Nous l'avons vu en analysant brièvement la portée des récits de la résurrection. Les deux articles du Symbole : « il est ressuscité des morts » et « je crois en la résurrection de la chair et en la vie éternelle » sont d'une seule venue. C'est au second d'entre eux que je voudrais consacrer les pages ultimes de ce livre, en continuité avec les réflexions qui l'ont traversé sur Dieu, sur le Christ et sur l'homme.

Étant donné le caractère particulier de ce qui est ici en question et pour lequel, comme je l'ai dit en parlant du récit fondateur situé à l'extrême frange de la parole, nous n'avons pas de langage propre, on procédera d'abord avec une accumulation de métaphores, différentes sans doute de celles de l'Écriture, mais de portée analogue. Grâce à elles, il sera possible d'établir quelques conclusions théologiques qu'on voudrait convaincantes [6].

De l'alpinisme comme métaphore anthropologique

Racontant son ascension de l'Himalaya, Maurice Herzog fait part au lecteur de sa réaction intime au moment où il accède au sommet des huit mille mètres, jamais encore atteint par l'homme :

Je me sens précipité dans quelque chose de neuf, d'insolite. J'ai des impressions très vives, très étranges, que je n'ai jamais ressenties auparavant en montagne.

Il y a quelque chose d'irréel dans la perception que j'ai de mon compagnon et de ce qui m'entoure... Intérieurement, je souris de la misère de nos efforts. Je me contemple de l'extérieur, faisant ces mêmes mouvements. Mais l'effort est aboli, comme s'il n'y avait plus de pesanteur. Ce paysage diaphane, cette offrande de pureté, n'est pas ma montagne.

C'est celle de mes rêves...

Une joie m'étreint ; je ne peux pas la définir. Tout est tellement nouveau et tellement extraordinaire.

Ce n'est pas une course comme j'en ai fait dans les Alpes, où l'on sent une volonté derrière soi, des hommes dont on a obscure conscience, des maisons qu'on peut voir en se retournant.

Ce n'est pas cela.

Une coupure immense me sépare du monde. J'évolue dans un domaine différent : désertique, sans vie, desséché. Un domaine fantastique où la présence de l'homme n'est pas prévue, ni peut-être souhaitée. Nous bravons un interdit, nous passons outre à un refus, et pourtant c'est sans aucune crainte que nous nous élevons. La pensée de la fameuse échelle de Thérèse d'Avila me saisit. Des doigts se cramponnent à mon cœur [7]...

---

6. Je reprends ici, en les modifiant, certains extraits de mon étude « L'esperienza spirituale e il corpo », publiée dans *Problemi e prospettive di Spiritualità*, Brescia, 1983, p. 11-30.

7. Maurice HERZOG, *Annapurna, Premier 8 000*, Paris, 1951, p. 197-198.

Puis, après quelques lignes, quand Herzog retrouve ses camarades, quelques centaines de mètres plus bas :

Terray, fou de joie, m'étreint les mains... Son sourire s'efface sur son visage : « Maurice ! tes mains ! » Je ne me souvenais plus que je n'avais pas de gants : mes doigts, violets ou blancs, sont durs comme du bois. Mes camarades se regardent, désespérés. Ils se rendent compte de la gravité de l'accident.

Et, plus bas, ce commentaire :

Oui, l'Annapurna est vaincue, le premier 8 000 mètres a été gravi. Chacun de nous était prêt à tout donner pour ce résultat. Pourtant, que pensent mes camarades aujourd'hui, en voyant nos pieds et nos mains [8] ?

Bien que l'endroit où il se trouve ne soit pas moins réel, matériel, que le sol qu'il foulait deux cents mètres plus bas, Herzog le ressent d'une manière toute différente ; il le décrit avec le vocabulaire de la nouveauté (« neuf », « nouveau »), mais celle-ci prenant le visage de l'« insolite » (« étrange », « extraordinaire ») et, finalement, de l'onirique : la montagne où il se trouve n'est plus la montagne qu'il connaît ; elle est « irréelle », « fantastique », c'est la montagne de ses « rêves », non — remarquons-le — que la montagne de ses rêves soit devenue réalité, mais que la montagne réelle accède au contraire à l'« irréel », au domaine du rêve, plus vrai finalement que l'autre. Au sommet de la montagne jamais gravie, la réalité change de signe et de sens.

L'irréalité plus véritable n'affecte pas seulement la montagne, mais l'être même de l'alpiniste qui éprouve un sentiment de dédoublement : si, concrètement, il continue de monter en faisant les mêmes gestes ascensionnels, l'effort est « aboli », la pesanteur a disparu, une sorte de palier intérieur est atteint d'où l'homme peut se tenir à distance de son soi ordinaire. A l'onirique de la montagne correspond une sorte d'existence extatique, hors de soi, un autre vécu du corps.

---

8. *Ibid.*, p. 203 et 205. On peut noter ici que le retour vers les camarades marque un retour dans l'univers familier, « en deçà » de l'expérience relatée plus haut : « La vue de ces visages familiers chasse l'étrange sensation qui me domine depuis ce matin. Brusquement, je me retrouve dans ma condition d'alpiniste » (p. 203). Comme si l'accès à la crête, terme de toute la course, avait arraché Herzog à cette condition d'alpiniste, sans laquelle pourtant il ne serait pas monté !

Or cet accès à l'onirique et à l'extatique plus réels que le réel s'est effectué par manière de « coupure », de rupture. Significativement, il est perçu comme une transgression : pénétration dans un domaine « interdit », « refusé », où pourtant l'on entre avec « joie », toute crainte étant bannie.

Il semble enfin que cette transgression de l'interdit, ce passage de la coupure ait été rendu possible parce que, dès le point de départ de l'ascension, « chacun était prêt à tout donner » pour accéder au sommet : tout le réel connu, objectif, palpable, tous les accès à lui, toutes les connivences avec lui étaient déniées dès le départ, s'il le fallait. La permission d'accéder à l'interdit était ainsi donnée dans le renoncement de principe à tout le reste : s'étant distancé de tout, l'alpiniste était en quelque sorte assimilé d'avance à ce domaine interdit. Révélée à la fin, la coupure était pourtant initiale ; cependant, lorsque l'ascension est achevée et que l'alpiniste revient à la réalité, concrète et pourtant moins réelle que l'autre, un stigmate sur son corps de chair atteste qu'il a accédé, par-delà l'interdit, à la réalité de rêve : quelque chose de terrestre en lui est définitivement mort, signe permanent dans sa chair de l'altitude impossible à laquelle il lui a été donné de s'élever.

Ce bref commentaire « littéral » du texte de Maurice Herzog peut orienter notre réflexion dans la direction suivante : l'expérience faite en accédant au sommet de la montagne met en jeu une sorte de dialectique entre l'état du corps, tel qu'on le ressent dans la vie courante, et un *autre* état, expérimenté très brièvement mais qu'on pressent être l'état ultime, celui que visent, sans nécessairement le savoir, tous nos mouvements d'homme. Le passage, d'autre part, entre l'état courant et l'état que, pour ne rien préjuger, j'appelle « autre », est décrit comme coupure et semble requérir un renoncement de principe : il y a là un paradoxe, celui d'une certaine discontinuité, sinon d'une opposition entre le corps actuel et le corps « autre », sans qu'il y ait pourtant substitution de l'un à l'autre : c'est la même personne qui vit successivement les deux états du corps.

Le paradoxe est d'autant plus fort que, pour accéder à l'expérience du corps « autre », il a fallu une singulière attention à *ce* corps-ci. La mise en œuvre du corps, en effet, a été dans cette montée extrêmement onéreuse. L'arrivée au sommet n'est pas seulement le fruit d'une maîtrise physique sans commune mesure avec ce que requiert un usage « normal » du corps au niveau de ses opérations usuelles de déplacement et de production. Elle a provoqué, moment après moment, la découverte et la construction de ce corps, comme musculature et comme respiration, comme attention et intelligence incarnées dans l'espace spécifique de la montagne dont il faut sans cesse éprouver la réalité, amie ou ennemie. Expérience vécue de transformation corporelle, tant le corps a dû explorer ses ressources et les moyens de les mettre en œuvre dans une progression toujours difficile ; expérience aussi d'usure, de fatigues insondables, d'impuissances répétées auxquelles consentir sans amertume ni nervosité ; expérience enfin, et peut-être surtout, de relation humaine concrète et de solidarité vivante, par le biais du corps, avec les compagnons de montée [9].

Or tout ceci ne s'est réalisé — et ne pouvait peut-être se réaliser — que dans une perspective de *gratuité* : le travail du corps et sa mobilité ne sont ordonnés à aucun déplacement utile, à aucune production d'objet : d'emblée, ils ont été ordonnés à la conquête d'un sommet ; autant dire qu'ils avaient pour fin *l'homme lui-même*. La montée vers une altitude jamais atteinte signifie la volonté de faire reculer les limites du pouvoir de l'homme par rapport aux éléments, moyennant un dépassement du pouvoir de l'homme sur son propre corps, dont on demande le maximum. Au fond, ce qu'on cherchait en montant, n'était-ce pas la réponse à la question : *qu'est-ce que l'homme ?*

En montant, l'homme savait que la réponse à cette question implicite et décisive ne pouvait être seulement orale, qu'elle devait résulter d'une nouvelle et laborieuse construction du corps dans laquelle on *risquerait* toutes les dimensions vraies de l'homme, jetant dans la balance et pour ainsi dire perdant d'avance le corps même dont on cherchait la vérité ultime. Mais l'alpiniste ne se doutait pas que la vérité d'un corps si maîtrisé et si risqué tout à la fois se révélerait *autre*.

Le terme de cette ascension ascétique ne peut en effet être dit par l'alpiniste que sur un *autre* registre de la parole et de l'expérience. C'est bien de son corps, de lui-même, qu'il continue à parler, et pourtant il ne peut pas le faire de la même manière. La prose de son récit cède le pas à l'évocation, aux images, aux suggestions, comme si les mots faisaient défaut pour dire

---

9. De la lecture d'un livre de technique alpiniste comme celui de Gaston Rébufat, *Glace, Neige et Roc*, Paris, 1970, il résulte avec évidence que l'alpinisme est un certain humanisme, mettant pratiquement en jeu un vécu du corps et une intention vers l'expérience.

l'expérience nouvelle, comme s'ils étaient adaptés à dire la montée, mais non pas à décrire l'homme parvenu au sommet et expérimentant ce qu'il cherchait mais que, jusqu'au moment précis de l'arrivée, il ne savait pas. Le mot de *transfiguration* est peut-être ici assez adapté : une nouvelle figure transparaît, à la recherche de laquelle l'alpiniste était depuis le début, mais qu'il n'a pu percevoir en lui qu'au terme de la montée. Et, lorsqu'il est redescendu, ses compagnons n'ont plus vu que les mains mortes...

Remise dans le contexte de notre recherche, l'aventure de Maurice Herzog revêt une portée métaphorique impressionnante : l'homme en quête de son identité ultime se *dépasse*, mais dans la ligne exacte que lui trace son corps de chair. Il est prêt à tout *sacrifier*, mais pour se trouver soi-même. Et c'est alors que cette découverte de soi se fait comme *révélation* d'un « autre », plus véritablement « même ». Si l'ascension de l'alpiniste, en laquelle il se risque tout entier, lui et son équipe, jusqu'à y perdre mains et pieds, est la métaphore de cette recherche que l'homme fait de soi-même et du sacrifice qu'elle implique, l'expérience onirique de la montagne et du corps « autre » ne serait-elle pas alors la métaphore du *don* de cette identité ultime que nous ne pouvons pas produire par nous-mêmes mais que nous confessons comme résurrection au-delà de la « mort » ?

Le Kyrie de la Messe en Si

Dans l'expérience de Maurice Herzog, c'est au terme d'un long travail propédeutique que se révèle l'« autre corps », on dirait presque le « corps dans l'esprit », à la fois en rupture totale et en continuité réelle avec le vécu qui avait précédé. Parfois, au contraire, l'irruption de l'autre corps et l'expérience de la nouveauté semblent faire irruption sans que rien ne les prépare. Je ferai ici appel à un texte de Julien Green :

Je ne connaissais pas Bach, mais un jour que Fickenscher nous parlait de la *Messe en Si*, il joua d'une main le thème du *Kyrie* et quand j'entendis ces simples notes (il y en a exactement dix-neuf), il me sembla que le ciel s'ouvrait. Ce fut une des plus fortes impressions religieuses reçues de la musique. Dans cette phrase qu'un enfant eût retenue et chantée, quelle foi large et souveraine ! Tout ce qu'il y avait de médiocre dans ma vie, Dieu le balayait de sa grande main. J'éprouvai un tel bonheur que, si je l'avais osé, je l'aurais dit aux personnes qui étaient là, je l'aurais crié. Ce que croyait Bach, je le croyais aussi avec amour et avec violence. Il me fut difficile de rester en place... Il fallait que j'emporte cette phrase et toute sa richesse dans ma chambre et que, sans fin, je me redise entre haut et bas, comme un fou : Kyrie eleison ! Kyrie eleison !

Je n'étais pas abandonné. Avec l'humanité entière, je marchais, me semblait-il, vers un monde lumineux où ni la chair ni le péché ne viendraient assombrir l'âme. Pour la première fois, je me sentais uni au monde, sauvé peut-être avec tout le monde [10].

Ce texte de Julien Green est plus marqué que celui de Herzog par la phraséologie chrétienne. La mélodie du Kyrie de la Messe en Si est « ouverture du Ciel », ici caractérisé comme un monde « lumineux » auquel s'oppose non plus un monde réel, mais un monde pécheur : « chair » et « péché » en sont bannis, et l'« ombre » qu'ils jetaient sur l'âme est balayée par la lumière que manifeste la musique. Il n'y a pas de passage du réel à l'onirique, mais du mal au bien : le « médiocre » est balayé.

Par ailleurs, tout le texte est marqué par la « transe » : foi, amour et violence conduisent l'auteur à être « comme un fou », mais, paradoxalement, il voudrait faire part de son expérience et de son état : les *dire*, les *crier*, mais parce que cette expérience était déjà révélation d'une harmonie universelle. Admis à une dimension céleste et lumineuse par la grâce de la musique, Green ne s'y sent pas seul : « avec l'humanité entière..., uni au monde..., avec tout le monde ». Le salut que comporte cette possession par la musique n'est pas individuel, mais total et c'est pourquoi il doit être annoncé.

Il y aurait peut-être lieu de rechercher dans quelle mesure toute expérience spirituelle comporte un sentiment de libération par rapport au péché ou au mal. Je voudrais laisser ici cette question de côté et souligner davantage les deux derniers points : la modification corporelle, qu'on peut bien appeler transe et le sentiment d'harmonie humaine universelle. Sans doute, dans notre texte, la transe est-elle limitée dans ses manifestations ; il n'est tout de même pas sans signification que nous trouvions l'expression « comme un fou » : l'homme ne se possède plus et il est tenté par un comportement qui n'a pas de commune mesure avec ce qu'il fait habituellement. Chacun de nous peut connaître une expérience semblable à celle de Green. La « transe » peut d'ailleurs intervenir,

---

10. Julien GREEN, *Terre lointaine*, Paris, 1966, p. 171.

non seulement grâce à la musique, mais peut-être aussi grâce à un contact avec ce qui apparaît comme la vérité. A propos de l'*Essai sur le don,* de Marcel Mauss, Lévi-Strauss rappelle la transe de Malebranche découvrant Descartes :

> Peu de personnes ont pu lire l'*Essai sur le Don* sans ressentir toute la gamme des émotions si bien décrites par Malebranche évoquant sa première lecture de Descartes : le cœur battant, la tête bouillonnante et l'esprit envahi d'une certitude encore indéfinissable, mais impérieuse, d'assister à un événement décisif de l'évolution scientifique [11].

Le point précis que j'aimerais souligner ici est qu'une certaine intensité au niveau d'une expérience qu'on pressent fondamentale de beauté ou de vérité met le corps dans un « autre » état, bouleverse les fonctions essentielles où se manifeste le rythme du corps humain : respiration, mouvement du cœur, comme si le corps n'était pas, dans son état actuel, fait pour la plénitude à laquelle il tend, et comme si la moindre touche de cette plénitude mettait en route vers une « folie » du corps, qui est sans doute l'ombre de sa raison dernière. J'aimerais citer ici un texte de saint Jean de la Croix, parlant de l'effet, sur le corps, de l'union mystique parvenue à son degré suprême. Il y a peut-être continuité, en effet, de la transe élémentaire produite par des perceptions, que le mystique dirait grossières, de la beauté et de la vérité et l'expérience de quasi-transfiguration dont parle le texte carmélitain :

> Parfois même ce bien dont elle jouit laisse rejaillir sur le corps l'onction de l'Esprit Saint, et alors la jouissance s'étend à toute la substance sensible à ses membres, à ses os, à ses moelles, et non d'une manière faible, comme cela arrive ordinairement, mais avec un sentiment de délices profondes et de gloire qu'elle éprouve jusque dans les dernières articulations des pieds et des mains. Le corps éprouve tant de gloire, de la gloire de l'âme, qu'il exalte Dieu à sa manière, en le sentant dans ses os, conformément à cette parole de David : Tous mes os vous diront : Seigneur, qui est semblable à vous [12] ?

---

11. Claude LÉVI-STRAUSS, « Introduction à l'œuvre de Marcel Mauss », dans Marcel MAUSS, *Sociologie et Anthropologie*, Paris, 1950, p. XXXIII. On trouvera le récit de Malebranche, rapporté par divers mémorialistes contemporains, au t. XIX des *Œuvres complètes* de MALEBRANCHE, Paris, 1961, p. 46-50.

12. Saint JEAN de la CROIX, *Vive Flamme d'Amour*, trad. Grégoire de Saint-Joseph, Paris, 1947, p. 948-949.

Je lis dans ce texte la révélation du sens ultime de la transe. Le désordre que celle-ci inscrit dans notre corps est à la fois une négation et une espérance : négation de l'ordre de ce corps-ci qui, même s'il a sa raison d'être au niveau d'un certain type d'activités et de comportements, n'épuise pas le désir et la ressource profonde du corps. Espérance, dans la mesure où la transe anticipe le nouvel ordre du corps ou, selon l'expression employée plus haut, « l'autre » corps. Or cette anticipation atteint son degré suprême lorsque l'expérience spirituelle est elle-même suprême : le nouvel ordre du corps s'inscrit dans la chair et les os, les faisant accéder à ce qu'ils désiraient comme leur vérité ultime ou, tout au moins, à un état signifiant au plus près cette vérité ultime, dont le chrétien confesse qu'elle se réalisera à la résurrection.

Ainsi, de même que la longue propédeutique dont l'alpinisme nous donnait l'image conduisait l'homme à l'expérience de l'esprit au travers d'une transformation de l'expérience du corps, de même et réciproquement ici une expérience qu'on serait tenté de dire immédiatement spirituelle ne va pas sans sa manifestation dans le corps et le pressentiment vécu dans la chair d'un état transfiguré de l'être tout entier.

L'universalité, la réconciliation des humains dans une sorte d'action de grâces pour la beauté, fait aussi partie de l'expérience décrite par Julien Green : la *parole*, non pas calme et mesurée, mais instante, criée, clamée, trouve ici sa raison d'être qui est l'échange : dire à tout le monde pour que tout le monde ait part, mais aussi, peut-être, remercier tout le monde de ce que l'on vit, comme si tout homme était donateur du bonheur que l'on ressent. Jean-Louis Barrault exprime cet aspect à la perfection, dans la manière dont il raconte sa première rencontre avec Paul Claudel :

Entrevue mémorable pour moi, au cours de laquelle, pour emprunter son langage, nous fîmes co-naissance, re-connaissance plutôt : oui, nous nous re-connûmes.

A propos de *Numance*, nous nous rencontrâmes sur la vertu du geste, sur les ressources du corps, sur la plastique du verbe, sur l'importance des consonnes, sur la méfiance des voyelles qu'on étire toujours trop, sur la prosodie du langage parlé, sur les longues et les brèves, sur l'iambe et l'anapeste, sur l'art de la respiration...

En repartant j'exultais... Il devait avoir soixante-neuf ans, moi vingt-sept. Cette communion immédiate entre nous deux m'émerveillait et me donnait l'envie de dire merci à toutes choses : à Dieu, à la vie, au premier passant dans la rue [13].

Exultation, émerveillement, envie de remercier tout et tous... En d'autres termes, désir d'une humanité enfin rassemblée dans la grâce de la vérité et pour laquelle la gratitude s'étendrait de tout homme à tout homme, mais aussi de tout homme à la terre, et de tous les hommes à Dieu.

Le boucher de Tchouang-Tseu et les Anagrammes de Saussure

Ce qui précède peut nous aider à comprendre maintenant les propos énigmatiques mentionnés plus haut [14], avec lesquels Jean Baudrillard distinguait, à propos de l'apologue du boucher de Tchouang-Tseu un « corps sous le corps » [15], et à propos des Anagrammes de Fernand de Saussure « quelque chose, un nom, une formule, dont l'absence hante le texte » [16]. Le vrai boucher est celui qui, non seulement n'abîme pas son couteau en le heurtant aux os de la bête, mais ne l'use même pas en découpant les chairs : pour dépecer la bête, il vise les « interstices » des jointures, les « endroits vides » par où tient ce qui est plein ; il ne travaille pas sur l'épais qui se touche et se manie, il va jusqu'à la « structure de vide où le corps s'articule ». C'est en cette structure insaisissable que convergent les parties du corps ; elle est le *corpus princeps* qui court sous l'autre ; le couteau qui l'explore non seulement ne s'ébrèche pas, mais son tranchant lui-même ne s'émousse pas, comme s'il y avait *échange symbolique* entre le corps saisi en son « autre » et le couteau subtil.

---

13. Jean-Louis BARRAULT, *Souvenirs pour demain*, Paris, 1972, p. 122. Racontant son dialogue avec ses camarades, à la descente du sommet de l'Annapurna, Herzog relève une remarque de l'un d'eux, Terray : « Tout ce que j'ai fait, c'était pour l'expédition, mon vieux Maurice... D'ailleurs, puisque tu y es allé, c'est toute l'équipe qui a gagné. » Et il commente : « Un bonheur éclatant m'envahit... Cette joie du sommet qui pouvait paraître égoïste, il la transforme en une joie parfaite, sans ombre aucune. Sa réponse prend une portée universelle à mes yeux. Elle témoigne que cette victoire n'est pas la victoire d'un seul, celle de l'orgueil, non, Terray l'a compris le premier, mais la victoire de tous, la victoire de la fraternité humaine » (*op. cit.*, p. 203).

14. Cf. *supra*, Ire partie, chap. II, note 45.

15. *L'Échange symbolique et la Mort, op. cit.*, p. 187-191.

16. *Ibid.* et p. 285-303.

Il en est de même pour l'anagramme, par où le poète déconstruit les syllabes, voire les phonèmes du mot et, répudiant le signifié, « sacrifiant » le signifiant, rejoint subtilement, au-delà de toute substance de sens et de toute structure de forme, un « vide » qui ne se révèle, sans le moindre résidu sémantique, que dans le prononcé du poète. Comme si la vérité d'un mot n'était pas dans le sens qu'il énonce et les usages qu'on en peut faire, mais dans l'« autre mot » insaisissable que « reconnaît » l'anagramme. Corps et mot se répondent d'ailleurs exactement ici : de même que ce sont des interstices, vides d'ossature et de chair, qui articulent le corps et sont reconnus par le couteau du boucher subtil, de même c'est le sans-nom courant dans l'anagramme qui constitue la profondeur du mot, reconnue par le poète détourné de l'épaisseur du sens et de la structure.

Le dépècement du bœuf, la déconstruction du mot sont sans retour. Le bœuf comme tel n'intéresse pas le boucher subtil, mais seulement le mystérieux échange avec l'« autre » corps intersticiel, de même que le poète ne recompose pas le mot, trouvant au contraire sa jouissance dans ce que dévoile l'éclatement. Ni dans un cas ni dans l'autre, il n'y a « retotalisation après aliénation, résurrection d'une identité », car alors, il n'y aurait plus cette « circulation intense » sans rien d'autre qu'elle-même, vérité dévoilée des corps et des mots, qui les anéantit lorsqu'elle se manifeste.

Le mythe du boucher de Tchouang-Tseu tout comme les anagrammes des poètes, qui désignent le corps sous le corps, le mot sous le mot, pointent dans la même direction que l'Annapurna de Herzog et le Kyrie de Green ; ils ajoutent une dimension de subtilité et de mystère qui affine le thème du « corps autre », qui joue sous *ce* corps-*ci* et mystérieusement ne se manifeste qu'en le mettant à mort, non seulement dans ses scories mais encore dans sa vérité. La différence entre Herzog/Green d'une part, et Baudrillard de l'autre, est que, pour les premiers, il y a une sorte sinon encore de « résurrection », du moins de « transfiguration » de *ce* corps-*ci*. Un moment, Herzog se perçoit autre et même, tandis que Green vit un moment de libération personnelle et de communion universelle. Comme si, pour un temps, *ce* corps-*ci* avait accédé à l'« échange symbolique » qui le ferait « autre » sans cesser, au contraire, d'être soi.

Corps spirituel et nom nouveau

Il ne serait sans doute pas très difficile de découvrir, dans tous les genres littéraires, des textes analogues à ceux cités ou référés ci-dessus. Mais je voudrais m'en contenter et prendre au sérieux le message du *corps autre* et du *nom caché* qu'ils communiquent. J'y discerne comme le pressentiment d'un triple rapport : du futur au présent, de la vie et de la mort, de l'offre et du don. Et c'est peut-être ce rapport qui se donne à penser lorsque nous parlons de « résurrection de la chair » et de « vie éternelle ».

1. Ces métaphores ne sont *pas régressives*. Elles ne cherchent pas le salut du corps dans le lieu d'un retour à l'état natal ou pré-natal, avant que le corps ne se soit diversifié ou pourvu d'organes. Si le salut se laisse pressentir au travers d'une pratique « métaphorique », ou ce corps-ci tout entier, ou l'oreille musicale, ou encore l'art poétique s'investissent dans des actions dont la fin n'est pas l'utile, cette pratique débouche sur une expérience qui, à la fois, donne et promet le sens. Elle le promet, en ce sens qu'elle fait affleurer, même fugitivement, ce qui se révèle comme vérité ultime, rédemption, purification, échange symbolique : si elle pointe dans quelque direction, ce serait celle d'une révélation ultérieure qui confirme et établisse ce qui s'est déjà donné ; elle le donne aussi, dès maintenant, s'il est vrai que c'est dans *ce* corps-*ci* et à partir de *nos* mots que s'expérimentent le corps « autre » et le nom « caché ». De la sorte, et sans qu'on puisse dire comment, ce qui est autre et caché se pressent, sans confusion ni séparation, comme la *vérité à venir et déjà à l'œuvre* de nos corps et de nos langages. Les pratiques métaphoriques ont ainsi comme un caractère « liturgique » : ils signifient, mais déjà réalisent le sens, lequel en toute hypothèse n'est pas en arrière.

2. Dans le texte de Julien Green, le rapport de la vie à la mort et réciproquement n'apparaît peut-être pas dans son essence dernière, dans la mesure où l'expérience est surtout de purification : ce qui est mis à mort est ce qui, de toutes façons, devait mourir, étant déjà intrinsèquement mort de la seconde mort, marquée par la faute (on n'en dirait pas autant des autres textes amenés à propos de celui de Green). Chez Baudrillard aussi, le rapport est faussé, dans la mesure où les corps concrets (le bœuf) et les mots intelligibles (le nom anagrammé) sont radicalement

dépassés et n'intéressent plus : *ce* côté-*ci*, chair ou langage, est qualifié de « reste » ; c'est l'épaisseur insensée de ce qui ne peut accéder à (ou de ce qui est tombé de) l'échange symbolique : le climat reste gnostique. L'expérience de Herzog, au contraire, peut-être parce qu'elle est au point de départ radicalement humaine et terrestre, semble parfaitement *juste*, encore qu'il soit quasiment impossible d'en organiser de façon rigoureuse les éléments : on y trouve en effet, comme je l'ai noté, un travail très exact de ce corps-ci pris dans sa vérité physique et ses exigences psychiques, un renoncement, une coupure, un « sacrifice » qui oriente ce travail à autre chose qu'à soi-même, une perception enfin de l'altérité, laquelle se dévoile en fin de course, mais manifeste par là même qu'elle était à l'œuvre dès le début. Il y a un jeu très subtil de vie et de mort, ces deux termes s'échangeant en quelque sorte l'un l'autre tout au long d'un parcours.

3. A partir de là peut être manifestée ce qui est la *vérité théologale* de nos métaphores, à savoir que la « vie éternelle » est le jeu de ce procès de parole et de don, que nous avons vu se réaliser en plénitude dans la Pâque du Christ, qui était à l'œuvre dès les origines tandis qu'il se poursuit maintenant et toujours, et que nos métaphores, sans cesse habitées par la mort et la vie, suggèrent et suscitent. On peut parfaitement dire que cette vérité théologale est « l'échange symbolique », mais à condition de ne pas établir celui-ci sur la négation d'un « reste », puisqu'il opère la transfiguration de tout. « Il est permis » d'espérer que la Parole de Dieu ne cesse de solliciter l'homme à se dépasser, inscrivant douloureusement ce dépassement dans sa chair et son langage mais y écrivant du même coup sa condition filiale dans l'amour ; et il est permis d'espérer que la Parole qui sollicite amène tout fils à la transfiguration de son corps et de son langage, de sorte que l'« admirable échange » puisse durer, sans fin ni reste, au-delà de ce que nous appelons « mort » et « vie » : portés à leur vérité ultime, en effet, ces deux mots disent la même chose ou, plus exactement, ils sont nécessaires, l'un et l'autre, pour indiquer, de loin, ce que nous confessons avec les mots de « vie éternelle ». Le « corps spirituel » est *ce* corps-*ci*, mais transfiguré par l'amour, fruit épanoui de ce que nous ne connaissons que comme semence. Le « nom nouveau » est notre nom d'origine, mais parvenu à sa plénitude d'invocation réciproque, corps et nom à la fois sans cesse reçus et toujours donnés.

4. Cette façon de présenter la résurrection, le corps et le nom nouveaux ne me semble pas faire l'économie d'une conviction à laquelle la culture moderne, depuis Freud surtout, est sensible, à savoir que *la vérité de l'homme passe par l'acceptation de sa propre mort.* On craint souvent non sans raison, que les thèmes de « résurrection des morts » et plus encore d'« immortalité » ne soient en fait que l'expression, spéculativement enveloppée et conceptuellement ornée, du refus de la mort, un congé signifié par conséquent à l'humanité de l'homme telle qu'elle est.

Mais ne faut-il pas faire intervenir ici ce qu'on pourrait appeler *l'analogie de la mort* ? Si par « mort », nous signifions par sa face négative (car nos mots ne peuvent faire mieux) le côté *don, perte de soi, amour fou,* de l'échange symbolique, alors cette mort est en réalité objet d'un *désir* profond qui pousse l'homme vers l'*infini* de cet échange. Si une « résurrection » était nécessaire pour que *tout*, sans reste, passe dans l'échange, alors cette résurrection serait, purement et simplement, objet du même désir et donc acceptation de la « mort ». Si par « mort », nous entendons les démarches continues de dépassement de soi, que j'ai appelées plus haut « épreuve », « sacrifice de communion », etc., alors notre attitude est ambivalente, faite à la fois d'attraction, car là est notre vérité et celle d'autrui, et de répulsion, car tout « sacrifice » de cette sorte s'oppose à tel ou tel déploiement de « vie » ; disons que l'expérience nous prouve que ces « morts » sont principes de « vie » et opèrent, sinon des résurrections, du moins des transfigurations partielles : l'homme découvre qu'il est ce qu'il donne et ce qu'il reçoit, non ce qu'il s'efforce d'accumuler. Pourtant, dans la mesure où ces « sacrifices » s'opèrent dans un cadre de temporalité et de finitude, les choix nécessaires peuvent empêcher, peut-être, que toutes les valeurs possibles entrent dans l'échange : encore une fois, s'il fallait une résurrection pour que l'échange soit sans reste, on ne pourrait que la désirer. Si par « mort » enfin, nous entendons le stigmate en nous de l'histoire de tous les refus de l'humanité, mystérieusement inscrits en toute chair d'homme et dont la mort corporelle, animale, à laquelle nous sommes promis est peut-être le signe, il y a à la fois répulsion, s'il est vrai que notre désir nous porte vers l'échange et non l'anéantissement, et acceptation si, moyennant la croix du Christ, cette mort elle-même prend les couleurs de l'ultime sacrifice de communion.

En tout ceci, l'essentiel est que notre désir d'infini ne nous porte pas vers l'*appropriation* de Dieu comme de notre Bien suprême, ni vers la *réappropriation* de notre corps, comme de notre bien particulier inaliénable : il nous porte vers la perfection de l'*échange*, où rien ne sera jamais approprié, puisque nous le recevrons sans cesse de Dieu, en communion avec tous les hommes, et que nous le rendrons aussitôt de tout l'amour dont nous serons habités. Et, ce faisant, nous ne nous souviendrons pas avec quelque mépris de notre vie ici-bas, car, moyennant la juste gérance du « triangle éthique » de l'appel, de la création et de la blessure, elle aura *déjà* été échange et béatitude, et elle aura scandé une histoire débouchant en eschatologie.

> GLOIRE A TOI, JÉSUS-CHRIST,
> QUI AS DÉPOSÉ TA VIE
> POUR LA REPRENDRE DE NOUVEAU
> AINSI EN TOI ET PAR TOI TOUT HOMME
> QUI PERD SA VIE LA GAGNE
> ET APPREND QU'IL N'Y A PAS DE PLUS GRAND AMOUR
> QUE DE DONNER SA VIE POUR SES AMIS

INDEX DES NOMS PROPRES

N.B. Les chiffres en caractères gras renvoient aux passages présentant une étude développée de l'auteur. Les chiffres en italiques renvoient aux pages des notes concernées.

INDEX ANALYTIQUE

TABLE DES MATIÈRES

Deuxième partie

LE TEMPS RETROUVÉ
EN JÉSUS-CHRIST

Troisième partie

ANCIENNES ET NOUVELLES
RÉVÉLATIONS DE L'ÊTRE

Final

OUVERTURE VERS L'ÉTHIQUE ET L'ESCHATOLOGIE

Théologie et sciences religieuses
Cogitatio fidei

Collection dirigée par Claude Geffré

L'essor considérable des sciences religieuses provoque et stimule la théologie chrétienne. Cette collection veut poursuivre la tâche de *Cogitatio fidei*, c'est-à-dire être au service d'une intelligence critique de la foi, mais avec le souci d'une articulation plus franche avec les nouvelles méthodes des sciences religieuses qui sont en train de modifier l'étude du fait religieux.

Achevé d'imprimer le 13 mai 1986
dans les ateliers de Normandie Impression S.A.
à Alençon (Orne)
N° Editeur : 8146

Dépôt légal : mai 1986